CONTRE MARCION

SOURCES CHRÉTIENNES

N° 483

TERTULLIEN

CONTRE MARCION

TOME V
(LIVRE V)

TEXTE CRITIQUE

par

Claudio MORESCHINI

Professeur à l'Université de Pise

INTRODUCTION, TRADUCTION
ET COMMENTAIRE

par

René BRAUN

Professeur honoraire à l'Université de Nice

LES ÉDITIONS DU CERF, 29 Bd Latour-Maubourg, Paris 7ᵉ

2004

La publication de cet ouvrage a été préparée avec le concours
' *de l'Institut des « Sources Chrétiennes »*
(UMR 5189 du Centre National de la Recherche Scientifique)

Imprimé en France

© *Les Éditions du Cerf, 2004*
ISBN : 2-204-07494-2
ISSN : 0750-1978

ABRÉVIATIONS ET SIGLES

Œuvres de Tertullien

An.	De anima
Ap.	Apologeticum
Bapt.	De baptismo
Carn.	De carne Christi
Cor.	De corona
Cult.	De cultu feminarum
Exh.	De exhortatione castitatis
Fug.	De fuga in persecutione
Herm.	Aduersus Hermogenem
Id.	De idololatria
Iei.	De ieiunio
Iud.	Aduersus Iudaeos
Marc.	Aduersus Marcionem
Mart.	Ad martyras
Mon.	De monogamia
Nat.	Ad nationes
Or.	De oratione
Paen.	De paenitentia
Pal.	De pallio
Pat.	De patientia
Praes.	De praescriptionibus haereticorum
Prax.	Aduersus Praxean
Pud.	De pudicitia
Res.	De resurrectione mortuorum
Scap.	Ad Scapulam
Scor.	Scorpiace
Spec.	De spectaculis
Test.	De testimonio animae
Val.	Aduersus Valentinianos
Virg.	De uirginibus uelandis
Vx.	Ad uxorem

Divers

AFLNice	*Annales de la Faculté des Lettres et Sciences humaines de Nice*, Nice.
ASNP	*Annali della Scuola Normale Superiore di Pisa, Cl. di Lettere e filosofia*, Pise.
BA	*La Bible d'Alexandrie*, Paris.
BAGB	*Bulletin de l'Association G. Budé*, Paris.
BJ	*La Bible de Jérusalem*, Paris 1973.
CC	*Corpus Christianorum, Series Latina*, Turnhout.
CSEL	*Corpus Scriptorum Ecclesiasticorum Latinorum*, Vienne.
DELG	*Dictionnaire étymologique de la langue grecque*, par P. CHANTRAINE, 2 vol., Paris 1968-1980.
Dhorme	*La Bible (Bibliothèque de la Pléiade)*, t. 1-2, Paris 1956-1959.
JbAC	*Jahrbuch für Antike und Christentum*, Münster.
JThS	*Journal of Theological Studies*, Oxford.
LHS	LEUMANN M. – HOFMANN J.B. – SZANTYR A., *Lateinische Grammatik*, Bd. 2, Munich 1965.
PW	*Realencyclopädie der classischen Altertumswissenschaft*, Stuttgart.
RAC	*Reallexicon für Antike und Christentum*, Stuttgart.
REAug	*Revue des Études Augustiniennes*, Paris.
REL	*Revue des Études latines*, Paris.
RSLR	*Rivista di Storia e letteratura religiosa*, Florence.
RSR	*Revue des Sciences Religieuses*, Strasbourg.
SAWW	*Sitzungsberichte der Österreichischen Akademie der Wissenschaft in Wien, Philos.-Hist. Klasse*, Munich.
SC	*Sources Chrétiennes*, Paris.
TLL	*Thesaurus Linguae Latinae*, Munich.
TOB	*Traduction Œcuménique de la Bible*, Paris (éd. 1980 pour AT et 1981 pour NT).
TU	*Texte und Untersuchungen zur Geschichte der altchristlichen Literatur*, Leipzig.
VChr	*Vigiliae Christianae*, Amsterdam.
VetChr	*Vetera Christianorum*, Bari.
WS	*Wiener Studien*, Vienne.
ZKG	*Zeitschrift für Kirchengeschichte*, Stuttgart.

BIBLIOGRAPHIE

Éditions et traductions

Q.S.F. Tertulliani Opera. Ex recensione A. Kroymann. Pars 3, *CSEL* 47, Vienne 1906, p. 422 s. Repris dans *CCL* 1, 1954, p. 544 s. = Kroymann.

Tertulliani Aduersus Marcionem. Edidit C. Moreschini, *Testi e documenti per lo studio dell'antichità* 35, Milan 1971 = Moreschini (pour le texte).

Opere scelte di Quinto Settimo Florente Tertulliano. A cura di C. Moreschini, *Classici UTET*, Turin 1974, p. 459 s. = Moreschini (pour la traduction).

TERTULLIAN, *Aduersus Marcionem.* Edited and translated by E. Evans. Books IV-V, *Oxford Early Christian Texts*, Oxford 1972 = Evans.

Traductions anciennes

Œuvres de Tertullien traduites en français par M. de Genoude, t. 1, Paris 1852, p. 150-301.

The five books of Quintus Septimus Florens Tertullianus against Marcion translated by P. Holmes, *Ante-Nicene Christian Library* 7, Édimbourg 1868.

Critique textuelle et travaux cités dans l'Apparat critique

HOPPE H., *Beiträge zur Sprache und Kritik Tertullians*, Lund 1932 = *Hoppe, Beiträge.*

LÖFSTEDT E., *Zur Sprache Tertullians*, Lund 1920 = *Löfstedt, Sprache.*

THÖRNELL G., *Studia Tertullianea* II, Uppsala 1920 ; III, Uppsala 1922 = *Thörnell, Studia II, III.*

TRÄNKLE H., Compte rendu des éditions Moreschini et Evans dans *Gnomon* 46, 1974, p. 166-174 = TRÄNKLE.

Sur Marcion et sur le *Contre Marcion* de Tertullien

HARNACK A. VON, *Marcion. Das Evangelium vom fremden Gott*, *TU* 45, Leipzig 1924[2], réimpr. Darmstadt 1996 (trad. française : *Marcion. L'Évangile du Dieu étranger. Contribution à l'histoire de la fondation de l'Église catholique*, Paris 2003) = HARNACK.

Autres travaux

Nous donnons ici la liste des travaux les plus souvent cités dans l'Introduction et les Notes.

La Bible d'Alexandrie, 1. *La Genèse*, par M. Harl, Paris 1986.

　　　　— , 3. *Le Lévitique*, par P. Harlé et D. Pralon, Paris 1988.

　　　　— , 5. *Le Deutéronome*, par C. Dogniez et M. Harl, Paris 1992.

Biblia Patristica. Index des citations et allusions bibliques dans la littérature patristique. I. Des origines à Clément d'Alexandrie et Tertullien, Paris 1975 ; II. Le troisième siècle (Origène excepté), Paris 1977 = *Biblia Patristica*, I, II.

ALÈS A. D', *La théologie de Tertullien*, Paris 1905 = D'ALÈS, *Théologie de T.*

ALLO E.B., *Saint Paul. Première épître aux Corinthiens*, Paris 1934 = ALLO, *Saint Paul. 1 Co.*

ALLO E.B., *Saint Paul. Seconde épître aux Corinthiens*, Paris 1937 = ALLO, *Saint Paul. 2 Co.*

ARCHAMBAULT G., Édition de JUSTIN, *Dialogue avec Tryphon*, t. 1-2, Paris 1909 = ARCHAMBAULT, éd. *Dial.*

BARNES T.D., *Tertullian*, Oxford 1971, 1985[2].

BLASS F., *Grammatik des Neutestamentlichen Griechisch*, Göttingen 1921 = BLASS, *GNG*.

BRAUN R., *Deus Christianorum. Recherches sur le vocabulaire doctrinal de Tertullien*, Paris 1977² = *Deus Christ.*

—, « Le témoignage des *Psaumes* dans la polémique anti-marcionite de Tertullien », *Augustinianum* 22, 1982, p. 149-163 = « Le témoignage des *Psaumes* ».

—, *Approches de Tertullien*, Collection des Études Augustiniennes, Série Antiquité 134, Paris 1992 = *Approches de Tertullien*.

—, « Les avatars de *Romains* 11, 33 chez Tertullien », *Hommage au Doyen Weiss*, Publications de la Faculté des Lettres et Sciences Humaines de Nice, N. S. 27, 1996 = « Les avatars de Rm 11, 33 chez Tertullien ».

BULHART V., « De sermone Tertulliani », dans *Tertulliani opera, Pars IV, CSEL* 76, Vienne 1957, p. ix-lvi = Bulhardt, *CSEL 76.*

CLAËSSON G., *Index Tertullianeus*, 3 vol., Paris 1974-75.

EVANS E., *Tertullian's Treatise on the Resurrection (= Q. Septimii Florentis Tertulliani De resurrectione carnis liber)*, Londres 1960 = *Res.*, éd. Evans.

GEORGE A. – GRELOT P. (dir.), *Introduction à la Bible*, t. 3 : *Introduction critique au Nouveau Testament*, vol. 3 (*Les épîtres apostoliques*), Paris 1977 = GEORGE – GRELOT, *Introduction critique au NT*, vol. 3.

HOPPE H., *Beiträge zur Sprache und Kritik Tertullians*, Lund 1932 = HOPPE, *Beiträge.*

—, *Syntax und Stil des Tertullian*, Leipzig 1903 ; toujours cité dans la trad. ital. de G. Allegri, Brescia 1985 = HOPPE, *S.u.S.*

LAGRANGE M.-J., *Saint Paul. Épître aux Galates,* Paris 1942 = LAGRANGE.

LEUMANN M. – HOFMANN J.B. – SZANTYR A., *Lateinische Grammatik*, Bd 2, Munich 1965 = LHS.

LODOVICI SAMEK E., « Sull' interpretazione di alcuni testi della *Lettera ai Galati* in Marcione e in Tertulliano », *Aevum* 46, 1972, p. 371-401 = LODOVICI, « Interpretazione ».

O'MALLEY T.P., *Tertullian and the Bible*, Latinitas Christianorum Primaeva 21, Nimègue 1967 = O'MALLEY, *Tertullian and the Bible.*

SCARPAT G., *Q.S.F. Tertulliano. Contra Prassea.* Edizione critica con introduzione, traduzione italiana, note e indici, *Corona Patrum* 12, Turin 1985 = *Prax.*, éd. Scarpat.

SCHMID U., *Marcion und sein Apostolos. Rekonstruktion und historische Einordnung der Marcionitischen Paulusbriefausgabe*, Arbeiten zur Neutestamentlichten Textforschung 25, Berlin – New York 1995 = SCHMID.

SCHNEIDER A., Édition de *Le premier livre Ad nationes de Tertullien*, Institut suisse de Rome 1968 = *Nat.*, éd. Schneider.

SINISCALCO P., *Ricerche sul « De resurrectione » di Tertulliano*, Verba Seniorum. *Collana di testi e studi patristici*, N. S. 6, Rome 1966 = SINISCALCO, *Ricerche*.

VAN DER GEEST J.E.L., *Le Christ et l'Ancien Testament chez Tertullien*, Latinitas Christianorum Primaeva 22, Nimègue 1972 = VAN DER GEEST, *Le Christ et l'AT*.

WASZINK J.H., *Q.S.F. Tertullianus. De anima*. With Introduction and Commentary, Amsterdam 1947 = WASZINK, *Comm. An.*

— , *Über die Seele (= De anima), Bibliothek der Alten Welt*, Zürich – Munich 1980 (1986²) = *An.*, éd. Waszink.

WELLSTEIN M., *Nova Verba in Tertullians Schriften gegen die Häretiker aus montanistischer Zeit*, Beiträge zur Altertumskunde 127, Stuttgart – Leipzig 1999.

AVANT-PROPOS

Ce volume marque l'achèvement d'une entreprise dont la première idée remonte aux années 70, et la réalisation effective à 1986. A Tertullien il avait fallu, vraisemblablement, une décennie pour parfaire, en plusieurs étapes, sa réfutation du marcionisme. L'édition de son grand ouvrage, que j'ai commencée seul, avant d'être rejoint rapidement par Claudio Moreschini en une totale collaboration, aura pris encore plus de temps puisque le tome I de ce *Contre Marcion* (*SC* 365) porte la date de 1990. C'est dire avec quelle satisfaction les deux coauteurs se voient enfin parvenus à l'aboutissement de leur tâche qui, au départ, pouvait leur apparaître d'une ampleur décourageante.

Pour ma part, en phase finale, j'ai bénéficié du concours de Jean-Philippe Llored, Professeur agrégé au lycée Calmette de Nice, qui m'avait déjà assisté pour le tome IV lors de la correction des épreuves. Cette fois il a fait bien plus puisqu'il s'est chargé, en outre, d'une partie du travail informatique, de l'établissement de tous les index et des diverses vérifications nécessitées par la « toilette » du manuscrit. Je lui dois une très grande reconnaissance pour le soin qu'il a apporté à cette participation : de ce rôle ingrat, mais indispensable, il s'est acquitté avec une bonne volonté et une efficacité dont je ne saurais trop le remercier.

Méritent également la gratitude des coauteurs tous les intervenants de l'ultime étape, celle de la réalisation technique et matérielle du volume : nous exprimons nos remerciements à Jean-Noël Guinot, Directeur de la collection des *Sources Chrétiennes*, pour avoir su trouver une formule de présentation, différente de celle des quatre tomes précédents, et qui assure au lecteur une commode consultation des sommaires de chapitres tout en maintenant l'annotation infrapaginale ; au Professeur Paul Mattei, de l'Université Lumière Lyon 2, qui a été chargé par le Conseil scientifique de la révision et a apporté à celle-ci une exigence de rigueur dont le volume n'a pu que tirer bénéfice ; à Mlle Yasmine Ech Chael, de l'Institut des Sources Chrétiennes, qui a travaillé à la mise au point définitive en vue de l'impression, et qui l'a fait avec une rare acribie, passant au crible sans défaillance tant la traduction et le commentaire que le texte latin et l'apparat critique.

Enfin je n'aurai garde d'omettre, dans l'expression de ma reconnaissance, Pierre Petitmengin, qui a continué généreusement à me communiquer des informations bibliographiques et à me procurer des documents indispensables.

René BRAUN

Je voudrais, à mon tour, exprimer ma reconnaissance au Professeur Braun pour l'honneur qu'il m'a fait en me prenant comme collaborateur et pour l'amitié qu'il m'a témoignée tout au long de notre travail. Notre dette à son égard est immense et remonte à l'époque du *Deus Christianorum*.

Claudio MORESCHINI

INTRODUCTION AU LIVRE V
CONTRE MARCION

I. DATE

Annoncé dès la troisième édition du premier livre[1], l'examen de l'*apostolicon* marcionite termine le déroulement des publications auxquelles a donné lieu la réfutation de l'hérétique. La question a été déjà longuement évoquée dans notre Introduction générale, et la nouvelle lecture, d'où est sortie la présente édition-traduction commentée, nous a confirmé dans les mêmes vues[2] : si aucun indice n'est fourni par le texte qui permette une datation absolue, on peut cependant admettre que notre livre, postérieur au *De resurrectione mortuorum* – auquel il renvoie expressément[3] –, a vu le jour à la fin de la période 209-211, juste avant la persécution de Scapula. D'autre part, plus encore que dans le livre IV, l'engagement montaniste de Tertullien est, dès lors, nettement perceptible[4].

---

1. Cf. t. 1, p. 17 et n. 2. En I, 15, 1, T. coupe court à une discussion sur le « troisième ciel » (1 Co 12, 2) en renvoyant à l'examen de « votre apôtre ». En V, 12, 7, au lieu de cette discussion, il se contente d'un renvoi à son *De paradiso*, ouvrage aujourd'hui perdu, qui a dû être écrit entre le livre I de *Marc.* et le *De anima* (cf. 12, 7 et n. 28).

2. Cf. t. 1, p. 18 et n. 2.

3. En V, 10, 1. De plus, l'écho des discussions de *Res.* est sensible en de nombreux passages de notre livre.

4. Sa pleine adhésion aux doctrines et idées de ce mouvement se déduit de plusieurs indices : référence à *Joël* 3, 1 qui revient quatre fois ; mention

II. ORGANISATION

L'auteur a adopté un plan très simple et, pour ainsi dire, linéaire, comme il avait fait dans le livre IV. Après un assez long exorde, il suit le déroulement *(ordo)* de l'*apostolicon* de l'adversaire, lettre par lettre, pour conclure brusquement en un court épilogue. L'exorde (chapitre 1) prend pour thème l'origine de cet Apôtre dont Marcion fait le révélateur de son dieu « autre », apôtre qui est pourtant absent de l'Évangile. En une *praestructio* (« Préliminaires »), comme symétrique, quoique beaucoup plus brève, de celle des chapitres 2 à 5 du livre IV, Tertullien établit que l'apostolat de Paul, succédant à son activité persécutrice, ne tire ses titres et preuves que des textes du Créateur (la « figure » de Benjamin dans la *Genèse,* l'histoire de Saül et David en 1 S 18-24) que confirment les *Actes des apôtres.* Il pose ensuite une *praescriptio* – comme il avait fait en IV, 6, 4 – pour marquer que la thèse de Marcion ne sera prouvée que dans un seul cas : si l'Apôtre ne présente aucun enseignement ni aucune disposition qui soit en accord avec le Créateur. Le livre se clôt sur un épilogue de huit lignes (21, 2) où l'auteur affiche sa satisfaction d'avoir accompli son programme sans dérobades ni superfluités.

Le corps du livre se compose donc de dix sections, autant qu'il y avait de lettres pauliniennes dans le recueil de Marcion, et selon l'ordre même où elles y étaient disposées : *Galates* (ch. 2 à 4) ; *1 Corinthiens* (ch. 5 à 10) ; *2 Corinthiens* (ch. 11 et 12) ; *Romains* (ch. 13 et 14) ; *1 Thessaloniciens*

---

des « nouvelles prophéties » mises à égalité avec celles de l'AT (16, 4) ; mention de l'« extase » (8, 12) ; importance accordée aux charismes prophétiques, notamment chez les femmes, et d'une façon générale à toutes les manifestations de l'Esprit dans l'Église (8, 12 ; 15, 5-6) ; préférence accordée à la continence et à la virginité (15, 3).

(ch. 15) ; *2 Thessaloniciens* (ch. 16) ; *Laodicéens = Éphésiens* (ch. 17 et 18) ; *Colossiens* (ch. 19) ; *Philippiens* (ch. 20) ; *Philémon* (ch. 21, 1). Une courte transition, au début du chapitre 15, sert à distinguer les quatre premières lettres, les plus importantes par leur longueur et leur intérêt, des suivantes, qui sont qualifiées de *breuiores epistolae*. D'autre part, il faut admettre que l'auteur, par souci à la fois de clarté et de brièveté, avait signalé par un intertitre le passage d'une lettre à l'autre [1].

III. ANALYSE

Pour la commodité du lecteur, nous avons, dans notre traduction, donné des sous-titres visant à résumer les développements successifs que Tertullien consacre, tantôt à un, tantôt à plusieurs versets des lettres examinées. L'analyse des dix sections, que nous présentons maintenant pour offrir de l'œuvre une vue d'ensemble, prendra en compte, outre les paragraphes [2] et les versets pauliniens dont ils traitent, ces sous-titres rajoutés par nos soins et qui seront indiqués entre parenthèses.

1. C'est ce qui se déduit d'une part des indications conservées par les mss et d'autre part de la rédaction du texte même (ainsi, par exemple, en 13, 1 et 21, 1 où *ipsa epistola* et *huic soli epistolae* ne peuvent que renvoyer à une mention précise de la nouvelle lettre examinée). Ces intertitres se présentent sous une forme simplifiée (*Ad Galatas*, etc.) dans la tradition de *M* (que suit Kroymann) et sous une forme périphrastique (*De epistola ad Galatas*, etc.) dans celle de β (retenue par Evans). Autre incertitude : figuraient-ils en marge (Kroymann) ? ou en tête de développement (Evans) ? On pourrait tout aussi bien admettre qu'ils étaient interlinéaires.

2. Pour éviter de changer trop souvent la numérotation traditionnelle, nous marquons par les lettres *a* et *b* qu'il s'agit du début ou de la fin d'un paragraphe.

I. *Galates* (ch. 2-4)

II. *1 Corinthiens* (ch. 5-10)

III. 2 Corinthiens (ch. 11-12)

IV. Romains (ch. 13-14)

V. *1 Thessaloniciens* (ch. 15)

VI. *2 Thessaloniciens* (ch. 16)

VII. *Laodicéens = Éphésiens* (ch. 17-18)

VIII. *Colossiens* (ch. 19)

IX. *Philippiens* (ch. 20)

X. *Philémon* (ch. 21)

Comme il apparaît d'après cette analyse, le livre V ne constitue pas un commentaire systématique de l'*apostolicon* marcionite. De ce dernier, Tertullien fait une lecture sélective destinée à lui fournir des arguments pour une nouvelle démonstration de ce qu'il a établi dans la partie théorique de son ouvrage, notamment aux livres I et II : l'inexistence d'un prétendu dieu « autre », dieu supérieur et de toute bonté. Cette intention est affichée dès le Prologue : montrer, en solidarité totale avec ce qui a été fait au livre IV pour l'évangile de Marcion à propos du Christ, que l'enseignement de Paul, selon le texte même de l'hérétique, se conforme strictement à celui du dieu de l'Ancien Testament et, par conséquent, ne révèle pas un « autre » dieu que le Créateur[1]. Comme dans le livre IV, l'auteur affecte de s'en tenir, pour cette démonstration, aux passages conservés par

---

1. « ... ut iam hinc profiteamur nos proinde probaturos nullum alium deum ab Apostolo circumlatum, sicut probauimus nec a Christo, ex ipsis utique epistolis Pauli... » (1, 9b). En est tiré un argument « prescriptif » : « ... oportere ... et Apostolum ... nihil docere, nihil sapere, nihil uelle secundum Creatorem... » (1, 8) : « prescription » rappelée par la suite (6, 13, etc.).

Marcion [1], sans faire état de ceux que celui-ci avait supprimés parce qu'ils ne cadraient pas avec sa doctrine : ce qui ne l'empêchera pas de dénoncer, avec force, et à plusieurs reprises, les mutilations et falsifications opérées par le doctrinaire. C'est que, cette fois encore, mais en prenant pour base le témoignage de l'apôtre Paul tel que Marcion entendait le mettre au service de ses conceptions théologiques, Tertullien a réalisé – et voulu réaliser – une œuvre de polémique.

IV. SOURCES

C'est le recueil marcionite de dix lettres pauliniennes qui a été la source principale, sinon exclusive, du matériel sur lequel Tertullien a construit sa réfutation en le comparant au texte « catholique » que l'Église lisait à la lumière de l'Ancien Testament. Les *Antithèses* qui servaient d'introduction à l'*instrumentum* scripturaire ne sont jamais nommées dans le présent livre. Concernant les interprétations de son adversaire dont il fait état, il ne nous fournit non plus aucune indication précise sur leur provenance. On peut, dans chaque cas, se demander si elles sont arrivées à lui par le canal des *Antithèses* ou par des gloses marginales de l'*apostolicon*. Rien de certain là-dessus ne se déduit de son témoignage. Dans bien des cas aussi il semble qu'il crédite Marcion d'exégèses et d'explications qui lui paraissent s'accorder avec le système habituel d'interprétation de l'hérétique. On peut penser également que l'abondante littérature antihérétique et, plus spécialement, antimarcionite de la fin du IIe siècle a alimenté ses argumentations à propos de telle ou telle lecture. Une évidence s'impose : tout en prenant pour base le

---

1. « ... ex abundanti retracto quae abstulit (Marcion), cum ualidius sit illum ex his reuinci, quae seruauit » (4, 2a ; cf. IV, 6, 2). Principe rappelé dans la suite (13, 4).

recueil paulinien de Marcion, Tertullien a laissé dans le flou bien des questions qu'objectivement on est conduit à se poser. On en dira autant d'un autre problème qui a donné – et donne encore – lieu à d'ardentes discussions : l'*apostolicon* dont disposait notre auteur était-il en grec ou en latin ? Devant l'indécision des preuves qu'on a voulu apporter dans un sens comme dans l'autre, il nous paraît plus raisonnable d'admettre, comme c'était le cas pour les textes scripturaires de l'Église à l'époque, qu'il consultait à la fois un texte grec et une traduction latine du Paul marcionite, le grec bénéficiant de l'avantage de constituer la norme[1].

V. ARGUMENTATIONS

Pour démontrer que l'Apôtre n'est pas le porte-parole d'un « autre » dieu que celui de l'AT – objectif essentiel de son examen de l'*apostolicon* – Tertullien recourt à une suite d'argumentations. Contre la « nouveauté » de l'Évangile, mise en avant par Marcion, il rappelle, en un véritable leitmotiv, que les prophètes du Créateur ont eux-mêmes annoncé la disparition de l'ordre ancien et le surgissement d'un ordre nouveau[2]. Il exploite aussi les apparentes inconséquences de son adversaire qui avait maintenu en place des références ou même des citations relatives à l'AT[3]. Il s'emploie à établir des rapprochements, voire des parallèles entre

1. Nous avons déjà évoqué ce problème à propos de l'évangile de Marcion : nous nous en tiendrons à la même position pour son *apostolicon*, vis-à-vis notamment de l'étude de SCHMID, *Marcion und sein Apostolos* (qui marque un retour, contre Harnack, à la thèse de Zahn) : cf. notre Introduction au livre IV, t. 4, p. 28-29.

2. Cf. 2, 1 (et *ad loc.*, n. 4) ; 7, 14 ; 13, 1 ; 19, 11b.

3. Cf. 3, 8 (citation d'*Habacuc*) ; 4, 8 (mention d'Abraham) ; 5, 5 (citation d'*Isaïe*) ; 6, 9b-13 (textes de l'AT) ; 7, 13 (figures et exemples tirés de l'histoire juive) ; 10, 16 (citations de prophètes) ; 14, 10 (textes de l'AT) ; 16, 3 (une expression d'*Isaïe*) ; 16, 7 (un enseignement du *Deutéronome*).

les enseignements de Paul et ceux des prophètes juifs[1]. Mais le plus souvent, il tire ses arguments de la conception que Marcion se faisait de ses deux dieux, l'un – le Créateur – entièrement ignorant de l'autre, le *deus optimus,* qui ne juge ni ne punit, qui est resté si longtemps inconnu des hommes jusqu'à sa révélation tardive et qui n'est l'auteur d'aucune création ni d'aucune annonce prophétique[2]. Il les tire également de la doctrine ascétique de son adversaire, notamment de son interdiction du mariage[3]. Il combat aussi à plusieurs reprises une interprétation qui consiste à comprendre « monde », dans le texte paulinien, comme désignant le « dieu du monde », c'est-à-dire ce Créateur dont le dieu supérieur aurait affranchi l'homme[4]. Dans le prolongement du livre III, l'argumentation contre le docétisme tient une large place par la récurrence des observations sur le « corps charnel » du Christ et sur la résurrection qui, contrairement à l'interprétation « spirituelle » de Marcion, ne peut être entendue que de celle des corps[5]. Comme précédemment aussi, notre auteur aime à nourrir ses raisonnements de traits tirés des usages de la société civile et d'observations de bon sens[6], sans parler de *topoi* rhétoriques – comme celui qui

1. Cf. 14, 11-13 ; 17, 16 ; 18, 5-7 ; 18, 11 ; 19, 11b ; 20, 7.
2. Créateur ignorant du dieu supérieur : cf. 3, 10 ; 5, 3-6 ; 7, 13 ; 11, 7 ; 13, 10 ; 18, 3 et 10. – Homme « étranger » au même dieu : cf. 3, 10 ; 11, 15. – Dieu *otiosus* : cf. 4, 3a ; 6, 2-3 ; 7, 8 ; 11, 1 ; 12, 7 ; 17, 2-3 ; 19, 5a. – Dieu qui ne juge ni ne punit, et ne connaît pas la colère : cf. 4, 12 ; 5, 6 ; 7, 1 et *passim* ; 8, 3 ; 12, 5 ; 13, 2-3 ; 14, 14b ; 16, 2. – Dieu inconnu, de révélation tardive et tributaire du Créateur : cf. 19, 9.
3. Cf. 12, 6 ; 15, 3.
4. Cf. 4, 5 et 15b ; 5, 7 ; 7, 1 ; 11, 5 et *passim* ; 17, 7 ; 18, 2.
5. Cf. 4, 15b ; 5, 9 ; 14, 1-3 ; 17, 14-15 ; 18, 8-9 ; 19, 6b ; 20, 3-5. Le thème de la résurrection charnelle, en liaison avec la Rédemption et le Jugement, est présent tout au long du livre.
6. Cf. 1, 3 ; 6, 7 ; 13, 5.

lui est cher sur la priorité de l'antérieur sur le postérieur[1] –
ou de remarques inspirées par le langage humain[2] ou la psychologie : à titre d'exemple pour cette dernière, rappelons
qu'il combat, à cause de la liberté de parole revendiquée par
Paul, la conception marcionite qui prête à celui-ci des dissimulations et des sous-entendus pour en faire le proclamateur
de l'« autre » dieu[3]. Enfin on retrouve, à la base de certaines
de ses discussions, la distinction essentielle à ses yeux entre
ce qui est *doctrina*, portant sur les vérités fondamentales de
la foi, et ce qui est *disciplina* ou *conuersatio*, et qui concerne
le comportement moral ou social en matière de vie religieuse[4].

VI. EXÉGÈSE

En ce domaine, Tertullien reste dans le droit fil des livres
précédents : il défend, contre Marcion, une lecture « typologique » de l'Écriture, notamment des textes de l'AT,
annonce de tout ce que l'Évangile devait réaliser en – et par –
Jésus-Christ. Dès le prologue, l'apostolat de Paul lui-
même, avec sa particularité d'avoir succédé à une véhémente
activité persécutrice, est présenté comme l'accomplissement
de « figures » vétérotestamentaires, et plus loin, comme la
réalisation de la prophétie d'*Isaïe* (3, 1-3) sur le « sage architecte enlevé à la Judée[5] ». Dans tout le livre, cette conception « allégorique » de la Loi est constamment rappelée et

---

1. Cf. 3, 12 ; 11, 3 ; 18, 11. Le topos de l'origine, sur lequel commence
le Prologue, est du même type.
2. Cf. 5, 7. C'est en s'appuyant sur un usage de la langue courante,
notamment des esclaves (*ipse* pour désigner le maître) qu'il répond à une
interprétation subtile de Marcion par une interprétation plus subtile encore
(20, 6).
3. Cf. 7, 1 ; 13, 6 ; 18, 14b.
4. Cf. 12, 6 ; 20, 1-2.
5. Cf. 1, 5-6a ; 6, 10.

exploitée contre un adversaire accusé de faire fi du sens « plénier » de l'Écriture dont Paul le premier (en Ga 4, 22-24) a donné l'exemple : exemple que l'Église, après lui, devait fidèlement suivre [1]. Ainsi la Loi est-elle « l'ombre d'un corps qui est le Christ », c'est-à-dire préfiguration d'une vérité totale qui s'est manifestée dans le Christ [2]. L'emprise d'une telle conception sur l'esprit de l'Africain pourra même expliquer qu'il se soit laissé entraîner à une véritable digression [3] : l'explication « christique » du Ps 109 et du Ps 71, développée pour faire pièce à l'exégèse juive de ces textes, n'a qu'un rapport occasionnel, et très lointain, avec le thème de la résurrection alors en question. Il convient aussi d'observer que, comme précédemment, notre auteur aime incorporer aux citations scripturaires ses interprétations et commentaires exégétiques, ce qui resserre l'exposé, mais non sans nuire à la clarté [4].

VII. REMPLOIS ET RENVOIS

On n'échappera pas à cette constatation que Tertullien, dans ce dernier livre de sa « somme antimarcionite », répète des arguments déjà utilisés dans la partie théorique ou à propos de l'Évangile : de la chose d'ailleurs il est parfaitement conscient. En plusieurs passages il fait confidence au lecteur de sa lassitude de se voir contraint à d'incessantes répétitions, et ce sentiment se combine avec le désir d'abréger et la hâte de finir [5]. Dans sa péroraison [6], il proclame bien haut que son dernier livre ne comporte pas de « redondances »,

---

1. Cf. 4, 1 et 8 ; 7, 11 ; 13, 15.
2. Cf. 19, 9.
3. Cf. 9, 7-13.
4. Un bon exemple, entre plusieurs, est offert par 4, 3b.
5. Cf. 2, 1 ; 7, 14 ; 13, 1 ; 16, 1. La hâte de finir explique, par exemple, le survol des derniers chapitres de 2 Co (12, 6-9).
6. Cf. 21, 2 (*iterationem ... redundantiam*).

mais on ne sera pas dupe : cette affirmation claironnante masque en réalité une obscure conscience d'en avoir commis plus d'une. Sans doute, en diverses occasions, profite-t-il d'un renvoi à un ouvrage précédent pour glisser sur un problème qu'il estime déjà traité et sur lequel il ne veut pas revenir[1]. Il est à remarquer, en outre, que, plus fréquemment qu'aux livres précédents, le développement se nourrit de reprises à des ouvrages antérieurs : le plus « remployé » étant le *De resurrectione mortuorum*[2]. On pourra voir là les signes d'un certain essoufflement inventif qui se manifeste aussi au niveau des *testimonia* scripturaires allégués dans les argumentations. En effet, une comparaison avec les quatre livres précédents fait apparaître que, sur un total de cent trente textes de l'AT cités ou référés[3], quarante et un seulement – soit un peu plus du tiers – sont le fruit d'une recherche neuve et ne figuraient pas déjà dans les livres I-IV. Le cas d'*Isaïe* est particulièrement topique : sur les

1. C'est le cas notamment pour le renvoi au *De paradiso* (12, 7) ; également pour son renvoi (sans le nommer précisément) au *De praescriptionibus haereticorum* (8, 3). On trouve aussi un renvoi explicite au *De resurrectione* (10, 1) et des renvois au livre IV de l'*Aduersus Marcionem* en 3, 6 *(in euangelii retractatu)*, en 8, 3 *(in euangelio)* et sous une formulation imprécise *(alibi)* en 17, 14.

2. Reprise en 10, 3 de *Res.* 48, 14 ; en 10, 9-11a de *Res.* 49, 1-9 ; en 10, 11b-12 de *Res.* 49, 9-13 ; en 10, 13b-15 des ch. 50 et 51 de *Res.* (en les condensant) ; en 12, 1-3 de *Res.* 41, 1-3. Autres remplois : 3, 1 reprend ce qui a été dit de l'accord de Jérusalem et du conflit d'Antioche aux livres I et IV ; 7, 1 reprend le *testimonium* composite de IV, 33, 6 ; 7, 6-7 réutilise IV, 34, 1-7 et 11, 8 (sur la position de Marcion à l'égard du mariage) ; 10, 13a remploie *An.* 40, 2 ; 11, 2 reprend un catalogue d'*exempla* bibliques de IV, 10, 3 ; 14, 1 reprend *Carn.* 16, 2-5 ; 19, 1 résume en une phrase l'argument de prescription contre les hérétiques (cf. *Praes.* 29-32) ; 19, 2 reprend I, 19, 2 sur la date de l'hérésie de Marcion.

3. Ces textes se répartissent ainsi : 38 pour le Pentateuque, 8 pour les Livres historiques, 25 pour les Livres poétiques, 59 pour les Livres prophétiques. Dans ce compte nous avons laissé de côté les *Psaumes* 71 et 109 dont plusieurs versets ont fait l'objet d'une exégèse particulière.

quarante et un versets ou groupes de versets que notre livre
cite ou rappelle à titre de preuves, on n'en dénombre que
neuf qui interviennent pour la première fois dans l'argumentation antimarcionite de l'auteur.

VIII. POLÉMIQUE

Tous les thèmes et motifs polémiques mis en œuvre précédemment[1] sont repris et renouvelés ici. C'est sur Marcion
surtout que Tertullien concentre sa virulence. Si son pays
d'origine ne sert que dans des rappels stéréotypés[2], son
ancienne profession d'armateur donne lieu, elle, à des insi-
nuations sournoises sur l'honnêteté dont il a fait preuve jadis
dans son trafic des marchandises[3]. D'une façon générale,
c'est essentiellement comme falsificateur et mutilateur des
Écritures qu'il est vilipendé, que ce soit pour la suppression
d'une syllabe, d'un mot, d'une ou plusieurs expressions, ou
même de pages entières qui ont laissé ainsi des « trous
béants » dans son *apostolicon*[4]. Interpolateur par malin plaisir d'interpoler, il a modifié exprès le nombre des lettres pauliniennes en écartant de son canon les trois « pastorales[5] ».
Le constant rappel de ces suppressions de textes suscite la
comparaison, déjà faite au livre IV, avec les *latrones* ou les
voleurs : ainsi Marcion est-il dénoncé comme tel par ce qu'il
a laissé subsister en place[6] ; ainsi mériterait-il d'avoir les

1. Cf. notamment t. 4, p. 43-46.
2. Cf. 1, 2 ; 14, 14 ; 17, 14 (où il est vrai que *Pontice* est renouvelé par
son rapprochement et son opposition avec *Marrucine*).
3. Cf. 1, 2.
4. Cf. 3, 3 ; 4, 1-2a ; 4, 8 ; 13, 4 ; 16, 1 ; 17, 14 ; 17, 16 ; 18, 1 ; 19, 3.
5. Cf. 1, 9b ; 21, 1. C'est le même désir d'interpoler qui explique le changement d'adresse apporté à *Éphésiens*.
6. Cf. 4, 8. Voleur de mots, Marcion peut être assimilé à un voleur d'habits : cf. 17, 14.

mains coupées[1]. Mais l'impudence de cet apostat[2] ne lui a servi à rien, et Tertullien stigmatise avec autant de fougue l'aveuglement que la stupidité[3] de ce manipulateur de textes, dont les efforts ont été totalement vains : la vérité de l'Église ne s'impose pas moins, défiant grâce à sa simplicité et son évidence tous les artifices déployés par le faussaire dans sa présentation comme son interprétation des textes scripturaires[4]. Telle est l'image définitive que notre controversiste veut imposer de son adversaire. Dans ce dessein, il ne s'est pas fait scrupule, reconnaissons-le, de solliciter une ou deux pièces du dossier afin de forcer et durcir le trait[5].

IX. RHÉTORIQUE, STYLE, LANGUE

Nous avons évoqué, dans l'Introduction au livre IV (t. 4, p. 46-49), les multiples procédés par lesquels Tertullien réussit à donner de la vivacité, du mordant, de l'imprévu à sa présentation d'un débat théologique, et nous pourrions ici reprendre exactement cette analyse. Nous nous contenterons d'indiquer quelques exemples particulièrement significatifs. Dans le domaine du langage imagé, l'utilisation de l'Apôtre par Marcion est illustrée par une métaphore empruntée au commerce maritime ; les lacunes créées par les ratures de l'hérétique dans son texte biblique deviennent des « *foueae* » et c'est un « *abruptum* » que notre auteur doit franchir d'un « saut » pour retomber sur la partie conser-

---

1. Cf. 18, 1. Les mains de Marcion sont qualifiées de « *falsariae* » en 21, 1.
2. Cf. 1, 4 ; 11, 11b.
3. Cf. 7, 12 ; 10, 7 ; 11, 11b.
4. Cf. 17, 1 ; 18, 4.
5. Ainsi pour la *uitiatio* du texte, incriminée en 3, 3 (cf. *ad loc.*, p. 95, n. 4) et pour le retranchement de la préposition « en », reprochée en 18, 1 (cf. *ad loc.*, p. 327, n. 4).

vée ; le Christ est un rocher sur lequel « bronche » Marcion[1]. Les exclamations sont nombreuses et souvent empreintes d'ironie, comme celle qui présente, contre la théorie adverse, un Créateur « prescient », ou celle qui interpelle l'« éponge » de Marcion – symbole de son action dévastatrice sur les Écritures[2]. Il arrive à Tertullien de mettre en scène son adversaire marcionite ; plus fréquemment, c'est à lui-même qu'il donne un rôle : ainsi celui de nouveau disciple du Maître[3]. Il adopte un ton personnel pour faire part de ses réactions devant ce qu'il dénonce comme des inconséquences et des absurdités[4]. Plusieurs fois intervient le procédé du dialogue avec l'hérétique, et les défis qui lui sont lancés ponctuent l'exposé[5]. Et la phrase finale du livre s'adresse au lecteur, qualifié pour la circonstance d'*inspector* à cause du rôle de critique et d'arbitre dont il est chargé[6]. Comme précédemment aussi (cf. t. 4, p. 47-48), notre auteur vise à piquer l'attention par une anticipation du commentaire sur le verset biblique à commenter[7]. Les mouvements oratoires ne font pas défaut non plus, comme celui de la belle envolée sur les institutions de l'ancienne Alliance qui se signale par ses parallélismes et ses anaphores[8]. Le vocabulaire s'émaille, ici aussi, de néologismes et même d'hapax ; il en est un dont la hardiesse paraît avoir dérouté les éditeurs et commentateurs, c'est l'emploi de *excondere*, ignoré des lexiques[9]. Même singularité pour la réminiscence de Catulle que suscite l'assimilation de Marcion, voleur de mots, à un voleur d'habits plaisamment décrié par

1. Cf. 1, 2 ; 13, 4 ; 14, 6 ; 7, 12.
2. Cf. 7, 13 ; 4, 2.
3. Cf. 9, 1 ; 1, 1-4.
4. Cf. 12, 7b-8 ; 15, 4 ; 18, 1.
5. Cf. 1, 3 ; 1, 7 ; 4, 7 ; 6, 4 ; 12, 9.
6. Cf. 21, 2.
7. Cf. 18, 1.
8. Cf. 5, 10.
9. Cf. 18, 5 ; cf. *ad loc.*, p. 333-334, n. 8.

le poète[1]. Mais – revers de la médaille – ce style nerveux, souvent elliptique et d'une excessive concision, a ses défaillances : quelques passages présentent des obscurités inhérentes soit à une expression trop ramassée, trop embrouillée, soit à la complication trop subtile du raisonnement. D'autres difficultés du même genre tiennent peut-être à des insuffisances de la tradition manuscrite[2].

*

*   *

Sur l'édition et la traduction, qui sont le fruit d'une étroite collaboration entre Claudio Moreschini et nous-même, nous renvoyons à ce qui a été dit dans l'Introduction au livre IV (t. 4, p. 49-52). Dans un certain nombre de cas, les notes apportent les éclaircissements et justifications appropriés concernant le texte adopté[3]. Précisons seulement que les références à Moreschini dans les notes (*Mor.* dans l'Apparat critique) renvoient à son édition de 1971 et non à la présente. Les quelques occasions, où Claudio Moreschini adopte une leçon ou une correction proposée par nous, sont signalées dans l'Apparat par la mention *Braun*.

*

*   *

Note sur l'apparat scripturaire : en plus des chiffres de la numérotation habituelle, les références scripturaires comportent, le cas échéant, des lettres minuscules qui différencient des passages différents d'un même verset.

---

1. Cf. 17, 14 ; cf. *ad loc.*, p. 322-323, n. 4.
2. Cf. 6, 5b-9a (discussion embrouillée sur « puissances de ce monde ») ; 9, 1 (où T. fait sien le Christ non encore venu des juifs) ; 13, 3 ; 15, 2.
3. L'apparat critique comporte alors la mention *uide adnot.*, qui renvoie à la note correspondante.

SOMMAIRE DU LIVRE V

(Les références précédées de § renvoient toujours aux paragraphes du texte de Tertullien.)

CHAPITRE 1 : Prologue
(L'apostolat de Paul tient sa légitimité du Créateur)

1) Nécessité de questionner Marcion sur l'origine de l'apostolat de Paul (§ 1-2) :

Tout, sauf Dieu, ayant une origine, le nouveau marcionite (l'auteur en assume le rôle) devra nécessairement interroger sur l'origine de cet apostolat : il n'est pas mentionné par l'Évangile et, étant postérieur, il suscite des questions quant aux garanties qui ont permis à Marcion de l'accueillir.

2) Réponse insuffisante de Marcion (§ 3-4) :

a) Son rappel de la profession d'apôtre par Paul (Ga 1, 1) n'est pas satisfaisante au regard des règles de la société civile (nécessité d'un témoignage extérieur) et de l'affirmation évangélique (Lc 21, 8) sur la venue future de faux Christs et, par conséquent, de faux apôtres (§ 3).

b) Impudence de Marcion qui n'a pas les moyens de prouver ce qu'il prétend : Paul comme le Christ ne tire ses preuves que des textes du Créateur (§ 4).

3) Paul, persécuteur devenu apôtre, dans la foi de l'Église (§ 5-7) :

a) Il est annoncé tel « en mystère » par l'Ancien Testament : paroles de Jacob sur Benjamin (Gn 49, 27) et changement d'attitude de Saül envers David (1 S 18-24) : § 5-6a.

b) Les *Actes des apôtres* (cf. 9, 1-9) montrent en clair que Paul a d'abord persécuté les chrétiens. Ce rappel n'est pas blasphématoire, mais vise à convaincre de l'appartenance de Paul au Créateur. La foi de Marcion ne peut être prouvée que par les textes de ce dieu qu'elle rejette (§ 6b-7).

4) Conclusion et transition (§ 8-9) :

a) Reprise pour l'Apôtre de la « prescription » utilisée pour le Christ (cf. IV, 6, 4). Rien dans l'enseignement et l'attitude de Paul ne devra être conforme à ceux du Créateur ; ayant détourné du judaïsme, il faudra qu'il révèle plus fortement la divinité vers laquelle il détourne, que le Christ l'eût fait – ou ne l'eût pas fait – avant lui (§ 8-9a).

b) Paul, comme le Christ, n'est pas le représentant d'un « autre » dieu. La mutilation du contenu et du nombre de ses Lettres se préjuge de celle qui a affecté l'Évangile (§ 9b).

Ce prologue joue le rôle de *praestructio* (cf. 1, 8 : « praestruximus » ; cf. *infra*, n. 28) et aboutit à poser la *praescriptio* préalable à l'examen de l'*apostolicon*. T. souligne l'hiatus créé par Marcion entre son évangile (qui ne fait pas mention de Paul) et son apôtre à titre exclusif, lui-même : cette inconséquence vient, selon lui, de son rejet des textes fondateurs de la foi chrétienne, l'Ancien Testament – dont des passages annoncent Paul et son changement d'attitude – et les *Actes des apôtres* qui sont explicites à ce sujet. D'autre part T. met l'accent sur l'étroite solidarité entre le livre IV et le livre V de son ouvrage, entre le Christ et l'Apôtre : l'un et l'autre n'ont pas révélé un « autre » dieu ; ils ne peuvent être prouvés que par les *instrumenta* du Créateur ; la même *praescriptio* vaut pour l'examen des Lettres pauliniennes comme pour celui de l'Évangile ; la mutilation des unes chez Marcion se préjuge de celle de l'autre. Toute une série de procédés rhétoriques et d'enjolivements (apostrophes, dialogues avec l'adversaire, interrogations et impératifs, traits ironiques, fiction de la *persona discipuli* assumée par l'auteur) donnent de la vivacité et de l'éclat à ce prologue.

CHAPITRE 2 (*Lettre aux Galates*, début)

1) Considérations générales (§ 1-4a) :

a) L'Apôtre, confirmant l'ordre des « choses nouvelles » promis par le Créateur et qui commence avec Jean-Baptiste selon le Christ, n'est pas le tenant d'un « autre » dieu (§ 1).

b) Le rejet de la Loi et l'édification de l'Évangile – qui sont l'objet de la lettre – ne se conçoivent qu'à l'intérieur de la croyance au Créateur. S'agissant d'une divinité nouvelle, les destinataires de Paul auraient eu, d'eux-mêmes, conscience qu'il fallait renoncer à la Loi d'un dieu qu'ils auraient abandonné pour un « autre » (§ 2-3).

c) Le rejet de la Loi provient de la volonté même du Créateur (§ 4a).

2) Examen point par point

a) Ga 1, 6-7 (§ 4b-5a)

Dans l'éclairage des explications précédentes, le « passage à un autre évangile » se comprend de la pratique et de la discipline, non de la religion et de la divinité : et « Il n'y a pas d'autre évangile » confirme comme étant du Créateur cet Évangile qui a été promis par des prophéties d'Isaïe. L'interprétation marcionite contraindrait à admettre deux évangiles de deux dieux, ce qui serait contraire à l'affirmation de Paul.

b) Ga 1, 8 (§ 5b-6)

Réfutation de l'exégèse adverse qui rapporte « ange descendu du ciel » au Créateur.

c) Ga 1, 11-24 (§ 7)

L'histoire de la conversion de Paul, comme le sujet même de la lettre, s'accorde avec les *Actes des apôtres,* rejetés par les marcionites parce que proclamant le Créateur : il est invraisemblable que Paul soit d'accord avec eux sur un point (rejet de la Loi) et en désaccord sur un autre (croyance au Créateur).

CHAPITRE 3 (*Lettre aux Galates*, suite)

1) Ga 2, 1-2 (§ 1)

Le voyage de Paul à Jérusalem le montre soucieux de recevoir confirmation et approbation sur la règle de son évangile de la part des autres apôtres, qui ne sont donc pas ces « proches du judaïsme » que prétend Marcion.

2) Ga 2, 3-5 (§ 2-6a)

a) Les « faux frères intrus » ne sont pas des interpolateurs de l'Écriture visant à forger un Christ du Créateur, mais des défenseurs du maintien de la Loi à l'intérieur du christianisme (§ 2).

b) Restitution du sens exact du verset 5 (soumission de circonstance aux faux frères) : cette attitude est celle d'une foi encore novice chez Paul et en suspens sur les observances de la Loi ; elle correspond à des actes de l'Apôtre, comme la circoncision de Timothée, et à sa profession de se faire tout à tous (§ 3-5).

c) Les concessions de circonstance, que Paul a faites à la Loi, montrent bien qu'il a toujours proclamé le Dieu et le Christ du Créateur (§ 6a).

3) Ga 2, 9-14 (§ 6b-7)

a) L'accord de Jérusalem entre Paul et les autres apôtres se réfère à la Loi.

b) Dans le conflit d'Antioche, les reproches de Paul à Pierre ne visent que le comportement variable de ce dernier, non sa croyance au Créateur.

4) Ga 2, 16.18 ; 3, 11 (§ 8)

L'opposition entre la Loi et la foi à propos de la justification de l'homme n'implique pas une opposition de divinités. La « destruction de la Loi » accomplit Ps 1, 3 et la justification par la foi se réfère à une parole du prophète Habacuc.

5) Ga 3, 9-10.11-13.14b.26 (§ 9-12)

a) La malédiction de la Loi et la bénédiction de la foi renvoient à la proposition de choix qui est faite à l'homme par le Créateur en Dt 11, 26. Ce texte explique aussi que le Christ ait été fait malédiction pour sauver l'homme.

b) La bénédiction par la foi et l'expression « fils de la foi » rendent patente la suppression par Marcion des versets 6-9 où prenait place une référence explicite à Abraham « père de la foi ». Impossible d'admettre pour le dieu des hérétiques un ensemble d'idées et d'expressions qui n'a son modèle que chez le Créateur.

CHAPITRE 4 (*Lettre aux Galates*, suite et fin)

1) Ga 4, 3 (§ 1-2a)

Marcion a fait précéder ce verset d'une expression tirée de Ga 3, 15a (« *Je parle selon l'homme* ») qui est inappropriée devant l'énoncé d'une vérité religieuse sur l'état infantile des païens avant leur passage au Christ. Cette expression convient parfaitement à sa place originelle, devant Ga 3, 15b-16 (comparaison entre un testament humain et le « testament » divin des promesses à Abraham) que Marcion a supprimé. Inutilité de prolonger la confrontation sur un retranchement qui tourne à sa honte.

2) Ga 4, 4 (§ 2b-3a)

L'accomplissement du temps et l'attente de cet accomplissement relèvent du seul Créateur qui a constitué le temps avec l'univers et annoncé pour les derniers jours la venue de son Fils (§ 2b) – mais ne conviennent pas à un dieu « oisif » (§ 3a).

3) Ga 4, 5-6 (§ 3b-4)

Le « rachat des hommes dépendants de la Loi » concorde avec les textes de l'AT annonçant le renouvellement de l'Alliance et une libération par l'Évangile. L'« adoption comme fils » concerne les païens à qui a été promise la « lumière » du Christ. L'« envoi de l'Esprit criant Père » correspond au texte précédemment cité de *Joël*.

4) Ga 4, 8-10 (§ 5-7)

a) Contre l'interprétation adverse qui déduit, de la mise en garde contre les « éléments du monde », une condamnation du Créateur, est défendue une exégèse donnant à « éléments » le sens de « rudiments » et l'appliquant à la Loi : exégèse corroborée par le v. 10 qui blâme les Galates d'être revenus aux pratiques juives (§ 5). Rappel des textes de l'AT sur le rejet de ces pratiques (§ 6).

b) Ce revirement provoque l'ironie de l'adversaire, mais convient au Créateur plus qu'à l'« autre » dieu qui n'aurait été qu'un simple exécutant. Renvoi de la discussion là-dessus et retour au débat sur l'Apôtre (§ 7).

5) Ga 4, 22-24.26.31 ; 5, 1 (§ 8-9)

a) Les deux fils d'Abraham dont Marcion a conservé la mention symbolisent les deux dispositions : l'une qui fait naître à la servitude de la Loi dans le judaïsme, l'autre à la liberté de l'Évangile dans le christianisme. Ces deux dispositions appartiennent à un seul dieu, celui qui a dessiné ces figures symboliques dans la *Genèse* (§ 8).

b) Le dieu qui affranchit l'homme par le Christ est aussi celui qui en était le maître, et il ne l'affranchit pas pour le soumettre à nouveau à la servitude de la Loi dont le psaume (2, 2-3) a annoncé le rejet après la Passion (§ 9).

6) Ga 5, 2.6 (§ 10-11)

L'abandon de la circoncision – marque de la servitude sous la Loi – est la suite logique de cet affranchissement. Il a été annoncé dans l'AT. L'Apôtre ne combat pas cette pratique juive parce qu'il viendrait d'un « autre » dieu : en préférant à circoncision comme à incirconcision la foi qui s'accomplit par l'amour, il se conforme à l'enseignement du Créateur sur cet amour pour Dieu comme pour le prochain.

7) Ga 5, 10b.14 ; 6, 2 (§ 12-13)

a) La mention par l'Apôtre de la condamnation du fauteur de trouble ne peut concerner que le Créateur (§ 12a).

b) Paul confirme le précepte d'amour du prochain et maintient ainsi la Loi en l'abrégeant (§ 12b-13a).

c) Sa recommandation aux Galates sur le port de leurs fardeaux en s'aidant mutuellement montre que la « loi du Christ » est la loi du Créateur, donc que le Christ vient bien de celui-ci (§ 13b).

8) Ga 6, 7-10.14.17 (§ 14-15)

a) Les expressions de l'Apôtre ne conviennent pas au dieu de Marcion qui n'est pas celui de la justice répressive ni de la rétribution ; elles confirment l'enseignement de l'*Ecclésiastique* (§ 14-15a).

b) Paul évoque sa renonciation à la vie du monde, non pas au dieu du monde, et il professe que le Christ a porté en lui une chair véritable, et non illusoire (§ 15b).

CHAPITRE 5 (*Première lettre aux Corinthiens*, début)

1) 1 Co 1, 3 (§ 1-4)

La formule de salutation dans l'en-tête, comme celle de la lettre précédente (Ga 1, 3) et celles de toutes les autres lettres de Paul, mentionne « grâce et paix » selon un usage judaïque ancien et toujours vivant, et en accord avec la prophétie d'Is 52, 7 pour revendiquer son apostolat comme venant du Créateur (§ 1). Elle mentionne aussi « Dieu le Père et le Seigneur Jésus », noms qui ne peuvent convenir qu'au créateur de l'homme et de l'univers (§ 2-3a). La formule suppose aussi une offense subie, ce qui est le cas du Créateur, mais ne peut être celui du dieu de Marcion (§ 3b-4).

2) 1 Co 1, 18-31 (§ 5-10)

a) La parole sur la croix du Christ, salut pour les uns et perte pour les autres (v. 18), justifiée au v. 19 par une citation d'*Isaïe* (29, 14), montre bien que croix et Christ concernent le Créateur (§ 5). Ignorant du dieu suprême et de ses dispositions, il n'aurait pas pu prédire le Christ d'un « autre », et à lui seul revient le droit de punir l'offense des hommes à son égard (§ 6).

b) Confirmation par les v. 20b-21 (Dieu frappant d'ineptie la sagesse du monde parce qu'elle ne l'a pas compris) : il ne faut pas entendre « monde » au sens de « seigneur du monde » comme fait la subtilité des hérétiques, mais au sens de « hommes, habitants du monde ». Sont désignés par là, dans le v. 22, les juifs et les grecs, tous coupables envers le Créateur. Le dieu qui a choisi la folie de la croix n'est pas un dieu nouveau, mais celui de l'AT « jaloux et justicier », et c'est lui que concerne l'enseignement de Paul (§ 7-8).

c) Le v. 23 (le Christ « scandale pour les juifs ») confirme des textes de l'AT ; le v. 25 justifie la conception d'un Christ né dans une chair humaine. Les v. 27-28 – Dieu choisissant la folie et faiblesse du monde – s'appliquent à toutes les dispositions divines, notamment à celles de l'ancienne Alliance (sacrifices sanglants, purifications, circoncision, talion, interdits alimentaires). Le v. 27 montre aussi un dieu « jaloux » et les v. 29 et 31 reprennent un texte du Créateur (§ 9-10).

CHAPITRE 6 (*Première lettre aux Corinthiens*, suite)

1) 1 Co 2, 6-7 (§ 1-5a)

En cohérence totale avec ce qui précède, Paul parle de la sagesse cachée de Dieu : ce qui convient, non à un dieu n'ayant rien créé où il pût cacher quelque chose, mais au Créateur dont les mystères voilés d'ombres se sont déroulés dans l'histoire d'Israël (§ 1-2). Il parle d'une sagesse prédéterminée avant les siècles pour la gloire des fidèles : ce qui ne peut convenir qu'à l'auteur du monde, donc des siècles (§ 3). Le dieu de Marcion n'a pas de monde, ni de siècles, à montrer ; lui qui s'est révélé si tardivement, il n'avait aucune raison d'intervenir avant les siècles du Créateur en faveur de la gloire des fidèles (§ 4-5a).

2) 1 Co 2, 8 (§ 5b-9a)

Sur ce verset, l'hérétique construit sa thèse d'une crucifixion du Christ de l'« autre » dieu par l'action des « Puissances du Créateur » agissant dans l'ignorance (§ 5b). Mais l'ignorance de la gloire des fidèles était toute naturelle chez les anges déchus et le diable qui sont les « Puissances du Créateur » (§ 6). En fait on ne saurait attribuer cette ignorance aux « Puissances du Créateur » : des passages évangéliques et des exégèses de Marcion s'y opposent (§ 7). Marcion lui-même n'admet pas que « princes de ce monde » soit à comprendre des « Puissances du Créateur » (§ 8a). La seule explication plausible est que l'Apôtre parle ici des puissances séculières qui ont été à l'œuvre dans le procès et la passion de Jésus (§ 8b). Conclusion (§ 9a).

3) 1 Co 2, 16 ; 3, 10-14.16-21a (§ 9b-13)

Le rapprochement avec des textes d'*Isaïe* que Paul cite ou utilise en ces passages montre bien qu'il n'a en vue que le Créateur. Sa transformation de persécuteur en apôtre est annoncée expressément par Is 3, 1-3. La pierre de prix jetée dans les fondements de Sion (cf. Is 28, 16) et sur laquelle s'édifie une construction destinée à l'épreuve du feu ne peut concerner que le Christ du Créateur. De même les versets sur l'homme « temple de Dieu » et l'invite à être fou pour être sage et à ne pas glorifier l'homme sont conformes à l'enseignement du Créateur dont Paul cite des passages.

CHAPITRE 7 (*Première lettre aux Corinthiens*, suite)

Ce développement traite des chapitres 4 à 10 de la lettre, en un survol qui ne retient que les points permettant à T. de poursuivre sa polémique contre la doctrine de Marcion et sa propre démonstration de l'appartenance de Paul à l'ordre du Créateur.

1) 1 Co 4, 5.9b.15 (§ 1)

L'« illumination » et la « louange » viendront du Créateur qui a promis le Christ « lumière » et qui est juge (§ 1a). – Contre l'interprétation marcionite (monde = dieu du monde) à propos des apôtres donnés en spectacle au monde, prévaut le contexte (mention des anges et des hommes), ainsi que la liberté de parole de Paul, animé par l'Esprit Saint et écrivant à « ses fils dans l'Évangile » (§ 1b).

2) 1 Co 5, 1-2.5.13 (§ 2)

En condamnant l'homme uni à la femme de son père, l'Apôtre relève du Créateur : il porte un jugement et se conforme à une disposition de la Loi.

3) 1 Co 5, 7-8 ; 6, 13-20 (§ 3-5)

a) Par les figures des « azymes » et de la « pâque », prises aux fêtes juives, Paul affirme notre appartenance et celle du Christ au Créateur (§ 3).

b) Par l'interdiction de la débauche, il affirme la résurrection de nos corps, désormais membres du Christ qui les a achetés au prix de son humanité ; et il manifeste du même coup la réalité corporelle du Sauveur (§ 4-5).

4) 1 Co 7, 1-2.7-11.29.39 (§ 6-8)

a) Nouvel affrontement sur le mariage (cf. I, 29, 1-8 ; IV, 11, 8 ; 34, 1-8) : Marcion l'interdit aux fidèles et n'admet au baptême que des célibataires ou des gens mariés qui se sont séparés, plus proche en cela de Moïse que du Christ qui interdit le divorce. Paul, tout en proclamant l'éminente valeur de la continence, est comme le Christ un défenseur de l'union conjugale (§ 6-7).

b) Le « raccourcissement du temps », qui est la raison de la continence, ne cadre pas avec le dieu de Marcion, étranger au temps comme au monde, et qui serait bien « petit » s'il pouvait être resserré par le temps du Créateur (§ 8a). – L'ordre de se marier « seulement dans le Seigneur » est conforme à une disposition de la Loi qui interdit les unions avec des personnes de races étrangères (§ 8b).

5) 1 Co 8, 4-6 + 3, 21-22 (§ 9)

Les « prétendus dieux » n'ont aucune existence réelle comme les « idoles », et on ne saurait ranger parmi eux le Créateur, dont Marcion affirme la divinité. Pour nous n'existe qu'« un seul Dieu Père », origine et maître de toutes choses : le Créateur. C'est de lui aussi que vient le Christ.

6) 1 Co 9, 3-18 (§ 10-11)

a) v. 9-10 : En alléguant Dt 25, 4 à propos du droit à être rétribué dans son travail, l'Apôtre prouve l'autorité divine de la Loi. Par l'interprétation allégorique qu'il en donne, il confirme la position de l'Église sur ce type d'exégèse et il montre que les évangélisateurs ne relèvent pas d'un « autre » dieu (§ 10-11a).

b) v. 15-18 : S'il s'exclut personnellement de ce droit, ce n'est pas pour condamner la Loi, mais pour sa gloire qui lui enjoint la prédication gratuite de l'Évangile (§ 10b).

7) 1 Co 10, 4 ; 6-11 (§ 12-13)

a) v. 4 : L'emploi par l'Apôtre de la figure du « rocher » pour le Christ montre qu'à ses yeux, celui-ci a bien ses origines dans le peuple juif et qu'il vient donc du Créateur (§ 12a).

b) v. 6-11 : Encadré de déclarations très claires, l'exposé sur les châtiments exemplaires infligés par le Créateur aux fautes des juifs n'aurait aucun sens raisonnable s'il émanait d'un porte-parole de l'« autre » dieu qui ne punit pas (§ 12b-13).

8) 1 Co 10, 25 (§ 14)

La permission de manger de tout ne signifie pas condamnation du Créateur qui a promis lui-même le renouvellement de ses institutions et peut seul autoriser ce qu'il a créé et interdit.

CHAPITRE 8 (*Première lettre aux Corinthiens*, suite)

Ce chapitre regroupe des observations sur quelques points tirés des chapitres 11 à 14 de la lettre : le cœur du développement étant constitué par la discussion sur le problème des charismes.

1) 1 Co 11, 3.7-10 (§ 1-2)

Concernant l'homme et la femme, les indications et commandements de l'Apôtre ne s'expliquent qu'en fonction de la *Genèse* (homme créé à l'image de Dieu ; femme tirée de l'homme et pour l'homme ; rôle de la femme dans la chute des anges) et excluent la possibilité d'un rapport au dieu de Marcion.

2) 1 Co 12, 1 s. (§ 3-7)

a) Prétérition de trois points rencontrés dans la suite de 1 Co 11 (hérésie ; eucharistie ; jugement) qui ont été développés ailleurs (§ 3).

b) Principe prescriptif : les dons de l'Esprit doivent relever du Créateur qui les a promis pour son Christ. Prophétie d'*Isaïe* sur l'Esprit septuple et la fleur de Jessé : elle ne concerne pas un Christ à venir comme le veulent les juifs, mais le Christ Verbe et Esprit qui, dans son incarnation, a mis fin aux grâces spirituelles d'Israël (§ 4).

c) Le Créateur a promis aussi la survenue des charismes, par l'œuvre du Christ reçu au ciel, chez les chrétiens « fils des apôtres » (§ 5).

d) La prophétie de *Joël* sur l'effusion de l'Esprit, par la mention des « derniers temps », concerne bien le Christ du Créateur (§ 5-7).

3) 1 Co 12, 8-10.12-31 ; 14, 21.34-35 (§ 8-11)

a) Correspondance exacte entre la description des divers charismes chez Paul et l'Esprit septuple d'*Isaïe* (§ 8-9a).

b) Par sa comparaison avec les membres du corps humain, l'Apôtre montre qu'il reconnaît un seul et même maître pour le corps et l'esprit ; par la prépondérance qu'il accorde à l'amour sur les charismes, il suit le principal commandement de la Loi (§ 9b).

c) En deux prescriptions (les langues, l'attitude des femmes), il rappelle et confirme la Loi (§ 10-11).

4) Conclusion : § 12 – ch. 9, § 1

a) Le débat se règle par le fait même qu'il n'existe pas de charismes chez Marcion. Profession de T. qui, du fait qu'existent chez lui des charismes en accord avec le Créateur, revendique pour son dieu le Christ, l'Esprit et l'Apôtre (§ 12).

b) Déconfiture du marcionite : son Christ est inexistant (ch. 9, § 1).

CHAPITRE 9 (*Première lettre aux Corinthiens*, suite)

Ce chapitre évoque d'abord la résurrection des morts dont l'Apôtre traite dans le chapitre 15 de sa lettre. Puis, à propos de la citation vétérotestamentaire qui se trouve en 1 Co 15, 25, il ouvre une sorte de longue parenthèse où T., s'inspirant de Justin, discute de l'interprétation des *Psaumes* 109 et 71 et oppose l'exégèse juive à l'exégèse chrétienne de ces textes.

1) La résurrection des morts concerne le corps seul (§ 1-5)

a) 1 Co 15, 12 : La résurrection que défend l'Apôtre est celle du corps : la survie de l'âme immortelle est admise généralement par les sages et le vulgaire (§ 1-3a).

b) La propriété des termes « morts » et « résurrection » justifie cette interprétation et la parole divine (Gn 3, 19) la confirme aussi (§ 3b-4).

c) 1 Co 15, 21-22 : c'est dans sa substance corporelle que l'homme, en Adam, a obtenu la mort et que, dans le Christ, il obtient la vie (§ 5).

2) 1 Co 15, 25 et *Psaume* 109 (§ 6-9)

La lettre de Paul reprend les versets 1-2 du *Psaume* 109 que les juifs appliquent à Ezéchias. Mais le v. 3 (sur la naissance « du sein ») ne peut concerner un homme : selon les chrétiens, c'est la naissance nocturne du Christ Verbe qui y est prophétisée. De même le v. 4 (référence à Melchisédech) ne peut concerner que le Christ, prêtre de Dieu qui bénira la circoncision quand elle l'aura reconnu à son retour.

3) Confirmation par le *Psaume* 71 (§ 10-13)

a) Le v. 1 (« règne » du Christ et « justice » du peuple chrétien) et le v. 6 (qui s'explique par le mystère de l'Incarnation) ne sauraient convenir à Salomon bénéficiaire du psaume selon les juifs (§ 10).

b) D'autres versets, qui sont à interpréter littéralement, décrivent l'étendue d'une domination universelle qui ne saurait être celle de Salomon, roi d'un seul petit pays (§ 11).

c) Les versets 18-19 nomment en clair le dieu d'Israël dont Salomon s'est écarté pour devenir idolâtre. Au milieu du psaume, le v. 9 est en rapport direct avec 1 Co 15, 25 et confirme ainsi que gloire du règne et soumission des ennemis doivent revenir au Christ du Créateur (§ 12-13).

CHAPITRE 10 (*Première lettre aux Corinthiens*, fin)

Ce chapitre, dont le thème essentiel est la résurrection d'après 1 Co 15, 29-57, présente beaucoup de points de contact avec *Res.* 48, 14 – 53, 19. Il comporte d'ailleurs une référence explicite à cet ouvrage.

1) 1 Co 15, 29 (§ 1-2a)

Après rappel du *De resurrectione,* le baptême « *pro mortuis* », que l'Apôtre n'a ni instauré ni confirmé, sert d'argument en faveur d'une résurrection corporelle.

2) 1 Co 15, 35.37-41 (§ 2b-4)

La seconde investigation de Paul (sur la *qualitas* du corps ressuscité), quoique ne concernant pas Marcion, négateur de la résurrection corporelle en totalité, confirme cependant cette dernière qui est supposée par la question même. Les exemples proposés ensuite (du grain de blé aux étoiles) annoncent aussi une telle résurrection et la promettent comme venant du Créateur.

3) 1 Co 15, 42-44.46 (§ 5-6)

Comme pour le grain de blé, la résurrection s'accomplit après la dissolution, et les deux processus concernent le corps, sans quoi l'opposition n'aurait pas de consistance. Le « corps animal », qui ressuscitera comme spirituel, ne doit pas être entendu de l'âme, mais de la chair qui mérite ce nom en naissant avec l'âme et en vivant par elle.

4) 1 Co 15, 45 (§ 7-8)

Marcion a falsifié ce verset en substituant « dernier Seigneur » à « dernier Adam » pour récuser l'appartenance du Christ au Créateur. Mais son faux est patent : car l'ordre chronologique implique la parité et la communauté de nom ou de substance ou d'auteur.

5) 1 Co 15, 47-49 (§ 9-11a)

a) Même falsification du v. 47 (*dominus* au lieu de *homo*) et même réfutation (l'antithèse « premier » / « second » implique aussi la parité). Admettant le titre de « Fils de l'homme » dans l'évangile, Marcion doit admettre le Christ comme homme, donc comme Adam (§ 9).

b) Le v. 48 doit s'entendre des hommes qui, selon leur modèle – Adam ou le Christ – sont terrestres ou célestes par leur espérance. D'où l'exhortation du v. 49 à dépouiller le vieil homme pour porter l'image du Christ (§ 10-11a).

6) 1 Co 15, 50 (§ 11b-13a)

Exclue du royaume de Dieu par l'Apôtre, la chair désigne ici non la substance, mais les œuvres de celle-ci : ce qui est démontré par d'autres passages de Paul et justifié par la culpabilité de l'âme seule dans les mauvaises actions, le corps étant un simple instrument qu'il serait injuste de punir.

7) 1 Co 15, 52-53 (§ 13b-15)

L'accès au royaume est postérieur à la résurrection qui doit transformer la chair : en lui faisant revêtir l'incorruptibilité, elle en fait une réalité différente, ce qui justifie l'exclusion du royaume prononcée contre « la chair et le sang ».

8) 1 Co 15, 54-55.57 (§ 16)

Par la résurrection s'accomplit la victoire sur la mort annoncée par le prophète. La reprise de cette parole par l'Apôtre montre en lui un agent du Créateur, et c'est à ce dieu aussi que s'adresse son action de grâces finale.

Chapitre 11 (*Deuxième lettre aux Corinthiens*, début)

1) 2 Co 1, 3 (§ 1-3)

a) La bénédiction ne peut convenir qu'au Créateur qui a béni l'univers et est béni par lui ; il en est de même de l'expression « Père des miséricordes », étant donné ses nombreuses paroles et actions dans ce sens (§ 1-2).

b) Ce titre ne saurait être attribué au dieu de Marcion parce qu'il aurait entrepris de libérer l'homme. L'existence doit précéder la qualification, surtout quand celle-ci appartient déjà à un autre (§ 3).

2) 1 Co 3, 6 (§ 4)

Les expressions du verset conviennent au seul Créateur : « Alliance nouvelle », parce qu'il l'a promise ; Esprit vivifiant opposé à la lettre, à cause de l'effusion annoncée de celui-ci et de la déclaration de Dt 32, 39 qui indique comme inséparables justice et bonté.

3) 1 Co 3, 7.11.14-18 (§ 5-8)

Le rappel du voile dont Moïse se couvrait le visage (cf. Ex 34, 33), s'il établit la supériorité de la nouvelle Alliance sur l'ancienne, s'accorde mieux avec la croyance de l'Église qu'avec celle de Marcion. Car ce voile préfigure celui que les juifs, encore aujourd'hui, ont sur le cœur, voile qui les empêche de comprendre que Moïse a prophétisé le Christ et de reconnaître celui-ci. Paul n'aurait pas reproché aux juifs d'avoir le cœur voilé si le Christ promis par Moïse n'était pas encore venu, et le Créateur n'aurait pas pu voiler les mystères, qu'il ignore, d'un dieu supérieur qu'il ignore aussi. Tout le développement de Paul est à comprendre comme attestant que l'histoire de Moïse est la figure du Christ ignoré des juifs et connu des chrétiens.

4) 2 Co 4, 4 (§ 9-10a)

Marcion rattache « de ce monde-ci » à « dieu » pour comprendre qu'il s'agit du Créateur opposé au dieu de l'« autre monde ». Mais il faut prendre « de ce monde-ci » comme complément de « infidèles », l'expression désignant les juifs qui n'ont pas reconnu le Christ. Isaïe les avait menacés dans ce sens, et non de leur cacher l'évangile du dieu inconnu.

5) 2 Co 4, 4-6 (§ 10b-13)

Avec le rattachement de « de ce monde-ci » à « dieu », il est clair que l'expression désigne le diable, maître du monde par l'idolâtrie. La fin du passage montre que le Créateur, auteur du « Fiat lux », est aussi celui de l'illumination du cœur des croyants par le Christ qui le manifeste au monde. Confirmation par Ep 2, 12.

6) 2 Co 4, 7-10.16.18 (§ 14-16)

a) Le trésor confié aux « vases d'argile » n'est pas celui d'un autre dieu que le Créateur dont ils sont l'œuvre ; de même pour la gloire et la puissance sublime de Dieu évoquées par Paul. Injuste serait Dieu de ne pas ressusciter la chair dans laquelle les fidèles souffrent des tribulations pour lui (§ 14-15a).

b) En précisant le but de ces souffrances (à savoir que la vie du Christ soit manifestée en nous), Paul a en vue la vie future et la résurrection de la chair (§ 15b-16).

CHAPITRE 12 (*Deuxième lettre aux Corinthiens*, suite et fin)

1) 2 Co 5, 1-10 (§ 1-5)

a) v. 1-4 : Parlant de « maison éternelle », Paul n'a pas en vue d'annoncer la destruction totale du corps. Au contraire, pour dissiper la crainte de la mort, il montre que l'homme ne se dépouillera de son corps que pour le reprendre, afin de revêtir, par dessus, l'immortalité. Ce dernier processus sera le même pour ceux qui seront trouvés encore en vie à la Parousie : la question avait été déjà abordée en 1 Co 15, 52-53 (§ 1-3).

b) v. 5-6.8.10 : La fin du passage vise au même but (rassurer et permettre d'accueillir volontiers la mort) et montre même que les corps seront présents au tribunal du Christ Juge pour la rétribution finale (§ 4-5).

2) Survol de la fin de la lettre en un choix de passages infirmant les théories de Marcion (§ 6-9)

a) Sont retenus un verset du chapitre 5 (v. 17), un du chapitre 7 (v. 1), trois du chapitre 11 (v. 2.13.14) pour montrer qu'ils ne cadrent pas avec l'enseignement de Marcion : rupture avec l'AT et ses prophéties ; condamnation du mariage ; adultération du message par des apôtres judaïsants ; Satan compris du Créateur (§ 6-7a).

b) Sont retenus quatre versets du chapitre 12 (v. 2.7-9) pour montrer, en une véritable dérision, que le dieu marcionite est impuissant, manque de bonté et adopte le comportement de son rival décrié, le Créateur (§ 7b-8).

c) Sont retenus trois versets du chapitre 13 (v. 1-2.10) pour montrer des attitudes de Paul (fidélité à la Loi, sévérité, volonté d'être craint sur l'ordre du Seigneur) qui contredisent les affirmations de Marcion sur le dieu supérieur et son apôtre (§ 9).

CHAPITRE 13 (*Lettre aux Romains*, début)

1) Transition (§ 1)

Lassitude devant le retour des mêmes observations à faire : ainsi sur l'abandon de la Loi qui n'implique pas une altérité de dieu.

2) Rm 1, 15-18 ; 2, 2 (§ 2-3)

Ces versets concernent un dieu justicier dont la colère s'exerce par le jugement pour sauvegarder la vérité, qui ne peut être que sienne.

3) Rm 2, 16 + Rm 2, 12.14 (§ 4-5)

Ces versets, en cohérence avec les précédents, confirment que le Créateur vengera la Loi et la nature selon la vérité et par le moyen du Christ qui, tous deux, relèvent de lui.

4) Rm 2, 21-24 (§ 5-7a)

L'invective contre les transgresseurs de la Loi n'est pas une critique détournée du Créateur mandant aux Hébreux le vol de la vaisselle égyptienne. Paul qui rappelle le reproche d'Isaïe (Is 52, 5) serait bien pervers s'il blasphémait ce dieu.

5) Rm 2, 28-29 (§ 7b)

La préférence de Paul pour la circoncision du cœur est conforme aux recommandations de Jérémie et de Moïse. Le « juif du dedans » qu'il oppose à « celui du dehors » reste au service du Créateur.

6) Rm 3, 21-22 ; 5, 1 (§ 8-9)

La distinction temporelle entre Loi et justice de Dieu par le Christ repose sur une différence de dispositions divines, et non de dieux. La paix avec Dieu pour les justifiés suppose qu'il y a eu guerre, ce qui est le cas avec la révolte contre la Loi et la nature chez le Créateur.

7) Rm 5, 20-21 (§ 10-11)

La finalité de la Loi (préparer la surabondance de la grâce par l'abondance du péché) est absurde si le même dieu n'est pas à l'œuvre dans la Loi et la grâce.

8) Rm 7, 4 (§ 12)

Parenthèse préparant la question du chapitre suivant : le corps du Christ ressuscité ne peut être qu'un corps charnel.

9) Rm 7, 7.11-12.14 (§ 13-15)

L'Apôtre fait l'éloge de la Loi : elle est justifiée par la connaissance qu'elle donne du péché ; elle est sainte, son précepte est juste et bon ; elle est spirituelle, donc prophétique et figurative du Christ.

CHAPITRE 14 (*Lettre aux Romains*, fin)

1) Rm 8, 3 + Rm 7, 23 (§ 1-3)

L'expression « Fils envoyé à la ressemblance de la chair du péché » ne peut être expliquée comme désignant une chair mensongère et fantôme. Il s'agit d'une chair véritable, mais exempte du péché sur lequel seulement porte la « ressemblance ». Le salut de la chair humaine déchue ne pouvait s'opérer que par ce moyen. On ne peut pas comprendre non plus cette expression comme désignant l'Esprit : aucune ressemblance n'est possible entre choses contraires.

2) Rm 8, 9 (§ 4)

Ce verset confirme 2 Co 15, 50 (cf. *supra* ch. 10, § 11 s.) sur la nécessité de distinguer à propos de la « chair » la substance elle-même et les œuvres de celle-ci.

3) Rm 8, 10-11 (§ 5)

La mort causée par le péché et la vie apportée par l'Esprit concernent toutes deux le corps. Ces versets confirment donc la résurrection de la chair et la corporalité du Christ.

4) Rm 10, 2-4 (§ 6-8)

Venant après une importante coupure, ces versets ne peuvent étayer une argumentation de Marcion sur son « dieu supérieur » que les juifs auraient méconnu. C'est le même dieu, celui des juifs, qui est concerné par le zèle d'Israël attesté par l'Apôtre et par la méconnaissance incriminée ensuite, méconnaissance que le Créateur lui-même a reprochée par ses prophètes. De plus, il serait absurde que Paul ait blâmé les juifs pour avoir ignoré un dieu inconnu.

5) Rm 11, 33-35 (§ 9-10)

Venant juste après chez Marcion, l'exclamation sur les « richesses de Dieu » n'a plus de sens du fait des coupures ayant supprimé les textes et les mystères rappelés par l'Apôtre. Ces richesses ne peuvent concerner un dieu indigent, sans création ni annonces prophétiques : elles sont les « trésors » dont parle Isaïe (Is 45, 3), autrefois cachés, maintenant découverts par la venue du Christ, comme sont aussi du même prophète les réflexions des v. 34-35 laissés en place par l'inconséquence de l'hérétique.

6) Fin de la lettre (§ 11-14)

a) Rm 12, 9-10.12.14.16-19 : L'enseignement moral de l'Apôtre (attachement au bien, charité fraternelle, patience, humilité, oubli des offenses) n'est en rien différent ni nouveau par rapport à celui du Créateur (§ 11-12).

b) Rm 13, 9 ; 14, 10 : En résumant les commandements dans le précepte d'amour du prochain, tiré de la Loi, l'Apôtre montre que l'Évangile accomplit la Loi comme la Loi accomplit l'Évangile : il n'y a donc plus lieu de débattre avec Marcion. – En brandissant la menace du « tribunal du Christ », l'Apôtre montre un dieu juge et vengeur, méritant donc d'être craint (§ 13-14).

CHAPITRE 15 (*Première lettre aux Thessaloniciens*)

1) 1 Th 2, 15 (§ 1-2)

La mise à mort des prophètes juifs ne saurait être reprochée à Israël par l'Apôtre d'un « autre » dieu qui les a réprouvés lui-même et qui, étant leur adversaire, n'est pas qualifié pour faire ce reproche (§ 1). – Le reproche sur la mort du Seigneur, qui est fait en même temps, vise à aggraver l'iniquité du peuple juif, ce qui implique nécessairement que le Christ et les prophètes soient ceux du même dieu (§ 2).

2) 1 Th 4, 3-5.7 (§ 3)

La sainteté de vie préconisée par Paul se définit d'après les conduites contraires qu'il interdit : débauche, désir sexuel, impureté. Elle n'est pas celle d'une chasteté intégrale qui supprimerait le mariage, comme le veulent les adversaires du Créateur qui a institué celui-ci.

3) 1 Th 4, 15-17 (§ 4)

L'Apôtre annonce un événement qui se passera à la Parousie : les élus seront emportés dans les airs au-devant du Seigneur. Cette scène a été autrefois l'objet de visions prophétiques d'Isaïe et d'Osée (en fait *Amos*). C'est donc dans le dieu de ces prophètes qu'on mettra son espoir aujourd'hui.

4) 1 Th 5, 19-20 (§ 5-6)

Selon Marcion, le propos de l'Apôtre sur l'Esprit et les prophéties ne peut concerner celui ni celles du Créateur puisqu'il les a « détruits ». Défi est lancé à l'hérétique de présenter des phénomènes spirituels de son église qui répondent au modèle du charisme prophétique. Devant son incapacité à s'exécuter, il faut reconnaître qu'en toute cohérence, Paul vise ici les phénomènes spirituels dont, par la suite, l'Église devait bénéficier dans sa fidélité à l'enseignement et à la promesse du Créateur.

5) 1 Th 5, 23 (§ 7-8)

Les négateurs du salut de la chair sont confondus par l'évidence de ce verset qui énumère sous des termes distincts les trois éléments constitutifs de l'homme (esprit, corps et âme), et les voue tous trois au salut. Quoique l'âme soit un corps *sui generis*, ainsi que l'esprit, comme elle est mentionnée sous son nom propre, le mot corps ici ne peut désigner que la troisième substance existant dans l'homme : la « chair ».

CHAPITRE 16 (*Deuxième lettre aux Thessaloniciens*)

1) 2 Th 1, 6-9 (§ 1-3)

Le retranchement par Marcion de « et dans la flamme du feu » n'empêche pas que la justice rétributive du mal comme du bien, évoquée à la Parousie, relève du Créateur ou d'un dieu tout pareil (§ 1). Le châtiment des païens qui ont ignoré Dieu et l'Évangile ne serait pas de mise chez un dieu naturellement inconnu, comme l'est celui de Marcion. Il incombe au contraire au Créateur qui, par les œuvres du monde, s'est fait connaître naturellement et a appelé à approfondir cette connaissance. Une expression d'*Isaïe* est utilisée par l'Apôtre pour dépeindre le Jugement (§ 2-3).

2) 2 Th 2, 3-4 ; 9-12 (§ 4-7a)

Discussion sur le « fils de perdition » qui se révèlera avant le Seigneur pour répandre l'erreur contre Dieu. Antichrist selon la tradition de l'Église, il est peut-être pour Marcion le Christ, non encore venu, du Créateur. De toute façon, sa mission est d'être instigateur de tromperie pour ceux qui n'ont pas accueilli la vérité. La première hypothèse (= Antichrist) est parfaitement cohérente avec l'image du Créateur, de sa vérité et de son salut. La deuxième hypothèse (= Christ du Créateur) aboutit à des absurdités. Le châtiment des contempteurs de la vérité appartient au seul dieu qui a tout mis en œuvre pour se faire connaître des hommes.

3) 2 Th 3, 10 (§ 7b)

L'ordre de l'Apôtre (travailler pour manger) s'explique par la règle de Dt 25, 4.

CHAPITRE 17 (*Lettre aux Laodicéens*)

1) Le titre (§ 1a)

Marcion l'a modifié pour le plaisir d'interpoler et sans utilité aucune.

2) Ep 1, 9-10 (§ 1b-3)

La « récapitulation » de toutes choses sur terre et au ciel dans le Christ à l'accomplissement des temps concerne le seul Créateur, auteur du commencement et maître des temps. Elle ne saurait être le fait d'un dieu antagoniste et de son Christ.

3) Ep 1, 12-13 (§ 4)

En parlant du Christ « espéré par avance », l'Apôtre a en vue les juifs à qui le Christ a été « annoncé par avance » ; c'est pourquoi, ensuite, il s'adresse aux païens, concernés par la promesse de l'effusion de l'Esprit (*Joël* 3,1).

4) Ep 1, 17-22 (§ 5-6)

La « gloire », la « sagesse », l'« illumination du cœur », les « richesses de l'héritage », la suprématie triomphale du Christ sont en accord avec des textes psalmiques et prophétiques.

5) Ep 2, 1-3 (§ 7-10)

a) v. 1-2 (§ 7-9a) : Les trois expressions « monde », « prince de l'empire de l'air », « maître d'œuvre de l'incroyance » ne sauraient s'appliquer au Créateur (§ 7-8a), tandis qu'elles s'appliquent tout à fait au diable, et l'Apôtre le savait (§ 8b-9a).

b) le v. 3 en apporte la confirmation, l'Apôtre rappelant son appartenance ancienne au judaïsme ; son expression « fils de la colère par nature » interdit une application au Créateur qui serait pour Marcion « Seigneur de la colère » : elle ne vise pas les juifs, « fils du Créateur », mais la commune nature des hommes que le diable a infectée de la semence du péché (§ 9b-10).

6) Ep 2, 10 (§ 11)

Ouvrage du Créateur, l'homme a aussi été « créé » par lui en Jésus-Christ dans l'ordre de la grâce.

7) Ep 2, 11-14 (§ 12-14)

a) v. 11-13 (§ 12-13) : Le Christ qui a rapproché d'Israël les païens jadis éloignés ne peut être que celui du Créateur.

b) v. 14 (§ 14) : Ce rapprochement, prophétisé par Isaïe, a été accompli dans la chair du Christ. – Nouvelle altération apportée au texte par Marcion, et nouvelle contradiction de sa part : il refuse la « chair » du Christ, alors qu'il en admet le sang.

8) Ep 2, 15-20 (§ 15-16)

Le Christ, qui abolit la Loi en l'accomplissant, opère dans son corps de chair la réconciliation des juifs et des païens : ils entrent ainsi dans la construction de l'Église. – Nouvelle mutilation du texte : Marcion a retranché, au v. 20a, « des prophètes », sans se rendre compte que le v. 20b cite un psaume et que tout l'enseignement de l'Apôtre est nourri de la littérature prophétique.

Chapitre 18 (*Lettre aux Laodicéens*, fin)

1) Ep 3, 8-10 (§ 1-4)

a) v. 8-9 : La suppression de « en » par Marcion oppose radicalement sa lecture, « mystère caché au dieu créateur », à celle de l'Église : « mystère caché en Dieu créateur » (§ 1).

b) v. 10 : Il indique que Dieu a voulu faire connaître sa sagesse aux Principautés et Puissances. S'il s'agit de celles du Créateur, il est absurde de leur accorder une connaissance qui est refusée à leur chef. Si le chef est censé compris en elles, à propos de la révélation, il devait l'être aussi à propos de la dissimulation. Il aurait fallu dire que le mystère lui a été révélé (§ 2-3a).

c) v. 10 : S'il s'agit des Principautés et Puissances du dieu supérieur, c'est une inconséquence d'attribuer au Créateur une ignorance partagée avec des êtres divins tout proches de ce dieu-là (§ 3b).

d) Confirmation : cette révélation du dieu supérieur devant se faire dans le domaine du Créateur, celui-ci n'a pu l'ignorer. L'Apôtre aurait donc dû, au v. 10, indiquer le Créateur, avant les Principautés et Puissances, comme bénéficiaire de cette connaissance (§ 4).

2) Ep 4, 8.25-26 ; 5, 11.18-19 (§ 5-7)

Absurdité d'interpréter à la lettre l'expression « troupe de captifs » (emmenée par le Christ) et nécessité de la comprendre au sens spirituel comme pour l'« armement » et l'« activité guerrière » du Christ (cf. Ps 44, 4 et Is 8, 4 : cf. *Marc.* III, 13-14). Elle provient des prophètes (cf. Ps 67, 19) comme en provient aussi l'enseignement moral de Paul, qui interdit le mensonge, la colère, les contacts avec le mal et l'impureté, l'abus du vin et les beuveries.

3) Ep 5, 22-23.28-29.31-32 (§ 8-10)

a) En demandant la soumission de la femme à son mari, l'Apôtre s'appuie sur la *Genèse* ; de même quand il met de pair homme et Christ, femme et Église. Il accorde à la chair un très grand honneur que Marcion désavoue en niant la résurrection de cette chair (§ 8-9a).

b) En développant la sentence de Gn 2, 24 qu'il applique au Christ et à l'Église, l'Apôtre souligne l'importance des mystères du Créateur et il montre que son rôle consiste à expliquer ces mystères, non à les séparer du Nouveau Testament. Ce verset 32 est, en outre, incompatible avec le dithéisme inégalitaire de Marcion (§ 9b-10).

4) Ep 6, 1-2.4 (§ 11)

Ces versets (obéissance des enfants, discipline de l'éducation parentale), en dépit d'une suppression, reflètent l'enseignement de la Loi. On suivra donc le Créateur qui, le premier, a donné cet enseignement.

5) Ep 6, 11-12.19-20 (§ 12-14)

a) Concernant le combat spirituel, l'interprétation qui rapporte « Dominateurs du monde » au Créateur est impossible à cause du pluriel et de la mention du diable (v. 11) comme adversaire de ce combat. Reconnu « dieu », le Créateur ne peut être le diable sous peine de conséquences absurdes (§ 12-13a).

b) Le nom de « diable » (= « délateur ») ne peut convenir au Créateur mais il est justifié par les événements racontés dans la *Genèse* (§ 13b).

c) L'expression « esprits de malice » (v. 12) ne peut être entendue du Créateur à cause de la précision « dans les cieux » qui vise un épisode de la *Genèse* (§ 14a).

d) Les versets 19 et 20 (liberté de parole affichée par l'Apôtre pour sa prédication du mystère) rendent inadmissible l'idée que Paul se serait servi d'un langage crypté pour attaquer le Créateur (§ 14b).

CHAPITRE 19 (*Lettre aux Colossiens*)

1) Col 1, 5-6 (§ 1-2)

En parlant de l'Évangile parvenu aux Colossiens « comme au monde entier », l'Apôtre corrobore la prescription contre toutes les hérésies (priorité de la doctrine apostolique de l'Église). Même s'il avait rempli le monde, le marcionisme – hérésie du temps d'Antonin le Pieux – ne pourrait prétendre à une origine apostolique : seule est telle la doctrine qui a rempli le monde la première, en conformité avec la prophétie du Créateur (Ps 18, 5).

2) Col 1, 15a-17a (§ 3-4)

L'expression « image du dieu invisible » se réfère à l'invisibilité divine énoncée par Ex 33, 20 (§ 3). L'affirmation qu'« il est avant tous » suppose toutes les autres affirmations des versets 15b-16 supprimés par Marcion (« premier-né de la Création », etc.) ; elle ne convient pas non plus à un Christ apparu si tardivement (§ 4).

3) Col 1, 19-21 (§ 5- 6a)

La « plénitude » désignée ici ne peut être que celle du Créateur et correspond aux indications supprimées du verset 16. La « réconciliation » ne peut concerner que ceux qui se sont révoltés contre le même Créateur.

4) Col 1, 22.24 (§ 6b)

Si l'Église est dite « corps du Christ » (v. 24), le sens de « substance charnelle » ne peut pas être évacué dans tous les cas ; ainsi dans celui du verset 22 où il s'agit de la mort du Christ.

5) Col 2, 8 (§ 7-8)

La mise en garde contre la philosophie porte condamnation de toutes les hérésies. Celle de Marcion a emprunté à Épicure sa conception d'un dieu « oisif », aux stoïciens une matière préexistante et à toutes les écoles le refus de la résurrection de la chair. Les dogmes chrétiens – colère de Dieu, création *ex nihilo*, résurrection charnelle, naissance virginale du Christ – se réclament de 1 Co 1, 27, qui fait écho à une affirmation du dieu de l'AT par Isaïe (Is 29, 14).

6) Col 2, 13.16-17 (§ 9)

Le pardon des péchés ne peut être le fait d'un dieu autrefois inconnu, envers qui ils n'ont pas été commis. – La disparition de la Loi s'est faite par le transfert de l'ombre des choses à venir à la vérité qui est le Christ. Du même Dieu relèvent la Loi et le Christ qui ne sont pas plus séparables que le corps de son ombre.

7) Col 2, 18-22 (§ 10-11a)

La mise en garde contre les interdits alimentaires prononcés par certains à la suite de visions angéliques ne vise pas la Loi qui a été donnée à Moïse par Dieu. L'Apôtre s'en prend à des gens qui s'étaient éloignés du Christ, tête (de l'Église), celui-ci récapitulant tout en lui, même les nourritures qui ne comportent plus de différences.

8) Col 3, 5.9-10 ; 4, 6 (§ 11b)

Tous les autres commandements (en vue d'une vie chrétienne) émanent du Créateur qui, en annonçant la disparition des choses anciennes, a déjà recommandé de revêtir l'homme nouveau.

CHAPITRE 20 (*Lettre aux Philippiens*)

1) Ph 1, 14-18 (§ 1-2)

En décrivant la diversité des formes que présente la prédication évangélique durant son emprisonnement, l'Apôtre ne met en jeu que des motivations psychologiques, sans critiquer des divergences portant sur la règle de foi. Si un Christ « autre » que le sien avait été, alors, objet de prédication, cette nouveauté aurait provoqué des dissensions qu'il n'aurait pas manqué de flétrir.

2) Ph 2, 6-8 (§ 3-5)

a) Des versets 6-7, les marcionites retiennent les termes « forme », « ressemblance », « figure » pour soutenir leur thèse d'un Christ apparu sans chair humaine, alors que ces concepts n'excluent pas la notion de réalité corporelle (§ 3).

b) Si l'expression « en forme de Dieu » n'exclut pas une appartenance réelle à la divinité, comme l'expression « image du dieu invisible » (Col 1, 15), de la même façon l'expression « en forme et image d'homme » signifiera que le Christ est véritablement homme (§ 4).

c) L'expression « trouvé homme » marque clairement que le Christ a été reconnu tel par sa chair, substance exposée à la mort ; de celle-ci, l'atrocité n'aurait pas été amplifiée par la précision « sur la croix », dans le cas de la mort illusoire d'un fantôme (§ 5).

3) Ph 3, 4-5.7-9 (§ 6)

Le dénigrement par l'Apôtre de sa position sociale et religieuse d'autrefois concerne l'orgueil stupide des juifs ; elle n'est pas rejet du Créateur. Ce qui compte maintenant pour lui, c'est la connaissance du Christ et une justice qui ne vient plus de la Loi, mais, par lui-même (le Christ), de Dieu. A l'interprétation adverse qui voit dans cette dernière distinction la preuve que la Loi ne vient pas du dieu du Christ, il est répondu, plus subtilement encore, que le terme « lui-même » ne peut convenir qu'au maître de cette Loi.

4) Ph 3, 20-21 (§ 7)

La première partie du verset 20 montre l'accomplissement de la promesse faite à Abraham sur sa descendance. – Le verset 21 rend manifeste que la résurrection concerne le corps.

CHAPITRE 21

1) Lettre à Philémon (§ 1)

a) Sa brièveté l'a protégée des outrages de Marcion.

b) Le rejet des trois « pastorales » vient de ce qu'il a voulu interpoler même le nombre des lettres.

2) Épilogue (§ 2)

Appel au lecteur pour qu'il constate que l'auteur a bien parachevé ses démonstrations en s'appuyant sur l'Apôtre et bien complété toutes celles qui avaient été laissées en suspens dans les précédents livres : donc pas de superfluités ni de dérobades de sa part.

TEXTE
ET
TRADUCTION

CONSPECTVS SIGLORVM

M	*Codex Montepessulanus H 54*, saec. XI.
F	*Codex Florentinus Magliabechianus, conv. sopp. I. VI. 10*, saec. XV.
X	*Codex Luxemburgensis 75*, saec. XV.
G	*Codex Gorziensis* deperditus (a Rhenano in tertia editione adhibitus).
R₁	Beati Rhenani editio princeps, Basileae 1521.
R₂	Beati Rhenani editio secunda, Basileae 1528.
R₃	Beati Rhenani editio tertia, Basileae 1539.
R	harum editionum consensus.
ϑ	consensus codicum *M F X* et Rhenani editionum.
β	consensus codicum *F X* et Rhenani editionum.
γ	consensus codicum *F X*.
L	*Codex Leidensis latinus 2*, saec. XV.
V	*Codex Vindobonensis 4194* (nunc *Neapolitanus 55*), saec. XV.
B	Martini Mesnartii editio, Parisiis 1545.
Gel.	Sigismundi Gelenii editio prior, Basileae 1550.
Pam.	Iacobi Pamelii editio, Antuerpiae 1583/84.
Iun.	Adnotationes Francisci Iunii ad textum pamelianae editionis, Franekerae 1597.
Lat.	Adnotationes Latini Latinii, Romae 1584.
Vrs.	Adnotationes Fuluii Vrsini ab Ioanne a Wouwero editae, Francofurti 1612.
Rig.	Nicolai Rigaltii editio, Parisiis 1634.

Ciaconius	Coniecturae Latini Latinii, una cum coniecturis Petri Ciaconii a Dominico Macri editae, Romae 1677.
Oeh.	Francisci Oehleri editio, Lipsiae 1853-1854.
Kroy.	Aemilii Kroymanni editio, Vindobonae 1906 (*CSEL* 47).
Eng.	Augusti Engelbrechti coniecturae Kroymanni editioni adpositae.
Mor.	Claudii Moreschini editio, Mediolani 1971.
Evans	Ernesti Evans editio, Oxonii 1972.

✳

✳   ✳

add.	addidit/-derunt
add. coni.	addendum coniecit/-cerunt
codd.	codicum consensus
coni.	coniecit/-cerunt
corr.	correxit/-xerunt
del.	deleuit/-uerunt
del. coni.	delendum coniecit/-cerunt
dist.	distinxit/-xerunt
edd.	editores
edd. cett.	editores ceteri praeter nomina citata
in adnot.	in adnotatione
ind.	(lacunam) indicauit/-uerunt
iter.	iterauit/-uerunt
om.	omisit/-serunt
rec.	recepit/-perunt
rest.	restituit/-tuerunt
om. coni.	omittendum coniecit/-cerunt
suppl.	(lacunam) suppleuit/-uerunt
suppl. coni.	(lacunam) supplendam coniecit/-cerunt
suppl. susp.	(lacunam) supplendam suspicatus est
uide adnot.	uide adnotationem
sc.	scilicet
transp.	transposuit/-erunt

ADVERSVS MARCIONEM

Liber quintus

I. 1. Nihil sine origine nisi Deus solus. Quae quantum praecedit in statu omnium rerum, tantum praecedat necesse est etiam in retractatu earum, ut constare de statu possit, quia nec habeas dispicere quid quale sit, nisi certus an sit,
5 cum cognoueris unde sit. Et ideo ex opusculi ordine ad hanc materiam deuolutus apostoli quoque Pauli originem a Marcione desidero, nouus aliqui discipulus nec ullius alterius auditor, qui nihil interim credam nisi nihil temere credendum, temere porro credi quodcumque sine originis agni-
10 tione credetur, quique dignissime ad sollicitudinem redigam istam inquisitionem, cum is mihi adfirmatur apostolus,

---

I. 4 dispicere *M R₃* : des- γ *R₁R₂* ‖ 6 pauli *M edd. a R₃* : *om.* γ *R₁R₂* ‖ 10 credetur *Mγ R₁R₂ Kroy.* : creditur *edd. cett. a R₃*

---

1. *Topos* apparenté à celui de l'antérieur et du postérieur. T. en tire la matière de son prologue : avant d'examiner le Paul de Marcion, il s'interroge sur son « origine » ; c'est pour lui un moyen de souligner l'absence de cet apôtre dans l'Évangile et de rappeler aussi qu'il a été annoncé dans l'AT.

2. Cf. III, 1, 1, une formule similaire : indice d'une composition échelonnée des livres de *Marc.* (cf. t. 1, p. 17-18).

3. Notre auteur affecte de se mettre dans le personnage d'un nouveau disciple de Marcion (cf. *infra* § 4, l'expression *persona discipuli et inquisitoris*) et, avec une naïveté simulée, d'interroger le Maître sur cet apôtre qu'il privilégie au détriment des autres, alors qu'il ne figure même pas dans l'Évangile.

4. Emploi habituel de *cum* à valeur causale suivi de l'indicatif. Le verbe *affirmare* paraît souligner que, pour Marcion, Paul était l'Apôtre par excel-

CONTRE MARCION

Livre V

PROLOGUE

L'apostolat de Paul tient sa légitimité du Créateur

I. 1. Excepté Dieu seul, rien n'est dépourvu d'origine. Autant c'est un fait que cette origine vient en premier dans l'existence de toutes choses, autant c'est une nécessité qu'elle vienne aussi en premier dans leur examen pour qu'on puisse être d'accord sur l'existence : car on n'aurait pas à examiner ce qu'il en est d'une chose à moins d'avoir la certitude qu'elle existe en ayant reconnu d'où elle tire son existence [1]. Et pour cette raison, me trouvant parvenu dans le déroulement de mon petit ouvrage [2] à ce présent sujet, c'est l'origine aussi de l'apôtre Paul que je désire savoir de Marcion, moi qui suis un nouveau disciple et qui n'ai été l'auditeur d'aucun autre maître [3], moi qui, pour l'instant, ne saurais rien croire sauf qu'il ne faut rien croire à la légère, que de plus, on croit à la légère tout ce qu'on croit sans en connaître l'origine, et moi qui aurais tout lieu de mener cette recherche avec inquiétude étant donné qu'on m'affirme apôtre [4] quel-

---

lence et comme exclusivement. Le mot *album*, emprunté à la terminologie administrative et juridique, annonce le rappel des règles de la société civile qu'on trouvera par la suite.

quem in albo apostolorum apud euangelium non depre-
hendo. **2.** Denique audiens postea eum a Domino adlec-
tum iam in caelis quiescente [a], quasi improuidentiam exis-
15   timo, si non ante sciit illum sibi necessarium Christus, sed
iam ordinato officio apostolatus et in sua opera dimisso, ex
incursu, non ex prospectu adiciendum existimauit, necessi-
tate, ut ita dixerim, non uoluntate. Quamobrem, Pontice
nauclere, si numquam furtiuas merces uel inlicitas in acatos
20   tuas recepisti, si numquam omnino onus auertisti uel adul-
terasti, cautior utique et fidelior in dei rebus edas uelim
nobis, quo symbolo susceperis apostolum Paulum, quis
illum tituli charactere percusserit, quis transmiserit tibi, quis
imposuerit, ut possis eum constanter exponere, **(3.)** ne illius
25   probetur, qui omnia apostolatus eius instrumenta protulerit.

---

14 quiescente *M R₃* : -em γ *R₁R₂* ‖ 15 sciit *Iun. Kroy.* : scit *M R₁R₂ Mor.*
sciuit *edd. cett. a R₃* ‖ 19 nauclere *R* : -ri *Mγ* ‖ 20 numquam *M Kroy.* : nullum β *edd. cett.* ‖ 21 uelim *M R* : uel in γ ‖ 23 percusserit *edd. a R₂* : per-
cussit *Mγ R₁* ‖ 25 protulerit : -tulit *Kroy. uide adnot.*

I. a. Cf. Ac 9, 1-9

1. Par l'emploi de ce mot, attesté depuis T., s'établit une malicieuse
rétorsion : les marcionites incriminaient volontiers les imprévoyances du
Créateur (cf. II, 23, 3 et 24, 1 s.).
2. Allusion à Lc 6, 12-16 (choix des Douze) et Lc 24, 47 (envoi en mission) ; cf. IV, 13, 4-5 et 43, 9. La phrase marque ironiquement ce que la
vocation de Paul peut paraître avoir de tardif et d'occasionnel, contre la
prétention de Marcion d'en faire l'Apôtre unique.
3. Reprise du thème polémique habituel et insinuation perfide sur les
malhonnêtetés possibles de Marcion dans sa vie professionnelle, pour donner plus de vigueur à l'avertissement qui suit concernant son enseignement
doctrinal. Le mot *acatus,* transcrit du grec, est resté d'un emploi rarissime
en latin ; il désigne un vaisseau léger ou une chaloupe ; ce type d'embarca-
tion rapide était utilisé notamment par les pirates (cf. *DELG, s.v.*).
4. Accumulation expressive, avec plusieurs mots d'origine grecque
(symbolum, character) ; le jeu d'opposition *(imponere / exponere)* ramène
l'image de la marchandise qu'on place dans un navire et qu'ensuite on
expose à la vente. Toute la phrase évoque diverses opérations du transport

qu'un que je ne retrouve pas dans la liste des apôtres que contient l'Évangile. **2.** En fin de compte, quand j'entends dire qu'il a été, postérieurement, appelé par le Seigneur, en repos désormais au ciel [a], j'estime qu'il y a eu comme de l'imprévoyance [1] de la part du Christ à ne pas avoir su d'avance qu'il lui était indispensable ; mais c'est après avoir déjà organisé l'office de l'apostolat et l'avoir envoyé en mission vers ses activités [2] qu'il a estimé devoir faire un ajout, d'après l'occasion, non d'après la prévision : pour ainsi dire, par nécessité, non par volonté ! C'est pourquoi, armateur du Pont, si tu n'as jamais accueilli dans tes brigantins des marchandises clandestines ou illicites, si jamais, au grand jamais, tu n'as détourné ou falsifié de chargement [3], je voudrais que, plus prudent en tout cas et plus honnête dans les choses de Dieu, tu publies devant nous par quel contrat tu as chargé l'apôtre Paul, qui l'a frappé de l'empreinte de son titre, qui t'en a fait livraison, qui l'a mis à ton bord pour que tu puisses, la tête haute, le débarquer [4], **(3.)** et cela afin d'empêcher que ne soit prouvée son appartenance à ce dieu qui a mis au jour tous les documents attestant son apostolat [5].

---

des marchandises par voie maritime. Sur *symbolum,* cf. A. d'Alès, « Tertullianeum symbolum », *Recherches de Science religieuse,* 26, 1936, p. 468, qui a bien montré, avec des exemples d'Apulée et d'Augustin à l'appui, que ce mot, à Carthage, désignait un contrat liant entre eux des *mercatores* ou le sceau garantissant un tel contrat.

5. La périphrase désigne le Créateur, et la suite du développement rappellera les textes de l'AT *(instrumenta)* qui annoncent l'apostolat de Paul. La ponctuation adoptée par Kroymann, qui rattache la proposition *ne illius ... protulerit* à la phrase suivante, ne nous paraît pas heureuse. Cette finale négative est bien mieux à sa place dans l'énoncé commandé par *edas uelim* que juste avant le rappel de la parole de Paul en Ga 1, 1. C'est d'ailleurs ainsi que ponctue aussi Evans. D'autre part, la correction de *protulerit* en *protulit* n'est pas plus légitime : le subjonctif s'explique parfaitement dans une relative qui apporte une justification.

3. « Ipse se, inquit, apostolum est professus, et quidem *'non ab hominibus nec per hominem, sed per Iesum Christum* ᵇ'. » Plane profiteri potest semetipsum quis, uerum professio eius alterius auctoritate conficitur. Alius
30 scribit alius subscribit, alius obsignat alius actis refert. Nemo sibi et professor et testis est. Praeter haec utique legisti multos uenturos, qui dicant : « *Ego sum Christus* ᶜ. » **(4.)** Si est qui se Christum mentiatur, quanto magis qui se apostolum praedicet Christi ?

35 **4.** Adhuc ego in persona discipuli et inquisitoris conuersor, ut iam hinc et fidem tuam obtundam, qui unde eam probes non habes, et impudentiam suffundam, qui uindicas et unde possis uindicare non recipis. Sic et Christus, sic apostolus, ut alterius, dum non probantur nisi de instru-
40 mento Creatoris.

5. Nam mihi Paulum etiam Genesis olim repromisit. Inter illas enim figuras et propheticas super filios suos bene-

---

28 quis : quiuis *R₃ Gel. Pam. Rig.* ‖ 38-39 sic et christus sic apostolus *M* : sic christus sic apostolus β *B Gel. Pam.*   sit christus sit apostolus *Vrs. Rig. Oeh. Evans*   si christus si apostolus *coni. R₂*   sit christus sit et apostolus *Eng. Kroy.* ‖ 39 ut : *del. Mor.*   nunc *Kroy.* ‖ 41 nam *MG R₃* : non γ *R₁R₂*

---

b. Ga 1, 1   c. Lc 21, 8

---

1. Passage habituel de la deuxième personne à la troisième, qui indique l'adversaire. Mais la suite du § ramènera la deuxième personne. Derrière le procédé rhétorique il y a peut-être le souvenir d'un commentaire que Marcion faisait des premiers mots de Ga : cette déclaration de Paul (amputée de « et par Dieu le Père » ; cf. HARNACK, p. 67* ; SCHMID, p. I/315) ouvrait en effet l'*apostolicon* puisque la *Lettre aux Galates* y était placée en tête. Elle devait, aux yeux de l'hérétique, manifester le caractère divin de l'élection de Paul et justifier sa position privilégiée dans la révélation du dieu supérieur.

2. Argument tiré des règles et usages de la société et de l'administration (pour les déclarations, les testaments, les transactions etc.).

3. Le texte de Lc 21, 8 a été cité et commenté en IV, 39, 1-2. Marcion ne pouvait l'ignorer. Il va servir ici à un raisonnement *a fortiori* que T. affectionne.

3. « C'est lui-même, dit Marcion [1], qui a professé être apôtre, et à la vérité *'non de la part des hommes ni par un homme, mais par Jésus-Christ* [b]'. » Assurément quelqu'un peut bien professer qu'il est tel ou tel, mais sa profession, c'est l'autorité d'un autre qui la parachève. Une personne écrit, c'est une autre qui appose sa signature, une autre qui contresigne, une autre qui enregistre dans les actes [2]. Personne n'est pour soi-même et le faiseur de la profession et le porteur du témoignage. En plus de cet argument, tu as lu [3], pour sûr, qu'il en viendrait beaucoup qui diraient : « *C'est moi le Christ* [c]. » **(4.)** S'il y a quelqu'un pour se dire mensongèrement le Christ, combien plus pour se proclamer apôtre du Christ ?

4. Je me maintiens encore, quant à moi, dans mon rôle de disciple et d'enquêteur pour contrebattre, déjà par ce côté aussi, ta foi, à toi qui n'as pas de quoi la prouver, et pour faire rougir ton impudence, à toi qui revendiques, sans recevoir ce par quoi tu pourrais revendiquer [4]. Ainsi en est-il du Christ, ainsi de l'Apôtre également : ils sont ceux de l'« autre », alors qu'ils ne tirent leurs preuves que du document scripturaire du Créateur [5] !

5. C'est qu'à moi, dès longtemps, même la *Genèse* m'a promis Paul. En effet, parmi les fameuses figures et béné-

---

4. Dernier recours à la fiction du novice marcionite dont T. assume le rôle (cf. § 1). Déjà un peu oubliée au § 2 avec l'apostrophe à l'armateur Marcion, elle disparaît après la présente phrase, T. redevenant le champion de la foi chrétienne pour combattre le marcionisme.

5. Nous comprenons cette phrase, souvent corrigée par les éditeurs, en conservant le texte des mss et en admettant des ellipses (celle de *est*, deux fois, dans la proposition principale, celle de *sint* dans la subordonnée) ; nous voyons en *ut* une conjonction explicative qui développe *sic* (« de condition telle ... à savoir que ») ; et en *dum* la valeur habituelle (« cependant que » ; cf. HOPPE, *S.u.S.*, p. 153). Marquée d'une forte ironie, cette phrase veut signifier à la fois la communauté de condition du Christ et de l'Apôtre dans la doctrine marcionite, et l'aberration de celle-ci qui les prétend d'un « autre » dieu alors que seul l'*instrumentum* du Créateur peut les prouver.

dictiones Iacob, cum ad Beniamin direxisset : « *Beniamin,*
inquit, *lupus rapax ; ad matutinum comedet adhuc et ad ues-*
45 *peram dabit escam* [d]. » *Ex tribu* enim *Beniamin* [e] oriturum
Paulum prouidebat, « lupum rapacem ad matutinum come-
dentem », id est prima aetate uastaturum pecora domini ut
persecutorem ecclesiarum, dehinc ad uesperam escam datu-
rum, id est deuergente iam aetate oues Christi educaturum
50 ut doctorem nationum. **6.** Nam et Saulis primo asperitas
insectationis erga Dauid, dehinc paenitentia et satisfactio,
bona pro malis recipientis [f], non aliud portendebat quam
Paulum in Saule secundum tribus et Iesum in Dauid secundum uirginis censum.

55 Haec figurarum sacramenta si tibi displicent, certe Acta
apostolorum hunc mihi ordinem Pauli tradiderunt [a], a te
quoque non negandum. Inde apostolum ostendo persecutorem, non ab hominibus neque per hominem [b], inde et ipsi
credere inducor, inde te a defensione eius expello nec timeo
60 dicentem : « Tu ergo negas apostolum Paulum ? » **7.** Non
blasphemo quem tueor. (**7.**) Nego, ut te probare compel-

---

43 direxisset : dixisset *R* ‖ 45 oriturum *R* : inoriturum *uel* moriturum *M*
moriturum γ ‖ 52 portendebat *R* : pro- *M*γ ‖ 56 hunc *MG R₃* : hinc γ *R₁R₂*

---

d. Gn 49, 27   e. Ph 3, 5 ; Rm 11, 1   f. Cf. 1 S 24, 18

1. Sur l'emploi intransitif de *dirigere* (= « se conuertere »), cf. *TLL* V,
1, col. 1250, l. 26 s. (nombreux exemples de T.).
2. Cf. *BA, Genèse*, t. 1, p. 314, qui rappelle l'ancienneté de l'interprétation typologique donnée de ce verset : Hippolyte le rapporte aussi au changement d'attitude de Saül envers le Christ et de Paul envers les chrétiens.
3. Même utilisation du texte de Gn à propos de Paul en *Scor.* 13, 1. Sur
Paul persécuteur des chrétiens, cf. Ac 8, 3 et Ga 1, 13-14 ; sur Paul envoyé
vers les nations païennes, cf. Ac 9, 15 ; 22, 21 ; 26, 17-18. Le titre de « docteur des nations » figure en 1 Tm 2, 7.
4. L'histoire de Saül pourchassant David et se réconciliant ensuite avec
lui qui l'avait épargné est racontée dans les chapitres 18 à 24 de 1 S. T. paraît
avoir retenu avec précision un verset du ch. 24 qu'il cite presque textuellement. Sur l'origine davidique du Christ par Marie d'après la prophétie

dictions prophétiques de Jacob sur ses fils, voici ce que, s'étant tourné vers Benjamin [1], il a dit : « *Benjamin, loup dévorant ; au matin il mangera encore ; et au soir, il donnera la nourriture* [d2]. » Car il prévoyait que *de la tribu de Benjamin* [e] sortirait Paul, « loup dévorant, qui mange au matin », c'est-à-dire que, dans son premier âge, il dévasterait les troupeaux du Seigneur comme persécuteur des églises, mais qu'ensuite, au soir, il donnerait la nourriture, c'est-à-dire qu'au déclin déjà de son âge, il nourrirait les brebis du Christ comme docteur des nations [3]. **6.** De fait aussi, l'âpreté de Saül, au début, à l'égard de David qu'il pourchasse, ensuite sa repentance et sa réparation quand il reçoit le bien en échange du mal [f] n'annonçaient rien d'autre que Paul en Saül selon l'origine de sa tribu et Jésus en David selon l'origine de la Vierge [4].

Si les mystères de ces figures te déplaisent, du moins les *Actes des apôtres* m'ont transmis ce déroulement de l'histoire de Paul [a] que toi non plus tu ne dois pas nier [5]. C'est par là que je montre l'Apôtre comme persécuteur, *non de la part des hommes ni par un homme* [b6], par là que je suis engagé à croire aussi en lui ; par là que je te chasse de l'apologie que tu en fais ; et je ne redoute pas que tu dises : « Toi, tu nies donc l'apôtre Paul ? » **7.** Je ne blasphème pas qui je sauvegarde ! **(7.)** Je nie pour te forcer à prouver ; je nie

d'Is 11, 1 sur Jessé, cf. III, 20, 6-8 et IV, 1, 7-8 ; 36, 11. Sur le roi Saül issu de la tribu de Benjamin, cf. 1 S 9, 2 et Ac 13, 21. A remarquer la construction de *censum* en commun avec *tribus* et avec *uirginis*.

5. Il ne semble pas que Marcion ait nié le passé « juif » de Paul ; mais il est probable que, dans son exaltation de la figure de l'Apôtre, il l'ait quelque peu gommé ; d'où l'avertissement de T.

6. Reprise ironique d'une partie de la déclaration de Paul derrière laquelle Marcion se retranchait. T. se rend compte cependant que ce rappel du passé de l'Apôtre peut être interprété comme une forme de dénigrement. D'où un dialogue avec Marcion qui lui reproche une attitude blasphématoire ; et une nouvelle justification, qui rend finalement l'adversaire responsable de cet apparent blasphème.

lam ; nego, ut meum esse conuincam. Aut, si ad nostram
fidem spectas, recipe quae eam faciunt ; si ad tuam prouo-
cas, ede quae eam praestruunt. Aut proba esse quae credis,
65 aut, si non probas, quomodo credis ? Aut qualis es aduersus eum credens, a quo solo probatur esse quod credis ?
8. Habe nunc et Apostolum de meo sicut et Christum,
quam meum Apostolum quam et Christum : isdem et hic
dimicabimus lineis, in ipso gradu prouocabimus praescrip-
70 tionis, oportere scilicet et Apostolum, qui Creatoris nege-
tur, immo et aduersus Creatorem proferatur, nihil docere,
nihil sapere, nihil uelle secundum Creatorem, et in primis
tanta constantia alium deum edicere, quanta a lege Creatoris
abrupit. Neque enim uerisimile est, ut auertens a Iudaismo
75 non pariter ostenderet, in cuius dei fidem auerteret, quia
nemo transire posset a Creatore nesciens ad quem trans-
eundum sibi esset. **9.** Siue enim Christus iam alium deum
reuelauerat, sequebatur etiam Apostoli testatio, uel ne non

---

63 faciunt R_3 : -iant $M\gamma$ R_1R_2 ‖ si ad tuam *coni.* R_1 *rec.* R_2R_3 : statiuam
$M\gamma$ R_1 ‖ 67 et[1] $M\gamma$ *edd. a Pam* : *om.* R *Gel.* ‖ 68 quam[1] ϑ *Kroy.* : tam *coni.*
R_1R_2 *rec. edd. cett. a* R_3 ‖ isdem $M\gamma$ *Kroy.* : iis- R ‖ 76 a creatore *edd. a*
R_3 : ad creatorem $M\gamma$ R_1R_2 ‖ 78 ne R : nec $M\gamma$

---

1. Il s'agit évidemment des textes fondateurs de la foi chrétienne, qui
sont appelés plus haut *instrumenta*, et que Marcion rejette comme le lui
reproche tout ce prologue.

2. Avec ce verbe *praestruere* déterminé par *fidem*, T. vise, une fois de
plus, tout l'appareil, notamment prophétique, qui a préparé la foi dans
l'Église : il a souvent reproché au marcionisme, dans les livres précédents,
de présenter une révélation du dieu supérieur subite et sans préparation.

3. A l'ironie qui persiflait l'aberration de la doctrine à la fin du § 4, succède ici l'indignation devant la croyance marcionite qui s'érige *contre* le
Créateur alors que seul, il peut lui apporter des moyens de preuve.

4. Kroymann explique *de meo* en sous-entendant *instrumento*. Mais
l'expression est plus générale comme le montre l'emploi de l'adjectif *meus*
à propos du Christ ou de l'Apôtre : il s'agit de l'ensemble des biens qui
sont la propriété d'un individu. Par là T. veut désigner l'ensemble des
textes, des traditions, des interprétations, des idées – sorte de patrimoine

pour te convaincre qu'il est mien. Ou alors, si tu es concerné par notre foi, reçois ce qui la crée [1]. Si tu fais appel de la tienne, publie ce qui en prépare l'édifice [2]. Ou bien prouve l'existence de ce que tu crois, ou bien, si tu n'en fais pas la preuve, comment crois-tu ? Ou quelle espèce d'homme es-tu, de croire à l'encontre de celui par qui seul est prouvée l'existence de ce que tu crois [3] ?

8. Tiens pour acquis maintenant que l'Apôtre vient de chez moi [4], tout comme aussi le Christ : est mien l'apôtre tout autant que le Christ [5]. Ici également nous livrerons combat sur les mêmes lignes, nous défierons l'adversaire en nous établissant dans la même position prescriptive [6] : il est nécessaire évidemment que l'Apôtre aussi, dont on nie l'appartenance au Créateur, mieux même, que l'on brandit contre le Créateur, ne présente aucun enseignement, aucun sentiment, aucune volonté qui s'accorde avec le Créateur et, en premier lieu, qu'il mette autant de fermeté à énoncer un « autre dieu » qu'il en a mis à rompre avec la loi du Créateur. Et en effet il n'est pas vraisemblable que, lui qui détournait du judaïsme, il n'ait pas montré pareillement vers quel dieu il détournait la foi [7] : car personne n'aurait pu s'écarter du Créateur sans savoir vers quel dieu il lui fallait aller pour s'en écarter. **9.** De fait, si le Christ avait déjà révélé un « autre » dieu, l'attestation qu'en donnait aussi l'Apôtre fai-

---

de l'Église à laquelle il s'identifie – hors de quoi une figure comme l'Apôtre (ou le Christ) ne peut trouver son sens véritable.

5. Sur l'expression *quam ... quam* qui, chez T., équivaut à *tam ... quam*, cf. HOPPE, *S.u.S.*, p. 149, où sont donnés de nombreux exemples, dont celui-ci.

6. Reprise de la « prescription » – principe préalable qu'on oppose à l'adversaire dans un débat – énoncée en IV, 6, 4, et des métaphores militaires ou agonistiques, qui sont habituelles dans ce type d'écrit simulant un combat.

7. Littéralement : « vers la foi duquel il détournait ». C'est la rupture de Paul avec la Loi qui faisait de celui-ci, aux yeux de Marcion, le seul véritable Apôtre.

eius dei Apostolus haberetur, quem Christus reuelauerat, et
80 quia non licebat abscondi ab Apostolo qui iam reuelatus
fuisset a Christo ; siue nihil tale de deo Christus reuelauerat, at tanto magis ab Apostolo debuerat reuelari, qui iam
non posset ab alio, non credendus sine dubio, si nec ab
Apostolo reuelatus.

85 Quod idcirco praestruximus, ut iam hinc profiteamur nos
proinde probaturos nullum alium deum ab Apostolo circumlatum, sicut probauimus nec a Christo, ex ipsis utique
epistolis Pauli, quas proinde mutilatas etiam de numero
forma iam haeretici euangelii praeiudicasse debebit.

II. 1. Principalem aduersus Iudaismum epistolam nos
quoque confitemur quae Galatas docet [et]. Amplectimur
etenim omnem illam legis ueteris amolitionem, ut et ipsam

82 at : *om. edd. a R₃* ‖ 83 ab² *M^sl* ‖ 87 ipsis : ipsius *Oeh. Evans uide
adnot.*
II. incipit ad galatas *M* de epistola ad galatas [galathas *X*] *X R* epis-
tula ad galathas *F*
2 et *om. edd. a R₂* ‖ 3 amolitionem *M Kroy.* : abol- β *uide adnot.*

1. Sur la valeur de *praestruere* et *praestructio* dans la terminologie rhétorique, notamment pour l'art de l'argumentation, cf. t. 1, p. 37, n. 2 ; t. 3, p. 11.
2. Littéralement « promené tout autour ». C'est le terme habituel à T.
pour indiquer que la divinité est publiée ou manifestée par son représentant, Christ ou apôtre.
3. Il n'y a pas lieu d'adopter, comme le fait Evans, une conjecture
d'Oehler (correction de *ipsis* en *ipsius*) : le pronom d'insistance, rapporté
par toute la tradition aux « lettres de Paul », offre un sens très satisfaisant.
4. Des treize Lettres de Paul que l'Église devait faire figurer dans son
canon, Marcion n'en avait retenu que dix (cf. Introd.).
5. Avons-nous ici l'écho d'un commentaire de Marcion par lequel il justifiait le primat accordé à Ga dans le rangement des Lettres pauliniennes ?
On admet en tout cas généralement que cette place lui avait été donnée
pour des raisons dogmatiques : cf. HARNACK, p. 168*-169* ; cf. aussi IV,
3, 2. Aujourd'hui aussi, il y a accord entre les critiques pour voir dans Ga
une réponse de Paul à l'offensive de « judaïsants » qui voulaient imposer
aux païens devenus croyants la pratique de la Loi et l'obligation de la

sait suite, quand ce n'eût été que pour permettre à l'Apôtre d'être considéré comme relevant de ce dieu que le Christ avait révélé, et parce qu'il n'était pas licite que l'Apôtre cachât le dieu qui avait été déjà révélé par le Christ. Mais si le Christ n'avait rien révélé de tel sur Dieu, c'est d'autant plus, alors, que ce dieu aurait dû être révélé par l'Apôtre : il n'aurait plus pu l'être par un autre, et, sans aucun doute, on ne devait pas croire en lui s'il n'avait pas été révélé même par l'Apôtre.

Nous avons posé ces préliminaires [1] à seule fin de professer dès maintenant, que nous prouverons qu'aucun « autre » dieu n'a été porté en tout lieu [2] par l'Apôtre, de la même façon que nous avons prouvé que ce n'a pas été non plus le cas du Christ ; et cela à partir, bien sûr, des lettres mêmes de Paul [3], dont déjà le modèle de l'évangile hérétique devra faire préjuger qu'elles ont été pareillement mutilées, même quant à leur nombre [4].

I. LA LETTRE AUX GALATES

1. Le problème qu'elle pose serait oiseux en cas de divinité nouvelle

II. 1. La principale lettre à s'opposer au judaïsme, nous aussi nous le reconnaissons [5], est celle qui instruit les Galates. En effet nous faisons nôtre tout ce retranchement [6] de la Loi ancienne en le considérant comme venant, lui aussi, de la

circoncision ; cf. GEORGE – GRELOT, *Introduction critique au NT*, vol. 3, p. 114. C'est en ce sens que T. peut reconnaître, au nom des chrétiens de la grande Église, que cette lettre est la principale à s'opposer au judaïsme.

6. La leçon *amolitionem* de M (contre *abolitionem* des autres mss, préférée par Evans) est certainement meilleure. Ce mot rare, mais déjà chez Florus et Aulu-Gelle (cf. *TLL s.v.*) se rencontre aussi *infra* en 4, 7. De plus, T. a quatre emplois du verbe *amoliri* (défini par Donat « cum magna difficultate et molimini submouere » : cf. *TLL* I, col. 1965, l. 53).

de Creatoris uenientem dispositione, sicut saepe iam in isto
5 ordine tractauimus de praedicata nouatione a prophetis dei
nostri. Quodsi Creator quidem uetera cessura promisit,
nouis scilicet orituris [a], Christus uero tempus distinctionis
istius – « *Lex et prophetae usque ad Iohannem* [b] » – terminum in Iohanne statuens inter utrumque ordinem desinen-
10 tium exinde ueterum et incipientium nouorum, necessarie et
Apostolus in Christo post Iohannem reuelato uetera infir-
mat, noua uero confirmat, atque ita non alterius dei fidem
curat quam Creatoris, apud quem et uetera decessura praedicabantur [a]. **2.** Igitur et legis destructio et euangelii aedi-
15 ficatio [c] pro me faciunt in ista quoque epistola ad eam
Galatarum praesumptionem pertinentes, qua praesumebant
Christum, utpote Creatoris, salua Creatoris lege credendum, quod adhuc incredibile uideretur legem a suo auctore

---

7 distinctionis : distinxit decessionis *Kroy. Evans   uide adnot.* ‖ 9 inter
*M*γ *R₃* : intra *R₁R₂* ‖ 17 utpote *Braun* : ut puta *codd. edd.   uide adnot.*

II.   a. Cf. Is 43, 18-19 ; Is 65, 17 ; 2 Co 5, 17   **b.** Lc 16, 16   **c.** Cf. Ga 3,
2-5

---

1. Impliquant l'idée d'une succession chronologique, *ordo* désigne ici la
suite des livres de *Marc.* : il équivaut à *series* dans la formule de I, 29, 9
(*totius opusculi series*).

2. Reprise du thème de la nouveauté évangélique promise par le
Créateur : cf. I, 20, 4 (où est cité le texte isaïen allégué ensuite) : cf. t. 1,
p. 193, n. 3 où sont indiqués tous les autres passages de IV et de V qui
reprennent ce thème.

3. Evans adopte la correction proposée par Kroymann : *distin<xit
decess>ionis*. Mais le texte de la tradition unanime est aisément intelligible :
promisit commande aussi le nouveau complément avec lequel il doit être
pris au sens large d'« annoncer » ; et le sens de l'expression *tempus distinctionis* est très bien éclairé par tout ce qui suit sur l'ordre ancien et l'ordre
nouveau qui se séparent en Jean.

4. Cf. IV, 33, 7-8.

5. Insistance didactique dans la démonstration ; il s'agit de mettre en
relief, par des redites appuyées, l'idée que Paul, apôtre du Christ lui-même
postérieur à Jean, se situe bien dans l'ordre des « choses nouvelles » voulu
par le Créateur.

disposition du Créateur, comme nous l'avons vu souvent déjà dans le déroulement de cet ouvrage [1] en traitant de l'innovation prédite par les prophètes de notre Dieu [2]. Or donc si le Créateur, quant à lui, a promis la disparition des choses anciennes, évidemment parce que devaient en apparaître de nouvelles [a], si de son côté le Christ a annoncé le temps où s'est faite cette séparation [3] – « *la Loi et les Prophètes jusqu'à Jean* [b][4] » – en établissant dans la personne de Jean la limite entre l'un et l'autre ordre de choses, les anciennes qui s'arrêtent à partir de là, et les nouvelles qui commencent [5], il faut nécessairement aussi que l'Apôtre, œuvrant dans le Christ qui s'est révélé après Jean, infirme les choses anciennes et confirme, en revanche, les nouvelles : et ainsi il n'a cure de faire croire en un dieu autre que le Créateur, chez qui, aussi bien, était prédite la disparition des choses anciennes [a]. **2.** En conséquence, à la fois la destruction de la Loi et l'édification de l'Évangile [c] militent en ma faveur dans cette lettre aussi : elles visent la présomption des Galates qui leur faisait présumer l'obligation de croire au Christ, en qualité [6] de Christ du Créateur, tout en sauvegardant la loi du Créateur : car il leur eût paru encore incroyable qu'une loi fût révoquée par son propre auteur.

6. Les mss, comme toutes les éditions, portent ici *ut puta*, dont c'est, d'après Claësson, le seul exemple chez T. Cette expression signifie « comme par exemple » (cf. LHS, p. 339, § 187a, qui l'explique par l'alliance pléonastique de *ut* et de *puta*, impératif interjectionnalisé au sens de « par exemple » dont T. a plusieurs emplois : cf. WASZINK, *Comm. An.* 56, 6, p. 570). Mais il est manifeste que cette signification ne convient pas ici où l'on attend une particule à valeur explicative. La tradition a toutes chances d'être fautive, ce qui est confirmé par la forme, également aberrante, donnée par les mêmes mss en *Prax.* 12, 1 (*utpute unicus et singularis*) où Kroymann seul a maintenu ce *utpute* sans autre exemple : Rhenanus et tous les autres éditeurs ont corrigé en *utpote*, comme fait aussi le dernier éditeur G. Scarpat. Nous pensons donc qu'il convient de corriger ici en *utpote* (conjonction à valeur explicative ou causale, dont T. n'a pas moins de 35 exemples) la leçon reçue de la tradition *ut puta* qui constitue, pour le sens, une véritable anomalie.

deponi. Porro, si omnino alium deum ab Apostolo audis-
20   sent, ultro utique scissent abscedendum sibi esse a lege eius
dei, quem reliquissent alium secuti. Quis enim expectaret
diutius discere, quod nouam deberet sectari disciplinam qui
nouum deum recepisset ? **3.** Immo quia eadem quidem
diuinitas praedicabatur in euangelio quae semper nota fue-
25   rat in lege, disciplina uero non eadem, hic erat totus quaestionis status, an lex Creatoris ab euangelio deberet excludi
in Christo Creatoris. Denique aufer hunc statum, et uacat
quaestio. Vacante autem quaestione, ultro omnibus agnos-
centibus discedendum sibi esse ab ordine Creatoris per
30   fidem dei alterius, nulla Apostolo materia competisset id
tam presse docendi, quod ultro fides ipsa dictasset.
4. Igitur tota intentio epistolae istius nihil aliud docet quam
legis decessionem uenientem de Creatoris dispositione, ut
adhuc suggeremus.

35   Si item nullius noui dei exserit mentionem – quod nus-
quam magis fecisset quam in ista materia, ut rationem scilicet ablegandae legis unica hac et sufficientissima definitione
proponeret nouae diuinitatis –, apparet quomodo scribat :
« *Miror uos tam cito transferri ab eo, qui uos uocauit in gra-*
40   *tiam, ad aliud euangelium* [d] » – ex conuersatione aliud, non

---

33 decessionem Ꝺ *Kroy.* : disc- *edd. cett. a Gel.* ‖ 37 ablegandae R_2R_3 : -gen-
dae Mγ R_1 *uide adnot.* ‖ 39 miror R_2R_3 : mirari Mγ R_1 ‖ 40 ex : et γ

---

d. Ga 1, 6

---

1. Sur l'opposition que T. établit entre *praedicatio (fides, doctrina)* qui
désigne le « kérygme », l'ensemble des dogmes de la croyance chrétienne,
et *disciplina* qui désigne la pratique, la manière concrète de vivre la religion, cf. notre *Deus Christ.*, p. 424 ; on la retrouve *infra* à la fin du § 4.
2. Avant de passer à l'examen de Ga 1, 6, T. résume l'argumentation
précédente en ajoutant cette précision que Paul, voulant obtenir des Galates
le rejet de la Loi, n'avait pas meilleure occasion de définir comme « nouvelle » la divinité que Marcion prétend qu'il proclamait. Le superlatif *suf-
ficientissimus* (emploi unique chez T.) paraît bien être un hapax. Donnée
par les mss conservés, la forme *ablegendae* a été corrigée par Rhenanus en

De plus, s'ils avaient absolument entendu l'Apôtre annoncer un « autre » dieu, ils auraient su d'eux-mêmes, pour sûr, qu'il leur fallait s'écarter de la Loi d'un dieu qu'ils auraient abandonné pour en suivre un « autre ». Est-il quelqu'un, en effet, qui attendrait plus longtemps pour apprendre qu'il doit s'attacher à une discipline nouvelle, s'il a reçu un nouveau dieu ? **3.** Bien au contraire, étant donné que, dans l'Évangile, l'objet de la prédication était précisément la même divinité qui avait toujours été connue dans la Loi, mais que la discipline, elle, n'y était pas la même [1], toute la position de la question était celle-ci : fallait-il rejeter de l'Évangile, dans le Christ du Créateur, la loi du Créateur ? Supprime en effet cette position, et la question est sans objet. Or la question étant sans objet, puisque tous, d'eux-mêmes, reconnaîtraient l'obligation de s'écarter de l'ordre de choses du Créateur par l'effet de leur croyance en un « autre » dieu, l'Apôtre n'aurait eu aucun sujet approprié d'enseigner de façon aussi expresse ce que, d'elle-même, leur croyance précisément leur aurait dicté. **4.** Ainsi donc, dans toute sa visée, cette lettre n'a pas d'autre enseignement que de montrer la disparition de la Loi comme venant de la disposition du Créateur, ainsi que nous allons encore l'exposer.

2. Unicité de l' « évangile » promis par le Créateur (Ga 1, 6-7) Si, pareillement, l'Apôtre ne présente la mention d'aucun dieu nouveau – ce qu'il n'aurait fait nulle part plus qu'en ce sujet, évidemment pour que, à elle seule et tout à fait suffisamment, cette définition d'une divinité nouvelle lui permît d'afficher un motif de révoquer la Loi [2] –, on voit clairement dans quel sens il écrit : « *J'admire que vous passiez si vite, de celui qui vous a appelés à la grâce, à un autre évangile* [d] » – autre par la pratique, non par la religion, par la discipline,

---

ablegandae : le latin ne connaît pas de verbe * *ablegere.* D'après Claësson, T. n'a d'ailleurs pas d'autre emploi de *ablegare.*

ex religione, ex disciplina, non ex diuinitate –, quoniam quidem euangelium Christi a lege euocare deberet ad gratiam,
non a Creatore ad alium deum. **5.** Nemo enim illos moue-
rat a Creatore, ut uiderentur sic ad aliud euangelium trans-
45 ferri, quasi dum ad Creatorem transferuntur. Nam et adiciens quod aliud euangelium omnino non esset [e], Creatoris
confirmat id, quod esse defendit. Si enim et Creator euangelium repromittit dicens per Esaiam : « *Ascende in montem*
excelsum qui euangelizas Sioni, extolle uocem in ualentia tua
50 *qui euangelizas Hierusalem* [f] », item ad apostolorum personam : « *Quam tempestiui pedes euangelizantium pacem,*
euangelizantium bona [g] » – utique et nationibus euangelizantium, quoniam et : « *In nomine eius,* inquit, *nationes spe-*
rabunt [h] » – Christi scilicet, cui ait : « *Posui te in lumen*
55 *nationum* [i] » –, est autem euangelium etiam dei noui, quod
uis tunc ab Apostolo defensum, iam ergo duo sunt euangelia apud duos deos, et mentitus erit Apostolus dicens quod
« *aliud omnino non est* [e] », cum sit et aliud, cum sic suum
euangelium defendere potuisset, ut potius demonstraret,
60 non ut unum determinaret.

---

44 aliud *X R* : alium *MF* ‖ 45 dum : iterum *coni. Evans* ‖ 47 si : sed
Oeh. uide adnot. ‖ 54 christi *coni. R₁ rec. R₂R₃* : -us *Mγ R₁* ‖ 55 nationum, est *dist. Eng. Kroy.* : nationum. est *edd. cett.*

---

e. Cf. Ga 1, 7   f. Is 40, 9   g. Is 52, 7   h. Is 42, 4 (LXX)   i. Is 42, 6 ;
Is 49, 6

---

1. Sur la forme de ce verset chez Marcion, il y a divergence entre la restitution de HARNACK, p. 68*, qui admet πάντως comme correspondant à
omnino du latin de T. (ici et *infra*), et SCHMID, p. I/315 qui n'admet pas cet
adverbe grec, considérant sans doute *omnino* comme étant du cru de T.

2. Retournant l'expression négative (« Il n'est pas d'autre évangile »), T.
en tire l'affirmation de l'existence d'un seul « évangile » qui ne peut provenir que du Créateur comme la preuve en est donnée par les *testimonia*
qui suivent.

non par la divinité : car à la vérité, l'évangile du Christ aurait
dû les détourner de la Loi vers la grâce, non du Créateur
vers un « autre » dieu. **5.** Personne en effet ne les avait éloignés du Créateur pour que leur « passage à un autre évangile » s'interprétât dans le sens d'un « passage au Créateur ».
De fait aussi, en ajoutant qu'il n'était absolument pas d'autre
évangile [e][1], il confirme comme étant du Créateur celui dont
il soutient qu' « il est [2] ». Si en effet le Créateur aussi promet l'« évangile » en disant par Isaïe : « *Monte sur la haute
montagne, toi qui évangélises Sion, élève la voix dans ta
puissance, toi qui évangélises Jérusalem* [f][3] », également en
parlant des apôtres : « *Qu'ils sont beaux, les pieds de ceux
qui apportent l'évangile de paix, de ceux qui apportent
l'évangile des biens* [g][4] » – de ceux, pour sûr, qui apportent
aussi l'évangile aux nations, puisque aussi bien : « *En son
nom*, dit-il, *les nations espéreront* [h][5] » – en celui du Christ
évidemment, à qui il dit : « *Je t'ai placé en lumière des
nations* [i][6] » ; mais si, d'autre part, il y a aussi un évangile du
dieu nouveau – celui que tu veux voir soutenu dans ce passage par l'Apôtre –, ce sont donc, dès lors, deux évangiles,
qui sont auprès de deux dieux, et l'Apôtre aura menti en
disant qu'« *il n'en est absolument pas d'autre* [e] », alors que
c'est le cas, quand il aurait pu soutenir l'existence de son
propre évangile plutôt en le montrant, et non en le définis-
sant comme unique.

---

3. Cf. IV, 13, 1. Ici comme dans la suite, nous préférons à la traduction
habituelle par « annoncer la bonne nouvelle » la traduction par « évangéliser » : T. est soucieux de reprendre le terme même d'« évangile » qui assure
la continuité entre AT et NT. A remarquer la structure « à tiroirs » de la
longue proposition par *Si* (qu'il n'y a aucune raison de corriger en *Sed*
comme fait Oehler) : sont énoncés quatre *testimonia* de l'évangile promis
par le Créateur, en une énumération qui les articule les uns sur les autres.
4. Cf. III, 22, 1 ; IV, 13, 2 ; 34, 16.
5. Cf. III, 21, 2. Texte isaïen cité par Mt 12, 21.
6. Cf. III, 20, 4 ; IV, 11, 1 ; 25, 5.11.

Sed fortasse, ut hinc fugias : « Et ideo, dices, subtexuit : '*Licet angelus de caelo aliter euangelizauerit, anathema sit* ʲ', quia et Creatorem sciebat euangelizaturum. » **6.** Rursus ergo te implicas. Hoc est enim, quo adstringeris : duo enim
65 euangelia confirmare non est eius, qui aliud iam negarit ᵉ. Tamen lucet sensus eius, qui suam praemisit personam : « *Sed et si nos aut angelus de caelo aliter euangelizauerit* ʲ ». Verbi enim gratia dictum est. Ceterum si nec ipse aliter euangelizaturus, utique nec angelus. Ita angelum ad hoc
70 nominauit, quo multo magis hominibus non esset credendum, quando nec angelo et nec apostolo, non angelum ad euangelium referret Creatoris.

7. Exinde decurrens ordinem conuersionis suae de persecutore in apostolum ᵏ scripturam apostolicorum confirmat ˡ,
75 apud quam ipsa etiam epistulae istius materia recognoscitur, intercessisse quosdam, qui dicerent circumcidi oportere et obseruandam esse Moysi legem, tunc apostolos de ista quaestione consultos ex auctoritate Spiritus renuntiasse non esse imponenda onera hominibus, quae patres ipsi non
80 potuissent sustinere ᵐ. Quodsi et ex hoc congruunt Paulo

---

61 sed fortasse — fugias *om. F* ‖ hinc fugias *M Kroy.* : fugias hinc *X R* ‖ 67 aliter *M R* : qui aliter γ ‖ 71 et nec apostolo : nec apostolo *Gel. Pam. Rig. Oeh. Evans del. Kroy. uide adnot.* ‖ *post* non *add.* quo *Kroy. probante Evans* ‖ 74 *ante* apostolicorum *add.* actorum *Pam.* ‖ 77 obseruandam *M R₃* : -dum γ *R₁R₂*

---

j. Ga 1, 8   k. Cf. Ga 1, 13-24   l. Cf. Ac 9, 1-9   m. Cf. Ac 15, 5.10.28

---

1. Cette objection au moyen d'une citation écourtée avait-elle été faite réellement par Marcion ? En tout cas le texte marcionite du verset (cf. HARNACK, p. 69* et SCHMID, p. I/315) comporte bien ἡμεῖς ἤ avant ἄγγελος. Nous pensons donc que cette « échappatoire » prêtée à l'adversaire est une supposition de notre polémiste pour parfaire sa démonstration sur l'unicité d'« évangile ».

2. Contre Kroymann, il n'y a aucune raison de retrancher *et nec apostolo* de la tradition manuscrite. Cette reprise en chiasme est conforme aux habitudes de T. dans ses argumentations. Evans, suivant Pamelius, retranche seulement *et*, ce qui n'est pas non plus indispensable : au sens de « aussi », *et* peut fort bien se justifier.

3. Confirmation, sans échappatoire possible, par Ga 1, 8 Mais peut-être, pour trouver ici une échappatoire, vas-tu dire : « C'est pour cette raison qu'il a ajouté aussitôt : '*Quand même ce serait un ange descendu du ciel qui évangélisât autrement, qu'il soit anathème* ʲ', parce qu'il savait que le Créateur aussi évangéliserait [1]. » **6.** Tu es donc de nouveau dans l'embarras ; car voici de quoi te garrotter : l'affirmation de deux évangiles n'est pas le fait de qui a déjà nié qu'il y en eût un autre [e] ! Lumineux cependant est ce qu'il veut dire, ayant parlé d'abord de sa propre personne : « *Mais même si c'était nous ou un ange descendu du ciel qui évangélisât autrement* ʲ ... ». La chose est dite à titre d'exemple. Au reste, si lui-même non plus ne devait pas évangéliser autrement, pour sûr ce ne devait pas être non plus le cas d'un ange. C'est dans ce sens qu'il a fait mention d'un ange : il a voulu marquer que, à plus forte raison, il ne faudrait pas croire en des hommes, dès lors qu'il ne faudrait croire ni en un ange ni même en un apôtre [2] ; et ce n'est pas qu'il ait voulu rapporter l'ange à l'évangile du Créateur.

4. Accord avec les *Actes des Apôtres* (Ga 1, 11-24) **7.** Dans la suite, quand il parcourt le déroulement de sa conversion – de persécuteur à apôtre [k] –, il confirme le livre scripturaire des *Actes des Apôtres* ˡ, dans lequel on reconnaît jusqu'au sujet même de cette lettre : que certains étaient intervenus pour dire qu'il fallait circoncire et qu'on devait observer la loi de Moïse ; qu'enfin les apôtres, consultés sur cette question, avaient annoncé en réponse, d'après l'autorité de l'Esprit, qu'il ne fallait pas imposer aux hommes des fardeaux que leurs pères eux-mêmes n'avaient pas pu porter [m][3]. Or si, sur

---

3. Après un premier constat d'accord sur l'*ordo conuersionis* de Paul, T. passe à un second constat d'accord, qui porte sur l'attitude de l'Apôtre face aux « judaïsants » et la réunion de Jérusalem : ce dernier point sera développé au chapitre suivant.

apostolorum Acta, cur ea respuatis iam apparet, ut deum
scilicet non alium praedicantia quam Creatorem nec
Christum alterius quam Creatoris, quando nec promissio
spiritus sancti [n] aliunde probetur exhibita [o] quam de instru-
85 mento Actorum, quae utique uerisimile non est ex parte quidem Apostolo conuenire, cum ordinem eius secundum
ipsius testimonium ostendunt, ex parte uero dissidere, cum
diuinitatem in Christo Creatoris adnuntiant, ut praedicationem quidem apostolorum non sit secutus Paulus, qui for-
90 mam ab eis dedocendae legis accepit.

III. 1. Denique ad patrocinium Petri ceterorumque apostolorum « *ascendi*sse *Hierosolyma post annos quatuorde-
cim* [a] » scribit, ut conferret cum illis de euangelii sui regula,

---

82 nec *R* : ne *M*γ ‖ 84 exibitia *M* ‖ 85 actorum *M coni. R₂ rec. R₃* : auto-
rum *R₁R₂* auctorum γ ‖ 87 dissidere *M R* : diffi- γ ‖ 89 non : omnino *Vrs.
Rig.*

III. 2 hierosolyma *M Kroy.* : -am *edd. cett. a R* ierosolimam γ

---

n. Cf. Ac 1, 5   o. Cf. Ac 2, 1-13
III. a. Ga 2, 1

---

1. Ce constat d'accord permet à T. de polémiquer contre le rejet des
Actes par les marcionites (désignés par la 2ᵉ pers. du plur., alors que, *supra*
§ 5-6, l'adversaire était désigné par une 2ᵉ pers. du sing.). Son argumentation est très proche de celle de *Praes.* 22, 10-11, mais l'accent est mis ici sur
la proclamation du Créateur par les *Actes*.
2. Le raisonnement se réclame d'une loi de cohérence souvent alléguée
par T.
3. Sur *praedicatio*, cf. *supra* § 3 et n. 9. La proposition par *ut* énonce
ironiquement une conséquence absurde qu'il faudrait tirer de cette situation d'accord sur un point et de désaccord sur un autre.
4. Littéralement : « le modèle de faire désapprendre la Loi ». Le verbe
dedocere (cicéronien, mais rare après Cicéron) se rencontre trois fois chez
T. Cette phrase amorce le développement du chapitre suivant sur l'accord
de Jérusalem.
5. Le chapitre 2 de la *Lettre aux Galates* que T. aborde maintenant est
dominé par l'évocation de l'accord (ou conférence ou concile) de Jérusalem
et du conflit d'Antioche. Il reste fidèle aux explications qu'il avait données
précédemment de ces épisodes, notamment dans *Praes.* 23 et dans *Marc.* I,

ce point aussi, les *Actes des Apôtres* s'accordent avec Paul, la raison qui vous fait les rejeter apparaît dès lors avec clarté : c'est évidemment qu'ils n'annoncent pas d'autre dieu que le Créateur, ni le Christ d'un autre dieu que du Créateur ; car même la promesse de l'Esprit Saint [n] ne trouve pas la preuve de son accomplissement [o] ailleurs que dans le document scripturaire des *Actes* [1]. Ceux-ci, pour sûr, il n'est pas vraisemblable [2] qu'ils soient en partie d'accord avec l'Apôtre, quand ils montrent le déroulement de son histoire conforme à son propre témoignage, et en partie en désaccord avec lui, quand ils annoncent la divinité du Créateur dans le Christ : avec cette conséquence que Paul n'aurait pas suivi la prédication [3] des apôtres, lui qui a reçu d'eux le modèle pour dégager de la Loi [4] !

Paul soucieux de l'approbation des autres apôtres

III. 1. Finalement, c'est pour avoir le patronage [5] de Pierre et des autres apôtres, écrit-il, qu'il était « *monté à Jérusalem après quatorze années* [a 6] » : afin de conférer [7] avec eux au sujet de la règle

20, 2 (également IV, 2, 5 et 3, 1-4). Marcion s'appuyait sur le second épisode pour marquer l'isolement de Paul face aux autres apôtres de tendance « judaïsante ». Cf. note complémentaire 18, t. 1 de notre édition, p. 307-308 et note complémentaire 19, p. 309-310 (sur les reproches de Paul à Pierre). Ici le terme de *patrocinium* (sans correspondant dans le texte de la lettre) souligne la volonté de Paul de se faire « patronner » par les autres apôtres, et il amorce l'image, qui sera développée dans la suite, d'un évangélisateur anxieux d'être confirmé dans son message, que les interprètes modernes généralement aujourd'hui n'acceptent pas.

6. Marcion avait supprimé ou corrigé Ga 1, 18-24 (mention d'un premier voyage de Paul à Jérusalem) et, ici, il supprimait l'adverbe πάλιν : cf. HARNACK, p. 70*. On voit mal pourquoi SCHMID, p. I/315, l'admet entre parenthèses. T., en tout cas, suit le texte marcionite sans formuler aucune remarque.

7. Le verbe *conferre*, qui est celui de la Vg, ne correspond pas exactement au terme grec (ἀνατίθεσθαι + datif) qui signifie « exposer » et marque bien l'attitude d'égal à égal adoptée par Paul.

ne in uacuum tot annis cucurrisset aut curreret [b], si quid sci-
5 licet citra formam illorum euangelizaret. Adeo ab illis pro-
bari et constabiliri desiderarat, quos, si quando, uultis
Iudaismi magis adfines subintellegi.

2. Cum uero nec Titum dicit circumcisum [c], iam incipit
ostendere solam circumcisionis quaestionem ex defensione
10 adhuc legis concussam ab eis, quos propterea « *falsos et
superinducticios fratres* [d] » appellat, non aliud statuere per-
gentes quam perseuerantiam legis, ex fide sine dubio integra
Creatoris, atque ita peruertentes euangelium, non interpo-
latione scripturae, qua Christum Creatoris effingerent,
15 sed retentione ueteris disciplinae, ne legem Creatoris exclu-

---

4 curreret *X R* : -re *F*   cucurreret *M* ‖ quid *MG R₃* : qua γ *R₁R₂* ‖ 4-5
scilicet *MG edd. a R₃* : om. γ *R₁R₂* ‖ 6 desiderarat : desiderabat *Lat.*   desi-
derat *Iun.* ‖ quos *Lat. Oeh. Kroy. Evans* : quod ϑ *Gel. Pam. Rig.* ‖ 8 uero
om. *Pam.* ‖ 9 ex defensione *MG R₃* : et defensionem γ *R₁R₂* ‖ 11 superinducticios [-titios *R₂R₃*] *edd. a R₂* : superducticios γ *R₁*   super ducticios *M*
uide adnot.

---

b. Cf. Ga 2, 2   c. Cf. Ga 2, 3   d. Ga 2, 4

---

1. Sur l'interprétation de ce passage, cf. LAGRANGE, p. 26-27, qui tient
pour rejetée par les modernes l'opinion de T. (Paul mû par la *crainte* de
n'être pas dans le vrai en évangélisant comme il l'a fait et le fait).

2. Le verbe *constabilire*, appartenant à la langue des Comiques, est un
terme rare dont T. a quelques exemples : il sert bien ici à l'expression de
l'idée.

3. Emploi unique chez T. de *subintellegere* qu'il est aussi le premier à
employer. Il lui permet de caricaturer l'interprétation marcionite qui procède, selon lui, par subtils sous-entendus.

4. Autres emplois de cet adjectif (deux fois avec génitif) en I, 12, 3 et
II, 9, 8 ; 11, 3. Toute cette fin de phrase est fortement teintée d'ironie.

5. Ici commence un développement, consacré à Ga 2, 3-5, que Pamelius
qualifie, à juste titre, de « *locus obscurus* ». Cette obscurité tient en partie
à la transmission manuscrite, quoique Kroymann l'ait beaucoup exagérée :
mais elle provient surtout de deux autres points : la difficulté textuelle que
présente Ga 2, 4-5 (cf. LAGRANGE, p. 28-32) et la manière dont procède
l'exposé de T., entremêlant sans clarté les explications (souvent anticipées)

de son évangile, par crainte d'avoir couru ou de courir en vain [b 1] pendant tant d'années, au cas où, évidemment, il aurait évangélisé sur quelque point en dehors de leur modèle. Tant il avait désiré recevoir approbation et stabilisation [2] de la part de ces personnages que, d'aventure, vous voulez voir implicitement compris [3] comme apparentés [4] davantage au judaïsme !

Son attitude à l'égard des observances de la Loi

2. Mais lorsqu'il dit [5] que même Tite n'a pas été circoncis [c], il commence dès lors à montrer que seule la question de la circoncision, à cause de la défense qui était faite encore de la Loi, était l'objet d'agitation de la part de ceux qu'il appelle, pour cette raison, « *des faux frères et intrus* [d 6] » : gens qui persistaient à ne pas vouloir d'autre statut que la persévérance dans la Loi, selon leur foi au Créateur qui restait, sans aucun doute, entière ; et ainsi pervertissaient-ils l'Évangile, non point en interpolant l'Écriture pour forger par elle un Christ du Créateur, mais en retenant la discipline ancienne pour ne pas

et le texte scripturaire pour lequel il ne distingue pas avec une netteté suffisante la rédaction marcionite de celle de son Nouveau Testament. Le rapprochement avec *Mon.* 14, 1, qui est un peu postérieur, contribue à éclairer quelque peu l'argumentation présente.

6. Faut-il lire *superinducticios* avec R_2R_3 ou *superducticios* avec FXR_1 (notre meilleur témoin M ayant une leçon ambiguë *super ducticios* résultant peut-être d'une correction par grattage) ? En *Mon.* 14, 1 la forme simplifiée, donnée par les mss conservés et par *R,* a été préférée à la forme *superinducticios* (attestée dans *Gel.* seulement) par les derniers éditeurs de ce traité, V. Bulhart, P. Mattei, R. Uglione (cf. *SC* 343, p. 365). Ces deux vocables ne se rencontrent pas ailleurs, la Vg rendant παρεισάκτους par *subintroductos*. S'agirait-il d'un mot venu de la version latine marcionite ? On remarquera que, *infra* § 5, dans une réflexion qu'il ajoute, T. utilise le terme plus courant *superinductus*. En tout cas la forme à double préfixe paraît plus proche du terme grec qui, sans être inconnu de la langue profane, est rarissime et ne se lit qu'ici dans la Bible grecque.

derent. **3.** Ergo « *propter falsos*, inquit, *superinducticios fratres, qui subintrauerant ad speculandam libertatem nostram, quam habemus in Christo, ut nos subigerent seruituti, nec ad horam cessimus subiectioni* ᵉ. » Intendamus enim et
20 sensui ipsi et causae eius, et apparebit uitiatio scripturae. Cum praemittit : « *Sed nec Titus, qui mecum erat, cum esset Graecus, coactus est circumcidi* ᶠ », dehinc subiungit : « *propter superinducticios falsos fratres* » et reliqua ᵍ, contrarii utique facti incipit reddere rationem, ostendens propter
25 quid fecerit quod nec fecisset, nec ostendisset, si illud, propter quod fecit, non accidisset. **4.** Denique dicas uelim, si non subintroissent falsi illi fratres ad speculandam liberta-

---

16 superinducticios [*uel* -titios] *X R* : super inducticios *M*   super inducicios *F*

---

e. Ga 2, 4-5   f. Ga 2, 3   g. Cf. Ga 2, 4-5

---

1. Avant même de citer le texte de Paul, T. caractérise ces faux frères dont les pressions visaient à obtenir la circoncision de Tite : il les présente comme un groupe de chrétiens judaïsants, décidés à maintenir les observances de la Loi, en particulier celle de la circoncision, à l'intérieur du christianisme. Il prend soin de souligner, en vue du présent débat, que leur foi au Dieu de l'AT n'était pas en cause et restait entière. Il écarte ensuite tout rapprochement avec ces interpolateurs « judaïsants » de l'Évangile que Marcion tenait pour responsables de la dérive des Écritures « catholiques » (cf. IV, 4, 4 où, d'après les *Antithèses,* est mentionnée la critique marcionite contre l'évangile « catholique » de Luc qui est dit « *interpolatum* a protectoribus iudaismi ad concorporationem legis et prophetarum qua etiam Christum inde *confingerent* »). De ces « faux frères » il limite l'activité à un zèle portant sur la *disciplina* (et non sur la foi, la croyance) : volonté de préserver les observances de la Loi.
2. Par la particule *ergo*, T. referme en quelque sorte la parenthèse de la phrase précédente (définition de ces « faux frères »). Il revient ainsi au texte paulinien qu'il va citer en suivant la rédaction marcionite. Il se déduit de la suite que les v. 4-5 formaient à ses yeux une seule phrase où *propter ... fratres* (avec sa longue détermination) était le complément du verbe principal exprimé au v. 5 (*cessimus*, en tour négatif à cause de *nec ad horam = ne ad horam quidem*). Il comprenait ces versets comme indépendants grammaticalement du v. 3 (cf. au § 3, la formule *dehinc subjungit*).

faire disparaître la loi du Créateur [1]. **3.** Donc, dit-il [2], « *à cause de faux frères intrus, qui s'étaient infiltrés pour espionner notre liberté, celle que nous avons dans le Christ, afin de nous soumettre à la servitude, même pour un temps nous n'avons pas cédé à la soumission* [e] [3]. » Faisons attention à la fois à la pensée elle-même et à sa motivation, et l'altération du passage scripturaire apparaîtra clairement [4]. Mettant en premier : « *Mais même Tite, qui était avec moi, alors qu'il était grec, ne fut pas forcé de se faire circoncire* [f] », ajoutant ensuite : « *à cause d'intrus faux frères* [e] » et le reste [g] [5], à coup sûr, c'est du fait contraire [6] qu'il se met à rendre raison, en montrant à cause de quoi il a fait ce qu'il n'aurait ni fait ni montré si ne s'était pas produit ce pourquoi il l'a fait. **4.** Effectivement, je voudrais que tu me le dises, dans le cas où ne se seraient pas infiltrés ces faux frères pour espionner

---

3. Après *seruituti*, Kroymann admet une lacune : T. aurait opposé clairement les deux leçons en conflit (celle de Marcion, avec *nec*, la sienne, sans cette négation). Mais HARNACK, p. 71*, juge superflue cette restitution proposée dans l'apparat : il est suivi par Moreschini et Evans. La *TOB*, qui suit le texte généralement adopté où le v. 5 commence par οἷς (relatif de liaison), traduit : « A ces gens-là, nous ne nous sommes pas soumis, même pour une concession momentanée. » Nous avons préféré rendre *cessimus subiectioni* plus littéralement.

4. T. incrimine une *uitiatio* (même mot en IV, 4, 1 à propos de l'évangile marcionite tenu pour *adulteratum*) du texte scripturaire par Marcion. Comme nous l'apprendrons indirectement par la suite, il reproche à l'hérétique d'avoir inséré *nec* (οὐδέ) devant *ad horam* (πρὸς ὥραν). Mais en fait, il est reconnu que cette leçon appartient à la tradition la plus générale (cf. D'ALÈS, *Théologie de T.*, p. 240-241 ; HARNACK, p. 71*) ; la leçon sans négation, occidentale et africaine, se rencontre seulement chez Irénée, Tertullien, Victorinus, Ambrosiaster, Jérôme, Pélage : cf. LAGRANGE, p. 29-30.

5. Présentant une analyse des v. 3-5 dans leur progression et leur mouvement, T. a reculé devant une reprise fastidieuse des deux derniers ; il aurait pu pourtant, ainsi, faire apparaître sans équivoque l'opposition des deux lectures. Son goût pour les abrègements a prévalu sur la volonté de clarté.

6. Il faut comprendre : un fait contraire à celui qui est exposé au v. 3, c'est-à-dire contraire au refus de circoncire : T. veut indiquer par là les cas de concessions faites aux « judaïsants » qui seront évoqués au § 5.

tem eorum, cessissent subiectioni [g] ? Non opinor. Ergo ces-
serunt, quia fuerunt propter quos cederetur. Hoc enim rudi
30 fidei et adhuc de legis obseruatione suspensae competebat,
ipso quoque Apostolo ne in uacuum cucurrisset aut curreret suspecto. **5.** Itaque frustrandi erant falsi fratres, specu-
lantes libertatem Christianam, ne ante eam in seruitutem
abducerent Iudaismi [g] quam sciret se Paulus non <in>
35 uacuum cucurrisse [b], quam dexteras ei darent antecessores,
quam ex censu eorum in nationes praedicandi munus subi-
ret [h]. Necessario igitur cessit ad tempus, et sic ei ratio
constat Timotheum circumcidendi et rasos introducendi in
templum, quae in Actis edicuntur [i], adeo uera, ut Apostolo

---

29 cederetur *eras. M* ‖ 33 libertatem R_2R_3 : ueritatem $M\gamma$ R_1 ‖ ne ante
R : nec ante γ   negante M ‖ 34 sciret se paulus M *Kroy.* : Paulus sciret se
β *edd. cett.* ‖ in *add. edd. a* R_2 ‖ 36 censu : consensu *Kroy. uide adnot.* ‖
37 necessario MX *coni.* R_2 *rec.* R_3 : -rium F R_1R_2 ‖ cessit ad M R_2R_3 : ces-
sitat γ R_1 ‖ 39 edicuntur R_2R_3 : educuntur $M\gamma$ R_1 eduntur *Kroy.*

---

h. Cf. Ga 2, 8-9   i. Cf. Ac 16, 3 ; Ac 21, 24-26

---

1. Le « nous » du texte paulinien est entendu généralement de Paul seul.
T., qui le transpose à la troisième personne ici, paraît le comprendre de Paul
et de son groupe.

2. Dans un premier temps, T. a tiré au clair le *sensus* du texte en une
démonstration appuyée (reprises de termes, questionnement de l'adversaire). Il passe maintenant à la *causa* : il trouve d'abord la motivation de ces
concessions momentanées aux judaïsants dans la foi encore neuve de Paul
et dans sa crainte de s'être trompé. Cf. I, 20, 2 : même mot *rudis*, même
argument fondé sur Ga 2, 2, mais pour justifier les reproches de Paul à
Pierre (cf. *infra* § 7). Sur l'interprétation forcée de Ga 2, 2, cf. t. 1, p. 308.

3. Littéralement : « ayant douté par suspicion (défiance) s'il n'avait pas
couru », etc. Sur *suspectus* participe passé passif employé avec valeur active,
cf. un autre exemple en *Ap.* 21, 20 (cf. WALTZING J.-P., *Tertullien.
Apologétique. Commentaire analytique, grammatical et historique*, Paris
1931, p. 152) ; également AMMIEN 29, 4, 5 (cf. LHS, p. 291) : emploi qui
peut-être subi l'influence analogique de *suspicatus* participe à valeur active
du déponent *suspicor*. L'interrogative indirecte est normale après les verbes
exprimant le doute (*dubitare* etc.) ; sur ne = *nonne* ou *an*, cf. HOPPE, *S.u.S.*,
p. 141-142.

leur liberté, auraient-ils cédé à la soumission [g][1] ? Non, je pense. Ils ont donc cédé parce il y a eu des gens à cause desquels on avait à céder. Attitude qui convenait en effet à une foi novice [2], et encore en suspens sur l'observance de la Loi, quand l'Apôtre aussi s'était suspecté lui-même d'avoir couru ou de courir en vain [b][3]. **5.** C'est pourquoi il fallait tromper les faux frères [4] qui espionnaient la liberté chrétienne, pour les empêcher de la détourner vers la servitude du judaïsme [g] avant le moment où Paul a su qu'il n'avait pas couru en vain [b], avant celui où ses prédécesseurs ont joint leurs mains aux siennes, avant celui où, conformément à leur estimation [5], il a assumé la charge de prêcher aux nations [h]. C'est donc par nécessité qu'il a cédé pour un temps : et c'est ainsi qu'il trouve une raison solide de circoncire Timothée et d'introduire des gens tête rasée dans le temple – faits qui sont énoncés dans les *Actes* [i][6], et tellement vrais qu'ils

4. Justification par la *nécessité* (cf. *necessario* dans la phrase suivante) de ces concessions momentanées de Paul. T. les situe, arbitrairement et sans que rien du texte paulinien l'autorise, dans le laps de temps qui a précédé l'accord de Jérusalem évoqué par la fin de la phrase.

5. La tradition manuscrite et les éditions anciennes sont d'accord sur la leçon *ex censu* que Kroymann a corrigée en *ex c<ons>ensu* : Moreschini et Evans n'admettent pas la correction, mais paraissent influencés par cette lecture puisqu'ils traduisent le premier par « conviction », le second par « agrément », sens qui sont ceux de *consensus*. Sans doute T. donne-t-il ici au mot *census* une signification inhabituelle chez lui ; il revient au sens primitif et général du terme : « actio censendi » = « aestimatio » (cf. *TLL* III, col. 807, l. 10 et 72).

6. Ces deux faits de « soumission momentanée » aux judaïsants – que notre auteur rappellera encore en *Mon.* 14, 1 comme accomplis « à cause des faux frères intrus » – sont *postérieurs* à l'accord de Jérusalem : ce qui ôte toute valeur à l'argumentation de T. ; et c'est peut-être pour masquer cette déficience qu'il a invoqué, tout de suite après, une autre *causa* de ces accommodements avec la Loi : la profession de l'Apôtre de se faire, selon la circonstance, « tout à tous » pour gagner les âmes au Christ.

40   consonent profitenti factum se Iudaeis Iudaeum, ut Iudaeos
      lucrifaceret, et sub lege agentem propter eos, qui sub lege
      agerent [j], sic et propter superinductos illos, et omnibus
      nouissime omnia factum, ut omnes lucraretur [k]. **6.** Si haec
      quoque intellegi ex hoc postulant, id quoque nemo dubita-
45   bit, eius dei et Christi praedicatorem Paulum, cuius legem,
      quamuis excludens, interim tamen pro temporibus admise-
      rat, statim amoliendam, si nouum deum protulisset.

      Bene igitur, quod et dexteras Paulo dederunt Petrus et
      Iacobus et Iohannes et de officii distributione pepigerunt, ut
50   Paulus in nationes, illi in circumcisionem, tantum ut memi-
      nissent egenorum [l] : et hoc secundum legem Creatoris, pau-
      peres et egenos fouentis, sicut in euangelii uestri retractatu
      probatum est. **7.** Adeo constat de lege sola fuisse quaes-
      tionem, dum ostenditur quid ex lege custodiri conuenerit.
55   – « Sed reprehendit Petrum *'non recto pede* incedentem *ad*
      euangelii ueritatem [m]'. » Plane reprehendit, non ob aliud
      tamen quam ob inconstantiam uictus, quem pro personarum
      qualitate uariabat, « *timens eos qui erant ex circumcisione* [n] »,

---

40 profitenti *M R* : -endi γ ‖ iudaeos : iudaeus *M*ᵃᶜ ‖ 42 superinducticios *Pam.* ‖ 44-45 dubitabit β : -auit *M* ‖ 46 quam uis *M* ‖ 47 admolien-
dam *M* ‖ 50 circumcisionem *R₂R₃* : -e *M*γ *R₁* ‖ 51 legem β : -e *M*

---

j. Cf. 1 Co 9, 20-21   k. Cf. 1 Co 9, 22   l. Cf. Ga 2, 9-10   m. Ga 2, 14
n. Ga 2, 12

---

1. Texte cité dans le même type d'argumentation en *Praes.* 24, 2 et *Marc.*
I, 20, 3. Ici les mots *sic et propter superinductos illos* constituent une parenthèse de l'auteur insérée dans la citation pour manifester le parallèle avec
le sujet présent.

2. Le paragraphe final ramène au débat en cours qui porte sur le fait
que Paul représente bien le Créateur, et non le dieu supérieur de Marcion.

3. Ce verbe reprend le terme *amolitio* qui a été employé en 2, 1 : cf. *ad*
loc., p. 81, n. 6.

4. Cf. IV, 14, 3-7 ; 28, 11. Le souci des pauvres dans l'accord de
Jérusalem est complaisamment souligné comme un écho de l'AT.

s'accordent à la profession de l'Apôtre de s'être fait juif avec
les juifs pour gagner les juifs, vivant sous la Loi à cause de
ceux qui vivaient sous la Loi [j], – de la même façon aussi à
cause de ces intrus –, et enfin de s'être fait tout à tous pour
les gagner tous [k1]. **6.** Si le point présent aussi demande à
être compris d'après la question traitée ici [2], voici également
ce dont personne ne doutera : Paul a été le proclamateur du
Dieu et du Christ dont relevait la Loi que, quoiqu'il la fît
disparaître, il avait pourtant admise provisoirement d'après
les circonstances – alors qu'il aurait dû, immédiatement, la
retrancher [3] s'il avait présenté l'annonce d'un dieu nouveau.

L'accord de Jérusalem et l'incident d'Antioche

C'est donc une bonne chose que
Pierre, Jacques et Jean aient joint
leurs droites à celle de Paul, et qu'ils
aient conclu un accord sur la répar-
tition de leur office, Paul allant aux nations, eux à la circoncision, avec pour condition seulement de se souvenir des
indigents [1], cela même conformément à la loi du Créateur,
lui qui choie les pauvres et les indigents, comme la preuve
en a été faite dans l'examen de votre évangile [4]. **7.** Tant
c'est chose vraie et établie qu'il a été question de la Loi seulement, puisque ce qui est montré, c'est ce qu'il convenait
de garder de la Loi [5]. – « Mais il reprend Pierre de ne pas
s'avancer *'d'un pas droit selon la vérité de l'évangile* [m'6]. »
Assurément il le reprend, mais ce n'est pas pour autre chose
que l'incohérence de sa manière de vivre, que Pierre faisait
varier en fonction de la qualité des personnes, « *dans sa
crainte de ceux qui étaient de la circoncision* [n] » ; ce n'était

---

5. Allusion à Ac 15, 29 : l'accord de Jérusalem maintient comme exigence l'abstention des idolothytes, du sang, des animaux étouffés et de l'im-
moralité.
6. Sur l'opposition de Paul à Pierre dans l'« incident » (ou « conflit »)
d'Antioche, cf. I, 20, 2-4 et t. 1, p. 307-310.

non ob aliquam diuinitatis peruersitatem, de qua et aliis « *in*
60 *faciem* ᵒ » restitisset qui de minore causa conuersationis
ambiguae Petro ipsi non pepercit, si quomodo Marcionitae
uolunt credidisset.

8. De cetero pergat Apostolus negans ex operibus legis
iustificari hominem sed ex fide ᵖ, eiusdem tamen dei, cuius
65 et lex. Nec enim laborasset fidem a lege discernere, quam
diuersitas ipsius diuinitatis ultro discreuisset, si fuisset.
Merito non reaedificabat quae destruxit �q. Destrui autem lex
habuit, ex quo *uox* Iohannis *clama*uit *in eremo : « Parate*
uias domini, ut fierent riui et colles et montes repleti et humi-
70 *liati, et tortuosa et aspera in rectitudinem et in campos* ʳ »
– id est legis difficultates in euangelii facilitates. Meminerat
iam et psalmi esse tempus : « *Disrumpamus a nobis uincula*

---

59 diuersitatem *Kroy. uide adnot.* ‖ 61 pepercit, si ϑ *Kroy.* : pepercit.
sed *coni. R₁ rec. edd. cett. a R₃* ‖ 62 credidisset *Kroy.* : credi ϑ credi ? *dist.*
edd. a R₃ credit (*sc.* petrus) *coni. R₂* credidit *Mor. uide adnot.* ‖ 63 ex
M coni. R₂ rec. R₃ : et γ *R₁R₂* ‖ 68 heremo *M*

---

o. Ga 2, 11   p. Cf. Ga 2, 16   q. Cf. Ga 2, 18   r. Lc 3, 4-5 ; cf. Is 40, 3-4

---

1. La leçon de la tradition manuscrite et imprimée, *peruersitatem*, mérite
d'être conservée (ainsi fait Evans), contre la correction en *diuersitatem* de
Kroymann. Le terme de *peruersitas* est fréquent dans le vocabulaire de la
polémique pour désigner une conception pervertie, aberrante : ce qu'aurait
été, aux yeux d'un Paul acquis à un dieu supérieur, la croyance de Pierre
en ce Créateur subalterne selon le credo marcionite.

2. La difficulté textuelle de cette fin de phrase paraît bien aplanie par
Kroymann qui garde *si*, leçon la plus autorisée, et corrige *credi* en *credi<dis-*
set>. La lecture de *R₃*, que suit Evans (*Sed quomodo Marcionitae uolunt*
credi : « Mais comment les marcionites veulent-ils qu'on les croie ? »)
n'offre pas un sens satisfaisant. Il nous paraît sûr que T. établit une antithèse entre l'attitude d'« opposition ouverte » de Paul sur un problème
minime de « *conuersatio* » (donc de *disciplina*) et ce qu'aurait été cette attitude sur un problème, bien plus important, concernant sa *fides* (Paul
croyant en un « dieu supérieur » selon l'interprétation des marcionites).

3. Par cette transition, T. passe à la section de la lettre qui traite de la
justification par la foi.

4. On admet traditionnellement une ponctuation forte après *fide*. Mais
nous pensons qu'il faut voir une seule phrase de *De cetero* à *et lex* : en don-

pas pour quelque conception aberrante de la divinité [1] : car
là-dessus, Paul aurait résisté « *ouvertement* [o] » même à
d'autres, lui qui n'a pas épargné Pierre en personne pour le
motif, bien moindre, de comportement ambigu, s'il avait eu
la croyance que veulent les marcionites [2].

Opposée par Paul à la Loi, la foi concerne le même Dieu **8.** Pour le reste (du texte [3]), que l'Apôtre poursuive en disant que l'homme n'est pas justifié par les œuvres de la Loi, mais par la foi [p] :
la foi cependant relève du même Dieu dont relève aussi la
Loi [4] ! Et en effet il n'aurait pas pris la peine de distinguer
la foi d'une loi que l'opposition de divinité même en aurait
distinguée spontanément – si cette opposition avait existé [5].
A juste titre il ne rebâtissait pas ce qu'il a détruit [q]. Or la
destruction de la Loi avait à se produire dès l'instant que *la
voix* de Jean eut *proclamé dans le désert : « Préparez les che-
mins du Seigneur, pour que ruisseaux, collines et montagnes
soient comblés et abaissés, que les passages tortueux et
rocailleux deviennent lignes droites et plaines* [r6] » – c'est-
à-dire que les difficultés de la Loi deviennent facilités de
l'Évangile. Il se souvenait que c'était désormais aussi le
temps du psaume : « *Brisons loin de nous leurs liens et reje-*

---

nant à *pergat* la valeur d'un subjonctif de concession (« l'Apôtre peut bien
continuer... ») et en faisant de *eiusdem tamen*, etc. la proposition principale
où il faut sous-entendre *fides est* (on en rapprochera la formule « eius ergo
dei erit fides » dans la phrase finale du §). On pourrait aussi comprendre
en faisant de *Apostolus* le sujet de ce *est* sous-entendu (« il relève cependant
du même Dieu ») : l'appartenance de Paul au Créateur est en effet le problème central examiné ici, et précisément celui sur lequel s'est achevé le
précédent chapitre.
　　5. Réserve ironique, habituelle à notre polémiste, sur les thèses de l'adversaire.
　　6. Les quatre propositions de l'énoncé scripturaire sont rhétoriquement
remodelées en deux phrases parallèles où les sujets sont regroupés en face
des déterminations antithétiques. Le rendu φάραγξ (= « ravin ») par *riuus*
est une traduction approximative. Le v. 5 sera traduit très différemment
infra 4, 3.

eorum et abiciamus a nobis iugum ipsorum [s] », ex quo
« *tumultuatae sunt gentes et populi meditati sunt inania,*
75 *adstiterunt reges terrae et magistratus congregati sunt in*
unum aduersus dominum et aduersus Christum ipsius [t] », ut
iam ex fidei libertate iustificetur homo, non ex legis seruitute [u] : « *Quia iustus ex fide uiuit* [v]. » **(9.)** Quod si prophetes
Abacuc pronuntiauit, habes et Apostolum prophetas confir-
80 mantem, sicut et Christus. Eius ergo dei erit fides, in qua
uiuit iustus [w], cuius et lex, in qua non iustificatur operarius.

9. Proinde si in lege maledictio est, in fide uero benedic-
tio [x], utrumque habes propositum apud Creatorem : « *Ecce*
posui, inquit, *ante te maledictionem et benedictionem* [y]. »
85 Non potes distantiam uindicare – quae etsi rerum est, non
ideo auctorum – quae ab uno auctore proponitur. Cur
autem Christus factus sit pro nobis maledictio, ipso

77 iustificetur : -caretur *Kroy. uide adnot.* ‖ 78 uiuit : uiuet *Pam. Oeh.*
uiuit *rest. Rig. uide adnot.* ‖ 79 abacuc *M Rig.* : abacum *R*   ambacum γ ‖
pronunciauit *MX R₁R₂ Kroy.* : -ciat *F*   prae- *edd. cett. a R₃* ‖ 81 uiuit *Braun* :
uiuet *Pam. Kroy. Mor. uide adnot.* ‖ 82 maledictio : maledicto *M*ᵃᶜ ‖ 85
potes *R₃* : potest *M*γ *R₁R₂* ‖ 85-86 quae — auctorum : *in parenthesi Kroy.*

s. Ps 2, 3   t. Ps 2, 1-2   u. Cf. Ga 2, 16 ; Ga 3, 11 ; Ga 4, 21-25   v. Ga 3, 11
= Ha 2, 4   w. Cf. Ga 3, 11   x. Cf. Ga 3, 9-10   y. Dt 11, 26

1. Versets déjà cités en I, 21, 1 ; III, 22, 3 ; IV, 42, 2. Les deux premiers
sont rapportés à la passion du Christ, le troisième (cité en premier) est
référé à la liberté apportée par l'Évangile.
2. Comme l'ont bien vu Moreschini et Evans, la correction *iustificare-*
tur introduite par Kroymann ne mérite pas d'être retenue. Car, dans cette
proposition finale, la concordance est commandée par les présents *disrum-*
pamus et *abiciamus.*
3. Marcion, apparemment, ne s'était pas soucié de supprimer cette citation d'*Habacuc* dans le texte de son apôtre. T. exploite à son profit cette
inconséquence. La correction de Pamelius *uiuet* ne nous paraît pas indispensable : la substitution d'un présent au futur qu'on lit en Ga 3, 11b
comme en Ha 2, 4 peut s'expliquer par un désir de généralisation de l'idée.
4. Contre la leçon des mss *uiuet* (qu'admettent Kroymann, Moreschini et
Evans), nous préférons *uiuit* qui a le mérite d'unifier les deux formes de la citation. Le futur *erit* s'explique fort bien comme ayant valeur logique de conclusion ; l'antithèse entre *uiuit* et *non iustificatur* constitue l'essentiel de l'idée.

tons loin de nous leur joug [s] », depuis que « *les nations se sont soulevées et les peuples ont ourdi de vains complots, les rois de la terre se sont dressés et les gouvernants se sont rassemblés ensemble contre le Seigneur et contre son Christ* [t][1] », afin que l'homme désormais soit justifié [2] par suite de la liberté de la foi, et non de la servitude de la Loi [u] : « *Car le juste vit par la foi* [v][3]. » **(9.)** Si cette parole a été prononcée par le prophète Habacuc, tu trouves là l'Apôtre confirmant aussi les Prophètes, comme le fait également le Christ. C'est donc que la foi, par laquelle vit le juste [w][4], relèvera du Dieu dont relève aussi la Loi en laquelle n'est pas justifié le pratiquant de cette Loi [5].

Malédiction de la Loi, bénédiction des croyants fils d'Abraham

9. Pareillement [6], si la malédiction est dans la Loi tandis que la bénédiction est dans la foi [x], tu as l'une et l'autre proposées chez le Créateur : « *Voici que j'ai posé devant toi*, dit-il, *la malédiction et la bénédiction* [y][7]. » Tu ne peux pas revendiquer une opposition, qui, même si elle est celle des objets, n'est pas pour autant celle des auteurs puisque c'est un seul et même auteur qui la propose [8]. Pourquoi, d'autre part, le Christ a-t-il été fait malédiction pour nous ? L'Apôtre lui-même nous en

---

5. L'emploi du mot *operarius* nous semble faire référence à Ga 3, 10a : ὅσοι ἐξ ἔργων νόμου εἰσίν.

6. Après la citation paulinienne d'*Habacuc*, qui reviendra par le suite, T. entre dans un développement de Ga 3 où Marcion avait pratiqué plusieurs suppressions à cause de la référence à Abraham (HARNACK, p. 72*-73* ; SCHMID, p. I/316-317). Mais l'opposition entre bénédiction des croyants et malédiction des fidèles de la Loi avait été conservée.

7. On ne trouve qu'ici, chez T., cette citation du *Deutéronome*.

8. L'interprétation que Marcion faisait (ou pouvait faire ?) de ce texte en y voyant une « antithèse » entre les deux dieux de son système, est écartée d'entrée de jeu par T. qui souligne l'*unicité* d'auteur de cette proclamation, même s'il y a une *distantia* entre les deux objets (bénédiction, malédiction) proposés à l'homme. Selon nous, la phrase se comprend mieux sans la parenthèse introduite par Kroymann : la seconde relative a valeur d'explication de la première.

Apostolo edocente [z], manifestum est quam nobiscum faciat, id est secundum fidem Creatoris. **10.** Neque enim quia
90 Creator pronuntiauit : « *Maledictus omnis ligno suspensus* [aa] », ideo uidebitur alterius dei esse Christus et idcirco a Creatore iam tunc in lege maledictus. Aut quomodo praemaledixisset eum Creator, quem ignorabat ? Cur autem non magis competat Creatori filium suum dedisse
95 maledictioni suae quam illi deo tuo subdidisse maledictioni, et quidem pro homine alieno ? Denique si atrox uidetur hoc in Creatore circa filium, proinde tuo in deo ; si uero rationale et in tuo, proinde et in meo, et magis in meo. **11.** Facilius enim credetur eius esse per maledictionem
100 Christi benedictionem prospexisse homini, qui et maledictionem aliquando et benedictionem proposuerit ante hominem [y], quam qui neutrum umquam sit apud te professus.

« *Accipimus igitur benedictionem spiritalem per fidem* [bb] », inquit : ex qua scilicet uiuit iustus [v] secundum Creatorem.

---

90 ligno *M*γ *Kroy.* : in ligno *edd. cett. a R* ‖ 93 ignorabat *Kroy.* : ignorat ϑ ignoraret *Eng.* ‖ 97-98 rationale et *MG R₃* : ratio nec lex γ *R₁R₂* ‖ 99 credetur *Kroy.* : crederetur *M R Mor.* ‖ 103 accipimus *M*γ *Kroy.* : acce- *edd. cett. a R uide adnot.*

---

z. Cf. Ga 3, 13   aa. Ga 3, 13 = Dt 21, 23   bb. Ga 3, 14b

---

1. Cet emploi absolu de *facere* (rencontré déjà en IV, 22, 16 et V, 2, 2) est plus habituellement associé aux prépositions *ab, contra, aduersus* (sens adversatif) et *pro* (sens opposé de « favoriser »). L'emploi de *cum* avec cette dernière acception n'est pas signalé par *TLL* VI, 1, col. 123, l. 16-32.

2. Marcion avait conservé, dans son texte de Ga 3, 13, la citation du *Deutéronome* : cf. HARNACK, p. 73* ; SCHMID, p. I/316.

3. Contre l'interprétation marcionite, T. tire argument de l'ignorance attribuée par l'hérétique dans son système au dieu subalterne concernant le dieu supérieur (et donc son Christ) : cf. I, 11, 9 ; II, 26, 1 ; 28, 1. Le verbe *praemaledicere* est indiqué comme hapax par HOPPE, *Beiträge*, p. 147 : cf. *TLL s.v.*

4. Selon Ga 3, 13, le Christ s'est (ou a été) fait malédiction pour en libérer l'homme. Pour dénier à Marcion le droit d'utiliser ce texte, T. reprend l'argument (souvent déjà utilisé dans sa polémique) sur l'homme œuvre du Créateur et, par conséquent, étranger au dieu supérieur : cf. I, 14, 2 ; 17, 1 ; 23, 11.

5. Rappel du reproche de « cruauté » que les marcionites faisaient au Créateur (cf. II, *passim*) et argumentation par rétorsion.

donnant l'explication [z], il est manifeste à quel point ce trait milite pour nous [1], c'est-à-dire en conformité avec la foi dans le Créateur. **10.** Et en effet ce n'est pas parce que le Créateur a déclaré : « *Maudit tout homme qui est pendu au bois* [aa] [2] » que, pour autant, le Christ passera pour être celui d'un « autre » dieu, ni non plus pour avoir été maudit par le Créateur, déjà alors, dans la Loi. Et comment le Créateur l'aurait-il maudit d'avance, vu qu'il l'ignorait [3] ? Mais pourquoi ne conviendrait-il pas plus au Créateur d'avoir abandonné son Fils à sa propre malédiction qu'à ton dieu supérieur de l'avoir soumis à cette malédiction, et cela, à vrai dire, pour l'homme qui lui est étranger [4] ? En fin de compte, si cet acte à l'égard d'un fils semble une atrocité [5] dans le cas du Créateur, il en va pareillement dans celui de ton dieu ; s'il semble raisonnable aussi pour le tien, il en sera tout pareillement pour le mien, et ce sera même plus raisonnable pour le mien. **11.** Car il serait plus facile de croire que la prévision d'une bénédiction pour l'homme grâce à la malédiction du Christ est le fait de celui qui jadis a proposé devant l'homme à la fois malédiction et bénédiction [y] [6], plutôt que de celui qui jamais, chez toi, n'a fait profession ni de l'une ni de l'autre.

Donc « *nous recevons la bénédiction spirituelle par le moyen de la foi* [bb] [7] », dit l'Apôtre : cette foi évidemment par laquelle vit le juste [v], selon le Créateur [8]. C'est donc bien ce

---

6. Habile retour de l'argumentation au texte scripturaire initial.

7. La discussion rebondit par cette citation de Ga 3, 14b faite sous forme accommodée : la proposition commandée par ἵνα devient une indépendante ; *igitur* n'appartient pas à la citation et coupe court à la discussion précédente sur la « malédiction ». La question, dès lors, se limite au constat de la bénédiction accordée aux fidèles *par la foi*. Sur le texte marcionite de Ga 3, 14b (la leçon εὐλογίαν au lieu de la leçon habituelle ἐπαγγελίαν), cf. HARNACK, p. 73* et SCHMID, p. 123 et I/316 ; ce dernier admet, contre Harnack, la leçon λάβωμεν qui corrobore le texte de *MFX (accipimus)* bien préférable à celui de *R (accepimus)* adopté par Kroymann et Evans.

8. Répartie de T. qui renoue avec l'argumentation du § 8 en rappelant la citation d'*Habacuc* et, par conséquent, la nécessité d'en déduire que cette foi concerne le Créateur.

105 Hoc est ergo, quod dico : eius fidei esse, cuius est forma gra-
     tiae fidei. Sed et cum adicit : « *Omnes enim filii estis fidei* ^{cc} »,
     ostenditur quid supra haeretica industria eraserit : mentio-
     nem scilicet Abrahae, qua nos Apostolus filios Abrahae per
     fidem adfirmat ^{dd}, secundum quam mentionem hic quoque
110 filios fidei notauit. Ceterum quomodo filii fidei ? Et cuius
     fidei, si non Abrahae ? **12.** Si enim « *Abraham Deo credi-
     dit et deputatum est <ei> iustitiae* ^{ee} » atque exinde « *Pater
     multarum nationum* ^{ff} » meruit nuncupari, nos autem, cre-
     dendo Deo magis proinde iustificamur, sicut Abraham, et
115 uitam proinde consequimur, sicut *iustus ex fide uiuit* ^v : sic
     fit ut et supra filios nos Abrahae pronuntiarit, qua patris
     fidei, et hic filios fidei, per quam Abraham pater nationum
     fuerat repromissus. Ipsum quod fidem a circumcisione
     reuocabat, nonne Abrahae filios constituere quaerebat, qui
120 in carnis integritate crediderat ^{gg} ? Denique alterius dei fides
     ad formam dei alterius non potest admitti, ut credentes ius-
     titiae deputet, ut iustos uiuere faciat, ut nationes filios fidei
     dicat. Totum hoc eius est, apud quem ante iam notum est.

---

106 fidei ¹ : fides *Kroy.* ‖ 112 ei *X Kroy.* : *om. MF edd. cett. a R* ‖ 114
magis *del. Mor. uide adnot.* ‖ 116 patris *M R₂R₃* : patres γ *R₁*

---

cc. Ga 3, 26   dd. Cf. Ga 3, 6-9   ee. Ga 3, 6 = Gn 15, 6   ff. Gn 17, 4.5
gg. Cf. Rm 4, 11

---

1. La formule s'éclaire par les deux dernières phrases du § 12. C'est le
Créateur qui détient le modèle (*forma*) de cette « grâce de la foi » puisque
c'est lui qui a proposé la « bénédiction » à l'homme.
2. Omission par Marcion des v. 6-9 et des v. 15-25 où Paul mentionne
Abraham (cf. *supra*, p. 103, n. 6).
3. Moreschini retranche *magis* attesté par toute la tradition et conservé
par les autres éditeurs. On peut cependant comprendre l'emploi de cet
adverbe comme marquant un progrès par rapport à Abraham : outre la
« justification », il y a aussi la « vie par la foi ».
4. Sur la locution *ipsum quod* (= *ob id ipsum quod*), déjà chez Sénèque,
et signifiant « précisément pour cette raison que... », cf. LHS, p. 575 (*Zus. α*).

que je dis : que c'est une foi au dieu à qui appartient le modèle de la grâce de cette foi [1]. Mais lorsque l'Apôtre ajoute : « *Vous êtes en effet tous fils de la foi* [cc] », ces mots font voir ce que, plus haut, l'artifice hérétique a supprimé : à savoir la mention d'Abraham [2] par laquelle l'Apôtre affirme que nous sommes fils d'Abraham par la foi [dd], et c'est conformément à cette mention qu'ici aussi il a utilisé cette notation « fils de la foi ». D'ailleurs comment entendre « fils de la foi » ? Et de quelle foi, sinon celle d'Abraham ? **12.** Si en effet « *Abraham a cru à Dieu et si la chose lui a été réputée à justice* [ee] », et si ensuite il a mérité d'être appelé « *Père de nombreuses nations* [ff] », si d'autre part nous, plus encore [3], nous sommes justifiés en croyant à Dieu, de la même façon qu'Abraham, et nous obtenons la vie de la même façon que *le juste vit par la foi* [v], il en résulte que, plus haut, l'Apôtre nous a dits fils d'Abraham en tant que celui-ci est père de la foi, et qu'ici il nous dit fils de la foi par laquelle Abraham avait été promis comme père des nations. Par le fait même [4] qu'il appelait la foi à se détourner de la circoncision, ne cherchait-il pas à constituer les fils d'un Abraham qui avait cru dans l'intégrité de sa chair [gg] [5] ? En fin de compte, la foi en un dieu ne peut être admise à suivre le modèle d'un autre dieu en réputant à justice l'attitude des croyants, en faisant que les justes aient la vie, en disant « fils de la foi » les nations : tout un ensemble de choses qui appartiennent à celui chez qui, déjà auparavant, elles ont été connues [6].

---

5. C'est encore incirconcis qu'Abraham avait été appelé à la foi.

6. T. use d'un argument qui lui est habituel, fondé sur l'antériorité qui est pour lui un critère décisif : il s'agit de dénier au dieu de Marcion le droit d'avoir des comportements et d'exprimer des sentences qui ont été ceux du Créateur. Il en donne trois exemples en regroupant Gn 15, 6, Ha 2, 4 et Ga 3, 26 (interprété en fonction de Gn 17, 4-5). La proposition par *ut* où ils sont regroupés, est à comprendre comme consécutive (« de telle sorte que... »).

IV. 1. Sub eadem Abrahae mentione, dum ipso sensu reuincatur, « *Adhuc*, inquit, *secundum hominem dico* ᵃ *: dum essemus paruuli, sub elementis mundi eramus positi ad deseruiendum eis* ᵇ. » Atquin non est hoc humanitus dictum. Non
5 enim exemplum est, sed ueritas. Quis enim paruulus – utique sensu, quod sunt nationes – non elementis subiectus est mundi, quae pro Deo suspicit ? Illud autem fuit, quod cum « *secundum hominem* ᵃ » dixisset : « *Tamen testamen-*

IV. 7 fuit *Mγ Oeh. Kroy. Evans* : facit *R Gel. Pam. Rig.* ‖ 8 cum ... dixisset : tum ... dixit sed *Kroy. uide adnot.*

IV. a. Ga 3, 15a	b. Ga 4, 3

---

1. Depuis Pamelius, les mots *sub eadem ... reuincatur* étaient rattachés au chapitre précédent, où ils sont pourtant inintelligibles dans la phrase finale. Par une heureuse correction qu'ont ratifiée Moreschini et Evans, Kroymann les a rétablis au début du nouveau chapitre qui concerne Ga 4. Nous admettons que *reuincatur* (à prendre au sens judiciaire, comme au § 2 où ce verbe revient) a pour sujet Marcion, le sujet de *inquit* étant l'Apôtre comme auteur de la lettre en examen. Nous donnons à *dum* un sens causal (cf. HOPPE, *S.u.S.*, p. 152-153), contre Kroymann, suivi par les deux derniers éditeurs, qui lui donne une valeur adversative (« während doch »). Comprise comme nous le faisons, cette phrase introductive amorce la démonstration qui va suivre, à savoir que la formule *secundum hominem dico*, déplacée par Marcion et transférée devant Ga 4, 3, ne peut se concevoir que dans un rapport de dépendance (*sub* a le même sens que dans la citation) avec le développement de la lettre authentique où Abraham est nommé (ainsi v. 16.18.29) et que l'hérétique a supprimé.
2. Cette formule est apparemment tirée par Marcion de Ga 3, 15a pour des raisons qui restent obscures : HARNACK, p. 157*, parle d'« insertion opaque » ; SCHMID, p. 278, y voit une « glose ». D'après HARNACK, *ibid.*, il faut tenir *adhuc* (ἔτι) pour une addition stylistique de Marcion. Mais on peut aussi se demander si cet adverbe ne serait pas plutôt à joindre au verbe principal *(eramus positi)* : la formule empruntée à Ga 3 serait seulement *secundum hominem dico*, formant une parenthèse. Elle s'expliquerait alors aisément dans l'ensemble de Ga 4, 1-3 (comparaison entre l'héritier enfant et l'esclave). HARNACK, p. 74*, a sans doute raison de supposer que les versets Ga 4, 1-2, quoique non attestés, n'avaient pas été supprimés. – Concernant la traduction, nous préférons nous en tenir à la littéralité sans expliciter le sens comme font la *TOB* (« partons des usages humains ») et LAGRANGE, p. 75 (« je raisonne comme on le fait parmi les hommes », avec cette explication en note : « pour employer une comparaison tirée des us et coutumes

Marcion convaincu de mutilation du texte

IV. 1. En liaison directe avec la même mention d'Abraham – car le sens précisément permet de confondre Marcion[1] –, l'Apôtre dit : « *Je le dis encore selon l'homme* [a][2] : *tant que nous étions petits enfants, nous étions placés sous la domination des éléments du monde, pour être leurs esclaves* [b]. » Mais pourtant, il n'y a pas ici une expression qui relève du mode humain. Ce n'est pas en effet le recours à un exemple, mais l'énoncé d'une vérité[3]. Car est-il petit enfant – bien évidemment au sens plénier, c'est-à-dire désignant les nations – qui ne soit pas soumis aux éléments du monde, qu'il révère à la place de Dieu[4] ? Mais ce que cette expression concerne, ce fut ce qu'il a énoncé après avoir dit « *selon l'homme* [a][5] » : « *Cependant,*

des humains »). Mais il est sûr que l'expression de Paul fait référence aux pratiques de la société humaine, par opposition à l'enseignement reçu de Dieu.

3. L'argument de T. consiste à montrer, d'abord que cette référence aux usages humains n'a pas de sens pour introduire le verset suivant (Ga 4, 3) qui énonce une vérité religieuse relative à l'histoire du salut (selon le *sens*), ensuite qu'elle trouve sa pleine signification si on la rétablit à sa place originelle, c'est-à-dire devant Ga 3, 15b-16 (comparaison entre un testament d'homme et le « testament » de Dieu que constituent les promesses à Abraham et sa descendance). Tous les passages mentionnant Abraham ayant été retranchés par Marcion, notre polémiste pouvait voir là une preuve de son travail de falsificateur et de mutilateur. Sur ce passage, cf. SCHMID, p. 107.

4. Comment Marcion interprétait-il ce verset ? Nous l'ignorons. Peut-être, selon son exégèse littéraliste, comprenait-il *paruuli* au sens propre. En tout cas, T., lui, propose comme seule admissible une explication fondée sur le *sensus :* ce « sens » (déjà annoncé par la première phrase) doit être, pensons-nous, opposé à la *littera*. Il s'agit d'une exégèse symbolique ou « mystique », s'appuyant sur une histoire du salut, et qui consiste à assimiler « petits enfants » et « païens » (non encore arrivés à la vie adulte que le Christ leur a ouverte en les appelant). Sur cette exégèse, cf. IV, 25, 5.

5. Le texte transmis a été malencontreusement corrigé par Kroymann qui, au lieu de *cum ... dixisset*, lit *tum ... dixit : sed*. Moreschini et Evans sont revenus à la leçon traditionnelle qui se comprend fort bien à condition d'admettre l'ellipse de *dixit* dans la proposition qui suit *cum ... dixisset :* il y a d'autres exemples de ce type d'expression elliptique chez T. (cf. HOPPE, *Beiträge*, p. 46-47). L'hypothèse d'Evans en note (*inquit* à ajouter à *testamentum*) est donc inutile.

tum hominis nemo spernit aut superordinat [c]. » **(2.)** Exemplo
10 enim humani testamenti permanentis diuinum tuebatur.
2. « *Abrahae dictae sunt promissiones et semini eius. Non
dixit 'seminibus', quasi pluribus, sed 'semini' tamquam uni,
quod est Christus* [d]. » Erubescat spongia Marcionis ! nisi
quod ex abundanti retracto quae abstulit, cum ualidius sit
15 illum ex his reuinci, quae seruauit.

« *Cum autem euenit impleri tempus, misit Deus Filium
suum* [e] » – utique is, qui etiam ipsorum temporum deus est,
quibus saeculum constat, qui signa quoque temporum ordi-
nauit, soles et lunas et sidera et stellas, qui Filii denique sui
20 reuelationem in extremitatem temporum et disposuit et praedicauit : « *In nouissimis diebus erit manifestus mons Domini* [f] »,

---

11 sunt *M R$_3$ Rig.* : *om.* γ *R$_1$R$_2$* ‖ 13 est christus *M Kroy.* : christus est
β *edd. cett.*

---

c. Ga 3, 15b   d. Ga 3, 16   e. Ga 4, 4   f. Is 2, 2

---

1. Après avoir cité (en discours indirect) l'expression litigieuse, T. poursuit en citant directement Ga 3, 15b, non sans alléger le verset de la détermination de *testamentum*. Correspondant à ὅμως, *tamen* fait partie de la
citation. Emploi unique chez l'auteur de *superordinare* : ce mot a été créé
par les traducteurs de la Bible pour rendre ici ἐπιδιατάσσομαι (littéralement : « ajouter de nouvelles dispositions à... ») qui est un hapax du NT. –
Le présent passage apporte la preuve que notre auteur avait sous les yeux,
en plus de l'*apostolicon* marcionite, un exemplaire « catholique » des lettres
de Paul.
2. Citation rhétoriquement arrangée vers la fin, pour éviter la reprise
littérale de Gn 17, 2 (à la seconde personne).
3. Reprise du motif polémique habituel – l'auteur faisant honte à
Marcion pour son massacre des Écritures qui se retourne contre lui (cf. IV,
34, 7 ; 43, 9). Il est renouvelé ici par une plaisante personnification de l'objet qui sert à effacer les caractères sur les tablettes (autre emploi de *spongia* en *Nat.* I, 19, 9 (éd. Schneider, p. 303), qui rappelle l'anecdote racontée par SUÉTONE, *Cal.* 20).
4. Phrase de transition qui coupe court à un développement sur un passage retranché, et rappel de la position prise pour l'évangile marcionite :
la réfutation doit être faite à partir des textes conservés, et eux seulement
(cf. IV, 6, 2). L'expression *ex abundanti* a le même sens qu'en III, 1, 1.

d'un homme, personne ne rejette le testament ou le complète c1*.* » **(2.)** Car par l'exemple de la permanence d'un testament humain il sauvegardait celle du testament divin. **2.** « *Les promesses ont été faites à Abraham et à sa descendance. Il n'est pas dit : 'à ses descendances', comme si elles étaient plusieurs, mais 'à sa descendance', comme étant unique, c'est-à-dire le Christ* d2*.* » Qu'elle rougisse, l'éponge de Marcion [3] ! Et pourtant il est superflu de ma part de revenir sur les passages qu'il a supprimés, étant donné qu'il est plus efficace de le confondre à partir de ceux qu'il a conservés [4].

Le Créateur est seul maître du temps « *Mais lorsqu'il arriva que fût accompli le temps, Dieu a envoyé son Fils* e5 » – celui bien sûr qui est le dieu même des temps précisément dont est constitué le « siècle » : lui qui a mis en ordre les signes des temps aussi – les soleils, les lunes, les astres, les étoiles [6] –, lui qui enfin a tout à la fois disposé et annoncé pour l'extrémité des temps la révélation de son Fils : « *Dans les derniers jours se manifestera la montagne du Seigneur* f7 » ; et : « *Dans les derniers*

---

5. Passant à la suite du texte qui a provoqué la précédente discussion, T. ne formule aucune observation sur le retranchement par Marcion, en Ga 4, 4, des mots « né d'une femme, né sous la dépendance de la Loi » selon le principe méthodologique qu'il a rappelé ; cf. HARNACK, p. 74* ; SCHMID, I/317. La substitution d'une infinitive (« impleri tempus ») à un substantif (τὸ πλήρωμα τοῦ χρόνου) vient-elle de sa traduction personnelle ? HARNACK, *ibid.*, qui souligne la reprise du même tour infinitif juste après, semble y voir un indice en faveur d'une traduction latine marcionite que suivrait le Carthaginois.

6. L'argumentation de T. consiste à montrer que le texte ne peut concerner que le Créateur (premier temps) et à dénier qu'il puisse s'appliquer au dieu de Marcion (second temps). Il rappelle pour commencer que le temps est lié à l'organisation cosmique et relève du dieu qui a créé le monde. Sur *saeculum* = αἰών comme solidaire du monde créé par Dieu, cf. *Deus Christ.*, p. 392. Il rappellera ensuite le plan salvifique de Dieu et son annonce aux hommes dès l'AT.

7. Texte cité selon la LXX : cf. III, 21, 3 et IV, 35, 15.

et : « *In nouissimis diebus effundam de meo Spiritu in
omnem carnem* ᵍ », secundum Iohelem. Ipsius erat susti-
nuisse *tempus impleri* ᵉ, cuius erat etiam finis temporis
25 sicut initium. **3.** Ceterum deus ille otiosus nec operationis
nec praedicationis ullius atque ita nec temporis alicuius,
quid omnino egit, quod efficeret *tempus impleri* ᵉ, etiam
implendum sustineri ? Si nihil, satis uanum est ut Creatoris
tempora sustinuerit seruiens Creatori.

30 Cui autem rei misit Filium suum ? « *Vt eos, qui sub lege
erant, redimeret* ʰ » – hoc est ut efficeret « *tortuosa in uiam
rectam et aspera in uias leues* ⁱ », secundum Esaiam, ut uetera
transirent et noua orirentur ʲ : « *Lex noua ex Sion et sermo
Domini ex Hierusalem* ᵏ » – et : « *Vt adoptionem filiorum
35 acciperemus* ˡ », utique nationes, quae filii non eramus. **(4.)**

---

22 meo spiritu *Kroy.* : meo spiritum *M*   spiritu meo β *edd. cett.* ‖ 23
ioelem *M* ‖ 25 initium *eras. M* ‖ 27 quid *M R* : quod γ ‖ etiam ϑ : et iam
Oeh. Kroy. Mor. Evans   aut iam *Lat. uide adnot.* ‖ 31-34 hoc — hierusalem : *in parenthesi Kroy.* ‖ 32 leues *Iun. Kroy. probante Evans* : lenes ϑ
edd. cett. uide adnot.

---

g. Jl 2, 28 = Ac 2, 17   h. Ga 4, 5a   i. Is 40, 4   j. Cf. Is 43, 19 ; Is 65,
17 ; 2 Co 5, 17   k. Is 2, 3   l. Ga 4, 5b

1. Texte de *Joël*, mais cité d'après Ac 2, 17. Il reviendra au § 4 et *infra*
8, 5 ; 11, 4 ; 17, 4. On le retrouve dans d'autres œuvres de T. marquées par
le montanisme : *An.* 47, 2 ; *Res.* 10, 2 ; 63, 7.

2. Le développement que T. donne à l'idée souligne l'attente de cet
accomplissement du temps : c'est un moyen de mieux disqualifier la survenance brutale et inattendue du dieu de Marcion.

3. Reprise d'une critique souvent formulée : cf. I, 12, 1-2 et surtout I,
22, 5. Les deux génitifs de qualité qui suivent associent étroitement les deux
formes de la révélation divine.

4. Ce dernier membre de phrase, qui marque un renchérissement,
reprend l'idée ajoutée à la fin du § 2. La correction d'Oehler (*et iam* au lieu
de *etiam*), adoptée par les derniers éditeurs, ne nous paraît pas indispensable : la leçon transmise sert davantage à présenter un renchérissement.

5. Selon un motif plusieurs fois employé, cette remarque, assez ironique, fait du dieu de Marcion un simple « sous-ordre » du Créateur.

jours je répandrai de mon Esprit sur toute chair [g][1] », selon
Joël. Celui-là justement à qui il appartenait d'avoir attendu [2]
l'accomplissement du temps [e], c'est celui auquel appartenait
même la fin du temps, comme lui en appartient le commencement. **3.** A l'inverse, ce dieu oisif [3], qui n'est celui
d'aucune œuvre créée ni d'aucune annonce prophétique, et
qui ainsi n'est pas non plus celui d'un temps quelconque,
quelle activité a-t-il eue en tout qui pût produire *l'accom-*
plissement du temps [e], même l'attente d'un accomplissement
à venir [4] ? S'il est vrai qu'il n'en a eu aucune, il est suffisamment vain de sa part d'avoir attendu les temps du
Créateur en se mettant au service de ce Créateur [5] !

L'auteur   D'autre part, à quelle fin a-t-il
de la promesse est   envoyé son Fils [6] ? « *Afin de rache-*
aussi celui de la grâce *ter ceux qui étaient sous la dépen-*
                        dance de la Loi [h] » – c'est-à-dire [7]
pour faire que « *les passages tortueux deviennent route*
droite et les passages rocailleux routes lisses [i][8] », selon Isaïe,
pour que les choses anciennes passent et que les nouvelles
apparaissent [j][9] : « *Une loi nouvelle sortira de Sion, et la*
parole du Seigneur, de Jérusalem [k][10] » – et : « *Afin que nous*
recevions l'adoption de fils [l] », nous bien sûr les nations qui
n'étions pas les fils. **(4.)** Et c'est lui en effet qui sera *la*

---

6. La question permet d'articuler sur le précédent le nouveau développement qui va être consacré au verset suivant. Sur ce type d'interrogation
rhétorique, cf. SCHMID, p. 72.

7. Selon un procédé qui lui est habituel, T. insère l'exégèse dans l'énoncé
du texte : d'où une longue parenthèse qui rappelle des textes vétérotestamentaires sur l'annonce d'un affranchissement de la Loi ancienne.

8. Reprise abrégée, et avec variantes rédactionnelles, du texte isaïen qui
a été allégué *supra* 3, 8, sur les difficultés de la Loi changées en facilités de
l'Évangile. La correction de Junius (*leues* au lieu de *lenes*) nous paraît justifiée pleinement.

9. Texte déjà cité en III, 5, 3 ; IV, 1, 6 ; 11, 9 ; 13, 4.

10. Déjà cité en III, 21, 3 ; 22, 1 ; IV, 1, 4 ; 35, 15.

Et ipse enim erit *lux nationum* [m] et *in nomine eius nationes sperabunt* [n]. **4.** Itaque ut certum est et nos filios Dei esse, « *Misit Spiritum suum in corda nostra clamantem : 'Abba', 'Pater'* [o]. » « *In nouissimis* enim, inquit, *diebus effundam de*
40 *meo Spiritu in omnem carnem* [g]. » Cuius gratia, nisi cuius et promissio gratiae ? Quis Pater, nisi qui et factor ?

5. Post has itaque diuitias non erat reuertendum « *ad infirma et mendica elementa* [p] ». « Elementa » autem apud Romanos quoque etiam primae litterae solent dici. Non
45 ergo per mundialium elementorum derogationem a deo eorum auertere cupiebat, etsi dicendo supra : « *Si ergo his,*

---

36 erit lux *Mγ Kroy.* : lux erit β *edd. cett.* ‖ 37 est et *Mγ R₁R₂* : esset *edd. cett. a R₃ uide adnot.* ‖ 45 derogationem *M R* : -e γ ‖ 46-49 etsi — taxans *in parenthesi Kroy. Mor.*

---

m. Is 42, 6 ; Is 49, 6   n. Is 42, 4 (LXX) ; cf. Mt 12, 21 ; Rm 15, 12
o. Ga 4, 6   p. Ga 4, 9

---

1. Déjà cité en IV, 11, 1 ; 25, 5.11.
2. Texte cité d'après la LXX ; la *TOB* traduit : « Et les îles seront dans l'attente de ses lois. »
3. Ce verset présente de menues différences avec celui du texte « catholique » (ainsi *Spiritum suum* au lieu de *Spiritum filii sui*). Cf. HARNACK, p. 74* et SCHMID, p. 67 et p. 79. Nous suivons ici la leçon de la tradition manuscrite *(ut certum est et)* qui a été défendue par le P. Orbe, « Entorno al modalismo de Marcion », *Gregorianum* 71, 1990, p. 62, n. 65, contre la correction *ut certum esset* qui est généralement adoptée. Il doit s'agir, pensons-nous, d'une traduction libre et appuyée de ὅτι initial du v. 6, particule comprise au sens causal (la Vg traduit par *quoniam*). Interprétation différente par LAGRANGE, p. 103-104, qui voit là une ellipse et traduit : « Et [la preuve] que vous êtes des fils... ». Harnack et Schmid attribuent la traduction *ut certum esset* à T., mais on ne peut exclure qu'elle soit, même sous la forme de la tradition manuscrite, le fait de Marcion lui-même.
4. Reprise du texte cité au § 2.
5. Rappel du thème fréquent sur la création de l'homme par le dieu de l'AT que Marcion veut distinguer du sien. Sur le terme *factor*, cf. *Deus Christ.*, p. 336.
6. Cette indication, par laquelle se poursuit la paraphrase du texte paulinien, nous paraît comporter une allusion au v. 7 qui, de la qualité de « fils », déduit celle d'« héritier ». Nous explicitons « richesses » par l'ajout de « de la grâce ».

lumière des nations [m][1] et *en son nom les nations espéreront* [n][2].

4. C'est pourquoi, étant donné aussi qu'il est certain que nous sommes fils de Dieu, « *Il a envoyé son Esprit dans nos cœurs, criant 'Abba' : 'Père'* [o][3]. » Car il dit : « *Dans les derniers jours je répandrai de mon Esprit sur toute chair* [g][4]. » De qui est la grâce, sinon de celui de qui est aussi la promesse de la grâce ? Qui est le Père, sinon celui qui est aussi le créateur [5] ?

L'invitation à ne pas retourner aux anciennetés de la Loi émane bien du Créateur

5. C'est pourquoi, après ces richesses (de la grâce [6]), il ne fallait pas retourner « *à des éléments faibles et indigents* [p][7] ». Or chez les Romains aussi, on a l'habitude d'appeler « éléments » même les premiers rudiments d'instruction [8]. Ce n'est donc pas que l'Apôtre, par un dénigrement [9] des éléments cosmiques [10], désirait détourner du dieu de ces éléments, même si [11], par ses mots précédents :

---

7. T. cite avec précision les termes sur lesquels la discussion va porter. La suite du passage montre bien que Marcion y voyait – sans doute dans un commentaire, comme le suppose HARNACK, p. 75* – la dénonciation du dieu du monde, le Créateur.

8. Le terme τὰ στοιχεῖα comme son équivalent *elementa* comporte deux sens : un sens grammatical (« lettres de l'alphabet », d'où par dérivation : « instruction élémentaire », « rudiments ») et un sens physique (« éléments constitutifs du monde », « principes », même « corps célestes », « astres » : sur ce dernier sens, cf. I, 13, 3 et t. 1, p. 160, n. 2). C'est en privilégiant le premier sens que T. va défendre son interprétation tout en faisant une concession à celle de Marcion, fondée sur le deuxième sens : mais de cette interprétation marcionite, il rejettera la déduction forcée (condamnation du Créateur). L'adverbe *quoque* montre bien que le texte grec de l'Écriture est le premier à être pris en compte.

9. Sur *derogatio* (emploi unique chez T.), cf. *TLL, s.v.* qui le définit par : « detrectio », « calumnia » ; cf. l'emploi de *derogator*, en IV, 29, 2 (et *ad loc.*, n. 6).

10. Sur *mundialis*, mot qui apparaît chez T., cf. A.P. ORBÁN, *Les dénominations du monde chez les premiers auteurs chrétiens*, Nimègue 1970, p. 230-231.

11. Devant *etsi*, Kroymann, suivi par Moreschini, ouvre une parenthèse qu'il referme après *taxans*. Nous préférons revenir à la ponctuation traditionnelle comme fait Evans (virgule devant *etsi*, point après *taxans*) : l'idée ressort avec plus de clarté.

qui in natura sunt dei, seruistis q », physicae, id est naturalis, superstitionis elementa pro Deo habentis suggillat errorem, nec sic tamen elementorum deum taxans. Sed quae uelit
50 intellegi « elementa », primas scilicet litteras legis, ipse decla-
rat : « *Dies obseruatis et menses et tempora et annos* r. » (6.)
Et sabbata, ut opinor, et caenas puras et ieiunia et dies
magnos. 6. Cessare enim ab his quoque, sicut et circumci-
sione, oportebat ex decretis Creatoris, qui et per Esaiam :
55 « *Neomenias uestras et sabbata et diem magnum non sustinebo, ieiunium et ferias et caerimonia uestra odit anima
mea* s » ; et per Amos : « *Odi, reieci caerimonias uestras, et*

---

47 in : non *Pam. Rig. Oeh. Evans uide adnot.* ‖ seruistis *Braun* : seruitis β *Mor.* seruit is *M uide adnot.* ‖ 48 suggillabat *Pam. Rig. Oeh. Evans*
‖ 50 primas β : prima *M* ‖ 56 ceremonias uestras *Pam. Rig. Oeh. Evans*

q. Ga 4, 8   r. Ga 4, 10   s. Is 1, 13-14

1. Sur la forme marcionite de ce verset, cf. HARNACK, p. 75[*] et SCHMID,
p. 116, p. 124-125, p. I/317. La leçon transmise par les mss existants *in
natura* nous paraît sûre, contre la leçon *non natura* adoptée par Pamelius
sur la foi de *Vaticani* aujourd'hui disparus. Le commentaire de T. (*physicae, id est naturalis superstitionis*) corrobore la leçon *in natura*. Mais il nous
paraît indispensable de corriger *seruitis* en *seruistis* pour la cohérence du
raisonnement : il est clair que cet esclavage est un esclavage *passé* (comme
supra § 1, pour le verset 3). IRÉNÉE également (*Haer.* 3, 6, 5) cite ainsi : *Si
enim ... seruistis.* De plus, le verset 7 (auquel fait allusion le début du § 5 :
cf. p. 114, n. 6) tient cet « esclavage » pour révolu. On remarquera que le
témoin le meilleur *M* a une lecture fautive *seruit is* qui permet de supposer quelque altération dans son modèle ou quelque incompréhension d'une
indication de celui-ci (peut-être *is* marginal à substituer à *i* ?).
2. Rapprochant « éléments faibles et indigents » des « éléments du monde »
du v. 3, Marcion devait comprendre ces expressions dans le sens « physique »
et il en déduisait hardiment une condamnation du Créateur de notre univers.
Sans rejeter catégoriquement ce sens, manifeste d'ailleurs au v. 3, et en admettant que l'Apôtre pouvait avoir en vue les forces naturelles divinisées par le
paganisme (cf. I, 13, 4), T. va en tout cas s'élever contre l'erreur que commet
l'hérétique en assimilant ces « éléments » à Dieu lui-même, leur créateur. – Sur
le sens exact que Paul avait voulu donner à ces expressions, il a été beaucoup
discuté : cf. LAGRANGE, p. 99-101 et p. 107-108. L'opinion la plus acceptable
paraît celle que donne la note *i* pour Ga 4, 3 dans la *TOB* : « ... L'expression

« *Si donc vous avez été esclaves de ces dieux qui sont dans la nature* [q1] », il stigmatise l'erreur d'une superstition physique, c'est-à-dire naturelle, qui tient pour Dieu les éléments [2], sans pour autant censurer par là le dieu de ces éléments. Mais ce qu'il veut que l'on comprenne par « éléments », à savoir les premiers rudiments d'instruction de la Loi [3], il le signifie clairement lui-même en disant : « *Vous observez les jours et les mois et les saisons et les années* [r4] » – (**6.**) et, j'imagine, les sabbats, et les banquets de leur veille et les jeûnes et les grands jours [5]. **6.** Effectivement c'est à toutes ces pratiques aussi, comme à la circoncision, qu'il fallait mettre un terme [6] d'après les dispositions du Créateur qui avait dit, et par Isaïe : « *Je ne supporterai pas vos néoménies et vos sabbats et votre grand jour ; mon âme déteste votre jeûne et vos jours de fêtes et vos cérémonies* [s7] », et par Amos : « *J'ai détesté, rejeté, vos*

ne semble pas désigner les éléments matériels dont l'univers était constitué ..., mais plutôt les puissances à l'œuvre dans le monde... L'Apôtre met intentionnellement sur le même plan les rites de la religion païenne et les rites juifs qu'on tente d'imposer aux Galates convertis d'origine païenne... ».

3. Il faut comprendre *legis*, croyons-nous, comme un génitif d'inhérence (« les premiers rudiments ... qui consistent en la Loi »). T. maintient le sens de *primae litterae* qu'il vient de donner à *elementa*. Il marque par là, conformément à sa perspective présente, que la Loi est une première étape, un enseignement dépassé par la pleine possession de la grâce qu'a apportée l'Évangile. Mais il ne s'agit pas de l'opposition entre la « lettre » et l'« esprit ».

4. La *TOB* ajoute « religieusement » pour faire ressortir le sens du verbe. T. a cité aussi ce verset en I, 20, 4 et également *Iei.* 2, 6 et 14, 1 s. sans s'astreindre au même ordre dans l'énumération : cf. SCHMID, p. 102.

5. La phrase de Paul est prolongée par un ajout de T. qui énumère d'autres rites de la pratique juive. Sur *cena pura* désignant les banquets de la parascève (veille du sabbat), cf. *Nat.* I, 13, 4 (éd. Schneider, p. 259).

6. Même construction de *cessare* (= s'arrêter de, ne plus continuer) avec *a* ou *de* en *Nat.* I, 7, 2 et 6, 3 ; II, 12, 9.

7. Cf. I, 20, 5 où sont cités dans le même contexte de Ga 4, 10 ce texte d'*Isaïe* et celui qui viendra ensuite d'*Osée*. Ici les mss ont *sustinebo* (au lieu du présent). La forme neutre de *caerimonia* que la tradition manuscrite garantit ici et dans la citation d'*Osée*, est confirmée par *TLL* III, col. 100, l. 17 s. (un exemple de cette forme neutre déjà chez Fronton).

non odorabor in frequentiis uestris [t] » ; item per Osee :
« *Auertam uniuersas iocunditates eius et caerimonia eius et*
60 *sabbata et neomenias eius et omnes frequentias eius* [u]. »

7. Quae ipse constituerat, inquis, erasit ? – Magis quam
alius ; aut si alius, ergo ille adiuuit sententiam Creatoris,
auferens quae et ille damnauerat. Sed non huius loci quaestio, cur leges suas Creator infregerit. Sufficit, quod infrac-
65 turum probauimus, ut confirmetur nihil Apostolum aduersus Creatorem determinasse, cum et ipsa amolitio legis a
Creatore sit.

8. Sed ut furibus solet aliquid excidere de praeda in indicium, ita credo et Marcionem nouissimam Abrahae mentio-
70 nem dereliquisse, nullam magis auferendam, etsi ex parte
conuertit. Si enim « *Abraham duos liberos habuit, unum ex*

---

58 odorabor *edd. a Pam* : ad- ϑ *Gel. uide adnot.* ‖ 59 ceremonias *Pam.*
‖ 62 aut *M*γ *R₁R₂ edd. a Rig.* : at *R₃ Gel. Pam.* ‖ 65 ut *M*γ *R₁R₂ edd. a
Pam.* : et *R₃ Gel.* ‖ 68-69 indicium *M R₂R₃* : iudicium *F R₁* iniudicium *X*
‖ 70 nulla ... auferenda *Eng. Kroy. Evans uide adnot.* ‖ 71 conuertit *eras.*
M

---

t. Am 5, 21   u. Os 2, 11

---

1. Nouveau par rapport au dossier de I, 20, 5, ce texte d'*Amos* figure chez
Justin, *Dial.* 22, 2. Nous donnons à *odi* (correspondant à μεμίσηκα de la
LXX) la valeur d'un parfait. La correction de Pamelius (*odorabor* au lieu de
adorabor) a été généralement admise (LXX ὀσφρανϑῶ) ; les traductions
varient : « puissé-je ne pas respirer l'odeur de vos assemblées » (Archambault) ;
« je ne prends pas plaisir à vos assemblées » (Dhorme) ; « je ne puis sentir
vos rassemblements » *(TOB)*.

2. L'exclamation ironique prêtée à l'adversaire fait rebondir le développement. Ce que Marcion attribue à l'« autre » dieu, T. l'attribue au
Créateur avec ses arguments habituels (l'« autre » n'aurait été qu'un auxiliaire du Créateur), avant de renvoyer la question de fond (le pourquoi de
ce revirement) à un autre moment. Il en tire seulement une conclusion en
rapport avec le débat sur l'Apôtre.

3. Sur *amolitio*, cf. *supra* 2, 1 (et *ad loc.*, p. 81, n. 6).

4. Variante de la comparaison injurieuse de IV, 17, 13 (Marcion assimilé
aux *latrones*). Le nouveau développement, consacré à une autre section de

cérémonies, et je ne sentirai pas l'odeur dans vos assem-
blées[t1] », et encore par Osée : « *J'écarterai l'ensemble de ses*
réjouissances et ses cérémonies et ses sabbats et néoménies et
toutes ses assemblées[u]. »

7. Ce qu'il avait lui-même établi, dis-tu, il l'a éradiqué[2] ?
– Oui, lui plus qu'un « autre » ! Ou alors, s'il s'agit d'un
« autre », celui-là donc a secondé la décision du Créateur en
supprimant ce que lui aussi avait condamné. Mais ce n'est
pas ici le lieu de poser la question de savoir pourquoi le
Créateur a brisé ses lois. Il nous suffit d'avoir prouvé qu'il
devait les briser, pour confirmer que l'Apôtre n'a pris
aucune position à l'encontre du Créateur, puisqu' aussi bien
provient du Créateur le retranchement même[3] de la Loi.

**Servitude de la Loi
et affranchissement
par le Christ relèvent
du même Dieu**

8. Mais comme il arrive d'ordinaire aux voleurs qui voient quelque
chose de leur proie leur échapper
pour les dénoncer, ainsi je crois que
Marcion également a abandonné
derrière lui la toute dernière mention d'Abraham[4], alors
qu'il n'en est aucune qu'il aurait dû davantage enlever
– même s'il l'a en partie modifiée[5]. Si en effet « *Abraham a*

Ga, commence directement et sans transition par une remarque qui devrait
normalement appartenir au commentaire : cette technique de composition,
qui donne un relief particulier à l'observation initiale, est reprise du livre
IV où elle est plusieurs fois pratiquée (cf. Introduction au livre IV, t. 4,
p. 47). Sur les mentions d'Abraham supprimées par Marcion, cf. *supra* 3,
11 et p. 106, n. 2.

5. La correction d'Engelbrecht, adoptée par Kroymann (*nulla ... auferenda*) ne présente pas un caractère de nécessité : le texte transmis par toute
la tradition peut fort bien se comprendre comme proposition infinitive
dépendant de *credo*, avec une asyndète qui souligne fortement la valeur
adversative. Quant à la remarque finale de T. sur la « modification par-
tielle » que Marcion a fait subir au texte, elle a de quoi surprendre par sa
retenue : cf. SCHMID, p. 39, qui trouve T. bien au-dessous de la vérité quand
il qualifie ainsi un texte marcionite « monstrueusement enflé et glosé ».

ancilla et alium ex libera, sed qui ex ancilla carnaliter natus
est, qui uero ex libera per repromissionem, quae sunt allego-
rica – id est aliud portendentia : *haec sunt enim duo testa-*
75 *menta* – siue *duae ostensiones*, sicut inuenimus interpretatum : *unum a monte Sina* in synagogam Iudaeorum

---

73-80 quae — nostra : *in parenthesi Kroy.*

---

1. Ici commence, introduite par *Si enim* (que prolongera, *infra* : *ideoque adicit...*) et qui équivaut en fait à *Si enim apostolus dixit,* une longue citation de Ga 4, 22-24.26 faite d'après la recension marcionite. Ce passage pose beaucoup de problèmes et a été l'objet de nombreuses études, dont les principales sont : HARNACK, p. 52*-53* et p. 75*-76* ; O'MALLEY, *Tertullian and the Bible,* p. 54-56 ; LODOVICI, « Interpretazione », p. 391-399 ; J.J. CLABEAUX, *The Pauline corpus which Marcion used,* Cambridge (Mass.) 1983, p. 86-88 ; SCHMID, p. 126-130 et p. I/317-318. Une chose paraît certaine de l'avis des commentateurs : T. s'en est tenu au texte de Marcion, sans le déformer ou le comparer à celui de son exemplaire « catholique » ; il a limité ses interventions à deux gloses (cf. *infra*).

2. Le mot *allegorica* rend le terme ἀλληγορούμενα de Paul dont l'emploi est unique dans le NT. T. sent le besoin de l'expliquer à ses lecteurs, d'où la glose dont il le fait suivre, qui rappelle cependant les explications données en III, 5, 3-4 sur l'expression figurée de l'Écriture (« pleraque figurate *portendentia* per ... *allegorias* ... *aliter* intellegenda quam scripta sunt ») ; dans le même passage il donnait l'exemple de ce texte de Ga : « *docens* ... duo argumenta filiorum Abraham *allegorice* cucurrisse ». Que Marcion, suivant l'esprit de son temps, n'ait pas reculé devant les interprétations figurées ou allégoriques, nous en avons un indice en IV, 17, 12 à propos de Lc 6, 43-44 où il voyait une « allégorie » de ses deux dieux.

3. Cette phrase a été une des plus discutées de tout le développement présent, notamment par les adversaires (Quispel, Clabeaux, Schmid) de l'argument de Harnack qui voulait y voir la preuve de l'utilisation par T. d'un Marcion traduit en latin. Selon le savant allemand, notre auteur aurait d'abord substitué au terme qu'il lisait dans son Marcion latin le mot *testamentum* devenu à ses yeux usuel pour rendre διαθήκη (cf. son observation à ce sujet en IV, 1, 1) ; ensuite, dans une glose, il aurait indiqué le terme même qu'il trouvait dans son exemplaire marcionite latin : *ostensiones*. Selon cette interprétation, il faut évidemment rendre *interpretatum* par « traduit » (ce qui, évidemment, n'est pas le seul sens du mot). Selon les

eu deux fils[1], *l'un de la servante, l'autre de la femme libre ;*
mais celui qu'il a eu de la servante est né selon la chair, celui
qui est né de la femme libre, l'est par l'effet de la promesse :
choses qui sont allégoriques – c'est-à-dire prophétiques
d'une autre réalité [2] : *ce sont en effet les deux testaments*
– ou *les deux manifestations*, comme nous trouvons traduit [3] –,
l'un[4], *venant du mont Sinaï, faisant naître* au sein de la
Synagogue des juifs selon la Loi *pour la servitude*[5], *l'autre* [6]

critiques qui ne l'admettent pas, il faudra traduire par « expliqué », « interprété » et supposer que T., traduisant directement sur le grec de Marcion,
a en vue une glose marginale de l'exemplaire utilisé, et où διαθήκη était
expliqué par ἀπό-, ἐπί-, ἔνδειξις. Entre autres considérations qui nous
inclinent à adopter de préférence la position de Harnack, il y a le fait que
ostensio ne se rencontre chez T. qu'ici, et *infra* en 11, 3 (dans une discussion sur la « révélation » du dieu de l'AT, qui se poursuit, au § 4, par une
réflexion sur le *testamentum nouum*) : indice que le terme provient bien du
latin de Marcion ? A remarquer aussi que, dans le commentaire du cru de
T. qui suivra la citation, n'est employé ni *testamentum* ni *ostensio*, mais *dis-
positio* (fin du § 8).

4. Il nous paraît grammaticalement impossible d'admettre l'interprétation que LODOVICI, « Interpretazione », p. 398, propose sans d'ailleurs la
justifier : il faudrait sous-entendre *Abraham* devant *generans*, ici et dans la
proposition suivante, et comprendre *unum* et *alium* comme compléments
d'objet, renvoyant à *duos liberos*. Il est manifeste que, comme dans le texte
grec de Paul (où μία μὲν ne peut répondre qu'à δύο διαθήκαι), *unum* renvoie à *duo testamenta* de la nouvelle phrase introduite par *enim*. Il faut
donc comprendre que *generans* se rapporte à *unum* et reste sans complément exprimé comme γεννῶσα dans le texte paulinien.

5. Dans ce premier membre de phrase on observe des additions au texte
de Paul : elles ont leurs correspondants chez Ephrem dont la lecture repré-
senterait une forme prémarcionite du verset : *populi Iudaeorum* et *secundum legem ;* cf. SCHMID, p. 126-128.

6. Corrigé en *aliud* par Rigault (que suit Evans), la forme de neutre
alium, attestée par les mss, doit être conservée. Des exemples en sont relevés dans des mss de la Vg et chez des auteurs chrétiens tardifs par le *TLL*
I, col. 1623, l. 33-38. T. lui-même ne semble pas s'en servir ; et de fait, dans
sa glose précédente, il écrit : *aliud portendentia*. C'est probablement là un
indice qu'il utilise une version latine de l'*apostolicon* marcionite.

secundum legem *generans in seruitutem, alium* [v] *super omnem principatum generans uim dominationem et omne nomen quod nominatur, non tantum in hoc aeuo sed et in*
80 *futuro* [w], *quae est mater nostra* [v], in quam repromissi sumus sanctam ecclesiam », ideoque adicit : « *Propter quod, fratres, non sumus ancillae filii, sed liberae* [x] », utique manifestauit et Christianismi generositatem in filio Abrahae ex libera nato allegoriae habere sacramentum, sicut et Iudaismi serui-
85 tutem legalem in filio ancillae, atque ita eius dei esse

---

77 alium : aliud *Rig. Oeh. Evans* alterum *coni.* R_2 *uide adnot.* ‖ 80 quae est mater nostra *post* ecclesiam (81) *transp. Eng. Kroy. Mor. uide adnot.* ‖ quam *X coni.* R_2 *rec. edd. ab Vrs.* : quem *MF R Gel. Pam. uide adnot.* ‖ repromissi sumus *coni.* R_3 *rec. Braun* : repromisimus ϑ *edd. cett. uide adnot.* ‖ 84 allegoriae : algoriae M^{ac}

---

v. Ga 4, 22-24.26   w. Ep 1, 21   x. Ga 4, 31a

---

1. De *super* jusqu'à *in futuro*, nous avons affaire à une glose tirée de Ep 1, 21 et qui est sûrement due à Marcion, comme l'a montré LODOVICI, « Interpretazione », p. 397 : ce texte d'Ep était en effet, selon les témoignages d'Irénée et d'Hippolyte, utilisé par les gnostiques pour affirmer le caractère absolument transcendant et inconnaissable de leur « Dieu suprême ». On en trouve aussi l'embryon chez Ephrem (« et eminet super omnes potestates et principatus ») : cf. SCHMID, p. 126. La glose, remarquons-le, s'insère selon une syntaxe peu rigoureuse dans le second membre du balancement *unum... / alium...* : ainsi *generans* prend place à l'intérieur d'une énumération.

2. Toute la fin de la citation pose problème. Le texte transmis par l'ensemble de la tradition a éveillé des doutes sérieux (cf. HARNACK, p. 76* en note). On lit en effet après *futurum* : « quae est mater nostra, in quam (quem *MFR*) repromisimus sanctam ecclesiam ». Si l'adoption de *quam* de *X* (déjà Orsini avait fait prévaloir cette correction de *quem*) est maintenant le fait de tous les éditeurs, le premier problème se situe au niveau de la proposition *quae est mater nostra* (tirée de Ga 4, 26). Tandis qu'Evans garde le texte et l'ordre transmis, Kroymann, reprenant une conjecture d'Engelbrecht, déplace cette relative après *ecclesiam* ; et c'est ce texte qui est adopté par HARNACK, p. 76*, et par SCHMID, p. I/317-318, dans leur transposition grecque. Nous ne pensons pas que ce soit la bonne solution du problème. L'ordre des deux derniers éléments de la phrase doit être respecté pour rester proche du texte d'Ephrem : « ipsa est mater nostra, ecclesia sancta, quam confessi sumus » (cf. SCHMID, p. 126). Cette relative, qui dans le texte catho-

faisant naître [v] *au-dessus de toute principauté, puissance, domination et de tout nom nommé non seulement en ce monde, mais aussi dans le monde futur* [w 1] : *elle qui est notre mère* [v 2], au sein de qui nous avons été promis, la sainte Église [3] », et si, pour cette raison, l'Apôtre ajoute : « *C'est pourquoi, frères, nous ne sommes pas fils de la servante, mais de la femme libre* [x 4] », à coup sûr il a rendu manifeste que d'une part pour ce qui est du christianisme sa noblesse de sang [5] trouve son symbole allégorique dans le fils d'Abraham né de la femme libre, de la même façon que, d'autre part, pour ce qui est du judaïsme, sa servitude sous la Loi trouve le sien dans le fils de la servante, et qu'ainsi l'une et l'autre des deux

lique de Ga se rapporte à la Jérusalem céleste, nous paraît être, ici, rattachée librement au complément d'objet du second *generans*, « la sainte Église ».

3. La proposition *in quam repromisimus sanctam ecclesiam* est évidemment symétrique de *in synagogam Iudaeorum* qui indique l'objet de la première « disposition ». Mais une deuxième difficulté, qui ne semble pas avoir été aperçue jusqu'ici, tient au sens du verbe : *repromittere* correspond à ἐπαγγέλλεσθαι (comme l'a bien vu Harnack dans sa transposition) et ne peut signifier que « promettre » ; il est univoque et ne comporte pas l'idée de reconnaissance ou de confession, mais exclusivement celle de promesse ou d'annonce. Il ne saurait correspondre à la formule d'Ephrem (rappelée à la note précédente) qui parle de « l'Église que nous avons confessée », et dont Schmid s'inspire dans sa transposition. Il est clair d'autre part que cette expression fait écho à ce qui a été indiqué plus haut pour le fils d'Abraham symbolisant la deuxième « disposition » : « né de la femme libre *per repromissionem* ». Cette correspondance nous conduit à proposer, en accord avec une conjecture de R_3, de corriger *repromisimus* en *repromissi sumus* : ce sont les destinataires du second « testament » qui sont promis à former l'Église. La correction, au demeurant, est minime, la faute reposant sur une banale haplographie. On pourrait même supposer un subjonctif *simus* (à valeur explicative), ce qui rendrait encore plus admissible la confusion d'où serait sortie la leçon fautive *repromisimus*.

4. Marcion avait-il supprimé les v. 27-30 (citation d'*Isaïe*) ? C'est ce que pense HARNACK, p. 76*. Mais SCHMID, p. 129-130, défend la position opposée. Quoi qu'il en soit, T. enchaîne avec le v. 31 repris exactement de Paul.

5. Le mot *generositas* – dont T. a cinq autres emplois – a régulièrement chez lui le sens physique de « noblesse de sang », ou d'« origine », ou « légitimité » (par opposition à la condition servile) : cf. *TLL* VI, 2, col. 1798, l. 19 s.

utramque dispositionem, apud quem inuenimus utriusque dispositionis deliniationem.

9. Ipsum quod ait : « *Qua libertate Christus uos manumisit* [y] », nonne eum constituit manumissorem, qui fuit
90 dominus ? Alienos enim seruos nec Galba manumisit, facilius liberos soluturus. Ab eo igitur praestabitur libertas, apud quem fuit seruitus legis. Et merito non decebat manumissos « *rursus iugo seruitutis* » – id est legis – « *adstringi* [z] », iam psalmo adimpleto : « *Disrumpamus uincula eorum et*
95 *abiciamus a nobis iugum ipsorum* [aa] », postquam « *archontes congregati sunt in unum aduersus Dominum et aduersus Christum ipsius* [bb]. »

10. De seruitute igitur exemptos ipsam seruitutis notam eradere perseuerabat, circumcisionem [cc], ex praedicationis
100 scilicet propheticae auctoritate, memor dictum per

---

87 deliniationem *coni. R₁ rec. R₂R₃* : declina- *Mγ R₁* ‖ 88 uos : nos *Pam. Rig. Oeh. Kroy. Evans uide adnot.* ‖ 90 nec *R₂ Iun. Oeh. Kroy. Evans* : ne *Mγ R₁R₃ Gel. Pam.* ne ... quidem *Vrs. Rig.* ‖ 91 soluturus *R₃* : solutos *Mγ R₁R₂* ‖ 93 id est *MGγ R₃* : uel *R₁R₂* ‖ 98 exemptis *Kroy. Mor. uide adnot.*

---

y. Ga 4, 31b   z. Ga 5, 1   aa. Ps 2, 3   bb. Ps 2, 2   cc. Cf. Ga 5, 2

---

1. Sur *delineare (-liniare)* et sur son dérivé *delineatio (-linia-)* dont T. a un seul autre emploi et qui n'est attesté qu'à partir de lui, cf. VAN DER GEEST, *Le Christ et l'AT*, p. 204-205 : ces termes sont affectés à la typologie biblique et marquent l'idée de « esquisse des choses futures ». – Le long développement consacré à la citation et à son commentaire se clôt sur l'idée qui, aux yeux de l'auteur, est l'essentiel, à savoir que les deux « dispositions » relèvent du Créateur puisque c'est dans l'Écriture de celui-ci (la *Genèse*) que se trouve l'histoire d'Abraham et de ses deux fils.

2. Sur l'expression *ipsum quod*, cf. *supra* p. 106, n. 4.

3. Le verset initial du ch. 5 de la lettre fait corps avec le verset final du ch. 4 : *Qua libertate* – où nous avons tenu à rendre exactement le relatif de liaison – s'articule sur *liberae*. T. a-t-il substitué *manumisit* (terme de couleur juridique) à *liberauit* ? C'est possible étant donné sa liberté dans la manière de citer. Nous pensons d'autre part que *uos*, attesté par toute la tradition manuscrite et par Rhenanus, doit être maintenu contre la correction *nos* de Pamelius qui s'est imposée par la suite. Que cette modification de *nos* en *uos* remonte à Marcion ou, comme c'est plus probable, à T., elle s'explique aisément par la volonté de lier étroitement les deux parties du ver-

dispositions appartiennent au dieu chez qui nous découvrons dessinée la figure des deux dispositions [1].

9. Par le fait même qu'il dise [2] : « *En vertu de laquelle liberté le Christ vous a affranchis* [y][3] », n'établit-il pas comme affranchisseur [4] celui qui a été le maître ? Des esclaves d'autres maîtres, même Galba ne les a pas affranchis, lui qui aurait plus facilement libéré des hommes libres [5] ! La liberté sera donc offerte par celui chez qui se trouvait la servitude de la Loi. Et à juste titre ! Il ne convenait pas que des êtres affranchis fussent « *de nouveau astreints au joug de la servitude* [z] » – c'est-à-dire de la Loi – maintenant que s'était accompli le psaume : « *Brisons leurs liens et rejetons loin de nous leur joug* [aa] », depuis que « *les chefs se sont regroupés ensemble contre le Seigneur et contre son Christ* [bb][6]. »

La circoncision, marque de l'asservissement à la Loi

10. Ceux qui avaient été soustraits à la servitude, donc, il s'attachait à effacer en eux [7] jusqu'à la marque de cette servitude, la circoncision [cc], d'après évidemment l'autorité de la prédication prophétique : il se souvenait qu'il avait été dit par la bouche

---

set : l'énoncé de la liberté accordée par le Christ est ainsi mieux soudé à l'injonction, qui est adressée aux Galates, de ne plus se laisser asservir. De cette injonction on trouvera *infra* un écho direct (*Non decebat ... adstringi*).

4. Le mot *manumissor* n'est attesté que chez les juristes et quelques auteurs chrétiens, dont T. est le premier : cf. *TLL s.v.*

5. Il s'agit sans doute d'une locution proverbiale, dont l'origine est peut-être dans l'anecdote racontée par SUÉTONE (*Galb.* 10, 1) : le futur empereur serait monté à son tribunal comme pour procéder à un affranchissement, en présence des portraits de toutes les victimes de Néron.

6. Cf. *supra* 3, 8 ; ici la citation a été abrégée et *archontes* remplace *magistratus.*

7. Il convient de garder la leçon *exemptos,* attestée par toute la tradition, et que Kroymann a corrigée sans nécessité en *exemptis.* En effet le verbe *eradere* peut équivaloir à *radendo exuere, spoliare* (cf. *TLL* V, 2, col. 743, l. 5 et col. 744, l. 16 s.) et, à ce titre, se construire avec un double accusatif. Notre auteur a un exemple du participe passif *erasus* complété, apparemment, par l'accusatif *cutem* (*Pal.* 3, 2).

Hieremiam : « *Et circumcidimini praeputia cordis uestri* [dd] » ;
quia et Moyses : « *Circumcidetis duricordiam uestram* [ee] »
– id est non carnem [ff]. Denique si circumcisionem ab alio deo
ueniens excludebat, cur etiam praeputiationem negat quic-
105 quam ualere in Christo sicut et circumcisionem [gg] ? **(11.)**
Praeferre enim debebat aemulam eius, quam expugnabat, si
ab aemulo circumcisionis deo esset. **11.** Porro, quia et circumcisio et praeputiatio uni deo deputabantur, ideo utraque
in Christo uacabant propter fidei praelationem [hh] – illius
110 fidei, de qua erat scriptum : « *Et in nomine eius nationes credent* [ii] », illius fidei, quam dicendo « *per dilectionem* [hh] » per-
fici sic quoque Creatoris ostendit. Siue enim dilectionem
dicit quae in Deum, et hoc Creatoris est : « *Diliges Deum
ex toto corde tuo et ex tota anima tua et ex totis uiribus
115 tuis* [jj] », siue quae in proximum, et : « *Proximum tuum tamquam te* [kk] » Creatoris est.

12. « *Qui autem turbat uos iudicium feret* [ll]. » A quo
deo ? Ab optimo ? Sed ille non iudicat. A Creatore ? Sed nec
ille damnabit adsertorem circumcisionis. Quodsi non erit
120 alius, qui iudicet, nisi Creator, iam ergo non damnabit legis
defensores nisi qua ipse eam cessare constituit.

---

101 ieremiam *M* ‖ 105 et circumcisionem *MG coni. R₂ rec. R₃* : ex cir-
cumcisione γ *R₁R₂* ‖ 109 uacabant *M Kroy.* : -bat β ‖ 120 damnabit *R₃* :
-auit *Mγ R₁R₂* ‖ 121 qua *M* : qui β quia *Kroy.*

---

dd. Jr 4, 4   ee. Dt 10, 16   ff. Cf. Rm 2, 25-29   gg. Cf. Ga 5, 6a
hh. Cf. Ga 5, 6b   ii. Is 42, 4 (LXX) ; cf. Mt 12, 21 ; Rm 15, 12   jj. Dt 6, 5
kk. Lv 19, 18   ll. Ga 5, 10b

---

1. Texte cité en I, 20, 4.
2. Ce texte, qui sera repris *infra* en 13, 7, et qu'on ne rencontre pas ailleurs
chez T., est cité aussi par Justin, *Dial.* 16, 1 et par Irénée, *Haer.* 4, 16, 1.
3. Sur le prolongement du précepte de Moïse chez Paul, cf. *BA,
Deutéronome*, p. 184.
4. Recours habituel chez T., dans sa discussion, à une logique de l'exclusion.
5. Texte cité *supra* 4, 3 – mais ici *credent* remplace *sperabunt*.
6. Texte cité en II, 13, 5 et IV, 27, 4.

de Jérémie : « *Et circoncisez les prépuces de vos cœurs* [dd][1] » ;
car Moïse aussi a dit : « *Vous circoncirez la dureté de votre
cœur* [ee][2] » – c'est-à-dire non pas votre chair [ff][3]. En fin de
compte, s'il supprimait la circoncision parce qu'il venait
d'un « autre » dieu, pourquoi nie-t-il que même l'incirconcision ait une quelconque valeur dans le Christ de la même
façon que la circoncision [gg] ? **(11.)** Il aurait dû effectivement
donner la préférence à la pratique rivale de celle qu'il
excluait de force s'il agissait de la part du dieu rival de la circoncision [4]. **11.** Bien plus, parce que circoncision et incirconcision ensemble relevaient d'un seul et même dieu, elles
n'avaient, pour cette raison, plus de sens dans le Christ du
fait de la préférence accordée à la foi [hh] – de cette foi à propos de laquelle il était écrit : « *Et en son nom les nations croi-
ront* [ii] », de cette foi dont, en disant qu'elle s'accomplit « *par
l'amour* [hh][5] », il a montré que, par là aussi, elle relève du
Créateur. Car, parle-t-il de l'amour qui a Dieu pour objet ?
il y a aussi cette parole du Créateur : « *Tu aimeras Dieu de
tout ton cœur et de toute ton âme et de toutes tes forces* [jj][6] » ;
parle-t-il de l'amour qui a le prochain pour objet ? est également du Créateur cette parole : « (Tu aimeras) *ton prochain comme toi-même* [kk][7]. »

**Références
au jugement et à la loi
d'amour du Créateur** **12.** « *Mais celui qui vous trouble
portera sa condamnation* [ll]. » De la
part de quel dieu ? Du dieu tout
bon ? Mais celui-là ne juge pas ! De
la part du Créateur ? Mais celui-là non plus ne condamnera
pas un champion de la circoncision ! Or s'il n'y a pas pour
juger, d'autre dieu que le Créateur, celui-ci donc, dès lors,
ne condamnera les défenseurs de la Loi que dans la mesure
où lui-même a établi qu'elle prenait fin.

---

7. Texte souvent cité : cf. I, 23, 4 ; II, 17, 4 ; IV, 35, 3 ; il sera repris *infra*
§ 12 et 13, ainsi qu'au ch. 14 (§ 11.12.13). L'ellipse de *diliges* ne fait pas de
difficulté étant donné le parallélisme de l'expression.

Quid nunc, si et confirmat illam ex parte, qua debet ? « *Tota* enim, inquit, *lex in uobis adimpleta est : diliges proximum tuum tamquam te* [mm]. » **13.** Aut si sic uult intellegi
125 « adimpleta est », quasi « iam non adimplenda », ergo non uult diligam proximum tamquam me, ut et hoc cum lege cessauerit ? Sed perseuerandum erit semper in isto praecepto. Ergo lex Creatoris etiam ab aduersario probata est, nec dispendium, sed compendium ab eo consecuta est,
130 redacta summa in unum iam praeceptum. Sed nec hoc alii magis competit quam auctori.

Atque adeo cum dicit : « *Onera uestra inuicem sustinete et sic adimplebitis legem Christi* [nn] », si hoc non potest fieri nisi quis diligat proximum sibi tamquam se, apparet :
135 « *Diliges proximum tibi tamquam te* [mm] », per quod auditur : « *Inuicem onera uestra portate* [nn] », Christi esse legem, quae sit Creatoris, atque ita Christum Creatoris esse, dum Christi est lex Creatoris.

14. « *Erratis, Deus non deridetur* [oo]. » Atquin derideri
140 potest deus Marcionis, qui nec irasci nouit nec ulcisci.

---

122 qua R_2R_3 : quia *M*γ R_1 ‖ 126 diligam *M Kroy.* : ut diligam β *edd. cett.* ‖ 134 sibi : suum *X Gel. Pam. Rig. Evans* suum sibi *F* ‖ 135 tibi *M R Gel. Oeh. Kroy. Evans* : tuum γ *Pam. Rig.* ‖ 139 deridetur *FR* : irri- *MX uide adnot.*

---

mm. Ga 5, 14 = Lv 19, 18   nn. Ga 6, 2a   oo. Ga 6, 7

---

1. Tour brachylogique habituel. Littéralement : « dans la partie dans laquelle il doit (la confirmer) ».

2. Divergence entre le texte marcionite (« en vous ») et le texte « catholique » (« en une seule parole ») ; cf. HARNACK, p. 78* et SCHMID, p. I/318.

3. Marcion expliquait-il ainsi le parfait *adimpleta est* ? Ou cette interprétation lui est-elle prêtée par notre polémiste ? Impossible de le savoir. Mais en tout cas la phrase qui suit – que nous supposons être la répartie de l'adversaire – souligne la permanence du précepte d'amour mutuel, dont le dieu tout bon faisait, semble-t-il, l'exigence suprême.

4. Dialectique retorse : le dieu de Marcion, qui impose ce précepte d'amour mutuel, ne fait que maintenir la Loi en la réduisant à ce seul point, et une telle réduction, seul le Créateur, auteur de la Loi, avait le droit de l'opérer.

Et que dire maintenant si l'Apôtre confirme aussi cette Loi dans la partie qu'il faut [1] ? En effet, « *Toute la Loi*, dit-il, *s'est accomplie en vous : tu aimeras ton prochain comme toi-même* [mm2]. » **13.** Ou alors s'il veut qu'on comprenne « s'est accomplie » dans le sens qu'elle n'aurait plus à s'accomplir, c'est donc qu'il ne veut pas que j'aime mon prochain comme moi-même, pour que ce point aussi ait pris fin avec la Loi [3]. – Mais non, (diras-tu), il faudra toujours persévérer dans ce précepte. – C'est donc que la loi du Créateur a été approuvée même par son adversaire et qu'elle a obtenu de lui non pas dispense, mais abrègement, sa totalité se voyant désormais réduite à un seul précepte. Mais voilà encore qui convient moins à un autre qu'à son auteur [4] !

Et précisément quand l'Apôtre dit : « *Vos fardeaux, aidez-vous les uns les autres à les porter, et ainsi vous accomplirez la loi du Christ* [nn] », si cela ne peut se faire qu'à la condition d'aimer son prochain comme soi-même, il est clair que : « *Tu aimeras ton prochain comme toi-même* [mm] » en vertu de quoi on entend : « *Aidez-vous les uns les autres à porter vos fardeaux* [nn] », est la loi du Christ, elle qui est la loi du Créateur, et qu'ainsi le Christ est celui du Créateur puisque la loi de ce Christ est celle du Créateur [5].

Dernières indications de la lettre

14. « *Vous êtes dans l'erreur, on ne se moque pas de Dieu* [oo6]. » Mais pourtant, on peut se moquer du dieu de Marcion, lui qui ne sait ni s'irriter ni se venger [7]. « *Car ce*

---

5. Démonstration lourdement appuyée, qui reprend les énoncés de la lettre en en présentant l'enchaînement logique *(per quod)*. La conclusion ramène au thème fondamental du livre : le prétendu Christ d'un « autre » dieu est celui du Créateur.

6. Divergence entre le texte marcionite (« Vous êtes dans l'erreur ») et le texte « catholique » qui exprime une défense (« Ne vous y trompez pas ») : cf. HARNACK, p. 78* et SCHMID, p. I/319. La variante *irridetur* donnée par *MX* paraît moins sûre que *deridetur,* parce qu'elle est due, semble-t-il, à l'influence de la Vg.

7. Reprise d'un argument polémique fréquent dans les livres précédents.

« *Quod enim seuerit homo, hoc et metet* pp. » Ergo retributionis et iudicii deum intentat. « *Bonum autem facientes non
fatigemur* qq », et : « *Dum habemus tempus, operemur
bonum* rr. » Nega Creatorem bonum facere praecepisse, et
145 diuersa doctrina sit diuersae diuinitatis. Porro si retributionem praedicat ss, ab eodem erit et corruptionis messis et
uitae tt. **15.** « *Tempore autem suo metemus* uu », quia et
Ecclesiasticus : « *Tempus*, inquit, *omni rei* vv. »

Sed et « *mihi* » – famulo Creatoris – « *mundus crucifixus
150 est* » – non tamen deus mundi – « *et ego mundo* ww » – non
tamen deo mundi. Mundum enim quantum ad conuersatio-
nem eius posuit, cui renuntiando mutuo transfigimur et
inuicem morimur. [Persecutores uocat Christi.] Cum uero

---

141 seuerit : seminauerit *Pam. Rig.* ‖ 142 deum *Mor.* : deus β dominus
M uide adnot. ‖ 148 ecclesiastes *Pam. Rig. uide adnot.* ‖ omni *MX
Kroy.* : erit omni *F edd. cett. a R* ‖ 150 mundi *M R₃* : -o γ *R₁R₂* ‖ 153 per-
secutores uocat christi *del. Kroy. (sed cf. Harnack, p. 54*) uide adnot.*

---

pp. Ga 6, 8a   qq. Ga 6, 9a   rr. Ga 6, 10   ss. Cf. Dt 32, 35   tt. Cf.
Ga 6, 8b   uu. Ga 6, 9b   vv. Qo 3, 17   ww. Ga 6, 14

---

1. Le texte des mss et des éditions est *deus (dominus* dans *M)*, et comme
tel, il peut être compris en sous-entendant un complément d'objet *(hoc)*
renvoyant au verset cité (« Voilà donc ce que nous présente un dieu de la
rétribution », etc.). La correction de Moreschini qui lit *deum* est cependant
plausible : il faut alors restituer comme sujet l'auteur de la lettre, l'apôtre
Paul : une mélecture de *deum* écrit en abréviation dans l'archétype a pu
alors causer la leçon fautive *deus.*
2. Défi à l'adversaire, suivi d'une concession sur sa thèse fondamentale
des deux dieux à mettre en rapport avec deux enseignements opposés (Loi
/ Évangile).
3. Revenant un peu en arrière, T. fait allusion au v. 8 que Marcion avait
conservé sans modification (sauf peut-être en supprimant « éternelle »
comme qualificatif de « vie »). Mais il commence par rappeler un verset de
Dt déjà allégué (cf. II, 18, 1) : cf. *BA, Deutéronome*, p. 336-337.
4. Texte auquel T. a déjà fait une allusion précise en I, 29, 5 et qu'il cite
sous la même forme en *Mon.* 3, 8 et *Virg.* 1, 5, en se référant les deux fois
à l'*Ecclésiaste.* Ici il fait mention de l'*Ecclésiastique.* Pamelius corrige en
Ecclesiastes ; mais les éditeurs en général ne l'ont pas suivi et ont préféré

que l'homme aura semé, il le moissonnera aussi [pp]. » Voilà donc un dieu de la rétribution et de la justice que l'Apôtre met sous nos yeux [1]. « *Faisant d'autre part le bien, ne nous en lassons pas* [qq] » et : « *Tant que nous en avons le temps, accomplissons le bien* [rr]. » Nie donc que le Créateur ait enseigné à faire le bien, et alors, j'admettrai que l'opposition de doctrine est le fait d'une opposition de divinité [2] ! De plus, s'il annonce la rétribution [ss], c'est du même dieu que viendra la moisson et de la corruption et de la vie [tt][3]. **15.** « *Nous moissonnerons d'autre part en son temps* [uu] » parce qu'aussi bien, dit l'Ecclésiastique, « *Il y a un temps pour toute chose* [vv][4]. »

Mais aussi [5] « *pour moi* » – serviteur du Créateur – « *le monde a été crucifié* » – non pas toutefois le dieu du monde – « *et moi pour le monde* [ww] » – non pas toutefois pour le dieu du monde [6]. L'Apôtre en effet a mis ici « monde » comme se rapportant à la manière de vivre du monde : c'est en renonçant à elle que nous sommes mutuellement transpercés et que nous mourons l'un à l'autre. [Il nomme les per-

garder la leçon de toute la tradition manuscrite et de Rhenanus. On sait que *Ecclesiasticus* est le titre que l'Église ancienne devait donner au livre du *Siracide* – dont T. n'a jamais fait mention et qu'il n'a pas cité explicitement. Y avait-il en son temps quelque flottement sur les titres de ces deux livres bibliques ? Ou la faute est-elle imputable à une indécision de mémoire chez notre auteur ? Ce texte en tout cas porte la marque de son adhésion au montanisme, car il sert de *testimonium* pour la doctrine du développement progressif de la révélation.

5. T. passe directement à la fin de la lettre et aux considérations personnelles qui la constituent : il en retient deux, celles des v. 14 et 17, pour alimenter sa polémique.

6. Marcion avait-il interprété le « monde », crucifié pour Paul par la croix du Christ, dans le sens de « dieu du monde », c'est-à-dire le Créateur ? En tout cas T., restant dans le droit fil de ses remarques du § 5 (à propos de Ga 4, 9) rejette une telle interprétation ici : il souligne que ce terme doit être compris au sens dérivé et moral de « comportement selon le monde ». Au moyen d'une parenthèse qu'il insère dans l'énoncé biblique, il rappelle que Paul est « serviteur du Créateur ».

adicit stigmata Christi in corpore suo gestare se[xx] – utique
155   corporalia compedum – iam non putatiuam, sed ueram et
solidam carnem professus est Christi, cuius stigmata corporalia ostendit.

V. 1. Praestructio superioris epistolae ita duxit, ut de
tituli eius non retractauerim, certus et alibi retractari eum
posse, communem scilicet et eundem in epistulis omnibus.
Quod non utique salutem praescribit eis, quibus scribit, sed

---

154 stigmata R_2R_3 : signata $M\gamma$ R_1 uide adnot. ‖ 155 compedum *Kroy.* :
competunt ϑ *edd. cett.   uide adnot.*
V. explicit ad galatas incipit ad corinthios I. *M* de epistola ad corinthios prima *F R* de epistola prima ad corintheus *X*
4 praescribit *R* : pros- *M*γ

---

xx. Cf. Ga 6, 17b

1. Cette courte phrase est obscure et suspecte. On comprend généralement :
« Il les appelle persécuteurs du Christ » (Holmes, Evans, Moreschini). Mais que
représente ce complément non exprimé qu'on restitue (*eos*) ? S'agit-il des destinataires de la lettre ? Et T. viserait-il par là, comme l'indique Holmes, le v.
17a (« Désormais que personne ne me cause d'ennuis ») ? Mais il peut sembler
excessif de parler de « persécuteurs du Christ » à propos de ceux qui « font des
ennuis » à l'Apôtre. On pourrait penser aussi que le verbe *uocat* est pris au sens
de « interpeller » et qu'il est suivi d'un complément d'objet : la phrase viserait
encore le v. 17a ; mais la même objection que précédemment se présenterait
aussitôt : la qualification de « persécuteurs du Christ » n'est-elle pas excessive
pour des gens qui ne laissent pas l'Apôtre en repos ? Kroymann, pour sa part,
retranche la phrase. Nous aussi, nous serions porté à y voir une interpolation
(quelque glose marginale incorporée au texte dans le cours de la tradition ?), à
moins que ce ne soit le vestige d'une altération plus profonde.
2. La correction de *signata* (de toute la tradition manuscrite) en *stigmata* est sûre : elle remonte à R_2. On traduira par « marques » (non par
« stigmates », le mot s'étant chargé d'un sens nouveau depuis saint François
d'Assise). « C'est comme esclave de Jésus-Christ que Paul allègue les
marques qu'il a reçues, c'est-à-dire les mauvais traitements qui ont laissé
des traces dans sa chair, et qui prouvent qu'il est bien le serviteur du Christ.
Ces marques qu'un esclave cachait soigneusement, l'Apôtre les *porte*
comme des trophées » (LAGRANGE, p. 167, en note).

sécuteurs du Christ [1].] Mais lorsqu'il ajoute qu'il porte en
son corps les marques du Christ [xx 2] – bien sûr celles, corporelles, des fers [3] –, il a dès lors professé que la chair du Christ
n'était pas illusoire, mais véritable et solide, de ce Christ dont
il a montré que les marques étaient corporelles [4].

II. La première lettre aux Corinthiens

« Grâce et paix »
dans la formule
de salutation

V. 1. Le préliminaire à la précédente lettre [5] m'a entraîné dans un
sens tel que je n'ai pas fait l'examen
de son intitulé, étant certain, aussi
bien, d'avoir la possibilité de le faire ailleurs : il est, on le
sait, commun à toutes les lettres (de Paul) et s'y trouve identique ; car, pour sûr, l'Apôtre ne donne pas en en-tête le

---

3. La restitution de *compedum*, là où la tradition manuscrite et les éditions portent *competunt*, est l'œuvre de Kroymann. Le mot *compes* qui
désigne une réalité habituelle au milieu carcéral antique, est attesté ailleurs
chez T. : *Pat.* 4, 1 et *Res.* 57, 12 (dans ce dernier emploi, il est associé à *fla-
gellum* et à *stigma*). Il n'est pas surprenant que, à un moment de la tradition,
ce mot rare ait été défiguré par quelque copiste en *competunt* : mélecture
banalisante, le verbe *competere* étant très courant chez l'auteur (une page
entière d'occurrences relevées dans l'*Index Tertullianeus* de CLAËSSON !). Il
est à remarquer également que le texte traditionnel n'est satisfaisant ni pour
la syntaxe ni pour le sens : *utique* qui introduit l'explication de *stigmata* laisse
attendre un tour nominal et non une proposition avec verbe à mode personnel, qui interrompt le développement de la phrase ; et d'autre part la signification normale de *competere* (intransitif) est « convenir à », « s'appliquer
à ». La diversité des dernières traductions (« evidentemente lo *riguardano* i
segni corporei delle stimmate » chez Moreschini, et « evidently bodily marks
are intended » chez Evans) montre que *corporalia competunt* fait difficulté.
4. Nouvel assaut contre le docétisme de Marcion et sa conception, réfu-
tée au livre III, d'une *caro putatiua* dans le Christ.
5. Par ce terme qui lui est habituel, T. renvoie aux préliminaires de
l'étude suivie de *Ga*, c'est-à-dire notamment le ch. 2 de notre livre : des
considérations d'une autre sorte l'y ont empêché d'examiner la formule de
salutation de l'en-tête. L'excuse qu'il avance ensuite est tout à fait valable :
cette formule revenant identique dans toutes les Lettres pauliniennes, il
avait une bonne raison de surseoir à cet examen.

5 « *gratiam et pacem* [a] », non dico : quid illi cum Iudaico
adhuc more, destructori Iudaismi ? – nam et hodie Iudaei in
pacis nomine appellant et retro in scripturis sic salutabant –
sed intellego illum defendisse officio suo praedicationem
Creatoris : « *Quam maturi pedes euangelizantium bona,*
10 *euangelizantium pacem* [b]. » **(2.)** Euangelizator enim bono-
rum, id est gratiae Dei, pacem quam praeferendam sciebat !
2. Haec cum « *a Deo Patre nostro et Domino Iesu* [a] »
adnuntians communibus nominibus utatur competentibus
nostro quoque sacramento, non puto dispici posse, quis
15 Deus Pater et Dominus Iesus praedicetur nisi ex accidentibus, cui magis competant. **3.** Primo quidem Patrem Deum
praescribo non alium agnoscendum quam et hominis et
uniuersitatis Creatorem et institutorem ; porro Patri etiam
Domini nomen accedere ob potestatem, quod et Filius per
20 Patrem capiat ; dehinc gratiam et pacem non solum eius esse,
a quo praedicabantur, sed eius, qui fuerit offensus. Nec gratia enim fit nisi offensae nec pax nisi belli. **4.** Et populus

---

6 destructori *X R* : -re *MF* ‖ 11 pacem *M*γ *R₁R₂ Oeh. Kroy.* : paci *R₃*
Gel. Pam. Rig. probante Evans pacis *Mor. uide adnot.* ‖ quam *MX R₁R₂*
Oeh. Kroy. : qua *F* eam *R₃ Gel. Pam Rig. probante Evans* ‖ sciebat ! *ita*
dist. Braun ‖ 14 dispici *R₂R₃* : des- *M*γ *R₁* ‖ 15-16 accidentibus *M Rig.*
Kroy. : acced- β *edd. cett.* ‖ 16 deum *Kroy.* : dominum *codd. edd. cett.* ‖ 19
accedere *R* : -ret *M*γ ‖ 21 *post* sed *add.* et *Kroy.*

V. a. 1 Co 1, 3 ; Ga 1, 3   b. Is 52, 7

---

1. T. ne se limite pas à l'argument, déjà très solide pour sa thèse, d'un
accord de Paul avec un usage judaïque ancien et toujours vivant (le salut
de « paix »). Il rappelle, pour authentifier la mission de Paul « apôtre du
Créateur », le texte isaïen déjà allégué *supra* 2, 5 et dans les précédents livres
(III, 22, 1 ; IV, 34, 16). A noter ici *maturi* au lieu de *tempestiui* dans les
autres citations.

2. Le texte de la tradition manuscrite la plus fiable est *pacem quam,* et
il conviendra de le conserver sans recourir à des corrections (Kroymann
propose, d'après Engelbrecht, *euangelisatur* ; Moreschini propose *pacis*).
Avec Evans, on comprendra aisément *quam* comme adverbe exclamatif,

salut à ceux auxquels il écrit, mais « *la grâce et la paix* [a] ». Je ne dis pas : qu'a-t-il à voir avec un usage encore judaïque, lui, le destructeur du judaïsme ? – car même aujourd'hui les juifs s'interpellent au nom de la paix, et autrefois, dans les Écritures, ils se saluaient de cette façon – mais je comprends qu'il a revendiqué ainsi pour son office d'apôtre la proclamation du Créateur : « *Qu'ils sont beaux, les pieds de ceux qui apportent l'évangile des biens, l'évangile de la paix* [b1] *!* » (**2.**) Étant en effet un évangélisateur des biens, c'est-à-dire de la grâce de Dieu, il savait la paix combien préférable [2] !

2. Comme, en les annonçant « *de par Dieu notre Père et le Seigneur Jésus* [a] », il se sert de noms qui nous sont communs, s'appliquant aussi à notre religion [3], je ne pense pas qu'on puisse discerner qui est proclamé Dieu le Père et qui Seigneur Jésus, à moins de discerner, à partir des attributs de ces noms [4], à qui ils s'appliquent le plus. **3.** D'abord, à la vérité, je pose cette prescription que, comme Dieu le Père, on ne devra reconnaître nul autre que le créateur et l'initiateur à la fois de l'homme et de l'univers ; que de plus, même le nom de Seigneur est un attribut du Père à cause de sa puissance [5], nom que même le Fils ne reçoit que par le moyen du Père ; ensuite, que la grâce et la paix appartiennent non seulement à qui les annonçait, mais à qui a été offensé. Car il ne se produit de grâce que d'une offense, ni de paix que d'une guerre. **4.** Or c'est contre le Créateur [6] que d'une

---

repris de la citation isaïenne. Cette interprétation permet, en outre, de donner son plein relief à « paix » dans le groupe binaire de la formule.

3. Le contexte permet de donner ici à *sacramentum* le sens de « sainte doctrine de la religion chrétienne », face aux déformations qui la défigurent chez les hérétiques gnostiques : cf. notre *Deus Christ.*, p. 440 s.

4. Sur la notion d'*accidens (accedens)*, cf. *Deus Christ.*, p. 184-186.

5. Sur cet argument, cf. *Herm.* 3, 3 (*SC* 439, p. 84).

6. Cette conception provient de Rm 1, 18 – 2, 11 où Paul montre « païens et juifs sous la colère de Dieu ». On la retrouve *infra*, notamment au § 6.

autem per disciplinae transgressionem et omne hominum
genus per naturae dissimulationem [c] et deliquerat et rebel-
25 lauerat aduersus Creatorem. Deus autem Marcionis et quia
ignotus non potuit offendi et quia nescit irasci. Quae ergo
gratia a non offenso ? Quae pax a non rebellato ?

5. Ait crucem Christi stultitiam esse perituris, uirtutem
autem et sapientiam Dei salutem consecuturis [d], et ut osten-
30 deret, unde hoc eueniret, adicit : « *Scriptum est enim :
'Perdam sapientiam sapientium et prudentiam prudentium
inritam faciam'* [e]. » Si haec Creatoris sunt et ad causam crucis pertinent stultitiam deputatam, ergo et crux et per crucem Christus ad Creatorem pertinebit, a quo praedicatum
35 est quod ad crucem pertinet. **6.** Aut si Creator, qua aemulus, idcirco sapientiam abstulit, ut crux Christi, scilicet

---

24-25 rebellauerat *coni. R₂ rec. R₃* : de- *Mγ R₁R₂* ‖ 28 ait *coni. R₁ rec.
R₂R₃* : aut *Mγ R₁* ‖ 30 adicit *coni. R₂ rec. R₃* : aliquid *Mγ R₁R₂* addit *coni.
item R₂* ‖ 32 *post* et *add.* quae *Pam. Rig. Oeh. Mor. Evans* ‖ 33 stultitiam
deputatam *Eng. Kroy.* : stultitiam deputat *Mγ R₁R₂ Pam. Rig. Mor.* stultitiam deputatae *R₃ B Gel.* stultiae deputatae *Lat. Vrs.* stultitiae deputat *Oeh. Evans uide adnot.*

---

c. Cf. Rm 1, 19-21 d. Cf. 1 Co 1, 18 e. 1 Co 1, 19 ; cf. Is 29, 14

---

1. Sur *dissimulatio* qui est « le fait de se dissimuler, de refuser de voir,
de se boucher les yeux », cf. *Spect.* 1, 2-3 et les observations de M. Turcan,
éd. *Spect.* (SC 332, p. 36) sur *dissimulare*. Pour T. s'inspirant du texte de
Rm 1, 19-21 qui lui est familier, il y a une connaissance naturelle de Dieu
qui s'opère par la contemplation des œuvres créées (univers et homme) ; et
les païens se rendent coupables envers Dieu quand ils ne le découvrent pas
par cette voie – différente de la voie surnaturelle de la Révélation dont ont
bénéficié les juifs par l'enseignement *(disciplina)* des Écritures. Cf. *Deus
Christ.*, p. 423 s.
2. Reprise des motifs polémiques habituels concernant deux caractéristiques du dieu marcionite : il est le dieu « inconnu » et il ignore la colère.
3. Dans le texte « catholique », on lit seulement « puissance ». HARNACK,
p. 80*, compte tenu du retour identique de *uirtutem et sapientiam* au § 6,
admet ce redoublement comme particularité du texte marcionite. SCHMID,

part le peuple (juif), en transgressant l'enseignement (divin),
d'autre part tout le genre humain, en refusant de voir la
nature [c] [1], avaient péché et s'étaient révoltés. Mais le dieu de
Marcion n'aurait pas pu être offensé, à la fois parce que dieu
inconnu et parce qu'il ignore la colère [2] ! Y a-t-il donc grâce
venant de qui n'a pas été offensé ? Y a-t-il paix venant de
qui n'a pas essuyé de révolte ?

Folie des dispositions divines et sagesse du monde

5. L'Apôtre dit que la croix du
Christ est folie pour ceux qui vont
à leur perte, mais puissance et
sagesse [3] pour ceux qui vont obtenir
le salut de Dieu [d] ; et pour montrer d'où provient ce résultat, il ajoute : « *Il est écrit en effet : 'Je perdrai la sagesse
des sages et je rendrai sans effet l'intelligence des intelligents'* [e]. » Si ces paroles sont bien du Créateur [4] et si elles
concernent la cause de la croix réputée folie [5], c'est donc
que la croix et, par la croix, le Christ concerneront le
Créateur par lequel a été prédit ce qui concerne la croix.
6. Ou alors, si le Créateur, en sa qualité de rival, a ôté la
sagesse pour la raison qu'il voulait que la croix du Christ,

p. I/320, plus prudent, pense qu'on se trouve dans un cas de « paraphrasie-
rendes Mischzitat ».

4. Marcion avait conservé cette citation d'*Isaïe* (plusieurs fois déjà alléguée aux livres précédents : cf. III, 6, 5 ; 16, 1 ; IV, 25, 4 ; 26, 6). Épiphane
confirme sur ce maintien le témoignage de T. : cf. HARNACK, p. 80[*],
SCHMID, p. I/320.

5. Cette proposition présente un problème textuel. La tradition manuscrite offre une leçon *stultitiam deputat* qui ne permet pas de construire.
Pamelius a proposé un aménagement (insertion du relatif *quae* devant *ad
causam*) qui est adopté par Moreschini et par Evans. Engelbrecht, suivi par
Kroymann, préfère corriger *deputat* en *deputatam* : ce qui est plus économique et permet d'expliquer aisément la faute (la syllabe -*am*, abrégée en
-*a*, a pu disparaître par haplographie devant *ergo*). Le jeu verbal *pertinent
/ pertinebit / pertinet* acquiert ainsi, pensons-nous, plus de force en n'étant
pas coupé par un autre verbe à mode personnel comme *deputat*.

aduersarii, stultitia deputetur, et quomodo potest aliquid ad
crucem Christi non sui Creator pronuntiasse, quem ignorabat, cum praedicabat ? Sed et cur apud Dominum optimum
40 et profusae misericordiae alii salutem referunt, credentes
crucem uirtutem et sapientiam Dei esse, alii perditionem ^d,
quibus Christi crux stultitia reputatur, si non Creatoris est
aliquam et populi et humani generis offensam detrimento
sapientiae atque prudentiae multasse ^e ?

45 **7.** Hoc sequentia confirmabunt, cum dicit : « *Nonne infa-
tuauit Deus sapientiam mundi* ^f *?* » cumque et hic adicit,
quare : « *Quoniam in Dei sapientia non intellexit mundus
per sapientiam Dominum, boni duxit Deus per stultitiam
praedicationis saluos facere credentes* ^g. » Sed prius de
50 mundo disceptabo, quatenus subtilissimi haeretici hic uel
maxime « mundum » per « Dominum mundi » interpretan-

---

37 ecquomodo *Oeh. Kroy. Evans uide adnot.* ‖ 39 dominum *MF R* :
deum *X Kroy. Mor. uide adnot.* ‖ 43 populi *MG R₃* : -lo γ *R₁R₂* ‖ 47
sapientia β : -am *M* ‖ 48 dominum ϑ : deum *Pam. Rig. Kroy. Mor. uide
adnot.* ‖ duxit *M R₂R₃* : dixit γ *R₁*

f. 1 Co 1, 20   g. 1 Co 1, 21

1. Cette interprétation avait-elle été effectivement présentée par
Marcion pour justifier le maintien d'un texte de l'AT ? On admettra comme
plus vraisemblable qu'elle est supposée par T. afin de montrer à quelle
contradiction cette inconséquence conduit l'hérétique.

2. Sur l'ignorance où le Créateur est tenu à l'égard du dieu suprême et
de ses dispositions, cf. I, 11, 9 ; II, 26, 1 ; 28, 1. Le texte transmis *et quomodo* (où *et* s'interprétera au sens adverbial) doit être maintenu tel quel :
la correction d'Oehler *(ecquomodo),* adoptée par Evans, est inutile.

3. Pour notre part, à la leçon de *X* adoptée par Kroymann et Moreschini
(deum), nous préférons celle des plus anciens mss *(MF)* et de Rhenanus :
dominum. Ce titre de « Seigneur » est attesté expressément pour le dieu
suprême des marcionites au livre I ; et ici il a l'intérêt de marquer ironiquement l'absurdité d'une bonté et d'une miséricorde sans discernement.

4. Argument polémique habituel à T. contre le dieu de « toute bonté »
qui, à ce titre, ne saurait excepter personne du salut.

évidemment son adversaire, fût réputée folie [1], comment même est-il possible que le Créateur ait prononcé la moindre parole se rapportant à la croix d'un Christ qui n'était pas le sien, et qu'il ignorait au moment où il faisait cette prédiction [2] ? Mais également, auprès d'un Seigneur [3] tout bon et d'une miséricorde répandue à profusion, pourquoi les uns obtiennent-ils leur salut en croyant que la croix est puissance et sagesse de Dieu, et pourquoi les autres, qui réputent folie la croix du Christ, obtiennent-ils leur perte [d4], à moins d'admettre [5] qu'il revient au Créateur d'avoir puni l'offense, quelle qu'elle soit, du peuple (juif) comme du genre humain en retranchant la sagesse et l'intelligence [e] ?

7. On en aura la confirmation par ce qui suit, lorsqu'il dit : « *Dieu n'a-t-il pas marqué d'ineptie la sagesse du monde [f] ?* » et lorsqu'il en ajoute, ici aussi, le pourquoi : « *Puisque, dans la sagesse de Dieu, le monde n'a pas compris le Seigneur[6] par le moyen de la sagesse, Dieu a jugé bon, par le moyen de la folie de sa prédication, de sauver les croyants [g].* » Mais je vais, préalablement, porter la discussion sur « monde », attendu que c'est peut-être en ce passage surtout que, dans leur extrême subtilité, les hérétiques interprètent « monde » au sens de « Seigneur du monde [7] ».

---

5. La phrase se prolonge en introduisant par *si non* (qui prend ainsi un sens très fort) la seule explication plausible : celle qui met en jeu le Créateur punissant l'offense des hommes (reprise de l'idée énoncée au § 4).

6. Avec HARNACK, p. 80*, nous pensons que Kroymann (que suit Moreschini) a eu tort d'accueillir la correction de Pamelius qui lit *deum* au lieu de *dominum* de toute la tradition manuscrite et de Rhenanus : cf. *supra* n. 3. Evans, aussi, garde *dominum*. SCHMID, p. I/320, le mentionne à titre de variante.

7. Reprise de la discussion, amorcée à propos de l'exégèse marcionite de « éléments du monde », *supra* 4, 5.

tur, nos autem hominem qui sit in mundo intellegimus, ex
forma simplici loquelae humanae, qua plerumque id quod
continet ponimus pro eo, quod continetur : circus clamauit
55 et forum locutum est et basilica fremuit, id est qui in his
locis rem egerunt. Igitur quia homo, non Deus mundi, in
sapientia non cognouit deum, quem cognoscere debuerat, et
Iudaeus in sapientia scripturarum et omnis gens in sapientia operum, ideo Deus idem, qui in sapientia sua non erat
60 adcognitus, statuit sapientiam hominum stultitia repercutere, saluos faciendo credentes quosque in stultam crucis
praedicationem. **8.** « *Quoniam Iudaei signa desiderant* »
– qui iam de Deo certi esse debuerant – « *et Graeci sapien-*
tiam quaerunt [h] » – qui suam scilicet, non Dei sapientiam
65 sistunt. Ceterum si nouus deus praedicaretur, quid deliquerant Iudaei signa desiderantes, quibus crederent, aut Graeci
sapientiam sectantes, cui magis crederent ? Ita et remunera-
tio ipsa in Iudaeos et Graecos et zeloten deum confirmat et
iudicem, qui ex retributione aemula et iudice infatuauerit
70 sapientiam mundi [f]. Quodsi eius sunt et causae, cuius adhi-

---

57 quem *R₂R₃* : quam *Mγ R₁* in qua *Kroy.* ‖ 59 in *G R₃* : *om. Mγ R₁R₂*
‖ 60 adcognitus *M Kroy.* : agnitus β *edd. cett. uide adnot.* ‖ 65 sistunt :
sectantur *coni. V²* ‖ 69 retributione *MG R₃* : tributione γ *R₁R₂*

---

h. 1 Co 1, 22

---

1. L'adjectif *simplex* s'oppose à *subtilissimi* : à l'interprétation artifi-
cieuse de ses adversaires qui comprenaient « monde » comme désignant le
Créateur, dieu de ce monde, T., en bon rhéteur qu'il est, riposte par le rappel d'une règle du langage ordinaire qui est le recours à la synecdoque ou
métonymie dont une des formes consiste à exprimer le contenu par le
contenant.
2. Reprise du § 4 et de la fin du § 6 ; même allusion à Rm 1, 19-21.
3. Avec Kroymann, il convient de choisir la leçon *adcognitus* de *M*, au
lieu de *agnitus* des autres mss : dans cette paraphrase du texte de Paul, on
admettra volontiers que T. se serve du verbe expressif, à double préfixe,
dont il a plusieurs exemples ailleurs.

Nous, nous le comprenons de l'homme qui est dans le monde, sur le modèle simple [1] du langage humain qui veut que la plupart du temps nous exprimions le contenant à la place du contenu : « le cirque s'est exclamé », « le forum a parlé », « la basilique a grondé », c'est-à-dire ceux qui ont été à l'œuvre en ces lieux. Ainsi donc, c'est parce que l'homme – et non pas le dieu du monde – n'a pas, dans la sagesse, connu Dieu qu'il aurait dû connaître – le juif dans la sagesse de ses Écritures et toute nation dans la sagesse de ses œuvres (créées [2]) – que Dieu, le même qui n'avait pas été reconnu [3] dans sa sagesse, a décidé de frapper de folie, en retour, la sagesse des hommes, en sauvant tous ceux qui croyaient en la folle prédication de la croix. **8.** « *Car les juifs demandent des signes* » – eux qui auraient dû déjà avoir une certitude concernant Dieu – « *et les grecs recherchent la sagesse* [h] » – eux qui érigent [4] évidemment leur propre sagesse, et non celle de Dieu. D'ailleurs, si l'objet de la prédication était un dieu nouveau, quel péché avaient donc commis les juifs en demandant des signes pour y croire, et les grecs en s'attachant à la sagesse pour y croire davantage ? Ainsi même le règlement de compte, précisément, contre les juifs et les grecs, confirme que c'est bien un dieu jaloux et justicier à la fois, qui par une rétribution rivale et justicière [5], a marqué d'ineptie la sagesse du monde [f]. Or donc, si les causes [6] appartiennent bien à celui dont on met en jeu les

4. Le verbe *sistere* fait image : la sagesse grecque devient comme un temple ou une statue orgueilleusement dressée contre le vrai Dieu.

5. Nouvelle exploitation de la critique marcionite contre le Créateur, ce dieu jaloux *(aemulus, zelotes)* et sévèrement justicier dans son application du talion.

6. Renvoi au § 5 où a été évoquée la *causa crucis*. Là encore, le rhéteur transparaît dans le choix de ce terme. On dirait plus normalement aujourd'hui : « sujets » ou « thèmes ».

bentur scripturae, ergo de Creatore tractans Apostolus non intellecto, Creatori utique docet intellegendo.

9. Etiam quod « *scandalum Iudaeis* » praedicat « *Christum* [i] », prophetiam super illo consignat Creatoris dicentis
75 per Esaiam : « *Ecce posui in Sion lapidem offensionis et petram scandali* [j]. » « *Petra autem fuit Christus* [k] » etiam Marcion seruat. Quid est autem « *stultum Dei sapientius hominibus* [l] », nisi crux et mors Dei ? Quid « *infirmum Dei fortius homine* [l] », nisi natiuitas et caro Dei ? Ceterum
80 si nec natus ex uirgine Christus nec carne constructus ac per hoc neque crucem neque mortem uere perpessus est, nihil in illo fuit stultum et infirmum, nec iam « *stulta mundi elegit Deus, ut confundat sapientia*, nec *infirma mundi elegit Deus, ut confundat fortia*, nec *inhonesta* et minima *et*
85 *contemptibilia, quae non sunt* » – id est quae non uere sunt –, « *ut confundat quae sunt* [m] » – id est quae uere sunt. Nihil enim a Deo dispositum uere modicum et ignobile et

---

72 creatori ... intellegendo *M Kroy.* : creatore ... intelligendo γ creatore ... intelligendum *R Gel. Pam.* (*ita interpungentes* : creatore, utique) de creatore ... intelligendum *Vrs. Rig.* creatorem ... intelligendum *Oeh. Evans uide adnot.* ‖ 78 dei *M Kroy.* : christi β *edd. cett.* ‖ 79 homine *R* : -ni *M*γ -nibus *Kroy.* ‖ 80 ac : hac *M* ‖ 83 sapientia *R₃ Gel. Kroy.* : -am *M*γ *R₁R₂ Pam. Rig. Oeh. Evans* ‖ 87 dispositum est *B Gel. Pam. Rig. Oeh. Evans*

---

i. 1 Co 1, 23   j. Rm 9, 33 = Is 8, 14 ; cf. Is 28, 16   k. 1 Co 10, 4   l. 1 Co 1, 25   m. 1 Co 1, 27-28

---

1. La conclusion du paragraphe vise à souligner que l'enseignement de Paul n'a pas concerné un autre dieu que celui de l'AT. La leçon de *M* (*Creatori ... intellegendo*) doit être préférée, comme l'ont bien vu Kroymann et Moreschini, à la correction banalisante d'Oehler qu'adopte Evans (*Creatorem ... intellegendum*) : il y a plusieurs exemples du datif, à côté de *docere* en emploi absolu, pour indiquer « au profit de qui » le Christ ou l'Apôtre dispense son enseignement doctrinal (ainsi *supra* 6, 13). Ici le tour se complique de l'antithèse *non intellecto / intellegendo*.

2. On peut comprendre *quod ... praedicat* comme étant le sujet de *consignat* (« Le fait qu'il proclame ... confirme... »). Mais on peut aussi donner

Écritures, il s'ensuit que l'Apôtre, en traitant du Créateur qui n'a pas été compris [g], enseigne à coup sûr au profit de celui qu'il faut comprendre, le Créateur [1].

9. Et même sa proclamation [2] que « *le scandale pour les juifs* », c'est « *le Christ* [i] », confirme sur celui-ci comme d'un sceau la prophétie du Créateur disant par Isaïe : « *Voici que j'ai posé dans Sion une pierre d'achoppement et un rocher de scandale* [j][3]. » « *Or le rocher, c'était le Christ* [k] » : même Marcion conserve ce texte [4]. D'autre part, qu'est-ce que « *folie de Dieu plus sage que les hommes* [l][5] », sinon la croix et la mort de Dieu ? Qu'est-ce que « *faiblesse de Dieu plus forte que l'homme* [l] », sinon la naissance et la chair de Dieu [6] ? Du reste si le Christ n'est ni né d'une vierge ni formé d'une structure charnelle et si, par là, il n'a subi véritablement ni la croix ni la mort [7], il n'y a rien eu en lui qui fût folie et faiblesse ; et dès lors il n'est pas exact que « *Dieu a choisi la folie du monde pour confondre la sagesse*, ni que *Dieu a choisi la faiblesse du monde pour confondre la force*, ni qu'il a choisi *ce qui est dépourvu de noblesse*, et infime, *et méprisable, ce qui n'existe pas* – c'est-à-dire qui n'existe pas vraiment – *pour confondre ce qui existe* [m] » – c'est-à-dire qui existe vraiment [8]. Car rien n'est vraiment petit et dépourvu de noblesse et méprisable qui provienne d'une disposition

---

à *quod* la valeur d'un accusatif de relation (« Quant à ce fait qu'il proclame... ») en admettant que le sujet de *consignat* est encore l'Apôtre. Sur ce tour, cf. ERNOUT A. – THOMAS F., *Syntaxe latine*, Paris 1964, § 302.

3. Cf. III, 7, 2-3 (et t. 3, p. 87, n. 5) ; IV, 13, 6 ; 35, 15.

4. Cf. *infra* 7, 12. Cf. HARNACK, p. 87* ; SCHMID, p. I/324.

5. Cf. II, 2, 5-6.

6. Idée toute proche de ce qu'on appelle habituellement le « paradoxe » de T. Ici, plus spécialement, elle sert à justifier, contre le docétisme de Marcion, l'affirmation chrétienne que Dieu s'est incarné pour mourir ensuite sur la croix.

7. Reprise de l'argument habituel à T. contre le docétisme.

8. Cf. HARNACK, p. 81* ; SCHMID, p. I/320.

contemptibile, sed quod ab homine. Apud Creatorem autem
etiam uetera stultitiae et infirmitati et inhonestati et pusilli-
90 tati et contemptui deputari possunt. **10**. Quid stultius,
quid infirmius quam sacrificiorum cruentorum et holocaustomatum nidorosorum a Deo exactio ? Quid infirmius
quam uasculorum et grabattorum purgatio ? Quid inhones-
tius, quam carnis iam erubescentis alia dedecoratio ? Quid
95 tam humile, quam talionis indictio ? Quid tam contemptibile, quam ciborum exceptio ? Totum, quod sciam, uetus
testamentum omnis haereticus inridet. « *Stulta enim mundi
elegit Deus, ut confundat sapientia* [n] » – Marcionis deus nihil
tale, quia nec aemulatur contraria [a] contrariis redarguere –,
100 « *ne glorietur omnis caro, ut, quemadmodum scriptum est :*

88-89 autem etiam R_3 *Gel. Rig. Oeh. Evans* : aut etiam Mγ R_1R_2 autem
iam *Eng. Kroy.* ‖ 91-92 holocaustomatum nidorosorum R_3 : -mata idolo-
rum Mγ R_1R_2 ‖ 93 grabattorum *MF* : -atorum X R ‖ 98 sapientia R_3 *Gel.*
Kroy. : -am Mγ R_1R_2 *Pam. Rig. Oeh. Evans* ‖ 99 a *om.* R_3

---

n. 1 Co 1, 27

1. Dans le droit fil des réflexions précédentes inspirées par les v. 27-28
de la lettre, T. va dépasser la question présente (folie de la croix et mystère
de l'Incarnation). Habilement, et pour mieux montrer la cohérence des
deux Alliances, il va appliquer ces paroles de Paul aux différentes dispositions vétérotestamentaires qui font « scandale » aux yeux des hérétiques
antilégalistes dont fait partie Marcion.
2. Dans le livre II (ch. 18 et 19, 1), T. a défendu contre les dénigrements
de la critique marcionite les principales institutions de la Loi. Il y revient
ici d'un autre point de vue : pour les valoriser au nom de l'infinie supériorité des jugements de Dieu. Dans un mouvement oratoire de cinq membres
(avec anaphores, parallélismes, dissymétries dans la symétrie) il reprend un
à un les cinq termes de la phrase précédente pour les mettre en rapport avec
une institution de la Loi. La première évoquée est celle des sacrifices sanglants : cf. Lv 1, 3-9. Le choix des mots n'est pas sans intention, la lourdeur de ces syllabes à dentales renforçant l'impression de « barbarie » de
ces sacrifices. A *holocaustum* (trois occurrences chez T. en dehors des citations bibliques) a été préférée la forme plus rare *holocaustoma* (l'auteur en

de Dieu, mais seulement de l'homme ! D'ailleurs, chez le Créateur, même les institutions anciennes, on peut les réputer folie, faiblesse, défaut de noblesse, petitesse et objet de mépris [1]. **10.** Est-il chose plus folle, chose plus faible que l'exigence, par Dieu, de sacrifices sanglants et d'holocaustes aux abondants fumets [2] ? Est-il chose plus faible que la purification de vaisselles et de couches [3] ? Est-il chose plus dépourvue de noblesse que la flétrissure supplémentaire d'une chair déjà pleine de honte [4] ? Est-il chose aussi mesquine que l'injonction du talion [5] ? Est-il chose aussi méprisable que l'interdiction d'aliments [6] ? C'est la totalité, que je sache, de l'Ancien Testament que tourne en dérision tout hérétique. Car « *Dieu a choisi la folie du monde pour confondre la sagesse* [n] » – rien de tel de la part du dieu de Marcion, parce qu'il ne cherche pas non plus, dans un esprit de rivalité, à réfuter les contraires par les contraires [7] ! –, « *pour empêcher que ne se glorifie toute chair, afin que, comme il est écrit : 'Qui se glorifie, qu'il se glorifie en*

a deux autres exemples, toujours en citation biblique). L'adjectif *nidorosus* (composé de *nidor*) est peut-être une création de T. qui ne l'emploie qu'ici : il se réfère manifestement à l'expression « odeur de bonne odeur » associée aux offrandes rituelles (cf. *BA, Lévitique*, p. 38-39). On admirera la sagacité divinatrice de Rhenanus qui a su retrouver le texte original défiguré dans la tradition manuscrite.

3. Sur la vaisselle à purifier, cf. Lv 6, 21 ; 11, 33 ; 15, 12. – Sur les couches, cf. Lv 15, 4.

4. La périphrase désigne évidemment la circoncision conçue comme châtiment de la faute d'Adam et punition d'une « chair » concupiscente : T. est depuis longtemps acquis à l'encratisme. Le mot *dedecoratio* se lit à partir de notre auteur.

5. Cf. Ex 21, 24 ; le talion est défendu en de tout autres termes en II, 18, 1.

6. Cf. Lv 11, 2-44 et *Marc.* II, 18, 2.

7. Reprise de l'argument selon lequel l'attitude en question est le propre d'un dieu « jaloux » *(aemulus)* et par conséquent ne peut concerner celui de Marcion.

'Qui gloriatur, in Deo glorietur' º ». In quo ? Vtique in eo,
qui hoc praecepit. Nisi Creator praecepit ut in deo
Marcionis gloriemur...

VI. 1. Igitur per haec omnia ostendit, cuius dei « *sapientiam* » loquatur « *inter perfectos* ª », eius scilicet, qui sapientiam sapientium abstulerit et prudentiam prudentium inritam fecerit ᵇ, qui infatuauerit sapientiam mundi ᶜ, stulta
5 eligens eius et disponens in salutem ᵈ. Hanc dicit sapientiam
« *in occulto* ᵉ » fuisse, quae fuerit in stultis et in pusillis et
inhonestis ᶠ, quae latuerit etiam sub figuris, allegoriis et
aenigmatibus, reuelanda postmodum in Christo, posito *in
lumen nationum* ᵍ a Creatore promittente per Esaiae uocem
10 patefacturum se thesauros inuisibiles et occultos ʰ. **2.** Nam
ut absconderit aliquid is deus, qui nihil egit omnino, in quod
aliquid abscondisse existimaretur, satis incredibile. Ipse si
esset, latere non posset, nedum aliqua eius sacramenta.

---

101 deo *M R Gel. Kroy.* : domino γ *Pam. Rig. Oeh. Evans* ‖ 102 nisi si
Hoppe, Beiträge, p. 130 Mor. uide adnot. ‖ deo *R₂R₃* : deum *Mγ R₁* ‖ 103
gloriemur *M Kroy.* : -etur β *edd. cett. uide adnot.*
VI. 3 sapientium *X edd. a Pam* : sapientum *MF R Gel.* ‖ 4 sapientiam :
sapientia *Kroy.* ‖ 7 allegoriis *edd. a Pam* : allegoricis ϑ *Gel. uide adnot.* ‖
11 egit *R* : legit *Mγ*

---

o. 1 Co 1, 29.31 ; cf. Jr 9, 23-24
VI. a. 1 Co 2, 6   b. Cf. 1 Co 1, 19 ; Is 29, 14   c. Cf. 1 Co 1, 20   d. Cf.
1 Co 1, 21   e. 1 Co 2, 7a   f. Cf. 1 Co 1, 27-28   g. Is 42, 6 ; Is 49, 6   h. Cf.
Is 45, 3

---

1. Par désinvolture ou pour toute autre raison, Marcion avait maintenu
cette référence de Paul à l'AT (adaptation, plutôt que citation, d'un passage de *Jérémie*). Notre polémiste exploite la chose pour ironiser et
conclure le développement par un trait plaisant.

2. Le texte de *M (gloriemur)* a une supériorité évidente sur celui de *FXR*
que suit Evans *(glorietur)*, qui s'aligne platement sur celui de la citation.
D'autre part, nous ne croyons pas nécessaire de corriger *nisi* en *nisi <si>*
comme propose Hoppe (que suit Moreschini). Cette conjonction, à elle
seule, se rencontre fréquemment pour introduire un tour ironique.

Dieu' [o][1]. » En quel dieu ? Pour sûr en celui qui a donné cette prescription : à moins que le Créateur n'ait prescrit que nous nous glorifiions [2] dans le dieu de Marcion !

La « sagesse cachée » de Dieu concerne le seul Créateur

VI. 1. C'est par tous ces propos, donc, que l'Apôtre montre de quel dieu est « *la sagesse* » dont il parle « *parmi les parfaits* [a][3] » : évidemment de celui qui a enlevé la sagesse des sages et rendu sans effet l'intelligence des intelligents [b], qui a marqué d'ineptie la sagesse du monde [c] en choisissant sa folie et en la disposant à donner le salut [d]. Cette sagesse, il dit qu'elle a été « *cachée* [e][4] » : elle qui a été dans les fous, dans les petits et les gens sans noblesse [f], elle qui s'est même dissimulée sous les figures, les allégories et les énigmes [5] pour être révélée bien après dans le Christ, placé *en lumière des nations* [g][6] par le Créateur, lequel promettait par la voix d'Isaïe de découvrir des trésors invisibles et cachés [h][7]. **2.** Car qu'ait occulté quelque chose un dieu qui n'a absolument rien produit en quoi il pût être estimé avoir occulté quelque chose [8], voilà qui est passablement incroyable. Lui-même, s'il existait, n'aurait pas pu se dissimuler : encore moins n'importe les-

---

3. Passant à un nouveau développement centré sur les v. 6-7 du ch. 2 de la lettre, T. s'attache à souligner la cohérence des propos de Paul : d'où un rappel des idées et expressions présentées sur la sagesse divine dans le chapitre précédent.

4. L'expression *in occulto fuisse* traduit, pensons-nous, le terme ἀποκεκρυμμένην de la lettre. A l'autre terme qui caractérise cette sagesse, ἐν μυστηρίῳ, fait écho la proposition *quae latuerit ... aenigmatibus*.

5. L'énumération ternaire du § 5 *in figuris et aenigmatibus et allegoriis* garantit la correction apportée ici par Pamelius au texte transmis *allegoricis*.

6. Texte cité déjà en IV, 11, 1 ; 25, 5 et 11 ; et dans le présent livre en 4, 4.

7. Texte cité en IV, 25, 4 ; il reviendra *infra* 14, 9.

8. Même argumentation qu'en IV, 25, 1 s.

Creator autem tam ipse notus quam et sacramenta eius,
15 palam scilicet decurrentia apud Israhel, sed de significantiis
obumbrata, in quibus sapientia Dei delitescebat, « *inter
perfectos* [i] » narranda suo in tempore, proposita uero in
proposito Dei « *ante saecula* [j] ». **3.** Cuius et saecula, nisi
Creatoris ? Si enim et saecula temporibus structa sunt, tem-
20 pora autem diebus et mensibus et annis compinguntur, dies
porro et menses et anni solibus et lunis et sideribus
Creatoris signantur in hoc ab eo positis – « *Et erunt* enim,
inquit, *in signa mensium et annorum* [k] » – apparet et saecula
Creatoris esse et omne, quod « *ante saecula* [j] » propositum
25 dicatur, non alterius esse quam cuius et saecula. **4.** Aut
probet dei sui saecula Marcion ; ostendat et mundum ipsum,
in quo saecula deputentur, uas quodammodo temporum, et
signa aliqua uel organa eorum. Si nihil demonstrat, reuertor,
ut et illud dicam : cur autem *ante saecula* Creatoris *propo-*
30 *suit gloriam nostram* [j] ? Posset uideri eam ante saecula proposuisse, quam introductione saeculi reuelasset. At cum id

---

16 delitescebat β : delitis- *M* ‖ 18 proposito *M R₃* : -ta γ *R₁R₂* ‖ 28 organa
eorum *Kroy.* : ortaneorum ϑ *B Gel.* ortum eorum *coni. R B Gel. rec. Pam.
Rig.* notas eorum *Vrs.* ordinem eorum *Oeh. Evans uide adnot.*

---

i. 1 Co 2, 6   j. 1 Co 2, 7b   k. Gn 1, 14

---

1. Reprise de l'argument présenté *supra* en 4, 2-3 (« Le Créateur seul
maître du temps »).
2. Citation écourtée et adaptée, qui suit la LXX. Mais, conformément
à la lecture ancienne, T. établit un lien de subordination entre le premier
terme (« signes ») et les suivants (« mois », « années ») : cf. *BA, Genèse*,
p. 92 (note).
3. Nouveau défi lancé à Marcion, selon un schéma habituel à notre polémiste.
4. Le texte transmis est *ortaneorum*, manifestement fautif. Différentes
corrections ont été proposées par les éditeurs anciens, notamment *ortum
eorum* ou *notas eorum*. Celle d'Oehler *(ordinem eorum)* est retenue par
Evans. Avec Moreschini, nous préférons la conjecture de Kroymann :

quels de ses mystères ! Le Créateur, lui, est connu lui-même aussi bien que le sont aussi ses mystères : eux qui, évidemment, se déroulaient de façon patente auprès d'Israël, tout en étant voilés d'ombres dans leurs significations où se dissimulait la sagesse de Dieu : laquelle devait être racontée « *parmi les parfaits* [i] » à son heure, mais avait été prédéterminée dans la prédétermination de Dieu « *avant les siècles* [j] ». **3.** De quel dieu aussi sont les siècles, sinon du Créateur [1] ? Si en effet aussi les siècles sont structurés de temps, et si les temps sont formés de l'assemblage de jours, de mois, d'années, si de plus les jours, les mois, les ans sont signalés par les soleils, les lunes, les astres du Créateur placés par lui à cette fin – « *Et ils seront* en effet, dit-il, *à titre de signes des mois et des années* [k 2] » –, il est manifeste que les siècles appartiennent au Créateur et que, d'autre part, tout ce qui est dit avoir été prédéterminé « *avant les siècles* [j] » n'appartient pas à un autre que celui à qui appartiennent aussi les siècles. **4.** Ou alors que Marcion fasse la preuve [3] de l'appartenance des siècles à son dieu. Qu'il montre aussi le monde même dans lequel seraient réputés être ces siècles, le réceptacle en quelque sorte des temps, et des signes quelconques ou des instruments de ces temps [4]. S'il ne fait rien voir de tout cela, j'en reviens à dire ceci aussi : mais pourquoi alors son dieu a-t-il, *avant les siècles* du Créateur, *prédéterminé notre gloire* [j] ? On aurait pu voir qu'il l'avait prédéterminée avant les siècles s'il l'avait révélée par l'introduction du siècle. Mais étant donné qu'il réa-

---

organa eorum. Elle a le mérite d'être proche du texte fautif, et elle suppose l'emploi d'un terme dont T. a de nombreux exemples, notamment avec une détermination par *temporum* en *Val.* 23, 2. Nous pensons que *eorum* renvoie à ce mot et que *signa* fait écho à la citation de la *Genèse*. T. désigne évidemment par là les corps célestes (soleil, lune et astres) qui *signalent* et *servent à produire* ces découpages du temps que sont les jours, mois et années.

facit paene iam totis saeculis Creatoris prodactis, uane ante
saecula proposuit et non magis intra saecula quod reuelatu-
rus erat paene post saecula. **5.** Non enim eius est festinasse
35 in proponendo, cuius est retardasse in reuelando. Creatori
autem competit utrumque : et ante saecula proposuisse et in
fine saeculorum reuelasse, quia et quod proposuit et reue-
lauit medio spatio saeculorum in figuris et aenigmatibus et
allegoriis praeministrauit.

40   Sed quia subicit de gloria nostra, quod « *eam nemo ex*
principibus huius aeui scierit, ceterum *si scissent, numquam*
Dominum gloriae crucifixissent [1] », argumentatur haereticus
<quod> principes huius aeui Dominum, alterius scilicet dei
Christum, cruci confixerint, ut et hoc in ipsum redigat
45 Creatorem. **6.** Porro cui supra ostenderimus, quibus

---

32 paene R_2R_3 : penes Mγ R_1 ‖ 36 proposuisse *coni.* R_1 *rec.* R_2R_3 : -fuisse
Mγ R_1 ‖ 43 quod *add.* R_3 ‖ 44 confixerint R_3 : eum fixerint Mγ R_1R_2 crucifixerint *Kroy.   uide adnot.* ‖ et hoc R_3 : hoc et Mγ R_1R_2 ‖ redigat : recidat R_3 *Gel. Pam. Rig. Oeh. Evans.   uide adnot.* ‖ 45 ostendimus *Pam. Rig.*
Oeh. Evans

---

l. 1 Co 2, 8

---

1. Une fois de plus, T. taxe de « vain », c'est-à-dire dépourvu de toute
rationalité, le comportement du dieu marcionite.

2. L'argument souligne, de façon caricaturale, le contraste entre la
« hâte » de la prédétermination et le « retard » de la révélation.

3. Au dieu « vain » de l'hérétique est opposé le Créateur pleinement
cohérent avec lui-même, et dont la révélation en fin des temps est préparée et comme soigneusement gérée par la présentation de figures et symboles au travers de l'histoire d'Israël (cf. § 2).

4. Le v. 8, sur lequel va porter le nouveau développement, est présenté
également en une citation adaptée. Particularité de l'interprétation de T. :
le relatif de liaison initial est rapporté à « gloire », et non pas à « sagesse »
comme l'impose le contexte. Si une telle lecture n'est pas isolée (cf. ALLO,
Saint Paul. 1 Co, p. 42 en note), on peut douter que notre auteur l'ait trou-
vée dans sa source marcionite. D'autre part, *nunquam* ne répond pas exactement à οὐκ : cf. HARNACK, p. 82* et SCHMID, p. 75 et p. I/321.

5. Judicieuse conjecture de la troisième édition de Rhenanus pour amé-
liorer le texte transmis *eum fixerint.*

lise la chose une fois accomplie la presque totalité des siècles
du Créateur, c'est bien vain [1] de sa part d'avoir prédéterminé
avant les siècles, et non pas plutôt au cours des siècles, ce
qu'il devait révéler presque après les siècles. **5.** Car mettre
de la hâte à prédéterminer n'est pas le fait de qui met du
retard à révéler [2]. Mais au Créateur conviennent l'une et
l'autre : et d'avoir prédéterminé avant les siècles et d'avoir
révélé à la fin des siècles, car ce qu'il a prédéterminé et ce
qu'il a révélé, dans l'espace intermédiaire des siècles il l'a
d'avance administré en figures, en énigmes et en allégories [3].

Réfutation
d'une thèse adverse :
« les puissances de ce monde »
et leur « ignorance »
dans la Crucifixion

Mais comme l'Apôtre ajoute
au sujet de notre gloire que
*« personne parmi les princes
de ce monde ne l'a connue,
qu'autrement, s'ils l'avaient
connue, jamais ils n'auraient
crucifié le Seigneur de gloire* [14] », l'hérétique argumente que
les princes de ce monde ont fixé à la croix [5] le Seigneur, évidemment Christ de l'« autre » dieu, de façon à rapporter [6]
aussi cet acte au Créateur lui-même [7]. **6.** Au surplus,
comme nous avons montré plus haut de quelles manières

---

6. Le texte transmis *redigat* (au sens de : « rapporter, ramener à la responsabilité de... ») a l'intérêt de renvoyer au même sujet *(haereticus)* : il
souligne ainsi l'intention, hostile au Créateur, de celui-ci. La conjecture
proposée par R_3 *(recidat)* et adoptée par Evans est moins expressive : « pour
que cela retombe sur... ».

7. Cette thèse marcionite a déjà été mentionnée en III, 23, 5 (cf. t. 3,
p. 109 et n. 4). Ici la discussion va porter principalement sur le point de
l'« ignorance » attribuée aux « princes de ce monde » dans la Crucifixion,
et également sur le sens à donner à l'expression « princes de ce monde » en
qui l'adversaire de T. voulait voir les « Puissances du Créateur », sans doute
auxiliaires de ses desseins. La réfutation de cette thèse par notre polémiste
manque de clarté, par brièveté excessive et par défaut d'informations pré-
cises sur les attendus et explications de l'adversaire. La transmission du
texte a peut-être aussi contribué à l'obscurcir : Kroymann y a supposé plusieurs lacunes et proposé des restitutions, mais il n'a pas été suivi dans cette
voie par Evans ni par Moreschini.

modis gloria nostra a Creatore sit deputanda, praeiudicatum
esse debebit eam, quae in occulto fuerit apud Creatorem [m],
merito ignotam etiam ab omnibus uirtutibus et potestatibus
Creatoris, quia nec famulis liceat consilia nosse dominorum,
50 nedum illis apostatis angelis ipsique principi transgressionis,
diabolo, quos magis extraneos fuisse contenderim ob cul-
pam ab omni conscientia dispositionum Creatoris.

7. Sed iam nec mihi competit « principes huius aeui »
« uirtutes et potestates » interpretari Creatoris, quia igno-
55 rantiam illis adscribit Apostolus, Iesum autem et secundum
nostrum euangelium [n] diabolus quoque in temptatione
cognouit, et secundum commune instrumentum spiritus
nequam sciebat eum sanctum dei esse et Iesum uocari et in
perditionem eorum uenisse [o]. Etiam parabola fortis illius
60 armati, quem alius ualidior oppressit et uasa eius occu-
pauit [p], si in Creatoris accipitur apud Marcionem, iam nec
ignorasse ultra potuit Creator Dominum gloriae, dum ab eo
opprimitur, nec in cruce eum figere, aduersus quem ualere

48 ignoratam *Kroy.* ‖ omnibus : hominibus *Rig.* ‖ 50 ipsique β : ipsi quae
M ‖ 55 illis β : illi *M* autem : enim *Kroy.* ‖ 60 oppressit R_2R_3 : obrepsit
*M*γ R_1 ‖ 61 creatoris ϑ : -rem *Vrs. Rig. uide adnot.* ‖ 62 dominum *Kroy.* :
deum ϑ ‖ 63 cruce : -em R_2R_3 *Gel. Pam.*

m. Cf. 1 Co 2, 7   n. Cf. Lc 4, 1-13 ; Mt 4, 1-11 ; Mc 1, 12-13   o. Cf.
Lc 4, 34   p. Cf. Lc 11, 21-22

1. On voit bien par cette phrase que sa lecture particulière du texte paulinien (cf. *infra* n. 14) n'empêche pas T. d'assimiler « gloire » et « sagesse »
dans le contexte de ces versets. La traduction littérale serait : « Il devra être
préjugé par celui à qui nous aurons montré plus haut... ».
2. Dans un premier temps, T. admet l'interprétation que l'adversaire
donne de « princes de ce monde », c'est-à-dire « Puissances (spirituelles) du
Créateur ». Mais il applique ce terme aux anges déchus et à leur chef, le
diable, pour expliquer leur « ignorance » du dessein divin par des considérations toutes naturelles : rapports maîtres / serviteurs, culpabilité.
3. Comme souvent, après une concession à l'adversaire, T. fait « marche
arrière » : il refuse les deux points admis par ce dernier (il s'agit des

notre gloire doit être réputée venir du Créateur, on devra préjuger que cette gloire, qui était cachée chez le Créateur [m][1], était à juste raison ignorée de toutes les Vertus et Puissances du Créateur étant donné que même les serviteurs n'ont pas le droit de connaître les desseins de leurs maîtres, à plus forte raison ces anges apostats et le prince même de la transgression, le diable, dont je prétendrais plutôt que, à cause de leur faute, ils ont été étrangers à toute conscience des dispositions du Créateur [2].

7. Mais voici qu'il ne me convient pas non plus d'interpréter les « princes de ce monde » au sens de « Vertus et Puissances du Créateur [3] » parce que, si l'Apôtre leur attribue l'ignorance, le diable aussi a connu Jésus lors de sa tentation, selon notre évangile [n][4], et que, selon l'écrit que nous avons en commun (avec les marcionites), l'esprit mauvais savait qu'il était le Saint de Dieu, qu'il avait nom Jésus et qu'il était venu pour leur perdition [o][5]. Il en va de même de la parabole de cet homme fort et armé qu'un autre, plus vigoureux, a accablé en lui prenant son mobilier [p][6] : s'il est vrai que, chez Marcion, elle est prise pour une parabole du Créateur [7], il n'a pas été possible dès lors que le Créateur ignorât même, dans la suite, le Seigneur de gloire puisqu'il est accablé par lui, ni non plus qu'il cloue à la croix celui

---

« Puissances du Créateur » et elles sont dans l'ignorance du dessein divin) ; et il commence par réfuter toute liaison entre « ignorance » et « Puissances du Créateur » ; il le fait au moyen d'une démonstration scripturaire et exégétique.

4. L'épisode de la tentation de Jésus par Satan appartient à la partie initiale de *Luc* que Marcion avait supprimée de son évangile.

5. Cf. IV, 7, 12.

6. Cf. IV, 26, 12 : T. y indique déjà l'exégèse de Marcion (le *uir fortis* est le Créateur, le *ualidior* le dieu supérieur). Il en tire ici un argument pour réfuter la thèse adverse d'une Crucifixion dont l'auteur serait le Créateur.

7. Dans le tour *in Creatoris* (qui est attesté par toute la tradition et conservé par les derniers éditeurs), il est facile de sous-entendre *parabolam*.

non potuit, et superest, ut – secundum me quidem credibile
65 sit – scientes uirtutes et potestates Creatoris Dominum
gloriae, Christum suum, crucifixerint, qua desperatione et
malitiae redundantia serui quoque scelestissimi dominos
suos interficere non dubitant ; scriptum est enim apud
me Satanan in Iudam introisse �q. **8.** Secundum autem
70 Marcionem nec Apostolus hoc loco patitur ignorantiam
adscribi uirtutibus Creatoris in gloriae Dominum, quia scilicet non illas uult intellegi « principes huius aeui ». Quod
si non uidetur de spiritalibus dixisse principibus, ergo de
saecularibus dixit, de populo principali, utique non inter
75 nationes, de ipsis archontibus eius, de rege Herode, etiam
de Pilato, et quo maior principatus huius aeui, Romana
dignitas praesidebat. **9.** Ita et cum destruuntur argumentationes diuersae partis, nostrae expositiones aedificantur.

---

65 dominum *Kroy.* : deum ϑ ‖ 66 crucifixerint *MX R₁R₂ Kroy.* : -fixe-
runt *F* -fixisse *edd. cett. a R₃* ‖ 69 satanan *M* : -am β ‖ 73 de *R₃* : dei *Mγ*
R₁R₂ ‖ 76 et : in *coni. Evans* ‖ 77-78 argumentationes *Gel.* : -e ϑ *B*

---

q. Cf. Lc 22, 3

---

1. La difficulté que présente le texte transmis (absence de *ut* après *credibile sit*) se résout aisément si l'on admet, avec Kroymann, la fonction
parenthétique du groupe de mots *secundum ... credibile sit.* Par cette incidente, T. souligne le caractère possible, croyable, de sa nouvelle interprétation (les Puissances spirituelles ont agi en pleine connaissance de cause)
qui contredit la première, de pure concession (au § 6) – et qui ne sera pas
d'ailleurs l'interprétation définitive (au § 8).
2. Contre l'adversaire est souligné le point essentiel : le crucifié est le
Christ du Créateur, non du dieu supérieur, l'« autre ».
3. Explication tirée, comme *supra* § 6, de considérations de la vie courante
et de la psychologie des criminels. Selon un tour habituel, le relatif *(qua)* précède l'antécédent ou plutôt les antécédents *(desperatione, redundantia).*
4. L'évangile de Marcion ne comportait pas cette mention : cf.
HARNACK, p. 232*. Après une explication purement humaine, T. ajoute
une explication théologique.
5. Phrase obscure. Marcion (où ? dans quel document ? un commentaire ?)
s'opposait-il à l'interprétation (de ses disciples ?) qui a été rapportée par T.
supra § 5b ? Lui-même refusait-il d'interpréter « princes de ce monde » dans

contre lequel il n'a pas pu prévaloir. Et il reste que – selon moi du moins, la chose serait croyable [1] –, en toute connaissance, les Vertus et Puissances du Créateur ont crucifié le Seigneur de gloire, leur Christ [2], par ce mouvement de désespoir et cette surabondance de méchanceté qui font que des esclaves très scélérats n'hésitent pas à tuer leurs maîtres [3]. Et de fait, chez moi, l'Écriture dit que Satan s'est introduit dans Judas [4]. **8.** Selon Marcion d'ailleurs, l'Apôtre non plus en ce passage ne souffre pas qu'on attribue l'ignorance aux Vertus du Créateur dans leur action contre le Seigneur de gloire, parce que, évidemment, il ne veut pas qu'on comprenne qu'elles sont « les princes de ce monde [5] ». Or si l'on ne voit pas que l'Apôtre ait parlé des princes spirituels, c'est donc qu'il a parlé des princes séculiers : du peuple (juif) qui est le principal – étant bien sûr hors du compte des nations –, de ses magistrats mêmes [6], du roi Hérode, également de Pilate par qui même [7] présidait une principauté de ce monde encore plus grande, la dignité romaine. **9.** C'est ainsi que, par la destruction aussi des argumentations de la partie adverse, se construit l'édifice de nos propres explications [8].

---

le sens de « Puissances du Créateur » ? Ou bien est-ce notre auteur qui le crédite de cette opinion pour déboucher sur son interprétation définitive : celle qui « historicise » le sens en voyant mis en cause, non des puissances spirituelles, mais les responsables séculiers du procès et de la passion du Christ, – ceux qu'évoque le verset psalmique souvent rappelé (Ps 2, 1-2) : cf. *supra* 3, 8.

6. Il s'agit, bien sûr, des membres du Sanhédrin : cf. IV, 41, 3-4 ; et aussi 42, 2 (où les *archontes* du verset psalmique sont expliqués comme étant les *summi sacerdotes*).

7. Dans le groupe *et quo* (= *quo etiam*), l'hyperbate donne plus de vigueur à l'expression ; le relatif est à comprendre comme ablatif instrumental. A côté de *maior,* il est facile de sous-entendre *quam rex Herodes.*

8. Une double métaphore et une antithèse donnent de l'éclat à cette phrase finale qui dessine assez bien la ligne du développement : parti d'une concession à l'exégèse de l'adversaire, il aboutit à une explication nette et conforme aux positions traditionnelles de l'Église.

Sed uis adhuc gloriam nostram dei tui esse et apud eum
80 in occulto fuisse ʳ. Et quare adhuc eodem et deus instrumento et apostolus nititur ? Quid illi cum sententiis prophetarum ubique ? « *Quis* enim *cognouit sensum Domini,
et quis illi consiliarius fuit* ˢ *?* » Esaias est. Quid illi etiam
cum exemplis dei nostri ? **10.** Nam quod « *architectum* se
85 *prudentem* ᵗ » adfirmat, hoc inuenimus significari depalato-
rem disciplinae diuinae a Creatore per Esaiam : « *Auferam*
enim, inquit, *a Iudaea* – inter cetera – et *sapientem architectum* ᵘ. » Et numqui non ipse tunc Paulus destinabatur, de
Iudaea, id est de Iudaismo, auferri habens in aedificationem
90 Christianismi, positurus unicum fundamentum, quod est
Christus ᵛ ? Quia et de hoc per eundem prophetam Creator :
« *Ecce ego*, inquit, *inicio in fundamenta Sionis lapidem pre-
tiosum, honorabilem, et qui in eum crediderit non confun-
detur* ʷ. » **11.** Nisi si structorem se terreni operis Deus

---

80 eodem *MX R₂R₃* : edom *F R₁* ‖ et deus *M*ᵐᵍ ‖ 82 enim ϑ *rest. Pam.* : etiam
B Gel. ‖ 83 Esaias : Esaiae *Kroy.* ‖ 88 numqui non *Kroy.* : numquid *M R Mor.*
‖ 92 inicio *R* : -licio *M* -micio γ ‖ 94 si γ *R₁R₂ edd. a Pam* : om. *M R₃ Gel.*

---

r. Cf. 1 Co 2, 7   s. 1 Co 2, 16 = Is 40, 13   t. 1 Co 3, 10   u. Is 3, 1-3
v. Cf. 1 Co 3, 11   w. Is 28, 16

---

1. Revenant sur le texte déjà cité au début du § 6, T. incrimine l'interprétation hérétique (gloire cachée dans le dieu supérieur, et non dans le
Créateur). Il va la réfuter au moyen d'un autre argument, qui consiste à
rappeler les textes vétérotestamentaires repris par Paul dans ce passage : ils
prouvent bien que le seul Dieu pour lui, c'est le Créateur.
2. La démonstration est faite au moyen d'une interrogation rhétorique.
Énergique hyperbate de *eodem instrumento*.
3. La seconde partie du verset ne correspond pas exactement au texte
de Paul (« pour l'instruire ») : celui-ci paraît avoir simplifié sa citation
d'Isaïe. HARNACK, p. 82*, admet que la substitution du texte isaïen au texte
paulinien peut être le fait soit de Marcion soit de T. ; SCHMID, p. 70, soulignant les variations de notre auteur dans sa façon de citer Is 40, 13 s., en
conclut qu'on ne doit rien en retenir pour établir le texte marcionite.
4. La reprise par Paul d'une expression imagée de l'AT (« architecte
avisé ») permet de poursuivre la même argumentation. Sur le sens de
« image », « figure », que prend *exemplum* ici (comme souvent chez T.),
cf. *TLL* V, 2, col. 1349, l. 16 s.

Reprise de textes et d'enseignements du Créateur

Mais tu veux encore que notre gloire relève de ton dieu et qu'elle ait été cachée chez lui [r] [1]. Et pourquoi donc, encore, et ton dieu et ton apôtre s'appuient-ils sur les mêmes Écritures [2] ? Qu'a-t-il à faire partout avec les énoncés des Prophètes ? « *Qui a connu*, en effet, *la pensée du Seigneur et qui a été son conseiller* [s] [3] ? » C'est Isaïe qui parle ! Qu'a-t-il à faire également avec des exemples [4] de notre dieu ? **10.** Car s'il s'affirme « *architecte avisé* [t] [5] », nous en trouvons le sens, celui de fondateur [6] de la discipline divine, que nous fournit le Créateur par Isaïe : « *J'enlèverai*, dit-il en effet, *à la Judée* – entre autres – *le sage architecte* [u] [7]. » Et n'était-ce pas Paul lui-même qui, alors, était visé [8], lui qui avait à être enlevé à la Judée, c'est-à-dire au judaïsme, pour l'édification du christianisme, lui qui devait poser un unique fondement, c'est-à-dire le Christ [v] ? Car, à ce sujet aussi, le Créateur a dit par le même prophète : « *Voici que je jette, moi, dans les fondements de Sion une pierre de prix, d'honneur, et celui qui aura cru en elle ne sera pas confondu* [w] [9]. » **11.** A moins que Dieu ne fît profession d'être le constructeur d'un

---

5. A vrai dire, T. force un peu le sens du passage en faisant une affirmation *(affirmat)* de ce qui est simple comparaison dans le texte de Paul.

6. Formé sur le verbe rarissime *depalare* qui appartient au vocabulaire des agronomes (= « délimiter par des pieux ») et que T. emploie plusieurs fois au sens large de « fonder » (cf. *TLL* V, 1, *s.v.*), le mot *depalator* est un hapax.

7. Citation chère à notre auteur sur l'abandon des juifs par Dieu ; elle est condensée (seul est retenu l'élément essentiel à la démonstration) et modifiée (la première personne est substituée à la troisième). On la rencontre déjà en III, 23, 2 (t. 3, p. 195 et n. 4) et en *Iud.* 13, 25 (avec même réduction, et application à l'Esprit Saint constructeur de l'Église). Elle reviendra sous forme d'allusion *infra* en 8, 4.

8. Emporté par sa démonstration, T. voit même dans ce texte une prophétie *(destinabatur)* annonçant l'apostolat de Paul après sa conversion.

9. Texte cité aussi, intégralement, par IRÉNÉE, *Haer.* 3, 21, 7. JUSTIN y fait allusion en *Dial.* 114, 4. C'est également ce texte – entre autres – que vise T. quand il parle de la « pierre » comme symbole du Christ (cf. III, 7, 2-3 et IV, 35, 15 ; également *Iud.* 14, 2).

95 profitebatur, ut non de Christo suo significaret, qui futurus
esset fundamentum credentium in eum. Super quod prout
quisque superstruxerit, dignam scilicet uel indignam doctrinam, si opus eius per ignem probabitur, si merces illi per
ignem rependetur ˣ, Creatoris est, quia per ignem iudicatur
100 uestra superaedificatio, utique sui fundamenti, id est sui
Christi. **12.** « *Nescitis quod templum Dei sitis et in uobis
inhabitet spiritus Dei* ʸ *?* » Si homo et res et opus et imago
et similitudo – et caro per terram et anima per afflatum –
Creatoris est, totus ergo in alieno habitat deus Marcionis, si
105 nos Creatoris sumus templum. **(12.)** « *Quod si templum Dei
quis uitiauerit, uitiabitur* ᶻ » – utique a deo templi. Vltorem
intentans Creatorem intentabit. « *Stulti estote, ut sitis
sapientes* ᵃᵃ. » Quare ? *Sapientia enim huius mundi stultitia*

96 eum. super *ita dist. Kroy. uide adnot.* ‖ 99 iudicatur *codd. edd. a
Rig.* : indicatur *B Gel. Pam.* ‖ 100 uestra : nostra *Eng. Kroy. uide adnot.*
‖ sui¹ *MG R₃* : sui super γ *R₁R₂* ‖ 104 totus *edd. a Rig* : tutus *Mγ R₁ Bᵐᵍ*
tuus *coni. R₁ rec. R₂R₃ B Gel. Pam.* ‖ marcionis *codd. edd. a Rig.* : marcion
coni. R₁ rec. R₂R₃ B Gel. Pam. ‖ 105 nos *coni. R₁* : non ϑ *edd. cett.* non,
dist. Kroy. ‖ 106 uitiauerit β : uita- *M* ‖ 107 intentabit *Mγ R₃ Gel. Pam.
Rig.* : -auit *Eng. Kroy.* -abis *R₁R₂ Oeh. Evans*

x. Cf. 1 Co 3, 12-14   y. 1 Co 3, 16   z. 1 Co 3, 17   aa. 1 Co 3, 18

1. Ironique prise à partie d'une interprétation – conforme à la tendance
de l'exégèse marcionite – qui évacuerait le sens christique du passage. La
fin de la phrase ramène à 1 Co 3, 11.

2. Avec Kroymann, nous pensons qu'il faut une ponctuation forte après
eum. Super quod (sc. *fundamentum*) introduit, dans le prolongement de ce
qui précède, une paraphrase des v. 12-14, dont on doit admettre que
Marcion les avait conservés (cf. HARNACK, p. 82* ; SCHMID, p. I/321).

3. Comme sujet de *est*, il faut sous-entendre *id* (renvoyant à l'idée précédente : l'épreuve du feu). On pourrait aussi comprendre en faisant de
quia une conjonction introductive d'une complétive : « c'est le fait du
Créateur que soit jugé par le feu », etc.

4. La réflexion finale souligne trois points qui s'opposent à la doctrine
marcionite : le rôle du feu (élément du Créateur) ; celui du « Jugement »

ouvrage terrestre [1], sans signifier par là qu'il s'agissait de son Christ, lui qui était destiné à être le fondement de ceux qui croiraient en lui [2] ! Selon que, sur ce fondement, chacun aura construit par-dessus – entendons une bonne ou une mauvaise doctrine –, si son ouvrage fait sa preuve par le feu, si une récompense lui est donnée en retour par le feu [x], la chose relève bien du Créateur [3] : car c'est par le feu qu'est jugée votre superstructure, évidemment élevée sur son fondement à lui, c'est-à-dire sur son Christ [4]. **12.** « *Ne savez-vous pas que vous êtes un temple de Dieu, et qu'en vous habite l'Esprit de Dieu* [y] *?* » Si l'homme est à la fois la chose, l'œuvre, l'image, la ressemblance – chair par la terre et âme par le souffle – du Créateur, c'est donc que le dieu de Marcion habite totalement en un être qui lui est étranger [5] si nous sommes, nous, le temple de Dieu. **(12.)** « *Si quelqu'un met à mal le temple de Dieu, il sera mis à mal* [z] » – assurément par le dieu du temple. Brandissant un vengeur, l'Apôtre brandira le Créateur [6]. « *Soyez fous pour être sages* [aa][7]. » Pourquoi ? *Car la sagesse de ce monde est folie*

(en contradiction avec un dieu supérieur qui ne juge pas) ; l'appartenance totale de l'homme à celui qui l'a créé et à son Christ, thème qui prépare le commentaire du v. 16 qu'on trouvera juste après. Le mot *superaedificatio*, suggéré par le composé *superstruere* de Paul, est un néologisme de circonstance ; son emploi est unique chez T. et il restera rare après lui. Pour ce qui est du texte, nous pensons qu'Evans a raison de conserver la leçon *uestra* des mss (contre la correction *nostra* d'Engelbrecht). En effet il nous paraît que T. a déjà en tête l'avertissement du verset suivant qui est formulé à la 2ᵉ pers. du plur.

5. Reprise d'un thème récurrent sur l'homme œuvre du Créateur et étranger au dieu de Marcion. Sur la conception anthropologique, cf. I, 24, 5 ; II, 4, 3-4 ; 6, 2-8.

6. Motif également habituel ; l'idée de « vengeance » exclut toute application au dieu supérieur qui ne juge pas.

7. La citation est légèrement modifiée : le texte de base comporte une troisième personne (τις) : cf. HARNACK, p. 83* et SCHMID, p. I/321. Plusieurs interrogations rhétoriques soulignent le raisonnement.

est penes Deum [bb]. Penes quem deum ? Si nihil nobis et ad
110 hunc sensum pristina praeiudicauerunt, bene quod et hic
adstruit : « *Scriptum est enim : 'Deprehendens sapientes in
nequitia illorum* [bb]' *et rursus : 'Dominus scit cogitationes
sapientium, quod sint superuacuae* [cc]' [dd]. » **13.** In totum
enim praescriptum a nobis erit nulla illum sententia uti
115 potuisse eius dei, quem destruere deberet, si non illi doceret. « *Ergo,* inquit, *nemo glorietur in homine* [ee] », et hoc
secundum Creatoris disciplinam : « *Miserum hominem, qui
spem habet in hominem* [ff] » et : « *Bonum est fidere in Deo,
quam fidere in hominibus* [gg] » ; ita et gloriari.

VII. 1. « *Et occulta tenebrarum ipse inluminabit* [a] » – utique
per Christum – qui Christum inluminationem repromi-
sit [b] quique se lucernam pronuntiauit « *scrutantem renes et
corda* [c] ». Ab illo « *erit et laus unicuique* [d] », a quo et contra-
5 rium laudis, ut a iudice. – Certe, inquis, uel hic « mundum »
« deum mundi » interpretatur dicendo : « *Spectaculum facti*

109-110 ad hunc *Gel. Pam. Oeh. Kroy. Evans* : adhuc ϑ *Rig.* ‖ 111
deprehendens *M*γ *edd. a Pam.* : -des *R B Gel.* ‖ 119 hominibus : homine
Pam. Rig.
VII. 2 illuminationem *R edd. cett.* : -num *M*γ -ne *B* in lumen nationum *Kroy.* ‖ 3 quique se *Kroy.* : quoque se *M*γ se quoque *edd. cett. a R*
‖ 3-4 renes et corda *M Kroy.* : corda et renes β *edd. cett.*

---

bb. Jb 5, 13   cc. Ps 93, 11   dd. 1 Co 3, 19-20   ee. 1 Co 3, 21   ff. Jr 17,
5   gg. Ps 117, 8
VII. a. 1 Co 4, 5a   b. Cf. Is 42, 6 ; Is 49, 6   c. Ap 2, 23 ; cf. Jr 17, 10 ;
Pv 20, 27   d. 1 Co 4, 5b

---

1. T. se contente de souligner, sans autre explication, que les versets de
Paul sont des citations de l'AT. En fait, celle de *Job* est indépendante de la
LXX ; celle du psaume comporte une variante : *sapientium* (LXX ἀνθρώπων).
2. Reprise en conclusion de l'argument prescriptif : rien, dans l'enseignement de Paul, ne doit se conformer à celui du Créateur puisque, selon
Marcion, il est venu le détruire.
3. Ici le verset paulinien est rapproché de deux passages de l'AT qui
sont de sens similaire à défaut de sens identique. Ces deux passages ont été

auprès de Dieu [bb]. Auprès de quel dieu ? Si les développements précédents, aussi bien, n'ont rien préjugé pour nous
le signifier, c'est une bonne chose qu'il ajoute ici également :
« *Il est écrit en effet : 'Prenant les sages dans leur vilenie* [bb]',
*et encore : 'Le Seigneur sait que les pensées des sages sont
vaines* [cc]'[dd] [1]. » **13.** Et de fait ce sera notre prescription glo-
bale [2] que l'Apôtre n'aurait pu utiliser aucune sentence d'un
dieu qu'il aurait dû détruire si son enseignement n'était pas
pour lui. « *Donc, dit-il, que personne ne se glorifie en
l'homme* [ee]. » Voilà aussi qui est conforme à l'enseignement
du Créateur [3] : « *Misérable l'homme qui met son espoir en
un homme* [ff] *!* » ; et : « *Il est bon de mettre sa confiance en
Dieu, plutôt que de la mettre en des hommes* [gg] » ; de même
aussi pour se glorifier.

**Contre
une interprétation
hérétique de « monde »**

VII. 1. « *Les secrets des ténèbres,
aussi, celui-là même les illuminera* [a] »
– par le Christ bien entendu – qui
a promis le Christ comme illumi-
nation [b] [4] et qui s'est déclaré lampe « *scrutant les reins et les
cœurs* [c] [5] ». C'est de lui que « *viendra aussi la louange pour
chacun* [d] », lui de qui viendra aussi le contraire de la louange,
en sa qualité de juge [6]. – Mais il est certain, dis-tu, que plus
encore ici, l'Apôtre prend « monde » au sens de « dieu du
monde [7] » en disant : « *Nous avons été faits spectacle pour le*

cités précédemment : en IV, 15, 14 ; 27, 5 ; 33, 6 pour Jr 17, 5 ; en II, 19,
3 et IV, 15, 15 pour Ps 117, 8.

4. Texte déjà allégué en III, 20, 4 (citation explicite des v. 6-7) ; IV, 11,
1 ; V, 2, 5 et 6, 1.

5. Reprise presque textuelle de IV, 33, 6. Sur ce *testimonium* apparemment composite, cf. IV, *ad loc.*, t. 4, p. 406-407, n. 2.

6. Retour du motif polémique habituel sur le Créateur juge.

7. Cette interprétation marcionite a été déjà relevée et critiquée *supra*
(4, 15).

sumus mundo, et angelis et hominibus [e] », qui, si « mundum »
homines mundi significasset, non etiam homines postmodum
nominasset. Immo, ne ita argumentareris, prouidentia Spiritus
10 sancti demonstrauit quomodo dixisset : « *Spectaculum facti
sumus mundo* [e] », dum « angelis », qui mundo ministrant, et
« hominibus », quibus ministrant. (**2.**) Verebatur nimirum tan-
tae constantiae uir, ne dicam Spiritus sanctus, praesertim ad
filios scribens quos in euangelio generauerat [f], libere deum
15 mundi nominare, aduersus <quem> nisi exerte non posset
uideri praedicare.

2. Non defendo secundum legem Creatoris displicuisse
illum, qui mulierem patris sui habuit [g] – communis et publi-
cae religionis secutus sit disciplinam : sed cum eum damnat
20 dedendum Satanae [h], damnatoris dei praeco est. Viderit et
quomodo dixerit : « *In interitum carnis, ut spiritus saluus sit*

---

7 qui : quia *Vrs. Rig. Oeh. Kroy. Evans* ‖ 10 quomodo : quoniam R_2
quidnam R_3 *Gel. Pam. Rig.* ‖ 11 mundo β : -dum *M* ‖ 15 quem *add. coni.*
R_1R_2 *rec.* R_3 *edd. cett. uide adnot.*

---

e. 1 Co 4, 9   f. Cf. 1 Co 4, 15   g. Cf. 1 Co 5, 1   h. Cf. 1 Co 5, 5a

---

1. On s'attendrait plutôt ici, dans le droit fil de ce qui précède, à lire :
« signifier par 'monde' le dieu du monde ». On peut néanmoins admettre
que l'interprétation adverse, sur laquelle nous n'avons aucun autre témoignage (cf. HARNACK, p. 84* et SCHMID, p. I/322) – peut-être prêtée à
Marcion par le polémiste ? – faisait état des hommes créatures du (dieu du)
monde auxquels sont donnés en spectacle les apôtres (« nous » dans le texte).
2. Conception angélologique courante (les anges comme serviteurs de
Dieu dans la marche du monde), combinée avec la conception, également
courante, d'un monde qui a été créé au profit de l'homme.
3. Sur Paul porteur de l'Esprit Saint, cf. 1 Co 2, 10-12.
4. Observation ironique qui oppose la liberté de parole de l'Apôtre,
conforme à son attitude d'homme et à sa possession par l'Esprit Saint, aux
sous-entendus et dissimulations de langage que lui prête l'interprétation
adverse. Pour ce qui est du texte, l'addition conjecturale de *quem*, qui
remonte à Rhenanus et a été admise par tous les éditeurs, paraît indispensable dans cette phrase habilement balancée où les adverbes *libere* et *exserte*
se répondent.
5. Cf. Lv 18, 8.

monde, les anges et les hommes ᵉ. » Car s'il avait voulu signifier par « monde » les hommes du monde ¹, il n'aurait pas
encore, ensuite, mentionné les hommes. – C'est au contraire
pour t'interdire une telle argumentation que la providence
de l'Esprit Saint a montré en quel sens l'Apôtre a dit :
« *Nous avons été faits spectacle pour le monde* ᵉ » du
moment qu'il a ajouté « pour les anges » – qui sont au service du monde – et « pour les hommes » – au profit de qui
ils sont à son service ². **(2.)** Assurément c'est la peur qui
empêchait un homme d'une si grande fermeté – pour ne pas
parler de l'Esprit Saint ³ –, surtout au moment où il écrivait
à des fils qu'il avait engendrés dans l'Évangile ᶠ, de men-
tionner en toute liberté le dieu du monde, contre lequel il
n'aurait pas pu passer pour prêcher s'il ne l'avait pas fait
ouvertement ⁴ !

**Exclusion de
l'homme mauvais**   **2.** Je n'allègue pas pour ma cause que,
conformément à la loi du Créateur ⁵, lui
avait déplu l'homme qui possédait la
femme de son père ᵍ : admettons qu'il ait suivi en cela la discipline de la religion commune et publique ⁶ ! Mais lorsqu'il
le condamne pour être livré à Satan ʰ, il est le héraut du dieu
condamnateur ⁷. Peu me chaut ⁸ dans quel sens aussi il a
dit : « *Pour la destruction de sa chair, afin que son esprit soit*

---

6. Le droit romain aussi réprouvait de telles unions.

7. Le mot *damnator* apparaît avec T. (deux autres occurrences chez lui,
dans *Nat.*). Il lui permet de marquer ce que les marcionites reprochaient
précisément au Créateur.

8. Par cette formule de rejet qui lui est habituelle (cf. Index terminologique des livres I-III, t. 3, p. 349), T. entend laisser de côté toute discussion sur le sens exact des mots de Paul dans la seconde partie du verset.
Les marcionites y voyaient-ils un argument contre la résurrection de la
chair et en faveur d'un salut réservé au seul esprit ? C'est possible. En tout
cas, ici, notre auteur va se limiter à tirer du texte paulinien un argument
pour sa présente démonstration (Paul *juge* comme son dieu). Il y ajoutera
une observation supplémentaire que lui fournit le contexte : Paul reprend
à l'AT la formule même d'exclusion de l'homme mauvais.

in die Domini [i] », dum et de carnis interitu et de salute spiritus iudicarit, et auferri iubens malum de medio [j] Creatoris
frequentissimam sententiam commemorauerit.

25   **3.** « *Expurgate uetus fermentum, ut sitis noua consparsio,
sicut estis azymi* [k]. » Ergo azymi figurae erant nostrae apud
Creatorem. Sic et : « *Pascha   nostrum   immolatus   est
Christus* [l]. » Quare pascha Christus, si non pascha figura
Christi per similitudinem sanguinis salutaris et pecoris
30   Christi ? Quid nobis et Christo imagines imbuit sollemnium
Creatoris, si non erant nostrae ?

4. Auertens autem nos a fornicatione [m] manifestat carnis
resurrectionem. « *Corpus*, inquit, *non fornicationi, sed
Domino, et Dominus corpori* [n] », ut templum Deo et Deus
35   templo. Templum ergo Deo peribit et Deus templo. Atquin
uides : qui « *Dominum suscitauit et nos suscitabit* [o] », in corpore quoque suscitabit, quia « *corpus Domino et Dominus*

---

22 salute β : -es *M* ‖ 25 consparsio [-pario *M*ac] *M Kroy.* : -persio β *edd.
cett.* ‖ 28 christus² *edd. a Pam.* : christi ϑ *B* ‖ 29 et pecoris : pecoris et *Kroy.
Evans   uide adnot.* ‖ 30 imbuit ϑ *Gel.* : induit *edd. ab Vrs.   uide adnot.* ‖
34 deo *edd. a Gel.* : dei ϑ ‖ 35 templo. atquin : templo ? atquin *dist. Kroy.
Evans   uide adnot.* ‖ 36 qui dominum *Pam. Rig. Oeh. Evans* : quem dominus ϑ *Gel.*   quem deus *Kroy.* ‖ suscitabit *R₃* : -auit *Mγ R₁R₂* ‖ 37 suscitabit *R₃ B Pam. Rig. Oeh.* : -auit *MX R₁R₂ Kroy.   om. F*

i. 1 Co 5, 5b   j. Cf. 1 Co 5, 13   k. 1 Co 5, 7a   l. 1 Co 5, 7b   m. Cf.
1 Co 6, 13-20   n. 1 Co 6, 13   o. 1 Co 6, 14

1. Sur cette sentence de Dt 13, 6 ; 17, 7, etc., cf. *BA, Deutéronome*,
p. 200, d'où il ressort que *malum* doit être compris comme masculin.
2. La forme du texte marcionite est confirmée par Épiphane : cf.
SCHMID, p. 182.
3. Kroymann et Evans corrigent le texte traditionnel *(et pecoris)* en
pecoris et qu'ils comprennent : « le sang sauveur de l'agneau et du Christ ».
Mais nous pensons, comme Moreschini, que l'on peut maintenir la leçon
des mss et anciennes éditions : sont relevés les deux points de comparaison
justifiant l'expression « Christ notre pâque » (le sang qui apporte le salut
et l'agneau identifié au Christ dans la tradition évangélique).
4. Contre la correction d'Orsini *(induit)*, adoptée par les derniers éditeurs, nous maintenons ici le texte des mss et de *R (imbuit)* en vertu des
conclusions de notre note critique sur II, 6, 5 (t. 2, p. 193-194).

sauvé au jour du Seigneur[i] », du moment qu'il a porté jugement sur la destruction de sa chair, et sur le salut de son
esprit et que, en leur ordonnant d'enlever du milieu d'eux
un homme mauvais[j], il a rappelé une sentence très fréquente
du Créateur[1] !

**Se purifier
du vieux levain
et fuir la débauche**

3. « *Purifiez-vous du vieux levain,
pour être une pâte nouvelle, vous
qui êtes comme des azymes*[k]. » C'est
donc que les azymes nous figuraient
auprès du Créateur. De même aussi : « *Le Christ, notre
pâque, a été immolé*[12]. » Pourquoi le Christ est-il notre
pâque, si la pâque n'est pas la figure du Christ par la similitude du sang sauveur et de l'agneau qu'est le Christ[3] ?
Pourquoi l'Apôtre nous a-t-il imposé[4], au Christ et à nous,
des images tirées des jours de fête du Créateur[5] si elles
n'étaient pas nôtres ?

4. D'autre part, quand il nous détourne de la débauche[m],
il rend manifeste la résurrection de la chair. « *Le corps*, dit-
il, *n'est pas pour la débauche, mais pour le Seigneur, et le
Seigneur pour le corps*[n] », comme le temple est pour Dieu
et Dieu pour le temple[6]. Le temple périra donc pour Dieu
et Dieu pour le temple[7] ! Et d'ailleurs tu le vois : celui qui
« *a ressuscité le Seigneur nous ressuscitera nous aussi*[o] », et il
nous ressuscitera dans notre corps également, parce que « *le
corps est pour le Seigneur et le Seigneur pour le corps*[n]. » Et

---

5. Il nous semble bien que *sollemnia* fait écho au v. 8 du même passage
(ἑορτάζωμεν).

6. Kroymann voit dans les mots *ut templum ... templo* une addition faite
par Marcion d'après le v. 19 (« Ne savez-vous pas que votre corps est le
temple de l'Esprit Saint ? ») ; et c'est ce qu'admet aussi HARNACK, p. 85*,
dans sa rétroversion grecque (*contra*, cf. SCHMID, p. I/322).

7. Sous la forme d'une interrogation exclamative, T. souligne l'absurdité, à ses yeux, d'une « disparition » du corps temple de Dieu. Il n'y a
aucune raison d'admettre la correction proposée en note par Evans (*pertinebit* en proposition affirmative).

corpori [n]. » Et bene quod aggerat : « *Nescitis corpora uestra
membra esse Christi* [p] ? » Quid dicet haereticus ? Membra
40 Christi non resurgent, quae nostra iam non sunt [q] ? « *Empti
enim sumus magno* [r]. » **5.** Plane nullo, si phantasma fuit
Christus nec habuit ullam substantiam corporis, quam pro
nostris corporibus dependeret. Ergo et Christus habuit quo
nos redimeret, et si aliquo magno redemit haec corpora, in
45 quae admittenda fornicatio non erit ut in membra iam
Christi, non nostra, utique sibi salua praestabit quae magno
comparauit. Iam nunc quomodo honorabimus, quomodo
tollemus Deum in corpore perituro [s] ?

6. Sequitur de nuptiis congredi, quas Marcion constan-
50 tior Apostolo prohibet. Etenim Apostolus, etsi bonum
continentiae praefert, tamen coniugium et contrahi permittit, usui esse et magis retineri quam disiungi suadet [t]. Plane

---

41 magno *M R₁R₂ Kroy.* : pretio magno γ *edd. cett. a R₃* ‖ nullo si *coni.
R₁R₂ rec. R₃* : nullus in *Mγ R₁R₂* ‖ 43 dependeret *Mγ edd. a B* : -rit *R* ‖ et
om. Rig. ‖ 45 admittenda *Ciaconius Kroy.* : eadem mittenda ϑ *Gel.* com-
mitenda *coni. R₃* eadem committenda *Pam. Rig. Oeh. Evans* ‖ non : nen
M^{ac} ‖ 51-52 *post* permittit *add. et Pam. Rig. Oeh. Kroy. Evans uide adnot.*

---

p. 1 Co 6, 15   q. Cf. 1 Co 6, 19   r. 1 Co 6, 20a   s. Cf. 1 Co 6, 20b
t. Cf. 1 Co 7, 1-2.7-10

1. Ni HARNACK, p. 85*, ni SCHMID, p. I/322, n'enregistrent l'allusion à
la fin du v. 19 que Marcion avait aussi maintenue.
2. Cette courte proposition (à la 2ᵉ pers. du plur. dans le texte) servait
de slogan à Marcion : cf. HARNACK, p. 85*, en note. Le texte grec comporte
τιμῆς (= « pour un prix », avec valeur exclamative comme l'entend Allo) ;
la Vg traduit « pretio magno ». Sur le tour adverbialisé par *magno* seul,
qu'emploie ici T., cf. LHS, p. 129. Le vocabulaire paulinien de la « rédemption » suppose la référence au concept de rachat d'un prisonnier ou d'un
captif, sans implication juridique : cf. *TOB*, p. 462, note *x* ; pour celui que
T. a développé à partir de Paul, cf. notre *Deus Christ.*, p. 509-510.
3. Reprise pesamment martelée et appuyée des versets pauliniens rappelés juste avant : cette conclusion vise à rendre inadmissible l'idée marcionite de la « chair » exclue du salut.

c'est une bonne chose qu'il ajoute : « *Ne savez-vous pas que vos corps sont les membres du Christ* [p] *?* » – Que dira l'hérétique ? Que les membres du Christ ne ressusciteront pas, eux qui ne sont plus nôtres [q 1] ? « *Car* nous avons *été achetés à un grand prix* [r 2]. » **5.** Pour sûr nous ne l'avons été à aucun prix si le Christ a été un fantôme et n'a eu aucune substance corporelle à payer en échange de nos corps. Donc, le Christ a eu de quoi nous racheter, et s'il a racheté à un grand prix ces corps dans lesquels ne devra pas être admise la débauche puisqu'ils sont désormais les membres du Christ et non les nôtres, à coup sûr il se présentera à lui-même, dans leur sauvegarde, ces corps qu'il a acquis à grand prix [3]. Dès maintenant, comment honorerons-nous, comment porterons-nous Dieu dans un corps destiné à périr [s 4] ?

Mariage, divorce, continence

6. Suit maintenant une confrontation sur le mariage, que Marcion interdit, plus ferme en cela que l'Apôtre [5]. Effectivement l'Apôtre, tout en préférant le bien de la continence, permet cependant aussi de contracter une union conjugale : elle est utile, et plutôt la maintenir que la défaire, c'est ce qu'il conseille [t 6]. Assurément, le Christ interdit le

4. Sur la forme « latine » du verset auquel T. se réfère, et qui comporte l'ajout de *tollite (portate)*, cf. HARNACK, p. 85* et SCHMID, p. I/323 : cet ajout proviendrait d'une mélecture de ἄρα γε devenu ἄρατε.

5. Faite en un tour vif (un infinitif comme sujet de *sequitur* est inhabituel), la transition souligne, d'emblée, la nouvelle discussion de la position marcionite sur le mariage. Ironique éloge de Marcion qui surpasse *son* apôtre en matière de continence.

6. L'addition de *et* après *permittit*, introduite par Pamelius et adoptée par plusieurs éditeurs, si elle est, certes, paléographiquement admissible, ne paraît pas indispensable. En effet, après un rappel d'ensemble de la position paulinienne, T. donne des précisions qui se réfèrent aux paroles mêmes de l'Apôtre : *usui esse* paraît faire écho au v. 9, *magis retineri* au v. 10. La construction grammaticale est assez libre : *(coniugium) usui esse* est à rattacher à un verbe déclaratif dont *suadet* est prégnant.

Christus uetat diuortium [u], Moyses uero permittit [v] :
Marcion totum concubitum auferens fidelibus – uiderint
55 enim catechumeni eius – repudium ante nuptias iubens,
cuius sententiam sequitur, Moysi an Christi ? **7.** Atquin et
Christus, cum praecipit « *mulierem a uiro non discedere aut,
si discesserit, manere innuptam aut reconciliari uiro* [w] », et
repudium permisit, quod non in totum prohibuit, et matri-
60 monium confirmauit, quod primo uetuit disiungi et, si forte
disiunctum, uoluit reformari.

8. Sed et continentiae quas ait causas ? **(8.)** « *Quia tem-*
pus in collecto est [x]. » Putaueram, quia deus alius in Christo.
Et tamen a quo est collectio temporis, ab eo erit et quod col-
65 lectioni temporis congruit. Nemo alieno tempori consulit.
Pusillum deum adfirmas tuum, Marcion, quem in aliquo
coangustat tempus Creatoris. Certe praescribens « *tantum*
in Domino [y] » esse nubendum, ne qui fidelis ethnicum
matrimonium contrahat, legem tuetur Creatoris, allophylo-
70 rum nuptias ubique prohibentis [z].

---

55 catechumini : cathemini M^{ac} ‖ nuptias : nuptae R_3 *Gel. Pam. Rig.* ‖
57 christus ϑ *Gel. Oeh. Evans* : apostolus *Kroy.* christi apostolus *Pam.*
Rig. Mor. uide adnot. ‖ 64 a quo R_3 : quod $M\gamma R_1R_2$ ‖ 68 qui R_2R_3 : quid
$M\gamma R_1$ quis *coni.* R_1R_2

---

u. Cf. Lc 16, 18 ; Mt 5, 32 ; 19, 9   v. Cf. Dt 24, 1-2 ; Mt 19, 8   w. 1
Co 7, 10-11   x. 1 Co 7, 29   y. 1 Co 7, 39   z. Cf. Dt 7, 3-4 ; Esd 9, 12 ; 10,
2 ; Ne 10, 30

---

1. Cf. IV, 34, 1-7 la longue discussion sur le même problème, dont T.
reprend ici les conclusions ; cf. également IV, 11, 8 (attaque contre Marcion
sur le sujet).

2. Le texte transmis *Christus* a été corrigé par Pamelius (que suit Moreschini)
en *Christi apostolus*, et par Kroymann en *apostolus* seul. Mais Evans, à la suite
de Holmes, maintient la leçon des mss en observant que, dans le v. 10 cité ensuite,
Paul prétend bien ne pas parler en son propre nom, mais au nom du Christ
(« J'ordonne, non pas moi, mais le Seigneur... »). C'est une raison dirimante, pensons-nous aussi, pour conserver cette leçon qui a l'avantage de souligner combien, aux yeux de T., l'Apôtre est un porte-parole du Créateur.

3. Sur la présence de ὅτι dans le texte, cf. HARNACK, p. 85* et 86* ;
SCHMID, p. I/325. – Cette considération eschatologique a joué un rôle

divorce ᵘ tandis que Moïse le permet ᵛ¹. Mais Marcion, lui qui supprime en totalité l'union charnelle pour ses fidèles – tant pis en effet pour ses catéchumènes ! –, qui ordonne une répudiation avant le mariage, de qui suit-il la sentence, de Moïse ou du Christ ? **7.** D'ailleurs le Christ aussi ², lorsqu'il ordonne que « *la femme ne quitte pas son mari ou que, dans le cas où elle l'a quitté, elle reste sans se remarier ou se réconcilie avec son mari* ᵂ », a tout à la fois permis la répudiation qu'il n'a pas interdite totalement, et conforté l'union matrimoniale qu'il a défendu d'abord de défaire et dont il a voulu, dans le cas où elle aurait été défaite, la reconstitution.

8. Mais en ce qui concerne la continence, voyons quelles sont les raisons qu'il en énonce. (**8.**) « *Parce que le temps est raccourci* ˣ³. » J'aurais pensé : « Parce que, dans le Christ, est un autre dieu ⁴ » ! Et d'ailleurs, celui de qui vient le raccourcissement du temps, c'est par lui aussi que viendra ce qui va avec le raccourcissement du temps. Personne ne prend des mesures pour un temps qui lui est étranger ⁵. La petitesse que tu affirmes pour ton dieu, Marcion, lui que met à l'étroit, sur quelque point, le temps du Créateur ⁶ ! Mais une chose est sûre : en prescrivant l'obligation de se marier « *seulement dans le Seigneur* ʸ » pour empêcher qu'un fidèle ne contracte un mariage païen ⁷, l'Apôtre préserve la loi du Créateur qui partout interdit de se marier avec des étrangers ᶻ.

essentiel dans la doctrine morale de T. pour justifier et renforcer ses tendances à l'encratisme et à l'ascétisme.

4. Selon un procédé habituel à sa controverse, T. rétablit ce qui, selon lui, aurait dû être énoncé dans le texte scripturaire pour cadrer avec la doctrine adverse.

5. Adaptation d'un motif polémique récurrent : étranger au monde, le dieu de Marcion l'est aussi au temps (cf. *supra* 4, 2-3 et 6, 3-5).

6. Autre argument polémique (le dieu « supérieur » peut-il être « resserré » dans le temps d'un dieu subalterne ?) et rétorsion du grief de « petitesse » fait par Marcion au Créateur. L'apostrophe souligne l'effet.

7. Sur cet « ordre » de l'Apôtre, T. a fait reposer toute l'argumentation du second livre de son *Ad uxorem*, dont l'objet est d'interdire aux veuves tout remariage qui ne serait pas contracté avec un chrétien : cf. *Vx.* II, 1, 1.4.

9. Sed « *Et si sunt qui dicuntur dei, siue in caelis siue in terris* [aa] » apparet quomodo dixerit : non quasi uere sint, sed quia sint qui dicantur, quando non sint. De idolis enim coepit, de idolothytis disputaturus : « *Scimus quod idolum nihil sit* [bb]. » Creatorem autem et Marcion deum non negat. Ergo non potest uideri Apostolus Creatorem quoque inter eos posuisse, qui dei dicantur et tamen non sint, quando, et si fuissent, *nobis tamen unus esset Deus Pater, ex quo omnia* [cc]. <Ex quo omnia> nobis, nisi cuius omnia ? Quaenam ista ? Habes in praeteritis : « *Omnia uestra sunt, siue Paulus siue Apollo siue Cephas siue mundus siue uita siue mors siue praesentia siue futura* [dd]. » **(10.)** Adeo omnium Deum Creatorem facit, a quo et mundus et uita et mors, quae alterius dei esse non possunt. Ab eo igitur inter omnia et Christus.

---

72 quasi R_3 : quia si *MX* R_1R_2　quia *F* ‖ 72-73 sed quia sint *om. Rig.* ‖ 74 idolothytis *X R* : -ticis *F*　-titis *M* ‖ 79 ex quo omnia *add. Lat. Kroy.*

---

aa. 1 Co 8, 5　bb. 1 Co 8, 4　cc. 1 Co 8, 6　dd. 1 Co 3, 21-22

---

1. Sans transition aucune, T. passe au ch. 8 qui traite des viandes sacrifiées aux idoles (« idolothytes »). Mais il n'en retient qu'un passage (v. 4-6) à portée théologique. Marcion s'en servait-il pour justifier son dithéisme inégalitaire ? Rien ne le prouve et aucun témoignage ne va dans ce sens. Notre polémiste en tout cas y voit une occasion d'affirmer l'absolue souveraineté du Créateur.

2. Selon son principe exégétique, T. replace le v. 5 dans son contexte qui associe les « prétendus dieux » aux idoles dénuées de toute réalité substantielle.

3. Reprise d'un argument souvent utilisé dans la polémique des livres I et II : Marcion reconnaît lui-même la divinité du Créateur tout en mettant au-dessus de lui le dieu « supérieur ».

4. Supposition absurde qui permet à T. de revenir au texte de Paul (affirmation du Dieu unique) qu'il adapte et écourte pour l'appliquer au seul Créateur.

Dieu de toutes choses et prétendus dieux

9. Mais « *même s'il y a de prétendus dieux, soit dans les cieux, soit sur les terres* [aa 1] » – il apparaît clairement dans quel sens l'Apôtre s'est exprimé ainsi : non dans le sens qu'ils auraient une existence véritable, mais dans le sens qu'il y a de prétendus dieux, alors qu'ils ne le sont pas. Car il a commencé par parler des idoles, voulant discuter des idolothytes : « *Nous savons qu'une idole n'est rien* [bb 2]. » Mais pour ce qui est du Créateur, même Marcion ne nie pas qu'il soit un dieu [3] ; l'Apôtre ne peut donc passer pour avoir rangé le Créateur aussi parmi ceux qui sont prétendus dieux tout en ne l'étant pas ; car même s'ils l'avaient été [4], « *il n'y aurait pour nous cependant qu'un seul Dieu Père de qui viennent toutes choses* [cc] ». <De qui viennent pour nous toutes choses>, sinon de celui à qui appartiennent toutes choses [5] ? Et quelles sont donc ces choses ? Tu le trouves dans ce qui précède : « *Toutes choses sont à vous, soit Paul, soit Apollo, soit Céphas, soit le monde, soit la vie, soit la mort, soit le présent, soit l'avenir* [dd 6]. » **(10.)** Tant il est vrai que l'Apôtre fait du Créateur le Dieu de toutes choses, de qui viennent et le monde et la vie et la mort, qui ne peuvent appartenir à un « autre » dieu ! De lui vient donc, entre toutes choses, le Christ aussi [7].

---

5. L'argument est habilement tiré de la conception que se fait Marcion d'un dieu supérieur totalement « étranger » au monde et à ses réalités.

6. L'énumération lyrique par laquelle se clôt le ch. 3 de la lettre est alléguée indépendamment de son contexte : elle sert ici à illustrer l'idée de la souveraineté universelle du Créateur.

7. Conclusion qui ramène à la démonstration d'ensemble du livre : le Christ de Paul est bien celui du Créateur.

10. Ex labore suo unumquemque docens uiuere oportere [ee], satis exempla praemiserat militum pastorum rusticorum [ff] ; sed diuina illis auctoritas deerat. Legem igitur opponit Creatoris ingratis, quam destruebat – sui enim dei nullam
90 talem habebat : « *Boui*, inquit, *terenti os non obligabis* [gg] », et adicit : « *Numquid de bobus pertinet ad dominum* [hh] ? » etiam de bobus propter homines benignum. « *Propter nos enim scriptum est* [ii] », inquit. **11.** Ergo et legem allegoricam secundum nos probauit et de euangelio uiuentibus patroci-
95 nantem [jj], ac propter hoc non alterius esse euangelizatores

---

87 satis, exempla *dist. Kroy. uide adnot.* ‖ 88 illis *Kroy.* : illa ϑ *Gel. Mor.* illi *Pam. Rig. Oeh. Evans* illic *Eng. uide adnot.* ‖ 91 (*et infra li.* 92) bobus *M Kroy.* : bubus β *edd. cett.* ‖ 92 de *om. Vrs. Rig. Kroy. Mor. uide adnot.*

---

ee. Cf. 1 Co 9, 3-14   ff. Cf. 1 Co 9, 7   gg. 1 Co 9, 9a = Dt 25, 4   hh. 1 Co 9, 9b   ii. 1 Co 9, 10   jj. Cf. 1 Co 9, 14

---

1. T. passe sans transition au ch. 9 où Paul répond à des détracteurs qui contestent sa manière de vivre, et lui reprochent notamment de tirer sa subsistance du travail de ses mains. Il commence par défendre le droit, pour tout homme, de tirer bénéfice de ses activités, et il s'appuie d'abord sur des considérations de la vie humaine, avant d'invoquer un texte de la Loi.

2. Kroymann, suivi par Moreschini, rattache *satis* à *uiuere*. Il nous paraît plus naturel de le faire porter sur *exempla praemiserat* : car ainsi est soulignée davantage l'antithèse avec la proposition suivante (ces exemples humains avaient pour eux le nombre, mais il leur manquait l'autorité divine).

3. Aux activités évoquées par Paul (faire campagne, planter une vigne, faire paître un troupeau), T. substitue une énumération de catégories socio-professionnelles (en inversant les deux dernières).

4. A la leçon *illa* de la tradition manuscrite (conservée par Moreschini), Pamelius a substitué *illi* (renvoyant à Paul) ; mais nous pensons que Kroymann a eu raison de corriger en *illis* (renvoyant à *exempla*).

5. Nous donnons à l'adverbe *ingratis* son sens habituel de « contre son gré » (cf. *TLL* VII, 1, col. 1558, l. 71 s. et col. 1559, l. 11 s), contre l'avis de HOPPE, *S.u.S.*, p. 231, qui range cet emploi sous le sens spécial de « en vain ». Toute la phrase est à prendre avec une forte valeur ironique. Celle qui suit l'est également et souligne l'indigence du dieu de Marcion.

6. Verset cité déjà plusieurs fois *supra :* II, 17, 4 (valeur pédagogique de la Loi qui, par les animaux, forme l'homme à la bonté) ; III, 5, 4 (caractère

Renoncement de Paul aux droits prévus par la Loi pour les évangélisateurs **10.** Enseignant le droit nécessaire à tout un chacun de vivre du produit de son travail [ee1], l'Apôtre avait, à suffisance [2], donné préalablement des exemples : ceux des soldats, des pasteurs, des paysans [ff3] ; mais il leur [4] manquait l'autorité divine. Il met donc en avant la loi du Créateur – contre son gré [5], puisqu'il était en train de la détruire ! – Mais c'est qu'en fait il n'avait, de son propre dieu, aucune loi de ce genre ! « *Tu ne musselleras pas*, dit-il, *le bœuf qui foule le grain* [gg6] », et il ajoute : « *Est-ce que le Seigneur a quelque souci pour les bœufs* [hh] », lui qui est bon même pour les bœufs, à cause des hommes [7] ? « *C'est à cause de nous que la chose, en effet, a été écrite* [ii]. » **11.** Ainsi donc, quand il dit : « *C'est à cause de nous que la chose, en effet, a été écrite* [ii8] », il a prouvé, d'une part, que la Loi avait valeur allégorique, conformément à notre opinion [9], et d'autre part qu'elle apportait son patronage à ceux qui vivent de l'Évangile [jj] et donc que, pour cette raison, les évangélisa-

---

figuratif de l'expression biblique) ; IV, 21, 1 et 24, 5 (illustration de la bonté du Créateur). Dans tous ces cas, est présente l'explication paulinienne (« à cause des hommes »). Marcion avait conservé cette référence à la « loi de Moïse » et son explication allégorisante (cf. HARNACK, p. 86*-87* ; SCHMID, p. I/323). Mais on ne sait comment il les interprétait précisément ni comment il les conciliait avec sa doctrine et son rejet de l'exégèse typologique.

7. Prolongeant la question rhétorique de Paul, cette proposition est un commentaire de T. qui souligne, contre Marcion, la bonté du Créateur à l'égard des hommes. Il est préférable, pensons-nous, de garder *de* devant *bobus* (selon les mss) : il s'agit d'une reprise volontaire de l'expression même du verset de Paul.

8. Nous préférons, par souci de clarté dans la traduction, ne pas suivre l'ordre du texte où cette reprise du verset commenté est rejetée à la fin de la phrase : phrase longue qui déduit pesamment du texte paulinien une double *probatio*.

9. Le pronom *nos* renvoie non à T. seul, mais à l'Église dans son opposition aux hérétiques (cf. III, 5).

quam cuius lex, quae prospexit illis, cum dicit : « *Propter nos enim scriptum est* [ii]. » Sed noluit uti legis potestate [kk], quia maluit gratis laborare [ll]. Hoc ad gloriam suam rettulit, quam negauit quemquam euacuaturum [mm], non ad legis destruc-
100 tionem, qua alium probauit usurum.

12. Ecce autem et in petram offendit caecus Marcion, de qua bibebant in solitudine patres nostri [nn]. Si enim « *petra illa Christus fuit* [oo] » – utique Creatoris, cuius et populus –, cui rei figuram extranei sacramenti interpretatur ? An ut hoc
105 ipsum doceret, figurata fuisse uetera in Christum ex illis recensendum ?

Nam et reliquum exitum populi decursurus [pp] praemittit : « *Haec autem exempla nobis sunt facta* [qq]. » **13.** Dic mihi : a Creatore alterius et quidem ignoti dei hominibus exempla
110 sunt facta, an alius deus ab alio mutuatur exempla, et qui-

---

101 autem *M R₃* : enim γ *R₁R₂* ‖ 103 utique — populus *in parenthesi Kroy.* ‖ 109 et quidem *MG R₃* : equidem γ *R₁R₂*

---

kk. Cf. 1 Co 9, 15.18   ll. Cf. 1 Co 9, 18 ; 2 Co 11, 7   mm. Cf. 1 Co 9, 15   nn. Cf. 1 Co 10, 4a   oo. 1 Co 10, 4b   pp. Cf. 1 Co 10, 7-10   qq. 1 Co 10, 6

1. Le passage de la lettre que T. paraphrase et résume a donné lieu à de nombreuses observations critiques ; ces phrases, dans le détail, sont loin d'être limpides. Mais le sens général est bien celui qui est dégagé ici.

2. Il est possible que Marcion, dans son interprétation d'ensemble de tout ce développement, ait insisté plus particulièrement sur ce point : le renoncement de Paul à exercer un droit que la Loi lui conférait était le signe d'une rupture avec elle. T., en réponse, met l'accent sur le fait que cette attitude personnelle n'entame en rien, aux yeux de Paul, la valeur de cette disposition de la Loi pour les autres apôtres.

3. Déjà *supra* 5, 9, T. a rappelé le maintien par Marcion de l'énoncé paulinien sur le Christ rocher (celui dont Moïse avait fait jaillir l'eau dans le désert et qui, selon une légende rabbinique, avait accompagné les juifs dans leur errance). Abordant le ch. 10 de la lettre, consacré aux exemples d'Israël, notre auteur commence par une image piquante (culbute de l'adversaire sur une pierre), en renouant avec le thème polémique de son aveuglement (cf. I, 2, 2-3).

4. En deux interrogations rhétoriques, T. fait apparaître une évidence : l'utilisation par Paul d'une telle figure prouve bien l'origine juive du Christ

teurs ne relevaient pas d'un « autre » dieu que celui dont relève la Loi, laquelle a prévu pour eux une disposition [1]. Mais, du droit que lui offrait la Loi, il n'a pas voulu faire usage [kk] ; car il a préféré travailler gratuitement [ll]. Ce renoncement, il l'a mis au compte de sa gloire, dont il a affirmé que personne ne le dépouillerait [mm] : il ne l'a pas rapporté à la destruction de la Loi, dont il a admis qu'un autre en puisse user [2].

Figures et exemples tirés de l'histoire juive

12. Mais voici que cet aveugle de Marcion bronche aussi sur un rocher [3] : celui auquel buvaient nos pères [nn] dans le désert. Si en effet « *ce rocher, c'était le Christ* [oo] » – évidemment celui du Créateur, comme était du Créateur aussi le peuple (juif) –, à quelle fin l'Apôtre interprète-t-il une figure relevant d'un mystère étranger ? N'est-ce pas plutôt pour enseigner précisément ceci : que les réalités anciennes ont revêtu un aspect figuratif en vue du Christ qui devait tirer d'elles son origine [4] ?

Et de fait, s'apprêtant à parcourir le reste de l'exode du peuple (juif) [pp] [5], il indique au préalable : « *Mais ces événements se sont produits comme exemples pour nous* [qq]. » **13.** Dis-moi [6], ont-ils été produits par le Créateur comme exemples pour les hommes d'un « autre » dieu qui, d'ailleurs, lui était inconnu [7] ? Ou bien ces exemples sont-ils emprun-

à ses yeux (contre la thèse marcionite d'un Christ venu du ciel en dehors de toute incarnation).

5. L'exposé (*propositio*, cf. § 3) de Paul consiste en une revue d'événements de l'*Exode* et des *Nombres* marqués par les châtiments exemplaires dont Yahvé a puni, dans le peuple juif, les pratiques idolâtriques, les fornications, les mises à l'épreuve de Dieu et les murmures contre lui.

6. Commence ici, par cet appel, une discussion pressante avec l'adversaire. Interrogations et exclamations vont se succéder pour manifester l'absurdité, dans le cadre du système marcionite, soit pour le Créateur d'avoir produit ces événements comme exemples, soit pour le dieu de Marcion de les proposer au même titre à ses fidèles.

7. Rappel d'un motif souvent utilisé dans la polémique : le Créateur ignore tout du dieu supérieur (cf. I, 11, 9 etc.).

dem aemulo ? De illo me terret sibi, a quo fidem meam
transfert ? Meliorem me illi aduersarius faciet ? Iam si deli-
quero eadem quae et populus, eademne passurus sum an
non ? Atquin si non eadem, uane mihi timenda proponit
115 quae non sum passurus. Passurus autem a quo ero ? Si a
Creatore, qualia infligere ipsius est, et quale erit ut peccato-
rem aemuli sui puniat magis quam e contrario foueat deus
zelotes ? Si ab illo deo – atquin punire non nouit. Ita tota
ista propositio Apostoli nulla ratione consistit, si non ad dis-
120 ciplinam Creatoris est. **(14.)** Denique et in clausula praefa-
tioni respondet : « *Haec autem quemadmodum euenerunt*
illis scripta sunt ad nos commonendos, in quos fines aeuorum
decucurrerunt [rr]. » O Creatorem et praescium iam et admo-
nitorem alienorum Christianorum !

---

112 an meliorem *Kroy.* ‖ 117 e contrario *MX R$_3$* : contrario *F R$_1$R$_2$*

---

rr. 1 Co 10, 11

---

1. Cette explication par l'« emprunt » venait-elle de Marcion qui a dû,
semble-t-il, être embarrassé pour justifier, chez un apôtre révélateur d'un
« autre » dieu, tant de complaisance à prendre des exemples dans l'histoire
d'Israël ? En tout cas, T. y répond par un autre argument habituel à sa polémique : la rivalité *(aemulatio)* du Créateur qualifié par dérision de « dieu
jaloux » (cf. I, 28, 1 etc.). Ce thème de la rivalité de deux dieux va servir
de base à toute l'argumentation.

2. Comme souvent dans ce genre de discussion, T. assume le rôle du fidèle
auquel s'adresse l'enseignement de Marcion. Nous donnons à *terret* la valeur
de présent d'effort et nous rattachons *sibi* à la fois à ce verbe et à *transfert.*

3. De *Si a creatore* à *deus zelotes,* on voit, depuis l'origine de la tradition imprimée, énoncées deux propositions interrogatives indépendantes.
Mais on comprend mal le sens de la première : pourquoi demander
« quelles sortes de châtiments appartient-il au Créateur d'infliger » ? Tout
devient naturel si on admet une seule phrase, en donnant à *qualia (= talia*
qualia) la valeur d'un adjectif relatif, à rattacher à *passurus ero* sous-entendu
dans la proposition *si a Creatore.* On comprend alors que T. ait tenu à préciser que ce type de traitement (de châtiment) est celui-là même que le
Créateur est qualifié pour infliger. La proposition principale commence
alors avec *et quale erit* et énonce sous la forme interrogative-exclamative
l'absurdité de voir punir ceux qui devraient être choyés. Sur l'emploi de *et*
devant interrogatif *(quis, quomodo* etc.), cf. HOPPE, *Beiträge*, p. 116-118, et

tés par l' « autre » dieu à un autre dieu, d'ailleurs son rival [1] ?
Il cherche à m'épouvanter dans son propre intérêt, au sujet
de ce dieu dont il détourne ma foi pour se l'attacher à lui-
même ? C'est son adversaire qui me rendra meilleur à son
profit [2] ? Et maintenant, si je commets les mêmes péchés que
le peuple, devrai-je subir les mêmes peines ou non ? Mais
pourtant, si ce n'est pas les mêmes peines, il est bien vain de
sa part de me mettre sous les yeux, pour éveiller mes craintes,
des peines que je ne suis pas destiné à subir ! De plus, de la
part de qui serai-je destiné à les subir ? Est-ce du Créateur
que je devrai subir des peines comme il n'appartient qu'à lui-
même d'en infliger ? Mais quelle absurdité [3] ce sera qu'il
punisse le pécheur de son rival plutôt que de le choyer au
contraire, lui qui est le « dieu jaloux [4] » ! Est-ce de ce dieu-
là que je devrai les subir ? Mais lui, pourtant, il ne sait pas
punir ! Ainsi tout cet exposé de l'Apôtre n'a aucune consistance raisonnable s'il ne va pas dans le sens de l'enseignement
du Créateur. (**14.**) Pour finir, on a, dans la conclusion, ces
mots qui répondent à l'introduction : « *Ces événements, de
la même façon qu'ils s'étaient produits pour eux, ont été mis
par écrit pour nous avertir, nous sur qui est survenue la fin
des âges* ᵗᵗ[5]. » Ô le Créateur déjà prescient – en même temps
qu'avertisseur – des chrétiens qui lui sont étrangers [6] !

sur cette même particule en début d'apodose après proposition condition-
nelle, cf. LHS, p. 482 ; pour le sens particulier de *quale est,* cf. Index terminologique des livres I-III, t. 3, p. 343.

4. Argument polémique habituel (cf. livre I) : le Créateur n'a pas de raison de punir ceux qui pèchent contre son rival.

5. Il est difficile de déterminer quel était le texte exact de ce verset chez
Marcion : divergences entre Épiphane, Adamantius et T. (cf. HARNACK,
p. 87*-88* ; SCHMID, p. 182, 224 et I/325). Il semble en tout cas que notre
auteur comprenait *quemadmodum* (= καθώς selon Harnack) comme marquant la valeur d'exemple et d'avertissement de ces châtiments.

6. Le développement se clôt sur un accusatif exclamatif qui, dans sa
vigoureuse concision, résume l'argumentation et renvoie à néant la thèse
marcionite d'un Créateur exclu de la prescience, de la providence, et de
toute relation au Christ.

125   **14.** Praetereo, si quando, paria eorum quae retractata
sunt, quaedam et breuiter expungo. Magnum argumentum
dei alterius permissio omnium obsoniorum [ss] aduersus
legem ! Quasi non et ipsi confiteamur legis onera dimissa,
sed ab eo, qui imposuit, qui nouationem repromisit. Ita et
130 cibos qui abstulit reddidit quod et a primordio praestitit.
Ceterum si quis alius deus fuisset, destructor dei nostri, nihil
magis suos prohibuisset quam de copiis aduersarii uiuere.

VIII. 1. « *Caput uiri Christus est* [a]. » Quis Christus ?
Qui non est uiri auctor ? « Caput » enim ad auctoritatem
posuit, auctoritas autem non alterius erit quam auctoris.
Cuius denique uiri caput est ? certe de quo subicit : « *Vir*
5   *enim non debet caput uelari, cum sit Dei imago* [b]. » Igitur si
Creatoris est imago – ille enim Christum sermonem suum
intuens, hominem futurum : « *Faciamus*, inquit, *hominem*

---

125 praetereo si *M R₃* : praeter eos γ *R₁* praetereo *coni. R₁ rec. R₂* ‖
paria *eras. M* ‖ retractata *X R* : retracta *MF* ‖ 126 expungo *coni. R₁ rec.*
R₂R₃ : -pugno *Mγ R₁* ‖ 127 obsoniorum β : ops- *M* ‖ 132 suos β : uos *M*
VIII. 5 uelari *M Kroy.* : -re β *edd. cett.*

---

ss. Cf. 1 Co 10, 25
VIII. a. 1 Co 11, 3   b. 1 Co 11, 7

---

1. Formule de prétérition et souci d'abréger une polémique dont l'auteur lui-même a le sentiment qu'elle est répétitive.
2. Marcion faisait-il état de cette autorisation pour y voir la preuve que
l'Apôtre condamnait la Loi et son auteur ? C'est possible. En tout cas, T.
y répond par l'ironie d'un accusatif exclamatif : ironie renforcée par l'emploi du mot *obsonium* qui appartient à la langue de la comédie et de la
satire.
3. Reprise d'un thème majeur de la polémique : cf. en IV, 1, 6 s., le dossier scripturaire du « renouvellement » promis dans l'AT (contre la thèse
marcionite de la « nouveauté absolue » du Christ).
4. Retour à l'argument de la « rivalité » des deux dieux.
5. Du ch. 11 de la lettre, auquel T. passe directement et sans transition,
est retenu en premier lieu le propos de Paul d'abord sur l'homme, ensuite
– et corrélativement – sur la femme : le polémiste vise à faire apparaître

**Permission
de manger de tout**

14. Je passe, s'il s'en trouve, sur des points analogues à ceux qui ont été examinés, j'en règle certains aussi, brièvement [1]. Le grand argument pour prouver un « autre » dieu, que d'avoir permis, contre la Loi, la consommation de toutes denrées [ss 2] ! Comme si, nous aussi, nous ne reconnaissions pas que les fardeaux de la Loi ont été supprimés, mais par celui qui les a imposés, lui qui a promis le renouvellement [3] ! Ainsi a-t-il rendu aussi des nourritures, lui qui les a ôtées, parce que c'est lui aussi qui les a fournies dès le commencement. Au reste, si un « autre » dieu, destructeur de notre dieu, avait existé, il n'aurait rien interdit plus aux siens que de tirer leur subsistance des ressources de son adversaire [4] !

**Considérations
sur l'homme
et sur la femme**

VIII. 1. « *Le chef de l'homme, c'est le Christ* [a]. » Quel Christ ? Celui qui n'est pas l'auteur de l'homme [5] ? C'est pour marquer l'autorité que l'Apôtre a mis « le chef » ; or il n'y aura pas autorité d'un autre que de l'auteur [6]. Car de quel homme est-il le chef ? Assurément de celui à propos duquel il ajoute : « *Car l'homme ne doit pas se voiler le chef, puisqu'il est l'image de Dieu* [b 7]. » Ainsi donc s'il est l'image du Créateur – c'est celui-ci en effet qui, considérant son Christ Verbe destiné à être homme, a dit :

---

l'impossibilité de le rapporter à un dieu qui n'est pas l'auteur de la créature humaine. Comme souvent, l'argumentation se construit au moyen de questions dont les réponses ne sont pas énoncées, parce qu'étant évidentes.

6. Argument étymologique, avec jeu sur le rapport *auctor / auctoritas.* La traduction de *caput* par son aboutissant roman (« chef »), plutôt que par son équivalent français habituel (« tête ») contribue davantage à rendre l'idée.

7. Le texte paulinien a : « image et gloire (καὶ δόξα) de Dieu ». Apparemment, Marcion le conservait (d'après Épiphane : cf. HARNACK, p. 88* et SCHMID, p. I/324). La simplification apportée par T. vise à ne garder que l'élément utile à l'argument.

ad imaginem et similitudinem nostram [c] » – quomodo possum alterum habere caput, non eum, cuius imago sum ? **(2.)**
10 Cum enim imago sim Creatoris, non est in me locus capitis
alterius. **2.** Sed et quare mulier « *potestatem super caput
habere* [d] » debebit ? Si quia « *ex uiro* [e] » et « *propter
uirum* [f] » facta est secundum institutionem Creatoris, sic
quoque eius disciplinam Apostolus curauit, de cuius insti-
15 tutione causas disciplinae interpretatur. Adicit etiam :
« *propter angelos* [d] ». Quos ? Id est, cuius ? Si Creatoris apo-
statas [g], merito, ut illa facies, quae eos scandalizauit, notam
quandam referat de habitu humilitatis et obscuratione decoris ; si uero propter angelos dei alterius, quid ueretur, si nec
20 ipsi Marcionitae feminas adpetunt ?
3. Saepe iam ostendimus haereses apud Apostolum inter
mala ut malum poni et eos « *probabiles* [h] » intellegendos,
qui haereses ut malum fugiant. Proinde panis et calicis sacra-

---

21 haereses *R* : haeresis *Mγ*   haereseis *B* ‖ 23 haereses *Rig. Kroy. Evans* :
hereses *M*   haereseis *R Gel. Pam.*   haeresis γ

---

c. Gn 1, 26   d. 1 Co 11, 10   e. 1 Co 11, 8   f. 1 Co 11, 9   g. Cf. Gn 6,
1 s.   h. Cf. 1 Co 11, 19

1. Explication habituelle du verset, qui est mis en rapport avec le mystère de l'Incarnation.
2. Nous traduisons littéralement le terme *potestatem* qu'on rend d'habitude par « signe de sujétion » *(BJ)* ou par « marque de sa dépendance » *(TOB)*.
3. Sur *institutio* qui désigne l'acte créateur originel, cf. notre *Deus
Christ.*, p. 393-394. La *disciplina* (règles morales) de l'Apôtre est identique
à celle du Créateur étant donné son étroit rapport avec l'événement qui a
constitué la femme au Commencement.
4. Sur cet épisode biblique développé par l'apocryphe *Livre d'Enoch*,
cf. *Cult.* I, 2, 1 s. et *Virg.* 7, 4.
5. Emploi unique de *obscuratio* (terme technique de l'astronomie, déjà
chez Cicéron et Vitruve) ; omis dans CLAËSSON, *Index Tertullianeus*.
6. Plaisanterie assez lourde, par rappel de la chasteté totale imposée aux
fidèles de Marcion, et qui devrait être *a fortiori* de règle pour ses anges. On
ne sait rien de précis sur l'angélologie marcionite ; mais il semble bien, en

« *Faisons l'homme à notre image et ressemblance* [c1] » –, comment puis-je tenir pour « chef » un « autre », et non celui dont je suis l'image ? (2.) Car, puisque je suis l'image du Créateur, il n'y a pas en moi place pour un autre chef. **2.** Mais également pour quelle raison la femme devra-t-elle « *avoir une puissance sur son chef* [d2] » ? Si c'est parce qu'elle a été faite « *de l'homme* [e] » et « *à cause de l'homme* [f] » conformément à une institution du Créateur, de même aussi est-ce de la discipline du Créateur que l'Apôtre a eu cure, expliquant à partir de son institution les raisons de la discipline [3]. Il ajoute même : « *à cause des anges* [d] ». Quels anges ? C'est-à-dire : de quel dieu ? S'il s'agit des apostats du Créateur [g4], c'est à bon droit, de façon que cette beauté de la femme, qui a causé leur chute, reçoive une sorte de marque d'infamie dans une tenue d'humilité et un obscurcissement [5] de son éclat ; mais si c'est à cause des anges de l' « autre » dieu, qu'a-t-il à redouter, puisque même eux, les marcionites, ne recherchent pas les femmes [6] ?

Les dons de l'Esprit : promesses du Créateur, réalisées par son Christ

3. Que les hérésies chez l'Apôtre sont rangées, en tant que mal, parmi les maux et qu'il faut comprendre comme « gens ayant fait leurs preuves [h7] » ceux qui les fuient en tant que mal, nous l'avons déjà montré souvent [8]. Pareillement, par le sacrement du

---

tout cas, que la volonté de déjudaïser le dieu chrétien n'avait pas conduit le Maître à supprimer les anges de sa théologie.

7. Nous préférons cette traduction de *probabiles* (δόκιμοι) à celles qu'on donne habituellement : « ceux qui résistent à cette épreuve » *(TOB)* ; « hommes de vertu éprouvée » *(BJ)* ; « gens éprouvés » (de Labriolle, *SC* 46, p. 94).

8. Cf. *Praes.* 4, 6 et surtout 5, 1 s. La formule de Paul (« Oportet haereses esse ») est un véritable leitmotiv de toute la production antihérétique de T. La phrase initiale du § 3 fait corps avec les deux suivantes pour constituer une transition où sont regroupées trois notations du ch. 11 de la lettre : l'auteur, usant de la prétérition (cf. *supra* 7, 14) renonce à les développer, préférant se contenter de renvois.

mento iam in euangelio probauimus corporis et sanguinis
25 dominici ueritatem [i] aduersus phantasma Marcionis, sed et
omnem iudicii [j] mentionem Creatori competere, ut Deo
iudici, toto paene opere tractatum est.

4. Nunc « *de spiritalibus* [k] » dico, haec quoque in
Christum a Creatore promissa, sub illa praescriptione, ius-
30 tissima opinor, qua non alterius credenda sit exhibitio, quam
cuius probata fuerit repromissio. Pronuntiauit Esaias :
« *Prodibit uirga de radice Iesse, et flos de radice ascendet
[de uirga], et requiescet super eum spiritus Dei* [l]. » Dehinc
species eius enumerat : « *Spiritus sapientiae et intellegentiae,*
35 *Spiritus consilii et ualentiae, Spiritus agnitionis et religionis,*
Spiritus eum replebit timoris Dei [m]. » Christum enim in flo-
ris figura ostendit, oriturum ex uirga profecta de radice
Iesse, id est uirgine generis Dauid filii esse, in quo Christo
consistere haberet tota substantia Spiritus, non quasi postea
40 obuentura illi, qui semper spiritus Dei fuerit, ante carnem

---

23-24 sacramento *M R$_3$* : -tum γ *R$_1$R$_2$* ‖ 29 praescriptione *R$_2$R$_3$* : pros-
*M*γ *R$_1$* ‖ 32 prodibit *R* : -iuit *M*γ ‖ de radice[2] *del. Kroy. Mor. uide adnot.*
‖ 33 de uirga *om. Rig. Oeh. Evans Braun uide adnot.* ‖ dei *M Kroy.* :
domini β *edd. cett.* ‖ 35 spiritus[2] *M LVB Kroy.* : et spiritus β *edd. cett.* ‖
36 replebit *edd. a Pam.* : -euit β *Gel.* -euebit *M* ‖ 37 ex *M R$_3$* : et γ *R$_1$R$_2$*
‖ 38 christo *M R$_3$* : -tus γ *R$_1$R$_2$*

---

i. Cf. 1 Co 11, 23-27 j. Cf. 1 Co 11, 28-32 k. 1 Co 12, 1 l. Is 11,
1-2 m. Is 11, 2-3

---

1. Cf. IV, 40, 3-6.
2. C'est en effet, dans les livres IV et V, un véritable thème de la polémique contre Marcion que de refuser de mettre au compte de ce dieu qui « ne
juge pas et ne punit pas » les expressions scripturaires comportant la notion
de « jugement » et de voir là une preuve que le seul concerné est le Créateur.
3. Après la longue prétérition que forme le § 3, T. arrive à l'objet de son
nouveau développement : la question des charismes dont Paul traite dans
les ch. 12 à 14 de sa lettre. Par un tour syntaxique assez libre (une proposition infinitive succède au complément *de spiritalibus,* mot repris par

pain et de la coupe, nous avons déjà prouvé dans l'examen
de l'Évangile [1] la vérité du corps et du sang du Seigneur [i]
contre le fantôme de Marcion, mais aussi, que toute mention de « jugement [j] » se rapporte au Créateur, en sa qualité
de Dieu Juge, nous en avons traité dans presque tout l'ouvrage [2].

4. Maintenant, c'est « *des dons de l'Esprit* [k] » que je
parle [3], disant qu'eux aussi ont été promis en vue du Christ
par le Créateur : sous cette prescription très justifiée, je
pense, qu'on ne devra pas attribuer la manifestation de ces
dons à un autre que celui à qui on aura prouvé qu'appartient la promesse. Voici ce qu'a énoncé Isaïe : « *Un rameau
sortira de la racine de Jessé et une fleur montera de la
racine*[4], *et sur elle reposera l'esprit de Dieu* [l]. » Ensuite il en
énumère les aspects : « *L'Esprit de sagesse et d'intelligence,
l'Esprit de conseil et de vigueur, l'Esprit de connaissance et
de piété, l'Esprit de la crainte de Dieu le remplira* [m][5]. » C'est
en effet le Christ qu'il a montré sous la figure de la fleur :
le Christ qui devait sortir du rameau parti de la racine de
Jessé, c'est-à-dire de la Vierge de la lignée de David, fils de
Jessé ; Christ en qui devait avoir consistance toute la substance de l'Esprit, non pas en ce sens qu'elle devrait lui
revenir par la suite, lui qui a toujours été l'esprit de Dieu,
également avant l'Incarnation [6] – cela pour t'interdire d'ar-

---

haec), il donne quelque solennité à son énonciation, avant de renouveler le
motif habituel de la « prescription ».

4. Le texte des mss porte : *flos de radice ascendet de uirga*, avec un dou-
blement fautif. Mais à l'inverse de Kroymann (suivi par Moreschini) qui
retranche *de radice*, nous préférons retrancher *de uirga* pour mettre
l'énoncé en accord avec la LXX et la forme du texte de *Iud.* 9, 26 (cf.
Tränkle, p. 25).

5. Sur ce texte conforme aussi à celui de *Iud.* 9, 26 (sauf variante *imple-
bit*), cf. III, 17, 3 (t. 3, p. 153, n. 6).

6. Sur la notion de Christ préexistant, Verbe et Esprit du Père, cf. notre
Deus Christ., p. 272 s.

quoque – ne ex hoc argumenteris prophetiam ad eum
Christum pertinere, qui ut homo tantum ex solo censu
Dauid postea consecuturus sit dei sui Spiritum –, sed quoniam exinde quo floruisset in carne sumpta ex stirpe Dauid,
45 requiescere in illo haberet omnis operatio gratiae spiritalis
et concessare et finem facere, quantum ad Iudaeos ; (5.) sicut
et res ipsa testatur, nihil exinde spirante penes illos spiritu
Creatoris, ablato a Iudaea sapiente et prudente architecto et
consiliario et propheta [n], ut hoc sit : « *Lex et prophetae*
50 *usque ad Iohannem* [o]. »

5. Accipe nunc, quomodo et a Christo in caelum recepto
charismata obuentura pronuntiarit : « *Ascendit in sublimita-*
tem » – id est in caelum –, « *captiuam duxit captiuitatem* »
– id est mortem uel humanam seruitutem –, « *data dedit filiis*
55 *hominum* [p] » – id est donatiua, quae charismata dicimus.
Eleganter « *filiis hominum* [p] » ait, non passim « hominibus »,
nos ostendens filios hominum – id est uere hominum, apos-

---

44 ex stirpe β : extirpe *M* ‖ 45 haberet omnis *M Kroy.* : omnis haberet
β *edd. cett.* omnis γ ‖ 47 spirante R_3 : sper- *M*γ R_1R_2 oper- *coni.* R_2 ‖ 49
ut *M R* : et γ ‖ hoc *M*γ *edd. a Pam.* : haec *R Gel.* ‖ prophetae *edd. a Pam.* :
-a ϑ *Gel.* ‖ 54 data dedit *M Rig. Kroy.* : dedit data β *edd. cett.*

---

n. Cf. Is 3, 1-3   o. Lc 16, 16   p. Ep 4, 8 = Ps 67, 19

---

1. Il s'agit de la conception messianique des juifs que Marcion avait
adoptée : il opposait au Christ de son dieu, qui s'était révélé sous Tibère,
le Christ du Créateur dont la révélation était encore à venir.
2. Reprise du texte cité *supra* 6, 10 : T. ajoute deux autres termes de
l'énumération isaïenne.
3. Cf. IV, 33, 7.
4. Le sujet de *pronuntiarit* est facile à suppléer : c'est le Créateur. Le
texte allégué (Ep 4, 8 d'après Ps 67, 19 cité très librement) est en fait un
testimonium sur l'ascension du Christ au ciel, qui est traditionnel au moins
depuis JUSTIN (*Dial.* 39, 4 et 87, 6) et IRÉNÉE (*Dém.* 83). T. ne s'est pas
reporté au passage correspondant de l'*apostolicon* marcionite (HARNACK,
p. 118* et SCHMID, p. I/340).

gumenter par là que cette prophétie concerne un Christ qui, en tant qu'homme seulement, de la seule origine davidique, devrait par la suite obtenir l'Esprit de son dieu [1] –, mais en ce sens que, aussitôt après avoir fleuri dans une chair prise à la souche davidique, il se produirait qu'en lui se repose toute opération de grâce spirituelle, qu'elle cesse et prenne fin en ce qui concerne les juifs. (5.) Ainsi l'atteste l'événement lui-même, puisque chez eux l'esprit du Créateur n'a plus soufflé ensuite, quand a été enlevé de Judée le sage et avisé architecte, le conseiller et le prophète [n2] pour qu'on ait ceci : « *Jusqu'à Jean ce fut la Loi et les Prophètes* [o3]. »

5. Apprends maintenant de quelle façon aussi il a énoncé [4] que les charismes surviendraient du Christ accueilli au ciel : « *Il est monté dans la hauteur* » – c'est-à-dire dans le ciel –, « *il a emmené captive la captivité* » – c'est-à-dire la mort ou la servitude humaine –, « *il a donné des dons aux fils des hommes* [p] » – c'est-à-dire les dons gracieux que nous appelons charismes [5]. Il dit élégamment « *fils des hommes* [p6] », et non pas « hommes » indistinctement, montrant par là qu'il s'agit de nous, les fils des hommes – c'est-à-dire de ceux qui sont véritablement hommes : les apôtres.

---

5. Sur ce texte, sur les « gloses » dont T. l'assortit selon sa technique habituelle, sur le problème que pose l'équivalence *data / donatiua / charismata* quant à la question de savoir si notre auteur traduisait lui-même ou suivait une traduction latine établie, cf. O'MALLEY, *Tertullian and the Bible,* p. 56-58. En tout cas, nous avons cru nécessaire de traduire *donatiua* de manière à rappeler ce qu'évoque le mot pour un Romain de l'époque impériale (où les souverains avaient rendu habituelles les distributions de ces sortes de faveurs).

6. La variante « fils des hommes » qu'on rencontre aussi dans la forme du *testimonium* adoptée par JUSTIN, *Dial.* 87, 6, est exploitée par T. en une exégèse qui paraît lui être propre : il rapporte l'expression aux fidèles évangélisés par les apôtres (pères de la foi).

tolorum. **(6.)** « *In euangelio* enim, inquit, *ego uos gene-raui* q », et : « *Filii mei, quos parturio rursus* r. »

60   **6.** Iam nunc et illa promissio Spiritus, absolute facta per Iohelem : « *In nouissimis temporibus effundam de meo Spiritu in omnem carnem, et prophetabunt filii filiaeque eorum, et super seruos et ancillas meas de meo Spiritu effundam* s. » **7.** Et utique si in nouissimos dies gratiam Spiritus

65 Creator repromisit, Christus autem spiritalium dispensator in nouissimis diebus apparuit dicente Apostolo : « *At ubi tempus expletum est, misit Deus Filium suum* t », et rursus : « *Quia tempus* iam *in collecto est* u », apparet et de temporum ultimorum praedicatione hanc gratiam Spiritus ad

70 Christum praedicatoris pertinere.

    8. Compara denique species Apostoli et Esaiae. **(8.)** « *Alii*, inquit, *datur per Spiritum sermo sapientiae* v » : statim et Esaias sapientiae Spiritum posuit w ; « *alii sermo scientiae* v » : hic erit Spiritus intellegentiae et consilii w ; « *alii fides*

75 *in eodem spiritu* v » : hic erit Spiritus religionis et timoris

---

60 et *M R₂R₃* : ex γ *R₁* ‖ absolute : -ta *Kroy.* -ta est *Eng.* ‖ 61 temporibus : diebus *Pam. Rig. Oeh. Evans* ‖ 73 sapientiae spiritum *M Kroy.* : spiritum sapientiae β *edd. cett.* ‖ 74 spiritus *coni. Evans rec. Braun* : sermo ϑ *edd. cett. uide adnot.*

---

q. 1 Co 4, 15   r. Ga 4, 19   s. Jl 2, 28-29 = Ac 2, 17-18   t. Ga 4, 4   u. 1 Co 7, 29   v. 1 Co 12, 8-10   w. Cf. Is 11, 2-3

---

1. Reprise de la prophétie citée *supra* 4, 2 et 4 et qui reviendra *infra* en 11, 4 et 17, 4 ; on la retrouve dans d'autres ouvrages de la même époque (*An.* 47, 2 ; *Res.* 10, 2 et 63, 7). Dans son exégèse, T. s'attache plus particulièrement à l'indication temporelle qui lui permet de trouver une convergence avec le Christ du Créateur promis aussi pour les « derniers temps ».

2. Cf. *supra* 4, 2.

3. Cf. *supra* 7, 8.

(**6.**) En effet : « *Je vous ai,* dit-il, *engendrés dans l'Évangile* q », et : « *Mes fils, que j'enfante à nouveau* r. »

6. Et voici à présent aussi cette fameuse promesse de l'effusion de l'Esprit, qui a été faite à la perfection par la bouche de Joël : « *Dans les derniers temps je répandrai de mon Esprit sur toute chair, et leurs fils et leurs filles prophétiseront, et sur mes serviteurs et servantes je répandrai de mon Esprit* s1. »

7. Et pour sûr, si le Créateur a promis la grâce de l'Esprit pour les derniers jours, si d'autre part le Christ, dispensateur des dons spirituels, s'est manifesté dans les derniers jours puisque l'Apôtre dit : « *Mais lorsque le temps fut accompli, Dieu a envoyé son Fils* t2 », et de nouveau : « *Parce que le temps est raccourci* u3 », il est manifeste aussi, d'après l'annonce des derniers temps, que cette grâce spirituelle concerne le Christ de l'annonceur [4].

Accord de l'Apôtre avec le Créateur sur les charismes

8. Compare pour finir [5] les aspects de l'Esprit chez l'Apôtre et chez Isaïe. (**8.**) « *A l'un,* dit Paul, *est donnée la parole de sagesse par l'Esprit* v » : tout de suite Isaïe a placé l'Esprit de sagesse w. « *A un autre, la parole de science* v » ; ce sera l'Esprit [6] d'intelligence et de conseil w. « *A un autre la foi dans le même Esprit* v » ; ce sera l'Esprit de piété et de crainte de Dieu w.

---

4. L'insistance et le jeu sur le couple de mots *praedicatio / praedicator* donnent tout son relief à l'idée (nécessité de rapporter la réalisation des charismes à celui qui les a annoncés dès l'AT) et bouclent le développement en une vigoureuse conclusion.

5. Nouveau développement, qui porte sur la *nature* de ces charismes et se propose d'en montrer, de ce point de vue aussi, la convenance au Créateur. Il débute par un strict parallèle entre les textes de Paul et d'*Isaïe*.

6. Il nous paraît indispensable d'adopter ici la correction *spiritus* proposée en note par Evans, au lieu de la leçon *sermo* des mss et éditeurs. Dans un parallèle aussi rigoureusement conduit, on s'attend à trouver ici le terme même d'*Isaïe*. La faute de l'archétype s'expliquera aisément par la suggestion de *sermo scientiae* qui précède.

Dei [w] ; « *alii donum curationum, alii uirtutum* [v] » : hic erit
ualentiae Spiritus [w] ; « *alii prophetia, alii distinctio spirituum,
alii genera linguarum, alii interpretatio linguarum* [v] » : hic
erit agnitionis Spiritus [w]. **9.** Vides Apostolum et in distri-
80 butione facienda unius Spiritus et in specialitate interpre-
tanda prophetae conspirantem.

Possum dicere : ipsum quod corporis nostri per multa et
diuersa membra unitatem charismatum uariorum compagini
adaequauit [x], eundem et corporis humani et Spiritus sancti
85 Dominum ostendit, qui merita charismatum noluerit esse in
corpore Spiritus, quae nec in corpore humano collocauit,
qui de dilectione quoque omnibus charismatibus praepo-
nenda [y] Apostolum instruxerit principali praecepto quod
probauit et Christus : **(10.)** « *Diliges Dominum de totis prae-
90 cordiis et totis uiribus et tota anima et proximum tibi tamquam te* [z]. »

10. Quod et si in lege scriptum esse commemorat « *in
aliis linguis et in aliis labiis* [aa] » locuturum Creatorem, cum
hac commemoratione charisma linguarum confirmat, nec
95 hic potest uideri alienum charisma Creatoris praedicatione

---

79 uide *Kroy.* ‖ 82 quod *Kroy. Evans* : qui ϑ *edd. cett. uide adnot.* ‖
85 ostendit : ostendisse *dubitanter Mor. uide adnot.* ‖ merita *coni.* R_1 *rec.
Kroy. Evans* : -tum *M* R_3 *Gel. Pam. Rig. Oeh.* -tus *F* R_1R_2 -tis *X* ‖ charismatum R_1R_3 : -ta *M*γ R_2 ‖ 86 *post* nec *add.* membrorum *Kroy. Mor. uide
adnot.* ‖ 88 apostolum *coni.* R_1 *rec.* R_3 : apostolorum *M*γ R_1R_2 ‖ 89 diliges
R : -gens *M*γ ‖ 90 tibi : tuum *Pam. Oeh.* ‖ 91 *post* te *add.* ipsum *Pam. Rig.
Oeh.* ‖ 92 quod et si : quod etsi R_1R_2 *Rig.* quod et *Eng.* et si quod *Kroy.
Evans* ‖ esse *Eng. (cf. Löfstedt, Sprache, p. 45) Mor.* : esset ϑ *edd. cett.* ‖ 95
praedicatione R_2R_3 : -es *M*γ R_1

---

x. Cf. 1 Co 12, 12-31   y. Cf. 1 Co 12, 31   z. Lc 10, 27 = Dt 6, 5   aa. 1
Co 14, 21 = Is 28, 11

---

1. Les mss ont *ipsum qui* que Moreschini conserve en corrigeant plus
loin *ostendit* en *ostendisse*. Mais la correction de Kroymann *ipsum quod*

« *A un autre le don des guérisons, à un autre celui des miracles* [v] » : ce sera l'Esprit de vigueur [w]. « *A un autre la prophétie, à un autre le discernement des esprits, à un autre les diversités de langues, à un autre l'interprétation des langues* [v] » : ce sera l'Esprit de connaissance [w]. **9.** Tu vois l'Apôtre s'accorder avec le Prophète dans la manière de distribuer un unique Esprit et, en même temps, d'en expliquer les divers aspects.

Je puis le dire : par le fait même [1] qu'il a assimilé à l'assemblage des divers charismes l'unité de notre corps à travers la multiplicité et variété de ses membres [x], il a montré qu'il y a un seul et même maître pour le corps humain comme pour l'Esprit Saint, celui qui n'a pas voulu que les mérites des charismes résident dans un corps spirituel sans les placer non plus dans un corps humain [2] : lui qui, en donnant également à l'amour la prépondérance sur tous les charismes [y], a instruit l'Apôtre de ce qui est le principal commandement – approuvé aussi par le Christ : **(10.)** « *Tu aimeras le Seigneur de tout ton cœur et de toutes tes forces et de toute ton âme, et ton prochain comme toi-même* [z] [3]. »

10. Mais si d'autre part l'Apôtre rappelle qu'il est écrit dans la Loi que le Créateur parlerait « *en d'autres langues et avec d'autres lèvres* [aa] », par ce rappel il confirme le charisme des langues, sans cependant pouvoir passer ici pour avoir confirmé, par une annonce du Créateur, le charisme

---

(avec la valeur habituelle à cette expression chez l'auteur) nous paraît bien préférable ; elle facilite l'intelligence du passage (adoptée aussi par Evans).

2. Nous conservons le texte traditionnel, sans l'addition de <*membrorum*> pratiquée par Kroymann (que suit Moreschini). Mais le sens exact de cette phrase n'est pas clair. Que représente au juste ce *corpus spiritus* ?

3. Cf. IV, 25, 1. De l'hymne paulinien à l'amour, T. ne retient que ce qui se rapporte à sa démonstration (accord avec l'enseignement du Créateur).

confirmasse. **11.** Aeque praescribens silentium mulieribus
in ecclesia, ne quid discendi dumtaxat gratia loquantur [bb]
– ceterum prophetandi ius et illas habere iam ostendit, cum
mulieri etiam prophetanti uelamen imponit [cc] –, ex lege acci-
100 pit subiciendae feminae auctoritatem [dd], quam, ut semel
dixerim, nosse non debuit nisi in destructionem.

12. Sed ut iam a spiritalibus recedamus, res ipsae probare
debebunt, quis nostrum temere deo suo uindicet et an nostrae parti possit opponi haec, et si Creator repromisit in
105 suum Christum nondum reuelatum, ut Iudaeis tantum des-
tinatum, suas habitura in suo tempore in suo Christo et in
suo populo operationes. Exhibeat itaque Marcion dei sui
dona, aliquos prophetas, qui tamen non de humano sensu,
sed de Dei spiritu sint locuti, qui et futura praenuntiarint et
110 cordis occulta traduxerint [ee]; edat aliquem psalmum, aliquam uisionem, aliquam orationem, dumtaxat spiritalem, in

---

97 discendi : docendi *coni. R₁* ‖ gratia *MGγ R₃* : gloria *R₁R₂* ‖ 99 pro-
phetanti *MG R₁R₃* : -ndi *X R₂* -ndo *F* ‖ 103-104 an nostrae parti *edd. a*
Rig. : a nostrae partis *Mγ R₁R₂* quia nostrae parti *R₃ Gel. Pam.* ‖ 109 sint
R : sunt *Mγ* ‖ praenuntiarint *R₂R₃* : pron- *M R₁* pronunciarit *γ*

---

bb. Cf. 1 Co 14, 34-35   cc. Cf. 1 Co 11, 5   dd. Cf. 1 Co 14, 34 ; Gn 3,
16   ee. Cf. 1 Co 14, 25

---

1. Retour d'un thème polémique habituel : le rappel par Paul d'un passage d'*Isaïe* – rappel maintenu en place par Marcion (cf. HARNACK, p. 90* ;
SCHMID, p. I/325) – suffit à prouver que l'Apôtre n'annonce pas un
« autre » dieu.
2. Cette précision sur le droit de prophétiser, reconnu par l'Apôtre aux
femmes, interrompt sans doute le cours de la démonstration. Mais une telle
parenthèse a son importance : elle est le fait d'un doctrinaire désormais
acquis au montanisme ; et dans ce mouvement, les prophétesses jouaient
un rôle essentiel.
3. Reprise, en fin de développement, d'un motif souvent utilisé :
l'Apôtre, prêchant un nouveau dieu pour détruire la Loi selon Marcion,
n'aurait donc dû se référer à celle-ci que pour l'abattre.
4. Recours, pour finir, à l'argument des *faits*, c'est-à-dire de l'existence
ou de la non-existence de charismes dans chacun des deux camps. T. comme

d'un « autre » dieu [1] ! **11.** Également, quand il prescrit le silence aux femmes dans l'assemblée et interdit qu'elles parlent sinon pour s'instruire de quelque chose [bb] – au reste qu'elles ont, elles aussi, le droit de prophétiser, il l'a déjà montré quand il impose le voile même à la femme qui prophétise [cc2] –, c'est de la Loi qu'il reçoit l'autorité qui le fait soumettre la femme [dd] : cette Loi, pour le dire une bonne fois, il n'aurait dû la connaître qu'afin de la détruire [3] !

**Conclusion du débat :
pas de charismes
chez Marcion**

12. Mais pour abandonner maintenant la question des dons de l'Esprit, les faits eux-mêmes [4] devront prouver ceci : lequel de nous deux [5] les revendique-t-il à la légère pour son dieu ? et aussi, est-ce qu'on peut opposer à notre cause que ces dons, même si le Créateur les a promis pour son Christ non encore révélé, puisque destiné aux seuls juifs, auront en leur temps, dans leur Christ et dans leur peuple, des opérations qui leur seront propres [6] ? Ainsi donc que Marcion présente devant nous [7] les dons de son dieu : quelques prophètes, qu'ait fait parler toutefois non le sens humain, mais l'esprit de Dieu, qui aient annoncé d'avance des événements futurs et mis à nu les secrets des cœurs [ee]. Qu'il produise quelque psaume, quelque vision, quelque discours, du moins de caractère spi-

---

toujours va parler au nom de la grande Église face aux hérésies ; mais ce qui apparaît clairement est son appartenance au montanisme qui privilégiait les charismes, notamment la prophétie.

5. Le pronom *nostrum* représente les deux protagonistes du débat ; dans la proposition suivante, l'adjectif *nostra* renvoie seulement aux « catholiques » que représente l'auteur. Sur *quis* = *uter*, cf. HOPPE, *S.u.S.*, p. 197-198 (on en a un autre exemple précédemment en 7, 6).

6. Reprise de l'argument marcionite évoqué au § 4.

7. Dans ce défi lancé à Marcion à propos des charismes, une place de choix est faite aux dons prophétiques (cf. *supra* n. 4).

ecstasi, id est in amentia, si qua linguae interpretatio acces-
sit [ff] ; probet mihi etiam mulierem apud se prophetasse ex
illis suis sanctioribus feminis. Magis dicam : si haec omnia
115 facilius a me proferuntur – et utique conspirantia regulis et
dispositionibus et disciplinis Creatoris –, sine dubio dei mei
erit et Christus et Spiritus et Apostolus. Habet professio-
nem meam qui uoluerit eam exigere.

(IX. 1.) Interim Marcionites nihil ex huiusmodi exhibe-
120 bit, qui timet etiam pronuntiare cuius magis Christus nondum sit reuelatus : sicut meus expectandus est, qui a pri-

---

112 in $M\gamma$ *Kroy.* : *om. edd. cett.* a R ‖ 113 mihi etiam *M Rig. Kroy.* :
etiam mihi *X R edd. cett.* etiam *F* ‖ 114 magis dicam *Braun* : magnis dicam
$M\gamma$ R_1R_2 magnidicam R_3 *Gel. Pam. Oeh. Mor. Evans* magni ducam *Rig.*
ne magis dicam *coni.* R_2 *uide adnot.* ‖ 118 *post* exigere *capita dist. Pam.*
auctore Kroymanno corr. Mor. uide adnot. ‖ 119 ex $M\gamma$ R_1R_2 *Kroy.* : *om.*
edd. cett. a R_3 ‖ 120 qui : cui *Kroy.* ‖ timet etiam *Lat.* : tum etiam $M\gamma$ *R B*
Gel. Kroy. timet iam *coni. R B rec. Pam. Rig. Oeh. Evans uide adnot.* ‖
pronuntiare *codd. edd.* a *Pam.* : praen- R_2R_3 *B Gel.* ‖ 121 qui a β : quia *M*

---

ff. Cf. 1 Co 14, 26

1. Dans la poursuite de son défi, T. décalque le programme charismatique tracé par l'Apôtre pour les assemblées : *uisionem* correspond à ἀπο-
κάλυψιν, *orationem* à διδαχήν = « instruction » ; c'est pourquoi la traduction par « prière » (Evans) ne convient pas. La dernière condition, qui
correspond à ἑρμηνείαν, souligne l'origine « spirituelle » du charisme. Sur
la note montaniste que constitue l'exigence de l'*extase,* avec la définition
de celle-ci, cf. IV, 22, 4-6.

2. Dernière formulation du défi : T. y apparaît en défenseur des prophétesses montanistes Priscilla et Maximilla. L'ironie éclate avec le rappel
de la « chasteté » (c'est le sens de *sanctitas* ; cf. I, 28, 4 ; 29, 2 et 6) que
Marcion imposait à ses fidèles.

3. Les mss portent *magnis, dicam* qui a été corrigé par R_3 en *magnidicam* compris comme un seul mot qu'on a rapporté à *mulierem* (Oehler,
Moreschini, Evans). Mais cette lecture a contre elle que l'adjectif *magnidi-
cus,* inconnu par ailleurs de T., est un mot rarissime (deux emplois chez
Plaute, un chez Ammien, d'après *TLL, s.v.*) et de plus toujours affecté du
sens très péjoratif de « hableur », « fanfaron » : sens qui ne saurait convenir pour caractériser une prophétesse. Nous proposons de régler la difficulté en coupant la phrase après *feminis* et en corrigeant *magnis* en *magis*
pour comprendre la formule *Magis dicam* (« Je dirai plus ») comme intro-

rituel, fait en état d'extase, c'est-à-dire de perte du sens, si quelque interprétation de langue s'y est ajoutée [ff 1]. Qu'il me prouve même que chez lui une femme a prophétisé, une de ces siennes femmes d'une plus grande sainteté [2] ! Je vais dire plus [3] : s'il m'est plus facile, à moi, de produire toutes ces preuves – et preuves assurément en concordance avec les doctrines, les dispositions et les enseignements du Créateur –, il est hors de doute que de mon dieu relèveront et le Christ et l'Esprit et l'Apôtre ! Voilà ma profession, disponible pour qui voudra l'exiger.

(IX. 1) En attendant [4], le marcionite, lui, ne présentera rien de ces sortes de preuves [5] : il redoute même d'énoncer de qui relève plutôt le Christ non encore révélé [6]. Si le mien,

---

ductive de la longue phrase où T. présente, face au néant charismatique de Marcion, sa solennelle *professio* (revendication du Christ, de l'Esprit, de l'Apôtre pour son dieu, le Créateur). Cette formule rappelle, en plus appuyé, le *Possum dicere* du § 9. Sur *magis* ayant valeur de substantif (= *quod est magis*), cf. *TLL* VIII, col. 54, l. 18 s. : on rapprochera aussi de l'expression *quod magis est* et *magis est ut...* (cf. LHS, p. 497-498, § 268, et p. 644, § 349d).

4. Les phrases qui vont de *Interim* à *nullum* ont été malencontreuse-ment rattachées par Pamelius au ch. 9. C'est encore ce que fait Evans. Avec Moreschini (qui a fait sienne l'observation de l'apparat de Kroymann), nous les replaçons dans le ch. 8. Mais pour ne pas déconcerter les utilisateurs des différentes éditions, nous maintenons entre parenthèses l'indication 9, § 1.

5. Après Marcion, c'est au tour de son disciple d'être mis en scène dans une conclusion sarcastique où il joue un personnage déconfit et ridicule, adepte timide d'un Christ inexistant.

6. Littéralement : « de qui, davantage, le Christ ne s'est pas encore révélé ». Revenant à l'argumentation évoquée dans la seconde question du § 12, T. institue une comparaison entre le Christ « non encore révélé » du Créateur (selon juifs et marcionites) et le Christ de Marcion. C'est pour donner l'avantage au premier sur le second, celui-ci n'ayant jamais eu aucune existence. Le raisonnement de notre polémiste ne manquera pas de paraître assez artificieux, d'autant qu'il adopte comme sien, pour la cir-constance, ce Christ encore attendu par Israël. En ce qui concerne le pro-blème textuel, nous admettons avec Moreschini et Evans la restitution de Latinius : *timet etiam*. Kroymann, qui maintient la leçon transmise, ne réussit pas à en donner une explication convaincante.

mordio praedicatus est, illius idcirco non est, quia non a primordio sit. Melius nos credimus in Christum futurum quam
haereticus in nullum.

IX. 1. (2.) « *Mortuorum resurrectionem quomodo quidam* tunc *negarint* [a] », prius dispiciendum est. Vtique eodem
modo quo et nunc, siquidem semper resurrectio carnis nega-
tur. **2.** Ceterum animam et sapientium plures diuinam uin-
5 dicantes saluam repromittunt, et uulgus ipsum ea prae-
sumptione defunctos colit, qua animas eorum manere
confidit ; ceterum corpora aut ignibus statim aut feris aut,
etiam diligentissime condita, temporibus tamen aboleri
manifestum est. **3.** Si ergo carnis resurrectionem negantes
10 Apostolus retundit, utique aduersus illos tuetur quod illi
negabant, carnis scilicet resurrectionem. Habes compendio
responsum. **(3.)** Cetera iam ex abundanti.

123 christum R_2R_3 : -to Mγ R_1 ‖ 124 ullum *Kroy.*
IX. 2 dispiciendum R_2R_3 : des- Mγ R_1 *uide adnot.* ‖ 7 feris R_2R_3 : fer-
ris Mγ R_1

IX.   a. 1 Co 15, 12

1. Reprise de l'argument, capital dans toute la polémique contre
Marcion, des annonces dont le Christ a été l'objet dès le début – et tout au
cours – de l'AT.
2. Du fait de la confusion fréquente de *dispicere / despicere,* il y a lieu
de se demander s'il ne faudrait pas, contre la correction de Rhenanus, revenir à la leçon de la tradition manuscrite *(despiciendum).*
3. Reprenant les thèmes de son ouvrage *De carnis resurrectione* auquel
il renvoie expressément *infra* 10, 1, T. souligne d'abord – contre la doctrine marcionite qui « spiritualise » la résurrection – que celle-ci n'a de sens
qu'à condition d'être entendue des corps, de la « chair » : cf. E. EVANS,
Tertullian's Treatise on the Resurrection, Londres 1960, p. xi-xvi ; et
P. SINISCALCO, *Ricerche,* p. 101-111.

qui a été annoncé dès le commencement [1], doit encore être attendu, le sien n'existe pas, pour la raison qu'il n'existe pas depuis le commencement ! Meilleure est notre croyance en un Christ à venir que celle de l'hérétique en un Christ inexistant !

La résurrection des morts concerne le corps seul

IX. 1. (2.) « *La résurrection des morts, de quelle façon certains l'ont niée* [a] » alors, il faut préalablement le tirer au clair [2]. Pour sûr, c'est de la même façon qu'aujourd'hui encore, puisque c'est toujours la résurrection de la chair que l'on nie [3]. **2.** Mais pour ce qui est de l'âme, le plus grand nombre des sages, d'une part, comme ils en revendiquent la divinité, en promettent le salut, et le vulgaire lui-même, d'autre part, honore les défunts par l'effet d'une présomption qui lui fait avoir confiance dans la permanence de leurs âmes. Mais leurs corps, il est manifeste qu'ils sont anéantis, ou bien sur-le-champ par les flammes ou les bêtes, ou bien, même en cas d'ensevelissement très minutieux, par l'action toutefois des temps [4]. **3.** Si donc l'Apôtre réfute ceux qui nient la résurrection de la chair, il sauvegarde assurément contre eux ce qu'ils niaient, c'est-à-dire la résurrection de la chair. Tu as là, en résumé, la réponse. **(3.)** Tout ce qui sera dit maintenant, le sera par surabondance [5].

4. Argument du « consensus » universel – sages et foule – qui s'inspire, semble-t-il, du stoïcisme.

5. Goût de T. pour les argumentations abrégées et qui coupent court à toutes discussions ou explications circonstanciées. Ces dernières ne sont présentées qu'à titre de concession ; sur l'expression *ex abundanti*, cf. Index terminologique des livres I-III, t. 3, p. 323.

Nam et ipsum quod « mortuorum resurrectio » dicitur, exigit defendi proprietates uocabulorum. « Mortuum » ita
15 uocabulum non est nisi quod amisit animam, de cuius facultate uiuebat ; corpus est quod amittit animam et amittendo fit mortuum : ita « mortui » uocabulum corpori competit. Porro si resurrectio mortui est, mortuum autem non aliud est quam corpus, corporis erit resurrectio. **4.** Sic et « resur-
20 rectionis » uocabulum non aliam rem uindicat quam quae cecidit. « Surgere » enim potest dici et quod omnino non cecidit, quod semper retro iacuit. « Resurgere » autem non est nisi eius, quod cecidit ; iterum enim surgendo, quia cecidit, « resurgere » dicitur. « Re » enim syllaba iterationi sem-
25 per adhibetur. Cadere ergo dicimus corpus in terram per mortem, sicut et res ipsa testatur ex Dei lege. Corpori enim dictum est : « *Terra es et in terram ibis* [b]. » Ita quod de terra est ibit in terram, hoc cadit quod in terram ibit, hoc resurgit quod cadit.

30 **5.** « *Quia per hominem mors, et per hominem resurrectio* [c]. » Hic mihi et Christi corpus ostenditur in nomine « hominis », qui constat ex corpore, ut saepe iam docuimus. Quodsi sic in Christo uiuificamur omnes, sicut mortificamur in Adam [d], quando in Adam corpore mortificemur, sic

---

14 mortuum *M*pc *Vrs. Rig.* : mortuorum *M*γ *R₁R₂ Gel. Pam. Kroy. om. coni. R₂ om. R₃ Oeh. Evans* ǁ ita : itaque *Gel. Pam. Rig   del. Kroy.* ǁ 15 uocabulum : -lo *coni. R₂ rec. R₃ B Gel. Pam. Rig.   del. Kroy.* ǁ mortuum *post* uocabulum *iter. Oeh. Evans   ante* uocabulum *iter. Kroy.* ǁ 22 retro : reto *M*ac ǁ 23 surgendo *edd. a Gel.* : resurgendo *ϑ B* ǁ 29 cadit *Ciaconius* : abit *ϑ* ǁ 34 mortificemur : -camur *LVB Gel. Pam. Rig. Oeh. Evans*

---

b. Gn 3, 19   c. 1 Co 15, 21   d. Cf. 1 Co 15, 22

1. Même argument étymologique, fondé sur la *proprietas uerborum*, en *Res.* 48, 11.

2. Même argument et même citation biblique en *Res.* 18, 6.

3. Comme déjà en *Res.* 48, 8, T. s'appuie sur le texte de la lettre de Paul, à laquelle il revient, pour poursuivre sa démonstration (le corps seul est intéressé par la résurrection).

De fait l'expression même de « résurrection des morts » réclame qu'on défende la propriété de ses termes [1]. Ainsi le terme de « mort » ne concerne que ce qui a perdu l'âme, dont la faculté faisait qu'il vivait ; le corps est ce qui perd l'âme et, en la perdant, devient mort ; ainsi le terme de « mort » est relatif au corps. De plus, s'il y a résurrection d'un mort, et si le mort n'est rien d'autre que le corps, la résurrection sera celle du corps. **4.** De même aussi, le terme de « résurrection » ne revendique pas d'autre réalité que celle qui est tombée. En effet « surgir » peut se dire aussi de ce qui n'est absolument pas tombé, de ce qui a été toujours gisant auparavant. Mais « ressurgir » (« ressusciter ») n'appartient qu'à ce qui est tombé : c'est en surgissant une nouvelle fois, parce qu'il est tombé, qu'il est dit « ressurgir » (« ressusciter »). Car la syllabe « re » s'emploie toujours pour un renouvellement. Nous disons donc que c'est le corps qui tombe dans la terre par l'effet de la mort comme la chose même est aussi attestée d'après la loi de Dieu. Car il a été dit au corps : « *Tu es terre et tu iras dans la terre* [b][2]. » Ainsi ce qui est tiré de la terre ira dans la terre : c'est ce qui ira à la terre qui tombe, c'est ce qui tombe qui ressurgit (ressuscite).

5. « *Parce que la mort est venue par un homme, par un homme aussi vient la résurrection* [c][3]. » Ici aussi m'est montré le corps du Christ dans le nom d' « homme », lui qui est constitué d'un corps, comme souvent déjà nous l'avons enseigné [4]. Ainsi donc, si nous obtenons tous la vie dans le Christ de la même façon que nous obtenons la mort en Adam [d][5], du moment que nous obtenons la mort en Adam

---

4. Renvoi aux nombreux passages des livres précédents où T. s'en est pris au docétisme marcionite à l'occasion d'emplois du terme « homme ».
5. Même citation en *Res.* 48, 9.

35 necesse est et in Christo corpore uiuificemur. Ceterum similitudo non constat, si non in eadem substantia mortificatio-
nis in Adam uiuificatio concurrat in Christo.

6. Sed interposuit aliquid adhuc de Christo et propter
praesentem disceptationem non omittendum. **(6.)** Tanto
40 magis enim probabitur carnis resurrectio, quanto Christum
eius dei ostendero, apud quem creditur carnis resurrectio.
Cum dicit : « *Oportet enim regnare eum, donec ponat inimicos eius sub pedes eius* [e] », iam quidem et ex hoc ultorem
Deum edicit atque exinde ipsum, qui hoc Christo repromi-
45 serit : « *Sede ad dexteram meam, donec ponam inimicos tuos
scabellum pedum tuorum. Virgam uirtutis emittet Dominus
ex Sion et dominabitur in medio inimicorum tuorum
tecum* [f]. » **7.** Sed necesse est ad meam sententiam pertinere
defendam eas scripturas, quas et Iudaei nobis auocare
50 conantur. Dicunt denique hunc psalmum in Ezechiam ceci-

36-37 mortificationi *Kroy.* ‖ 37 christo *M R₃* : -ti γ *R₁R₂* ‖ 38 aliquid
adhuc *M Kroy.* : adhuc aliquid β *edd. cett.* ‖ 42 ponat *M R₃* : ponam γ *R₁R₂*
‖ 43 eius[1] *eras. M* ‖ ultorem *M coni. R₁ rec. R₂R₃* : cultorem γ *R₁* ‖ 45
donec : donac *Mᵃᶜ* ‖ 46 uirtutis *M Kroy.* : uirtutis tuae β *edd. cett.* ‖ 47
dominaberis *Pam.* ‖ 48 *post* tecum *add.* et cetera *Pam.*

---

e. 1 Co 15, 25   f. Ps 109, 1-3

1. L'auteur ne recule pas devant une démonstration lourdement appuyée
dans son désir de faire apparaître en toute clarté le parallélisme entre *mortificatio* et *uiuificatio* (deux néologismes). Il veut, par là, réfuter la conception
uniquement « spiritualiste » du salut selon Marcion.

2. Passant brusquement au v. 25 où Paul évoque le règne du Christ et
la soumission de ses ennemis – en une citation adaptée de Ps 109, 1 –,
T. donne un autre cours au développement.

3. Justification de cette apparente modification du propos : T. souligne
que, dans la discussion qui va suivre, il ne perd pas de vue son objectif
(résurrection des corps).

4. Il semble bien que le sujet de *ponat* est Dieu, tandis que *eius* (reprise
de *eum*) représente le Christ. L'explication donnée ensuite *(ultorem deum,
Christo repromisit)* va dans ce sens, ainsi que le texte psalmique qui distingue bien Dieu du Christ.

par le corps, il est nécessaire de la même façon que par le corps nous obtenions aussi la vie dans le Christ. Au reste, la comparaison n'a pas de consistance si ce n'est pas dans la même substance concernée par le passage à la mort en Adam que s'opère concurremment le passage à la vie dans le Christ [1].

Discussion sur le *Psaume 109* et son interprétation par les juifs
6. Mais l'Apôtre a interposé [2] encore sur le Christ une indication qu'il ne faut pas omettre non plus pour le présent débat. (**6.**) Car la résurrection de la chair sera d'autant plus prouvée que j'aurai montré davantage que le Christ relève du dieu chez qui on croit à la résurrection de la chair [3]. Lorsque l'Apôtre dit : « *Car il faut qu'il règne jusqu'à ce qu'il place ses ennemis sous ses pieds* [e4] », déjà, à la vérité, il énonce par là aussi le Dieu vengeur et du coup celui-là même qui a fait cette promesse au Christ : « *Assieds-toi à ma droite jusqu'à ce que je fasse de tes ennemis l'escabeau de tes pieds. Le Seigneur étendra de Sion le rameau de ta puissance, et il dominera au milieu de tes ennemis avec toi* [f5]. »
7. Mais il est indispensable que je prouve pour ma défense qu'ont bien trait à mon propos ces textes scripturaires puisqu' aussi bien les juifs s'efforcent de les écarter de nous [6]. Ils disent en effet que ce psaume est une prophétie

---

5. Ce psaume mystérieux, qui était déjà chez les juifs objet d'une interprétation messianique, et dont Jésus a cité les v. 1-2 (cf. Mt 22, 44), a servi très tôt à l'élaboration du dogme chrétien. T. suit le texte de la LXX, mais curieusement il rattache les mots « avec toi » à ce qui précède, alors qu'ils se rapportent normalement à ce qui suit : « Avec toi est la souveraineté (ἀρχή). »

6. Tout ce développement sur ces *Psaumes* 109 et 71 s'inspire de Justin, même s'il s'en écarte sur certains détails d'exégèse : cf. P. PRIGENT, *Justin et l'Ancien Testament*, Paris 1964, p. 80-89 et notre étude « Le témoignage des *Psaumes* », p. 208-210.

nisse, quia is sederit ad dexteram templi et hostes eius auer-
terit Deus et absumpserit [g] ; propterea igitur et cetera :
« *Ante luciferum ex utero generaui te* [h] » in Ezechiam
conuenire et in Ezechiae natiuitatem. Nos edimus euangelia
55 – de quorum fide aliquid utique iam in tanto opere istos
confirmasse debemus – nocturna natiuitate declarantia
Dominum, ut hoc sit « *ante luciferum* [h] », et ex stella Magis
intellecta [i] et ex testimonio angeli, qui nocte pastoribus
adnuntiauit natum esse cum maxime Christum [j], et ex loco
60 partus : in diuersorium enim ad noctem conuenitur [k].
8. Fortassean et mystice factum sit, ut nocte Christus nas-
ceretur, lux ueritatis futurus ignorantiae tenebris. Sed nec
« *generaui te* [h] » edixisset Deus, nisi Filio uero. Nam etsi de
toto populo ait : « *Filios generaui* [l] », sed non adiecit : « ex
65 utero ». Cur autem adiecit : « *ex utero* [h] » – tam uane, quasi
aliqui hominum ex utero natus dubitaretur –, nisi quia
curiosius uoluit intellegi in Christum : « *Ex utero generaui
te* [h] », id est ex solo utero, sine uiri semine, carni deputans

---

51 quia is sederit R_3 : qui ait sedit $M\gamma$ R_1R_2 ‖ 54 in R_3 : ante $M\gamma$ R_1R_2
‖ 57 ex stella β : extella M ‖ 63 edixisset $M\gamma$ *Pam. Rig. Oeh. Evans* : dixisset R *Gel. Kroy.* ‖ uero *Ciaconius Oeh. Kroy. Evans* : puero θ *Gel. Pam.
Rig.* ‖ 64 adiecit : adicit *Kroy.* ‖ 66 aliqui $M\gamma$ R_1 *Kroy.* : -is *edd. cett. a* R_2

---

g. Cf. 2 R 18 – 19 ; Is 37, 14-20.37-38   h. Ps 109, 3   i. Cf. Mt 2, 2.9-
10   j. Cf. Lc 2, 7-18   k. Cf. Lc 2, 7   l. Is 1, 2

---

1. Aucun autre témoignage ne confirme l'assertion de JUSTIN, *Dial.* 33,
1 et 83, 1 sur cette application à Ezéchias par les juifs : cf. *Dial., ad loc.*, éd.
Archambault, p. 144-145, en note.
2. Observation ironique de T. qui, d'autre part, a conscience de la longueur de son *Marc.*
3. Notre auteur applique le verset à la naissance nocturne du Sauveur,
et non à la génération du Verbe : à comparer avec JUSTIN, *Dial.* 76, 7 (cf.
éd. Archambault, t. 2, p. 13, en note). Il rappelle ensuite trois textes évan-

relative à Ezéchias étant donné qu'il s'est assis à la droite du
Temple et que Dieu a détourné et englouti ses ennemis [g][1] ;
que c'est donc pour cette raison que tout le reste : « *Avant
l'étoile du matin je t'ai engendré du sein* [h] » convient à
Ezéchias et à la naissance d'Ezéchias. Mais nous, nous pro-
duisons les textes évangéliques – sur la confiance qu'ils
méritent nous devons avoir déjà, pour sûr, dans le cours
d'un si grand ouvrage, rassuré quelque peu les juifs [2] ! –,
textes qui déclarent un Seigneur de naissance nocturne [3] –
pour qu'on ait là « *avant l'étoile du matin* [h] » : conformément à l'étoile comprise par les mages [i], conformément au
témoignage de l'ange qui a annoncé de nuit aux bergers
que justement le Christ était né [j], conformément au lieu de
l'accouchement : car c'est pour la nuit que l'on se rassemble
à l'auberge [k]. **8.** Peut-être aussi la naissance nocturne du
Christ a-t-elle une valeur symbolique : il devait être la
lumière de la vérité pour les ténèbres de l'ignorance [4]. Mais
aussi bien, Dieu n'aurait énoncé « *Je t'ai engendré* [h] » que
pour son vrai Fils. Car même s'il dit à propos de tout le
peuple : « *J'ai engendré des fils* [l] », il n'a pas ajouté : « du
sein ». Pour quelle raison a-t-il ajouté : « *du sein* [h] » – ce
serait bien superflu, comme si l'on pouvait douter qu'un
quelconque des hommes fût né d'un sein ! –, sinon parce
qu'il a voulu plus soigneusement faire comprendre du
Christ l'expression : « *Je t'ai engendré du sein* [h] », c'est-à-
dire du seul sein, sans semence masculine ? Il rapportait à la

géliques prouvant bien que la naissance a eu lieu de nuit. Cette insistance
s'explique par le fait que Marcion n'admettait pas une telle naissance et
avait écarté de son évangile tout ce qui concernait la *natiuitas* du Christ.
     4. Après l'explication littérale est donnée l'explication symbolique (« en
mystère »). Pour justifier la naissance nocturne du Sauveur, T. recourt au
thème, fréquent dans son apologétique, de l'illumination apportée par le
Christ aux hommes plongés dans les ténèbres de l'ignorance.

<quod> ex utero, Spiritui quod ex ipso ? **9.** Hic accedit :
70 « *Tu es sacerdos in aeuum* [m]. » Nec sacerdos autem Ezechias
nec in aeuum, etsi fuisset. « *Secundum ordinem*, inquit,
Melchisedec [m] ». **(9.)** Quid Ezechias ad Melchisedec, altissimi sacerdotem et quidem non circumcisum, qui Abraham
circumcisum iam accepta decimarum oblatione benedixit [n] ?
75 At in Christum conueniet ordo Melchisedec, quoniam quidem Christus, proprius et legitimus Dei antistes, praeputiati
sacerdotii pontifex tum in nationibus constitutus, a quibus
magis suscipi habebat, agnituram se quandoque circumcisionem et Abrahae gentem, cum ultimo uenerit, accepta-
80 tione et benedictione dignabitur [o].

10. Est et alius psalmus ita incipiens : « *Deus, iudicium
tuum regi da* » – id est Christo regnaturo – « *et iustitiam
tuam filio regis* [p] » – id est populo Christi. **(10.)** Filii enim
eius sunt qui in ipso renascuntur. Sed et hic psalmus
85 Solomoni canere dicetur. Quae tamen soli competunt
Christo docere non poterunt etiam cetera non ad
Solomonem, sed ad Christum pertinere ? « *Descendit*,
inquit, *tamquam imber super uellus et uelut stillae des-*

---

69 quod[1] *add. Kroy. Evans* ‖ spiritui *Kroy. Evans* : spiritus ϑ *edd. cett.*
‖ ex ipso *Lat. Kroy. Evans* : et ipso ϑ *Gel. Mor.* ipsum *uel* ipsi *coni. R₂*
in ipso *FLV Pam. Rig. Oeh. (de tota sententia uide adnot.)* ‖ hic : huc
Lat. his *Kroy. Evans* ‖ 74 accepta *R* : -at *Mγ* ‖ 75 conueniet *M R F²* : -it
γ ‖ 76 christus proprius β *edd.* : proprius christus *M* ‖ 78 agnituram *M*
Kroy. : cog- β *edd. cett.* ‖ 80 benedictione *R₃* : bene *Mγ R₁R₂* ‖ 85 (*et li.*
87, 90) solomoni *M Kroy.* : sa- β *edd. cett.* ‖ dicitur *Eng. Kroy.* ‖ 87 descendet *Kroy. uide adnot.*

---

m. Ps 109, 4   n. Cf. Gn 14, 18-19   o. Cf. Rm 11, 25-26   p. Ps 71, 1

---

1. Le texte des mss, pour ce passage, n'est guère intelligible et nous pensons, compte tenu des divers aménagements qui ont été proposés, notamment par Kroymann, qu'on doit le lire ainsi : « carni deputans <quod> ex
utero, spiritui quod ex ipso. Hic accedit... ». Après la justification de la précision « ex utero » qui met en jeu la substance humaine *(caro)* opposée à la

chair ce qui est « du sein », et à l'Esprit ce qui est de lui-même [1]. **9.** Ici s'ajoutent les mots : « *Tu es prêtre pour l'éternité* [m]. » Mais Ezéchias ni n'a été prêtre ni, si même il l'avait été, ne l'aurait été pour l'éternité. « *Selon l'ordre*, dit le texte, *de Melchisédech* [m] ». **(9.)** Qu'est-ce qu'Ezéchias a à voir avec Melchisédech, prêtre du Très-haut, et d'ailleurs incirconcis, qui a béni Abraham circoncis une fois acceptée l'offrande de ses dîmes [n] ? Mais c'est au Christ que conviendra l'ordre de Melchisédech puisque le Christ, à la vérité, est le propre et légitime grand-prêtre de Dieu, étant établi alors comme pontife du sacerdoce incirconcis dans les nations par lesquelles il avait à être davantage accueilli : et, quand un jour la circoncision, la race d'Abraham, le reconnaîtra à son ultime venue, il la jugera digne de son acceptation et de sa bénédiction [o][2].

Confirmation par le *Psaume 71* qui annonce le Christ et non Salomon

10. Il y a aussi un autre psaume [3] qui commence ainsi : « *Dieu, donne ton jugement au roi* » – c'est-à-dire au Christ qui régnera – « *et ta justice au fils du roi* [p] » – c'est-à-dire au peuple du Christ. **(10.)** Car sont ses fils ceux qui renaissent en lui. Mais ce psaume aussi, on dira qu'il prophétise pour Salomon. Cependant les paroles qui ne s'appliquent qu'au Christ ne pourront-elles pas montrer que le reste aussi concerne non pas Salomon, mais le Christ ? « *Il descend*, dit le texte, *comme une pluie sur la toison et comme des gouttes*

---

substance divine *(spiritus)* – celle de Dieu qui parle ici *(ipse)* –, T. passe directement à un autre verset du psaume pour poursuivre sa récusation de l'exégèse juive. De *deputans carni*, on rapprochera le passage de III, 20, 7-8 (sur le « ventre » de David) qui présente un emploi similaire de *deputare*.

2. Toute cette explication se conforme au développement de Justin, *Dial.* 33, 1-2.

3. Même association étroite du Ps 71 au Ps 109 chez Justin, *Dial.* 34. Cf. *supra*, p. 199, n. 6.

tillantes in terram [q] », placidum descensum eius et insensi-
90 bilem describens de caelo in carnem. Solomon autem, etsi
descendit alicunde, non tamen sicut imber, quia non de
caelo.

11. Sed simpliciora quaeque proponam. **(11.)** « *Dominabitur*, inquit, *a mari ad mare et a flumine usque ad ter-*
95 *minos terrae* [r] » : hoc soli datum est Christo ; ceterum
Solomon uni et modicae Iudaeae imperauit. « *Adorabunt
illum omnes reges* [s] » : quem omnes, nisi Christum ? « *Et
seruient ei omnes nationes* [s] » : cui omnes, nisi Christo ? « *Sit
nomen eius in aeuum* [t] » : cuius nomen <in> aeternum, nisi
100 Christi ? « *Ante solem manebit nomen eius* [t] » : ante solem
enim sermo Dei – id est Christus. **(12.)** « *Et benedicentur in
illo uniuersae gentes* [t] » : in Solomone nulla natio benedici-
tur, in Christo uero omnis.

12. Quid nunc, si et deum eum psalmus iste demonstrat ?
105 « *Et beatum eum dicent* [t] ; *quoniam benedictus Dominus
Deus Israhelis, qui facit mirabilia solus. Benedictum nomen
gloriae eius et replebitur uniuersa terra gloria eius* [u]. »
13. Contra Solomon, audeo dicere, etiam quam habuit in
Deo gloriam amisit per mulierem in idolatriam usque pro-
110 tractus. Itaque cum in medio psalmo illud quoque positum
sit : « *Inimici eius puluerem lingent* [v] » – subiecti utique

---

89 descensum *eras. M* ‖ 96 salomon *M* ‖ 99 *post* nomen *add. in Pam. Rig.*
Oeh. Evans ‖ 104 psalmus iste *M Rig. Kroy.* : iste psalmus β *Gel. Pam. Oeh.*
Evans ‖ 105 quoniam R_2R_3 : quomodo *M*γ R_1 ‖ 108 salomon *M* rec.
R_2R_3 : -nem γ R_1 solomonem *M* ‖ 109-110 protractus *MF Kroy.* : per- *X edd.*
cett. a R ‖ 110 quoque R_3 : quod *M*γ R_1R_2 ‖ 111 lingent *MX* R_3 : -gunt *F* R_1R_2

---

q. Ps 71, 6   r. Ps 71, 8   s. Ps 71, 11   t. Ps 71, 17   u. Ps 71, 18-19
v. Ps 71, 9

---

1. « Sur la toison » correspond au texte de la LXX. La *BJ* traduit : « sur
le regain ». Au lieu du futur (« descendra »), T. met le présent : il n'est pas
nécessaire de corriger en *descendet* comme fait Kroymann.
2. Par opposition aux versets 1 et 6 interprétés, dans ce qui précède,
selon leur sens symbolique et « mystique ».

d'eau qui s'instillent sur la terre [q][1] », décrivant sa descente, en douceur et insensiblement, du ciel dans la chair. Salomon, lui, même s'il est descendu quelque part, ne l'a cependant pas fait « comme une pluie » parce que ce n'était pas du ciel !

11. Mais voici que je vais présenter tous les détails qui sont de sens plus littéral [2]. **(11.)** « *Il dominera*, dit le texte, *de la mer à la mer, et du fleuve jusqu'aux extrémités de la terre* [r]. » Voilà qui n'a été donné qu'au Christ, tandis que Salomon n'a commandé qu'à un pays, et un petit pays, la Judée ! « *Tous les rois l'adoreront* [s]. » Qui ont-ils adoré tous, sinon le Christ ? « *Et toutes les nations le serviront* [s]. » Qui ont-elles servi toutes, sinon le Christ ? « *Que son nom soit pour l'éternité* [t] *!* » De qui le nom est-il éternel, sinon du Christ ? « *Avant le soleil demeurera son nom* [t]. » Car avant le soleil est le Verbe de Dieu – c'est-à-dire le Christ. **(12.)** « *Et seront bénis en lui tous les peuples* [t]. » En Salomon pas de nation qui soit bénie ! Mais dans le Christ est bénie toute nation !

12. Et que dire maintenant si ce psaume démontre même quel est le dieu dont il s'agit [3] ? « *Et ils le diront bienheureux* [t], *car béni est le Seigneur Dieu d'Israël, qui seul fait des merveilles : Béni le nom de sa gloire, et toute la terre sera remplie de sa gloire* [u] *!* » **13.** Au contraire Salomon, j'ose le dire, a perdu même toute la gloire qu'il avait eue en Dieu parce qu'il s'est laissé entraîner jusqu'à l'idolâtrie par une femme. C'est pourquoi, comme l'on trouve placée au milieu du psaume cette expression aussi : « *Ses ennemis lècheront la poussière* [v][4] » – des ennemis bien sûr établis sous ses pieds –,

---

3. T. souligne et met à part les v. 18-19 où il voit désigné, avec évidence, le Créateur, dieu d'Israël. Toute l'organisation du développement, nette et vigoureuse en sa progression, est le fait de T.

4. L'auteur réserve pour la fin de son exégèse le verset qui fait le lien avec le début du Ps 109 ; et par conséquent avec le verset de la lettre paulinienne qui a été le point de départ de sa longue parenthèse.

pedibus ipsius –, ad illud pertinebit propter quod hunc psalmum et intuli et ad meam sententiam defendi, ut confirmauerim et regni gloriam et inimicorum subiectionem
115 secundum dispositionem Creatoris consecuturum non alium credendum quam Creatoris.

X. 1. Reuertamur nunc ad resurrectionem, cui et alias quidem proprio uolumine satisfecimus omnibus haereticis resistentes ; sed nec hic desumus, propter eos, qui illud opusculum ignorant. « *Quid*, ait, *facient qui pro mortuis*
5 *baptizantur, si mortui non resurgunt* [a] *?* » Viderit institutio ista : kalendae, si forte, Februariae respondebunt illi pro mortuis petere. Noli ergo Apostolum nouum statim auctorem aut confirmatorem eius denotare, ut tanto magis sisteret carnis resurrectionem, quanto illi, qui uane pro

---

115 consecuturus *Rig. Oeh. Evans*
X. 6 ista *MG coni.* R_1R_2 *rec.* R_3 : iste γ R_1 istae R_2 ‖ 8 eius *edd. ab Vrs.* : eum ϑ *Gel. Pam.*

X. a. 1 Co 15, 29

---

1. Conclusion ferme, qui ramène au thème central du livre.
2. Retour, après la longue parenthèse exégétique de 9, 6-13, au problème traité par Paul dans son chapitre 15. Ici le verbe *satisfacere* prend le sens spécial de « répondre de façon satisfaisante (à suffisance) ». Sur cette phrase, et en particulier sur la valeur de *omnibus*, cf. P. SINISCALCO, *Ricerche*, p. 54 s.
3. Ce passage a déjà été évoqué en *Res.* 48, 11 : T., après avoir laissé de côté le problème de la justification *(an ratione)* de cette pratique, ne veut en retenir qu'un argument : ses initiateurs *(instituisse)* avaient foi en une résurrection corporelle. Ici la position de l'auteur reste la même, mais il insiste plus nettement sur l'inutilité *(uane)* de la pratique et sur son opposition à la règle paulinienne de l'unicité du baptême. On ne sait rien de certain sur la coutume qui avait cours dans la communauté chrétienne de Corinthe. Paul ni ne l'approuve ni ne le désapprouve ; il en tire un argument *ad hominem* dans sa démonstration.
4. Sur cette expression chère à T. pour rejeter un examen ou une prise en compte, cf. Index terminologique des livres I-III, t. 3, p. 349.

ce trait se rapportera à l'objet pour lequel j'ai fait état de ce psaume et soutenu son rapport direct à mon propos : cela afin de confirmer que celui qui obtiendrait la gloire du règne et la soumission de ses ennemis conformément à la disposition du Créateur ne doit pas être cru « autre » que Christ du Créateur [1].

Le baptême « pro mortuis » : argument en faveur de la résurrection des corps

X. 1. Revenons maintenant à la résurrection ; à cette question nous avons à vrai dire, par ailleurs aussi, satisfait en un volume spécifique où nous avons fait face à tous les hérétiques [2] ; mais ici non plus nous ne nous dérobons pas, à cause de ceux qui ignorent cet ouvrage. « *Que gagneront,* dit l'Apôtre, *ceux qui sont baptisés pour les morts, si les morts ne ressuscitent pas* [a][3] ? » Peu me chaut cette institution [4] ! Les calendes de février, s'il y a lieu, lui seront garantes des demandes pour les morts [5] ! Ne va donc pas flétrir aussitôt l'Apôtre [6] pour l'avoir nouvellement instaurée ou confirmée dans l'intention de donner à la résurrection de la chair d'autant plus d'assise que c'est la foi en

---

5. Nous pensons qu'il faut donner à *respondere* son sens étymologique et juridique : il est construit avec l'infinitif comme verbe d'ordre ; *illi,* comme *eius* dans la phrase suivante, renvoie à *institutio.* Emploi métonymique de « calendes de février » pour désigner tout le mois qui était consacré au culte des morts chez les Romains : la fête des *Parentalia* avait lieu du 13 au 21 février et comportait, outre des sacrifices, des « prières » que rappelle ici le verbe *petere* (cf. OVIDE, *Fastes,* vers 533 s. et 542). Une telle référence à la religion païenne de la part de T. est pleinement ironique (cf. *si forte*) et amorce le jugement négatif qu'il portera ensuite sur cette pratique.

6. Marcion avait-il condamné *son* apôtre à propos du baptême « pro mortuis » ? Ou cette attitude lui est-elle prêtée par T. pour les besoins de sa polémique et de sa démonstration ? Aucune indication à ce sujet n'est fournie par les sources antiques. La seconde hypothèse est cependant la plus probable.

10 mortuis baptizarentur, fide resurrectionis hoc facerent. **(2.)**
Habemus illum alicubi « *unius baptismi* [b] » definitorem.
2. Igitur et pro mortuis tingi pro corporibus est tingi : mortuum enim corpus ostendimus. Quid facient qui pro corporibus baptizantur, si corpora non resurgunt [a] ?

15 Atque adeo recte hunc gradum figimus, ut et Apostolus
secundam disceptationem aeque de corpore induxerit : « *Sed
dicent quidam : 'Quomodo mortui resurgent ? quo autem
corpore uenient'* [c] *?* » **3.** Defensa etenim resurrectione,
quae negabatur, consequens erat de qualitate corporis
20 retractare, quae non uidebatur. Sed de ista cum aliis
congredi conuenit. Marcion enim in totum carnis resurrectionem non admittens et soli animae salutem repromittens,
non qualitatis, sed substantiae facit quaestionem. Porro et
ex his manifestissime obducitur, quae Apostolus ad qualita-
25 tem corporis tractat propter illos, qui dicunt : « *Quomodo
resurgent mortui ? Quo autem corpore uenient* [c] *?* » Iam

---

16 disceptationem *coni. R₃ Vrs. rec. edd. a Rig.* : discrepa- ϑ *B Gel.
Pam.* descrip- *X* ‖ 23 qualitatis *R* : -i *Mγ*

---

b. Ep 4, 5   c. 1 Co 15, 35

---

1. Cet adverbe exprime sans équivoque le jugement négatif que T. porte
sur ce baptême « vicaire », jugement perceptible dès *Res.* 48, 11.
2. Rappel de la « définition » de Ep 4, 5 que Marcion conservait : cf.
HARNACK, p. 118* ; SCHMID, p. I/340.
3. La conséquence que T. tire de cette pratique à ses yeux douteuse sert
en tout cas d'argument pour conforter la résurrection des corps (comme
en *Res.* 48, 11). Le verbe *tingere* remplace *baptizare* de la citation par souci
de *uariatio* stylistique : cf. SCHMID, p. 45.
4. Cf. *supra* 9, 3.
5. En conséquence de l'équation posée *(mortuus = corpus)*, T. pousse le
souci d'efficacité didactique jusqu'à reprendre le verset de Paul en y faisant
les substitutions conformes à cette équivalence.
6. Justification appuyée de la manière d'argumenter de l'Apôtre, sur
laquelle T. calque la sienne : il a d'abord défendu la résurrection du corps
en général (9, 1-5 ; 10, 1-2a) : il passe maintenant à la question de la *quali-*

la résurrection qui les faisait agir, ceux qui, bien en vain [1], recevaient le baptême pour des morts. (**2.**) Nous trouvons l'Apôtre, quelque part ailleurs, qui pose en définition « *un seul baptême* [b 2] ». **2.** Ainsi donc aussi, être baptisé pour des morts, c'est être baptisé pour des corps [3]. Nous avons montré en effet que le mort, c'est le corps [4]. Que gagneront ceux qui sont baptisés pour des corps, si les corps ne ressuscitent pas [a 5] ?

Quelle sorte de corps auront les ressuscités ?

Et il est si vrai que nous tenons ici une position juste que l'Apôtre aussi a introduit l'examen d'une seconde question portant également sur le corps : « *Mais certains diront : 'Comment les morts ressusciteront-ils ? En quel corps viendront-ils'* [c] *?* » **3.** Une fois défendue en effet la résurrection que l'on niait, il s'en suivait logiquement de traiter de la qualité du corps, puisqu'on ne la voyait pas [6]. Mais sur cette question, c'est à d'autres hérétiques [7] qu'il convient de s'affronter. Marcion, lui, effectivement, comme il n'admet nullement la résurrection de la chair, et promet le salut à l'âme seule, met en question non pas la qualité, mais la substance. Or donc il est, de la façon la plus manifeste, réduit au silence [8] également par ces réflexions que l'Apôtre consacre à la qualité du corps à cause de ceux qui disent : « *Comment les morts ressusciteront-ils ? En quel corps viendront-ils* [c 9] *?* » Car il a déjà annoncé que

tas corporis qui se déduit logiquement (*consequens*) de la précédente. Marcion conservait sans changement ce v. 35 : cf. HARNACK, p. 93* ; SCHMID, p. I/326.

7. Sur l'identification de ces *alii*, cf. P. SINISCALCO, *Ricerche*, p. 52 : il s'agirait de certains groupes valentiniens qui, sans nier la résurrection du corps, discutaient de sa qualité.

8. Sur le sens particulier chez T. du verbe *obducere*, cf. t. 3, p. 150, n. 1.

9. Reprise, assurément bien lourde, de la question qui se trouve énoncée au début du paragraphe. On peut penser que T. a voulu souligner la présence du mot « corps » dans le texte paulinien avant d'introduire sa déduction.

enim praedicauit resurrecturum esse corpus, si de corporis
qualitate tractauit. **4.** Denique si proponit exempla « *grani
tritici uel alicuius eiusmodi*, quibus *det corpus Deus prout*
30 *uolet* [d] », si « *unicuique seminum proprium* ait *corpus
esse* [e] », ut « *aliam quidem carnem hominum, aliam uero
pecudum et uolucrum, et corpora caelestia atque terrena* [f] »,
et « *aliam gloriam solis et lunae aliam et stellarum aliam* [g] »,
nonne carnalem et corporalem portendit resurrectionem,
35 quam per carnalia et corporalia exempla commendat ?
Nonne etiam ab eo deo eam spondet, a quo sunt et exempla ?

5. « *Sic et resurrectio* [h] », inquit. **(5.)** Quomodo ? Sicut et
granum corpus seritur corpus resurgit. Seminationem
40 denique uocauit dissolutionem corporis in terram, quia
« *seritur in corruptela* *** *in honestatem, in uirtutem* [i]. »

28 si *Oeh. Kroy. Evans* : id ϑ *Gel. Pam.* ideo *Ciaconius Eng. om. Rig.
uide adnot.* ‖ 29 eiusmodi *eras. M* ‖ prout *ex* ut *M*mg ‖ 30-31 corpus esse
M Kroy. : esse corpus β *edd. cett.* ‖ 31 ut : et *Pam. Rig.* ‖ 34 nonne *M R₃* :
non γ *R₁R₂* ‖ portendit *R* : pro- *M*γ ‖ 41 *post* in corruptela *lacunam ind.
Kroy.* : in dedecoratione, in infirmitate, resurgit autem in incorruptelam
suppl. susp. Kroy. rec. Evans uide adnot.

d. 1 Co 15, 37-38 e. 1 Co 15, 41 f. 1 Co 15, 38 g. 1 Co 15, 42a h. 1
Co 15, 39-40 i. 1 Co 15, 42b-43

1. Cf. *Rés.* 48, 14 : T. ne fait que reprendre ici sous une autre forme ce
qu'il a énoncé là (la résurrection est définie comme corporelle *ex genere* du
moment que l'on discute de la « qualité » du corps).
2. Le texte des mss (*id proponit*) fait difficulté et la correction d'Oehler
(*si p.*) s'impose : elle est adoptée par les trois derniers éditeurs. Elle se justifie d'autant mieux que, par elle, la longue phrase de T. se structure en une
protase commandée par la double anaphore de *si* et une apodose scandée
elle aussi par la double anaphore de *nonne.*
3. L'image du grain de blé et de son ensemencement qui provoque sa
décomposition avant sa germination est le symbole directeur qu'utilise Paul
dans son approche du mystère de la résurrection ; T. l'a clairement dégagé
et explicité en *Res.* 52, 1-16.
4. Le verbe *resurgere* avec son sens propre (= « ressurgir ») et son sens
figuré « chrétien » (= « ressusciter ») permet de passer aisément du fait bio-
logique au mystère eschatologique.

ce qui ressusciterait, c'est le corps, s'il a fait porter ses réflexions sur la qualité de ce corps [1]. **4.** En fin de compte, s'il propose [2] les exemples du « *grain de blé ou de quelque chose de ce genre à* qui *Dieu donne un corps à son gré* [d] », s'il dit que « *chacune des semences a un corps particulier* [e] », et qu'ainsi, en vérité, « *autre est la chair des humains, autre celle du bétail et des oiseaux, et qu'il y a des corps célestes et des corps terrestres* [f] », et qu'« *autre est la gloire du soleil, autre celle de la lune et autre celle des étoiles* [g] », est-ce qu'il n'annonce pas une résurrection charnelle et corporelle puisque c'est par le moyen d'exemples charnels et corporels qu'il la fait valoir ? Et même, ne la promet-il pas du dieu dont relèvent aussi ces exemples ?

Comparaison avec la semence. Corps animal et corps spirituel

5. « *Ainsi également la résurrection* [h3] », dit-il. **(5.)** De quelle façon ? De même que le grain aussi est semé corps, il ressurgit corps [4]. Car ce que l'Apôtre a appelé ensemencement, c'est la dissolution du corps dans la terre, parce qu'« *on sème dans la corruption,* *** *dans l'honneur, dans la force* [i5]. » L'ordre

---

5. Faut-il admettre le texte transmis (« Seritur in corruptela in honestatem, in uirtutem ») comme forme simplifiée de la citation qu'on lit sous sa forme intégrale en *Res.* 52, 16 (« Seminatur in corruptela, resurgit in incorruptela, seminatur in dedecoratione, resurgit in gloria, seminatur in infirmitate, resurgit in uirtute ») ? C'est l'opinion de Moreschini dont la traduction est : « semé dans la corruption *pour* la gloire, *pour* la force ». Mais il paraît difficile de croire que T. ait simplifié à ce point le texte biblique en exprimant l'idée par la seule différence entre *in* + abl. et *in* + acc. (avec valeur de but), d'autant que cette différence n'est plus toujours nette dans le latin postclassique. On comprend mal aussi pourquoi il aurait fait l'économie du verbe *resurgit*, alors que dans tout le développement il reprend si volontiers la notion de résurrection comme celle de corps. Il paraît donc plus vraisemblable d'admettre, avec Kroymann, l'existence d'une lacune dans le texte transmis. Certes T. a remodelé l'énoncé paulinien pour le condenser : « Seritur in corruptela, in dedecoratione, in infirmitate, resurgit in incorruptelam, in honestatem, in uirtutem. » La faute mécanique d'un copiste (par haplographie) est à l'origine du texte mutilé arrivé à nous.

Cuius ille ordo in dissolutione, eius et hic in resurrectione, corporis scilicet, sicut et grani. Ceterum si auferas corpus resurrectioni quod dedisti dissolutioni, ubi consistet diuer-
45 sitas exitus ? Proinde « *Et si seritur <corpus> animale, resurgit spiritale* j », etsi habet aliquod proprium corpus anima uel spiritus, ut possit uideri « corpus animale » « animam » significare et « corpus spiritale » « spiritum », non ideo animam dicit in resurrectione spiritum futuram, sed corpus
50 – quod cum anima nascendo et per animam uiuendo « animale » dici capit – futurum « spiritale », dum per spiritum surgit in aeternitatem. **6.** Denique si non anima, sed caro seminatur in corruptela, dum soluitur in terra, iam non anima erit corpus animale, sed caro, quae fuit corpus ani-
55 male, si quidem de animali efficitur spiritale, sicut et infra dicit : « *Non primum quod spiritale* k ».

7. Ad hoc enim et de ipso Christo praestruit : **(7.)** « *Factus primus homo Adam in animam uiuam, nouissimus Adam in spiritum uiuificantem* l » – licet stultissimus haere-

---

42-43 resurrectione, corporis *ita dist.* Kroy. ‖ 43 sicut et grani *Eng. Mor.* : sicut et granum ϑ *edd. cett. del.* Kroy. ‖ 45 *post* seritur *add.* corpus Kroy. *uide adnot.* ‖ animale X Gel. Kroy. : anima MF R corpus animale Kroy. *uide adnot.* ‖ 46 habet R : -es Mγ B ‖ 49 resurrectione R : -em Mγ ‖ 53 soluitur M Kroy. : diss- β *edd. cett.* ‖ terra Mγ R₁ Mor. : terram *edd. cett.* a R₂ ‖ 54 erit anima Mᵃᶜ

---

j. 1 Co 15, 44   k. 1 Co 15, 46   l. 1 Co 15, 45

Evans, plus hardiment que Kroymann, introduit les mots restitués dans son texte. Sur la forme correspondante du texte marcionite règne une certaine incertitude, les données provenant de notre auteur seul : cf. HARNACK, p. 93*-94* ; SCHMID, p. I/326-7.

1. Ici comme au début de la phrase, *ordo* a le sens de « principe de classement », « catégorie ».

2. Il n'est nullement sûr que le texte marcionite ait comporté dans ce verset le mot σῶμα qu'on restitue habituellement : cf. les doutes de HARNACK, p. 94* ; SCHMID, p. I/327. Comme semble bien l'indiquer le texte de T., Marcion se contentait peut-être ici de l'adjectif neutre (« une

de ce qui est en jeu, là, dans la dissolution, est aussi présent, ici, dans la résurrection : c'est-à-dire l'ordre du corps [1], de même que pour le grain. Au reste, si tu ôtes à la résurrection le corps que tu as donné à la dissolution, en quoi consistera l'opposition des aboutissements ? De la même façon aussi, « *Si est semé <un corps> animal, ressuscite <un corps> spirituel* [j2]. » Et même, si l'âme ou l'esprit possède quelque corps particulier [3] pour qu'on puisse croire que « corps animal » signifie « âme » et « corps spirituel » « esprit », ce n'est pas pour autant que l'Apôtre dit qu'à la résurrection l'âme sera esprit ; ce qu'il dit, c'est que le corps – lequel, en naissant avec l'âme et en vivant par le moyen de l'âme, peut bien être dit « animal » – sera « spirituel » en surgissant par le moyen de l'esprit pour l'éternité [4]. **6.** En fin de compte, si ce n'est pas l'âme, mais le corps qui est ensemencé dans la corruption, en subissant sa dissolution dans la terre, dès lors le « corps animal » ne sera pas l'âme, mais la chair, qui a été « corps animal » : en effet de (corps) animal, elle est faite (corps) spirituel, ainsi que le dit aussi le texte plus bas : « *N'est pas premier ce qui est spirituel* [k]. »

Falsification d'un passage par Marcion

7. Car pour préparer cette remarque aussi, l'Apôtre a préalablement indiqué, à propos du Christ lui-même : **(7.)** « *Le premier homme Adam a été fait âme vivante, le dernier Adam esprit vivifiant* [15] » – quoique, dans son extrême stupidité, l'hérétique n'ait pas voulu qu'il en

chose animale », « une chose spirituelle »). Pour la clarté de l'idée, nous restituons « corps » dans la traduction.

3. On sait que, pour T., toute réalité existante est « corps » – conformément à la physique du Portique. A ce titre il donne à l'âme comme à l'esprit un *corpus proprium* ou *sui generis*.

4. Cf. *Res.* 53, 1-4.

5. Le verset est cité sous sa forme habituelle : ce qui permet ensuite à T. de donner tout son relief au *falsum* de Marcion.

60 ticus noluerit ita esse ; « Dominum » enim posuit « nouissimum » pro « *nouissimo Adam* [1] », ueritus scilicet ne, si et
[Dominum] « nouissimum » haberet « Adam », et eiusdem
Christum defenderemus in Adam nouissimo, cuius et primum. **8.** Sed falsum relucet. Cur enim « *primus Adam* [1] »,
65 nisi quia et « *nouissimus Adam* [1] » ? Non habent ordinem
inter se nisi paria quaeque et eiusdem uel nominis uel substantiae uel auctoris. Nam etsi potest in diuersis quoque esse
aliud primum aliud nouissimum, sed unius auctoris.
Ceterum si et auctor alius, et ipse quidem potest « nouissi-
70 mus » dici, quod tamen intulerit primum est, nouissimum
autem, si primo par sit. Par autem primo non est, quia non
eiusdem auctoris est.

9. Eodem modo et in nomine reuincetur. **(9.)** « *Primus,
inquit, homo de humo terrenus, secundus Dominus de
75 caelo* [m]. » Quare « secundus », si non homo, quod et primus ? Aut numquid et primus Dominus, si et secundus ?
Sed sufficit : si in euangelio « filium hominis » adhibet
Christum, et hominem et in homine Adam eum negare non

---

61 ne si R_3 : nisi $M\gamma$ R_1R_2 ‖ 62 dominum *del. Kroy.* ‖ 70 dici, quod
Kroy. : dici. quod *codd. edd. cett.* ‖ 71 par[1] *M R* : pars γ ‖ 77 sed *eras. M*
‖ sufficit : si *ita dist. Kroy.* ‖ adhibet *R* : -ent γ at hibent *M*

---

m. 1 Co 15, 47

---

1. Sur cette altération « théologique » confirmée par d'autres témoignages (dont celui d'Adamantius), cf. HARNACK, p. 94* et SCHMID,
p. I/327. Avec le qualificatif *stultissimus* reparaît un motif polémique courant.

2. Développement de l'argumentation utilisée *supra* au § 5. Mais ici *ordo*
implique plus nettement l'idée d'un classement chronologique.

3. Concession tactique qui permet de cibler l'argument sur la problématique marcionite (distinction de deux divinités, donc deux auteurs).

4. Est visé directement le dieu marcionite qui prétend être « nouveau »
et même *nouissimus*. Mais *son* Christ, lui, étant son œuvre, devra être qualifié de *primus*. Après ces subtilités, la fin de l'argumentation revient à la
notion de parité qui est essentielle dans le débat.

soit ainsi ! A la place de « *dernier Adam* [1] », en effet, il a mis
« dernier Seigneur [1] » : c'est qu'il a craint que, s'il avait aussi
« le dernier Adam », nous ne revendiquions en ce dernier
Adam le Christ du même dieu auquel appartient aussi le
premier. **8.** Mais le faux est éclatant ! Pourquoi le texte
a-t-il « *le premier Adam* [1] », sinon parce qu'il a aussi « *le dernier Adam* [1] » ? Ne comportent d'ordre de classement entre
elles que des réalités qui sont toutes appariées et relèvent
d'un même nom, ou d'une même substance, ou d'un même
auteur [2]. Car, même si dans des réalités différentes aussi il
est possible que l'une soit première, l'autre dernière, du
moins ont-elles un seul auteur [3]. Du reste, si l'auteur aussi
est autre et peut lui-même, en vérité, être dit « dernier », ce
qu'il a introduit cependant est premier, et ne serait dernier
que s'il était apparié avec le premier [4]. Mais il n'est pas
apparié avec le premier parce qu'il ne relève pas du même
auteur.

**Homme terrestre
et homme céleste**
9. De la même façon, on confondra
Marcion aussi sur le nom (d' « homme »).
(9.) « *Le premier homme*, dit-il, *issu de
la terre, est terrestre ; le second Seigneur issu du ciel* [m][5]. »
Pourquoi « second » s'il n'est pas homme, ce qu'est le premier ? Ou est-ce qu'il y a aussi un premier Seigneur s'il y
en a un second également ? Mais il suffit. Si, dans l'évangile,
Marcion présente un Christ « Fils d'homme », il ne pourra
pas nier que le Christ est homme, et étant homme, Adam [6].

---

5. Cette fois, T. cite directement le texte marcionite qui a été altéré
comme au v. 45. Sur ce texte capital aux yeux de Marcion, parce qu'il faisait de son Christ l'initiateur d'une seconde humanité céleste, cf. *Carn.* (*SC*
216, p. 85). Le développement présent doit être rapproché de celui de *Res.*
49, 1-9 qui, plus détaillé et précis, l'éclaire en de nombreux points.

6. La discussion tourne court et T. préfère l'arrêter en renvoyant à celle
de IV, 10, 6-12 portant sur le maintien, par Marcion, du titre de « Fils de
l'homme » dans son évangile. Le Carthaginois en déduisait naturellement
une dénonciation du docétisme marcionite.

poterit. **10.** Sequentia eum quoque comprimunt. Cum
80 enim dicit Apostolus : « *Qualis qui de terra* » – homo scilicet –, « *tales et terreni* [n] » – homines utique –, ergo et :
« *Qualis qui de caelo* » – homo –, « *tales et qui de caelo* [n] »
– homines. Non enim poterat hominibus terrenis non
homines caelestes opposuisse, ut statum ac spem studiosius
85 distingueret in appellationis societate. Statu enim ac spe dicit
terrenos atque caelestes, homines tamen ex pari, qui secundum exitum aut in Adam aut in Christo deputantur. Et ideo
iam ad exhortationem spei caelestis : « *Sicut portauimus,*
inquit, *imaginem terreni, portemus et imaginem caelestis* [o] »,
90 non ad substantiam illam referens resurrectionis, sed ad
praesentis temporis disciplinam. **11.** « *Portemus* [o] » enim,
inquit, non « portabimus », praeceptiue, non promissiue,
uolens nos sicut ipse incessit ita incedere, et a terreni, id est
ueteris, hominis imagine abscedere, quae est carnalis opera-
95 tio.

---

79 eum quoque *M Kroy. (cf. Löfstedt, Sprache, p. 49)* : quoque eum β
edd. cett.

---

n. 1 Co 15, 48   o. 1 Co 15, 49

---

1. Métaphore d'origine agonistique : empruntée à la lutte ou au pan-
crace.
2. Selon son habitude, T. insère dans sa citation les explications exégétiques : ici *homo* et *homines* qui sont répétés dans le second membre du
parallélisme. Contre l'interprétation marcionite qui voyait, semble-t-il,
dans l'« homme céleste » une surnature fondée sur le Christ, notre auteur
comprend le verset comme proposant aux hommes deux modèles de vie
morale ou de discipline ; le terrestre (Adam), le céleste (le Christ). L'idée
est dégagée plus nettement dans la suite.
3. Même expression en *Res.* 49, 6 : *subiungit exhortationem*. T. s'attache
à bien mettre en lumière l'enchaînement logique de la pensée paulinienne.

10. La suite du texte le réduit aussi à quia [1]. Car lorsque l'Apôtre dit : « *Tel celui qui est issu de la terre* » – c'est-à-dire l'homme –, « *tels aussi les terrestres* [n] » – les hommes bien sûr –, il ajoute en conséquence : « *Tel celui qui est issu du ciel* » – l'homme –, « *tels aussi ceux qui sont issus du ciel* [n] » – les hommes [2]. Il n'aurait pas pu opposer à des hommes terrestres des êtres célestes, qui n'étaient pas hommes, s'il voulait distinguer plus attentivement leur état et leur espérance sous une communauté d'appellation. Car il dit terrestres et célestes par leur état et leur espérance, tout en étant hommes à parité, ceux qui selon leur accomplissement sont réputés être soit en Adam soit en Christ. Et c'est pour cette raison que, maintenant, voici son exhortation à l'espérance céleste [3] : « *De même que nous avons porté*, dit-il, *l'image du terrestre, portons aussi l'image du céleste* [o] » : il a en vue par là, non pas quelque substance de la résurrection, mais la discipline morale du temps présent. **11.** Il dit en effet « *portons* [o] », non pas « nous porterons », sur le mode du précepte, non de la promesse [4], voulant que nous progressions comme il a progressé lui-même et que nous tournions le dos à l'image de l'homme terrestre, c'est-à-dire du vieil homme, et c'est là l'œuvre charnelle [5].

4. Sur la lecture marcionite que T. paraît incriminer ici (emploi d'un futur, au lieu d'un subjonctif) il n'y a pas d'autre témoignage que le sien : HARNACK, p. 94*, restitue φορέσωμεν et indique que « peut-être *portemus* = *portabimus* » ; SCHMID, p. I/327, restitue φορέσομεν. – A remarquer, les adverbes *praeceptiue* et *promissiue* qui sont des néologismes de notre auteur ; le second est un hapax, le premier (créé apparemment d'après *praeceptiuo modo* de *Res.* 49, 8) ne se lit qu'ici et deux autres fois dans des traductions du grec (d'après le *TLL, s.v.*).

5. Cette équivalence entre « image de l'homme terrestre (ou vieil homme) » et « œuvre de la chair » forme la transition vers le développement suivant.

Denique quid subiungit ? « *Hoc enim dico, fratres, quia caro et sanguis regnum Dei non possidebunt* p » – opera scilicet carnis et sanguinis, quibus et ad Galatas scribens abstulit Dei regnum q, solitus et alias substantiam pro operibus
100 substantiae ponere, ut cum dicit eos « *qui in carne sunt, Deo placere non posse* r ». Quando enim placere poterimus Deo, nisi dum in carne hac sumus ? **(12.)** Aliud tempus operationis nullum, opinor, est. **12.** Sed si, in carne quamquam constituti, carnis opera fugiamus, tum non erimus in carne,
105 dum non in substantia carnis non sumus, sed in culpa. Quodsi in nomine « carnis » opera, non substantiam, carnis iubemur exponere, operibus ergo carnis, non substantiae carnis in nomine carnis denegatur Dei regnum q. **13.** Non enim id damnatur, in quo male fit, sed id, quod fit. Venenum
110 dare scelus est, calix tamen, in quo datur, reus non est. Ita et corpus carnalium operum uas est, anima est autem, quae in illo uenenum alicuius mali facti temperat. Quale autem

---

103 carne *R* : -em *M*γ ‖ 105 substantia β : -am *M* ‖ carnis *MG R₃* : om. γ *R₁R₂* ‖ 109 quo *LV coni. R₁ rec. R₂R₃* : quod *M*γ *R₁* ‖ 112 quale *M Rig.* (*cf. Löfstedt, Sprache, p. 58*) : quale est β *edd. cett.*

p. 1 Co 15, 50   q. Cf. Ga 5, 19-21   r. Rm 8, 8

1. Le nouveau développement reprend, pour l'essentiel, celui de *Res.* 49, 9-13. Est souligné d'abord avec insistance le lien étroit entre le v. 50 et celui qui précède ; d'où l'équivalence établie entre « image du terrestre (ou vieil homme) » et « chair et sang ».

2. Texte fondamental aux yeux de Marcion pour exclure toute notion de résurrection corporelle : HARNACK, p. 95* ; SCHMID, p. I/327. L'argumentation de T., reprise du passage indiqué de *Res.*, consiste à distinguer la substance même de la chair qui n'est pas en cause, de l'« œuvre de la chair », c'est-à-dire l'activité pécheresse selon l'image du « vieil homme ».

3. Même allusion, en *Res.* 49, 12, à ce passage de Ga qui était conservé par Marcion (cf. HARNACK, p. 78*, d'après Épiphane ; SCHMID, p. I/318). Il n'avait pas fait l'objet précédemment d'un commentaire quand T. s'était occupé de cette lettre.

4. Ici encore, cette citation semble bien provenir de la réutilisation de *Res.* 10, 3 et 45, 2 où on la rencontre sous la même forme simplifiée. Marcion avait conservé ce passage : cf. SCHMID, p. I/333 ; cf. aussi *infra* 14, 4.

Chair et œuvre de la chair Qu'ajoute-t-il en effet [1] ? « *Car je le dis, frères, parce que la chair et le sang ne possèderont pas le royaume de Dieu* [p][2] » – il s'agit évidemment des œuvres de la chair et du sang auxquelles, dans sa *Lettre aux Galates* aussi, il a ôté le royaume de Dieu [q][3], ayant l'habitude ailleurs également de mettre le terme qui désigne la substance à la place de celui qui désigne les œuvres de la substance : ainsi quand il dit que « *ceux qui sont dans la chair ne peuvent pas plaire à Dieu* [r][4] ». Quand en effet pourrons-nous plaire à Dieu, sinon pendant que nous sommes dans cette chair ? **(12.)** Un autre temps pour une telle œuvre, il n'y en a pas, j'imagine !
12. Mais si, quoiqu' établis dans la chair, nous fuyons les œuvres de la chair, alors nous ne serons pas dans la chair en n'étant pas, je ne dis pas [5] dans la substance de la chair, mais dans sa culpabilité. De la sorte, si nous sommes invités à expliciter le mot « chair » par « œuvres de la chair », et non pas par « substance » de celle-ci, c'est donc aux œuvres de la chair, et non à la substance de celle-ci que, sous le nom de chair, est refusé le royaume de Dieu [q]. **13.** Ce qui est en effet condamné, ce n'est pas ce en quoi s'accomplit la mauvaise action, mais l'action qui s'accomplit. Donner un poison est un crime, mais la coupe dans laquelle on le donne n'est pas coupable. De la même façon aussi le corps est l'instrument des œuvres charnelles, mais c'est l'âme qui, en lui, dose [6] le poison de quelque action mauvaise. Quelle absur-

---

5. L'expression latine, avec sa cascade de *non* (*non in substantiam ... non sumus*), est embarrassée et passe mal en notre langue ; nous avons préféré traduire le premier *non*, de façon appuyée, par « je ne dis pas... ».
6. Dans cette expression habituelle avec *uenenum*, le verbe *temperare* garde son sens étymologique de « préparer (obtenir) par mélange ». L'image met l'accent sur les calculs et la responsabilité de l'âme dans la conduite coupable. – L'idée de la responsabilité de l'âme seule dans les « œuvres charnelles » est déjà énoncée, assortie de la comparaison avec la coupe, en *An.* 40 (en particulier § 2).

ut, si anima, auctrix operum carnis, merebitur Dei regnum
per expiationem eorum, quae in corpore admisit, corpus,
115	ministrum solummodo, in damnatione permaneat ? Vene-
fico absoluto calix erit puniendus ?

Et tamen non utique carni defendimus Dei regnum, sed
resurrectionem substantiae suae, quasi ianuam regni, per
quam aditur. **14.** Ceterum aliud resurrectio aliud regnum.
120	Primo enim resurrectio, dehinc regnum. Resurgere itaque
dicimus carnem, sed mutatam consequi regnum. « *Resurgent* enim *mortui incorrupti* » – illi scilicet, qui fue-
rant corrupti dilapsis corporibus in interitum – « *et nos
mutabimur in atomo, in oculi momentaneo motu* ; *oportet*
125	*enim corruptiuum hoc* » – tenens utique carnem suam dice-
bat Apostolus – « *induere incorruptelam et mortale hoc
inmortalitatem* ˢ » – ut scilicet habilis substantia efficiatur
regno Dei ; erimus enim « *sicut angeli* ᵗ ». Haec erit demu-
tatio carnis, sed resuscitatae. Aut si nulla erit, quomodo
130	induet incorruptelam et inmortalitatem ? **15.** Aliud igitur
facta per demutationem tunc consequetur Dei regnum, iam

115-116 uenefico R_3 : beneficio Mγ R_1 ueneficio R_2 ‖ 124 athomo *M* ‖
128 regno : regnum M^{ac}

---

s. 1 Co 15, 52-53   t. Mt 22, 30 ; cf. Lc 20, 36

---

1. Sur cette expression *quale est (erit) si*, chère à T., cf. Index terminologique des livres I-III, t. 3, p. 343.

2. Sur les idées de T. concernant la résurrection et le royaume de Dieu,
cf. III, 24, 5-6 : la purification des fautes *(expiatio)* est la condition du
mérite.

3. Le développement reprend et résume l'argumentation des ch. 50 et
51 de *Res.* T. s'appuie sur les v. 52 et 53 du même chapitre de la lettre : ces
versets étaient conservés sans altération notable par Marcion (cf. HARNACK,
p. 93* et SCHMID, p. I/327).

4. Trait repris de *Res.* 51, 9. Dans la citation, τοῦτο est rendu ici les deux
fois par *hoc*, alors qu'il était rendu par *istud* dans le passage correspondant
de *Res.* Est-ce sous l'influence d'un exemplaire marcionite que T. a sous

dité ce sera [1] si l'âme, qui est l'instigatrice des œuvres de chair, doit mériter le royaume de Dieu par l'expiation [2] de tout ce qu'elle a commis dans le corps, tandis que le corps, qui a été seulement son serviteur, demeurerait dans la damnation ! L'empoisonneur absous, c'est la coupe qu'il faudra punir ?

Résurrection et royaume de Dieu

Et toutefois assurément [3], nous ne revendiquons pas pour la chair le royaume de Dieu : nous revendiquons pour sa substance la résurrection, sorte de porte du royaume, par laquelle on a accès à lui. **14.** D'ailleurs la résurrection est une chose, le royaume en est une autre. En effet, d'abord la résurrection, ensuite le royaume. C'est pourquoi nous disons que la chair ressuscite, mais qu'elle n'obtient le royaume qu'une fois transformée. En effet « *Les morts ressusciteront incorruptibles* » – bien évidemment ceux qui avaient subi la corruption par la décomposition de leurs corps dans le trépas – « *et nous, nous serons transformés en une seconde, en l'instant d'un clin d'œil. Il faut en effet que cet être corruptible* » – et l'Apôtre, pour sûr disait ces mots la main posée sur sa chair [4] – « *revête l'incorruptibilité et cet être mortel l'immortalité* [5] », évidemment pour que cette substance soit rendue capable d'accéder au royaume de Dieu. Car nous serons « *comme les anges* [t] ». Voilà ce que sera la transformation de la chair, mais une fois celle-ci ressuscitée. Ou alors, s'il ne doit plus y avoir de chair, comment la chair revêtira-t-elle l'incorruptibilité et l'immortalité ? **15.** Ayant donc été faite autre réalité par la transformation, elle obtiendra le royaume de Dieu, en

les yeux ? En tout cas, *hoc* est plus conforme à l'usage du latin classique qui réserve ce démonstratif à ce qui concerne la première personne grammaticale.

non caro nec sanguis, sed quod illi corpus Deus dederit [u].
Et ideo recte Apostolus : « *Caro et sanguis regnum Dei non
consequentur* [v] », demutationi illud adscribens, quae accedit
135 resurrectioni.

16. Si autem « *tunc fiet uerbum, quod scriptum est* [w] »
apud Creatorem : « *Vbi est, mors, uictoria, uel contentio
tua ? Vbi est, mors, aculeus tuus* [x] ? » – uerbum autem hoc
Creatoris est per prophetam [y] –, eius erit et res, id est
140 regnum, cuius et uerbum fit in regno. Nec alii deo gratias
dicit, quod nobis uictoriam – utique de morte – referre
praestiterit [z], quam illi, <a> quo uerbum insultatorium de
morte et triumphatorium accepit.

---

132 deus *coni.* R_1R_2 *rec.* R_3 : dei M_Y R_1R_2 ‖ 134 consequentur *MX edd.
a Pam.* : -etur *F R B Gel.* ‖ 136 tunc : tuc M^{ac} ‖ 137 uictoria uel γ R_1R_2 :
uictoria tua uel *Pam. Rig. Oeh. Evans*   uictoria ubi *MG R_3 Gel., quod et
ipse malim   del. Kroy.   uide adnot.* ‖ 138 autem hoc β : hoc autem *M* ‖
142 a *add. R*

ad corinthios prima explicit *M*   incipit II. M^{mg} de epistola secunda ad
corinthios [-theos *X*] β

---

u. Cf. 1 Co 15, 38   v. 1 Co 15, 50   w. 1 Co 15, 54   x. 1 Co 15, 55
y. Cf. Os 13, 14 (LXX)   z. Cf. 1 Co 15, 57

---

1. Rappel d'un passage déjà évoqué *supra* au § 4, mais dont la portée
n'avait pas été encore suffisamment soulignée.
2. Par une inconséquence qui lui est habituelle, Marcion avait maintenu
en place les deux citations faites assez librement par Paul d'après l'AT : cf.
HARNACK, p. 96* et SCHMID, p. I/327. Par souci d'allègement et pour aller
à l'essentiel, T. omet la première, celle d'*Isaïe*, et se limite à celle d'*Osée*,
en reprenant le thème d'un précédent chapitre sur l'emprunt d'idées ou
d'expressions au Créateur : procédé qui manifeste clairement qu'il est le
porte-parole de ce dieu.
3. Ces deux mots appartiennent au commentaire de T. et ramènent le
thème majeur de sa démonstration.
4. Ce passage a été très discuté. Les mss sont partagés ; la leçon *uictoria uel contentio tua* a été suspectée par Harnack qui ne croit pas possible

n'étant plus chair ni sang, mais ce corps que Dieu lui aura donné [u][1]. Et pour cette raison, correcte est l'affirmation de l'Apôtre : « *La chair et le sang n'obtiendront pas le royaume de Dieu* [v] » : c'est que cette accession, il la mettait au compte de la transformation qui vient en supplément de la résurrection.

Reprise d'une parole du Créateur

16. Si d'autre part « *se réalise alors cette parole qu'on lit dans l'Écriture* [w][2] », chez le Créateur [3] : « *Mort, où est ta victoire* – ou *ta bataille* [4] ? *Mort, où est ton aiguillon* [x] ? »* – cette parole est du Créateur par l'intermédiaire du Prophète [y] –, la réalité aussi, c'est-à-dire le royaume, appartiendra au dieu dont la parole également se réalisera dans le royaume. Et en rendant grâces pour nous avoir accordé de remporter la victoire [z] – sur la mort assurément –, l'Apôtre ne remercie pas un autre dieu que celui dont il a reçu cette parole d'insulte et de triomphe [5] à l'égard de la mort.

que l'alternative remonte à notre auteur ; Kroymann corrige le texte dans ce sens en lisant : « Vbi est, mors, contentio tua ? » Mais O'MALLEY, *Tertullian and the Bible*, p. 59, qui suit Quispel, a fait valoir le goût de T. pour les gloses dans ses citations bibliques et défend le texte avec *uel :* notre auteur contamine avec le texte marcionite *(uictoria)* le texte avec *contentio* qu'il a utilisé dans les citations du même passage (*Res.* 47, 13 et 54, 5 où le membre avec *aculeus* vient chaque fois le premier). Les conclusions de cette étude sont adoptées par Moreschini et Evans. Mais personnellement nous préférerions garder le texte du ms *M*, qui est le plus ancien, et qui est confirmé sur ce point par *G* ; nous lirions : « Vbi est, mors, uictoria ? ubi contentio tua ? » T. y recourt à la juxtaposition plutôt qu'à la contamination et, après la forme marcionite, il donne celle qui lui est habituelle. On sait que celle-ci est issue de νεῖκος variante de la leçon généralement reçue νῖκος.

5. Cette phrase finale contient deux néologismes : le premier *(insultatorius)* ne se rencontre qu'ici chez T. et restera un mot rarissime ; le second *(triumphatorius)* est un hapax.

XI. 1. Si « Deus » commune uocabulum factum est uitio
erroris humani, quatenus plures dei dicuntur atque credun-
tur in saeculo, « *Benedictus* tamen *Deus Domini nostri Iesu
Christi* [a] » non alius quam Creator intellegetur, qui et
5 uniuersa benedixit – habes Genesim [b] – et ab uniuersis bene-
dicitur – habes Danihelem [c] ; proinde, si « Pater » potest dici
sterilis, dei nullius magis nomine quam Creatoris, « *misericordiarum* » tamen « *Pater* [d] » idem erit, qui « *misericors et
miserator et misericordiae plurimus* [e] » dictus est. **2.** Habes
10 apud Ionam cum ipso [f] misericordiae exemplum, quam
Niniuitis exorantibus praestitit [g], facilis et Ezechiae fletibus
flecti [h], et Achab, marito Iezabel, deprecanti sanguinem
ignoscere Nabuthae [i], et Dauid agnoscenti delictum statim

XI. 3 domini nostri *eras.* M ǁ nostri *MG R₃* : mei γ *R₁R₂* ǁ 4 *post* christi
add. pater *Vrs. Rig.* ǁ 7 sterilis, dei *rest. et dist. Braun* : sterilis deus *Kroy.
Mor. Evans uide adnot.* ǁ 9 dictus est *M Kroy.* : est dictus β *edd. cett.* ǁ
10 exemplum *Kroy.* : exemplo ϑ *edd. cett. uide adnot.* ǁ 11 praestitit *X R* :
-stit *MF* ǁ facilis *R₂R₃* : -lius *Mγ R₁* ǁ 12 iezabelis *Pam. Rig. Oeh. Evans*

XI. a. 2 Co 1, 3a   b. Cf. Gn 1, 22   c. Cf. Dn 3, 52-90   d. 2 Co 1, 3b
e. Ps 102, 8   f. Cf. Jon 4, 2   g. Cf. Jon 3, 4-10   h. Cf. 2 R 20, 3-5   i. Cf.
1 R 21, 29

---

1. Sans transition et *ex abrupto,* comme il a terminé son examen de la
Première lettre aux Corinthiens, T. passe à la deuxième. Il commence par
des observations sur le verset 1, 3 dont le membre initial est une bénédiction du « Dieu de notre Seigneur Jésus Christ » (cf. HARNACK, p. 86* ;
SCHMID, p. I/328, maintient entre parenthèses la mention « et Père » de la
recension catholique). Sur l'utilisation par Marcion du vocable Dieu, T. fait
référence à des idées qui lui sont chères : Dieu est le *nomen proprium* de la
divinité et n'est devenu « commun » que par abus dans le paganisme poly-
théiste (cf. *Deus Christ.,* p. 30-31). Ici il entend suggérer que Marcion, en
employant *Deus* pour sa fausse divinité, pactise avec le paganisme.
2. Le second membre du verset suscite un double commentaire. T.
accorde d'abord à son adversaire, à titre de concession, mais de manière
très ironique, le droit de qualifier son dieu de « Père » (lui qui est « impro-
ductif », n'ayant créé ni l'homme ni l'univers), en se servant d'un nom qui
est exclusivement celui du Créateur ; sur l'équivalence fondamentale de
pater et *creator* (terme formé sur *creare* qui signifie étymologiquement

III. La deuxième lettre aux Corinthiens

**Bénédiction
du « Père
des miséricordes »**

XI. 1. Si par la faute de l'erreur humaine, « Dieu » est devenu un nom commun puisque, dans le monde, on parle d'une pluralité de dieux et que l'on y croit [1], toutefois dans l'expression « *Béni soit le Dieu de notre Seigneur Jésus-Christ* [a] », on ne comprendra pas d'autre dieu que le Créateur qui, d'une part, a béni toutes choses ensemble – tu as la *Genèse* [b] – et, d'autre part, est béni par toutes choses ensemble – tu as *Daniel* [c]. Pareillement, si un être stérile peut être appelé « Père », d'un nom qui n'appartient à aucun dieu plus qu'au Créateur [2], cependant « *Père des miséricordes* [d] », c'est encore lui qui le sera, ayant été dit « *miséricordieux et compatissant et abondant en miséricorde* [e][3] ». **2.** Tu as chez *Jonas*, avec ce prophète lui-même [f], l'exemple de la miséricorde [4] qu'il a accordée aux implorations des Ninivites [g], lui qui fut docile à se laisser fléchir par les pleurs d'Ezéchias [h], à pardonner le sang de Naboth à la prière d'Achab, époux de Jézabel [i], et à accorder sur le champ

« mettre au monde »), cf. IV, 26, 9 et *Deus Christ.*, p. 375. – Le texte des mss et de Rhenanus mérite d'être maintenu, sauf à mettre une virgule entre *sterilis* et *dei* : l'adjectif doit être compris comme substantivé (« un être stérile »), ce qui renforce l'ironie ; et *dei* est à joindre à *nullius*.

3. Seule citation de ce verset psalmique chez T. Le deuxième commentaire du v. 1, 3b consiste à rappeler les textes de l'AT faisant état, chez le Créateur, de paroles et attitudes miséricordieuses.

4. Le texte transmis (*cum ipso misericordiae exemplo*) ne nous semble pas acceptable sans la correction introduite par Kroymann (*exemplum*). Hoppe, *Beiträge*, p. 159, l'a pourtant défendu en suppléant, à côté du verbe, un *eum* renvoyant à *Deus*. Moreschini l'adopte et traduit : « Tu trouves ce Dieu dans le texte de Jonas, en même temps que l'exemple même de miséricorde, cette miséricorde que... ». Mais ce sens ne nous paraît guère satisfaisant, et on voit mal quelle valeur donner à *ipso*. La correction de Kroymann, au demeurant peu coûteuse, permet d'associer au prophète lui-même, bénéficiaire de la miséricorde divine, celle qui fut accordée aux Ninivites.

indulgere [j], malens scilicet paenitentiam peccatoris quam
15 mortem [k] – utique ex misericordiae adfectu.

3. Si quid tale Marcionis deus edidit uel edixit, agnoscam
« *Patrem misericordiarum* [d] ». **(3.)** Si uero ex eo tempore
hunc titulum ei adscribit, quo reuelatus, quasi exinde sit
« *Pater misericordiarum* [d] », quo liberare instituit genus
20 humanum, atquin et nos ex eo tempore negamus illum, ex
quo dicitur reuelatus. Non potest igitur aliquid ei adscribere, quem tunc ostendit, cum aliquid ei adscribit. Si enim
prius constaret eum esse, tunc et adscribi ei posset : accidens
enim est quod adscribitur, accidentia autem antecedit ipsius
25 rei ostensio, cui accidunt, maxime cum iam alterius est quod
adscribitur ei, qui prius non sit ostensus. Tanto magis negabitur esse, quanto per quod adfirmatur esse eius est, qui iam
ostensus est.

4. Sic et « *testamentum nouum* [l] » non alterius erit quam

---

14 indulgens *Kroy.* ‖ 15 ex *M R₃* : et γ *R₁R₂* ‖ affectu *G R₃* : -um *M*γ
R₁R₂ ‖ 23 posset *Kroy.* : potest 𝔙 *edd. cett.*

---

j. Cf. 2 S 12, 13   k. Cf. Ez 33, 11   l. 2 Co 3, 6

1. Ce catalogue d'exemples vétérotestamentaires de la miséricorde
divine paraît repris de celui que T. a dressé, en termes presque identiques,
en IV, 10, 3 : l'exemple d'Ezéchias, qui n'y figurait pas, se rencontre dans
un catalogue voisin en II, 17, 2.

2. Texte souvent rappelé par T. dans sa défense du Créateur : il est cité
trois fois au livre II et deux fois au livre IV.

3. Jeu verbal par paronomase : les deux verbes correspondent aux deux
aspects (actions et paroles) sous lesquels se manifeste la miséricorde du
Créateur.

4. Marcion (sujet à restituer devant *adscribit*, comme *infra* devant *potest
adscribere* et *ostendit*) justifiait ce titre de « Père des miséricordes » en faisant
valoir que son dieu avait entrepris de libérer l'homme du joug du Créateur
(cf. I, 14, 2, etc.). T. va dénier à son adversaire le droit d'attribuer une qualité
à un être dont l'existence même n'est pas établie, et une qualité appartenant
déjà à un autre : il reste, en cela, fidèle à son système habituel d'argumentation qui consiste à opposer à l'ancienneté du Créateur la nouveauté de l'autre

son indulgence à David reconnaissant sa faute [j][1] : lui évidemment qui préfère la repentance du pécheur à sa mort [k][2] – bien sûr par l'effet d'un sentiment de miséricorde.

3. Si quelque chose de tel a été produit ou énoncé [3] par le dieu de Marcion, je reconnaîtrais en lui le « *Père des miséricordes* [d] ». **(3.)** Mais si Marcion lui attribue ce titre à partir du moment où il s'est révélé, dans la pensée qu'il serait « *Père des miséricordes* [d] » depuis l'instant où il a entrepris de libérer le genre humain [4], eh bien pourtant, nous, nous nions qu'il le soit depuis le moment où il est dit s'être révélé. Or donc Marcion ne peut pas attribuer une qualité à celui qu'il manifeste au moment où il lui attribue une qualité. Si en effet son existence, précédemment, était chose établie, la qualité pourrait, alors aussi, lui être attribuée. Car l'accident [5], c'est ce qui est attribué ; mais les accidents sont précédés par la manifestation de la réalité même sur laquelle ils se produisent : et cela surtout lorsqu'appartient déjà à un autre la qualité qu'on attribue à celui qui, précédemment, n'a pas été manifesté. On niera d'autant plus son existence que la qualité qui sert à affirmer cette existence appartient à celui qui, déjà, a été manifesté.

Lettre et Esprit   **4.** De même aussi, l'« *Alliance nouvelle* [16] » ne relèvera pas d'un autre dieu

dieu : sa révélation tardive (sous Tibère) et l'enseignement, encore plus récent, qui l'a montré aux hommes (*ostendere, ostensio*), celui de Marcion.

5. Sur la notion de *accidens* par rapport à *substantia*, qui désigne la qualité venant s'ajouter au sujet dont la réalité est antérieure, cf. *Deus Christ.*, p. 183-187.

6. T. passe directement au v. 6 du ch. 3 qui parle de Paul comme d'un « ministre d'une alliance nouvelle, non de la lettre, mais de l'esprit » (sans changement chez Marcion : cf. Harnack, p. 97* et Schmid, p. I/328). Il en retient d'abord, en les détachant de leur contexte grammatical (d'où leur mise au nominatif), les expressions que Marcion devait souligner comme indicatrices de la « nouveauté » de son dieu. Pour la première, il se contente de rappeler la promesse d'« une Alliance nouvelle » dans l'AT (le thème a été déjà développé précédemment).

30 qui illud repromisit ; et si « *non littera, at* eius *Spiritus* [1] » :
hoc erit nouitas. Denique qui litteram tabulis lapideis inci-
derat [m], idem et de Spiritu edixerat : « *Effundam de meo
Spiritu in omnem carnem* [n]. » Et si « *littera occidit, Spiritus
uero uiuificat* [1] », eius utrumque est, qui ait : « *Ego occidam
35 et ego uiuificabo, percutiam et sanabo* [o]. » Olim duplicem
uim Creatoris uindicamus, et iudicis et boni, littera occi-
dentis per legem et Spiritu uiuificantis per euangelium. Non
possunt duos deos facere quae, etsi diuersa, apud unum
recenseri praeuenerunt.

40 **5.** Commemorat et de uelamine Moysei, quo faciem tege-
bat incontemplabilem filiis Israhel [p]. Si ideo, ut claritatem
maiorem defenderet noui testamenti, quod manet in gloria,

---

30 litterae *Eng. Kroy.* ‖ at *R₃* : et *Mγ R₁R₂   om. coni. R₂* ‖ 34 utrumque
del. Mor. ‖ 36 uindicamus θ : -auimus *edd. a Pam.   uide adnot.* ‖ 38 quae
edd. a Rig. : qui θ *Gel. Pam.* ‖ 40 moysei *MF Pam. Rig. Kroy.* : -si *X R
Gel. Oeh. Evans* ‖ 42 defenderet *R* : defendere et *Mγ*

m. Cf. 2 Co 3, 3   n. Jl 2, 28 = Ac 2, 17   o. Dt 32, 39   p. Cf. 2 Co 3,
7.13 ; cf. Ex 34, 33

---

1. La deuxième expression est introduite par *et si* qui n'appartient pas
au texte de référence, non plus que *eius,* ajouté par notre citateur : ce pronom renvoie, pensons-nous, au Créateur (et non à *littera* comme le pense
Kroymann) ; la phrase suivante montre bien que, pour T., *littera* représente
la loi de la première Alliance et que *Spiritus* désigne l'esprit de Dieu (qualifié par *meo* dans la citation de *Joël*). Le commentaire se termine par l'explication que donne notre auteur : *hoc erit nouitas,* qu'on ne séparera que
par une virgule de ce qui précède. Pour T., la nouveauté de l'Alliance tient
à l'entrée en scène de l'Esprit (d'où le texte de *Joël,* introduit par un
Denique explicatif) ; il s'oppose par là à l'interprétation marcionite qui l'at-
tribuait à la venue d'un « autre » dieu.
2. Texte déjà cité *supra* 4, 2.4 ; 8, 6.
3. L'auteur revient au verset qui l'occupe et dont il cite maintenant le
dernier membre (sans la particule explicative qui le précède chez Paul) ; et
c'est encore par *Et si* (à séparer par un point et virgule ou même un point
de la citation prophétique) qu'il l'introduit.
4. Le pronom *utrumque* renvoie aux deux processus évoqués par le texte
de Paul : processus de mort par la lettre ; processus de vie par l'esprit.

que de celui qui l'a promise ; et si on a « *non la lettre, mais l'Esprit* [1] » de celui-ci, ce sera là sa nouveauté [1]. En effet celui qui avait gravé la lettre sur les tables de pierre [m], c'est lui encore qui avait énoncé au sujet de l'Esprit : « *Je répandrai de mon Esprit sur toute chair* [n2]. » Et si « *la lettre tue, mais l'Esprit vivifie* [13] », les deux processus [4] relèvent de celui qui a dit : « *C'est moi qui tuerai et vivifierai, qui frapperai et guérirai* [o5]. » Depuis longtemps nous revendiquons [6] une double faculté chez le Créateur, dieu justicier et bon en même temps, tuant par la lettre au moyen de la Loi, vivifiant par l'Esprit au moyen de l'Évangile. Ces deux aspects ne peuvent pas constituer deux dieux : quoique opposés, ils ont pris les devants [7] pour s'originer en un seul !

Le voile de Moïse   **5.** Rappel est fait aussi par l'Apôtre du voile de Moïse : voile dont il couvrait son visage, impossible à fixer du regard pour les fils d'Israël [p8]. Si son intention était de revendiquer pour la nouvelle Alliance, qui demeure dans la gloire, un éclat plus

---

5. Considéré par T. comme une déclaration programmatique du Créateur, ce texte est souvent rappelé dans la polémique contre Marcion : cf. II, 13, 4 ; 14, 1 ; III, 24, 1 ; IV, 1, 10 ; 34, 14.

6. Il est inutile d'admettre la correction de Pamelius ; le présent *uindicamus* donné par toute la tradition se comprend fort bien si l'on prend *olim* au sens de « depuis longtemps » (bien attesté dans la langue classique, et avec un verbe au présent). Quant à l'idée, elle a été souvent et longuement développée par l'auteur, en particulier au livre II.

7. Emploi imagé et ironique à l'égard de Marcion qui a cru pouvoir séparer radicalement deux fonctions divines indissociables dès l'origine. Le verbe *praeuenire*, de plus, est construit avec l'infinitif en un tour qui paraît bien être exceptionnel.

8. Même emploi de l'adjectif *incontemplabilis*, qui est une création de circonstance, en *Res.* 55, 8 (et à propos du même passage de Paul) ; le mot est resté rarissime après T.

quam ueteris, quod euacuari habebat ^q, hoc et meae conuenit fidei praeponenti euangelium legi. Et uide, ne magis
45 meae : illic enim erit superponi quid, ubi fuerit et illud, cui
superponitur. At cum dicit : « *Sed obtunsi sunt sensus
mundi* ^r », non utique Creatoris, sed populi, qui in mundo
est ; de Israhele enim dicit : « *Ad hodiernum usque uelamen
id ipsum in corde eorum* ^s » ; figuram tum ostendit fuisse
50 uelamen faciei in Moyse uelaminis cordis in populo, quia
nec nunc apud illos perspiciatur Moyses corde, sicut nec
facie tunc.

6. Quid est ergo adhuc uelatum in Moyse, quod pertineat
ad Paulum, si Christus Creatoris a Moyse praedicatus non-

---

43 quam *coni.* R_1R_2 *rec.* R_3 : quod $M\gamma$ R_1R_2 ‖ 44 praeponenti R_3 : pro-
$M\gamma$ R_1R_2 ‖ 46 obtunsi *R Oeh. Kroy. Evans* : op- $M\gamma$ obtusi *Gel. Pam.
Rig.* ‖ 48 israele *edd. a Pam.* : israel ϑ *Gel.* ‖ 49 figuram tum *Kroy.* : figu-
ratum ϑ *Gel. Pam.* figuram *Rig. Oeh. Evans uide adnot.* ‖ 51 nec¹ R_3 :
ne $M\gamma$ R_1R_2

---

q. Cf. 2 Co 3, 11   r. 2 Co 3, 14a   s. 2 Co 3, 14b-15

---

1. Marcion, sans doute, n'attachait à ce rappel du voile de Moïse que la
simple valeur d'une image visant à marquer la péremption de l'ancienne
Alliance et la supériorité absolue de la nouvelle. Tout en affirmant aussi le
primat de l'Évangile, T. va s'employer à démontrer, en s'appuyant sur les
explications de Paul, qu'il s'agit, bien plus profondément, d'une « figure »
dont l'accomplissement a eu lieu avec la venue du Christ.

2. Mise en garde, destinée à orienter l'attention vers une explication critique à l'égard de Marcion.

3. Vérité générale qui dénonce l'inanité du système marcionite où la
révélation apportée par le dieu nouveau ne vient pas se superposer à un
ordre ancien. L'idée sera reprise dans la conclusion du développement (§ 8)
par le verbe *superducens*.

4. Le texte « catholique » du v. 14a parle de « leurs intelligences » (celles
des « fils d'Israël »). T. produit ici le texte marcionite qui avait remplacé
αὐτῶν par τοῦ κόσμου. A la vérité, le remplacement avait-il pris place dans
le texte ? Ou T. s'appuyait-il sur une glose marginale ? Ou sur un commentaire donné dans les *Antithèses* ? Aucune réponse certaine ne peut être
apportée. Il paraît en tout cas assuré que Marcion rapprochait le présent
passage de 2 Co 4, 4, et selon son exégèse habituelle (cf. *supra* 4, 15 ; 7, 1

grand que celui de l'Alliance ancienne qui avait à s'éva-
nouir [q1], voilà aussi qui s'accorde à ma foi puisqu'elle
donne le primat à l'Évangile sur la Loi : et prends garde
même que cela ne s'accorde plus à ma foi [2] ! Car la super-
position d'une chose ne sera possible que là où il y aura eu
aussi ce sur quoi on la superpose [3] ! D'autre part lorsque
l'Apôtre dit : « *Mais les intelligences du monde ont été
émoussées* [r4] », ce n'est assurément pas du Créateur qu'il le
dit, mais du peuple (juif) qui est dans le monde [5]. C'est effectivement d'Israël qu'il dit : « *Jusqu'à aujourd'hui ce même
voile est sur leur cœur* [s]. » Il montre alors que le voile du
visage en Moïse est la préfiguration [6] du voile du cœur dans
le peuple : car même maintenant chez eux on n'aperçoit pas
Moïse par le cœur, comme alors on ne le regardait pas non
plus au visage.

    6. Qu'est-ce donc [7] qui, concernant Paul, est encore
aujourd'hui voilé dans Moïse, si le Christ du Créateur, pré-

---

et notes *ad loc.*), il comprenait « monde » comme « dieu du monde ». Cf.
HARNACK, p. 97*, et surtout SCHMID, p. 118 et p. I/328.
    5. La ponctuation admise par Kroymann (que suit Moreschini) ne nous
paraît pas justifiée, car elle ne correspond pas au mouvement de la pensée.
Après avoir énoncé le verset tel que l'interprètent les marcionites, T. le corrige aussitôt, au moyen d'une proposition elliptique, où il écarte toute assimilation de « monde » avec « Créateur » ; et il fournit, juste après, la justification en rappelant les v. 14b-15. Ce qu'entend montrer *(ostendit)*
l'Apôtre par ce propos clôt le rappel de son texte. La parenthèse introduite
par Kroymann n'a pas non plus été admise par Evans.
    6. Le texte de la tradition *figuratum* est manifestement altéré. La cor-
rection de Kroymann *(figuram tum)* est la plus économique et la mieux justifiée le contexte.
    7. En une succession de trois phrases interrogatives, T. fait ressortir les
inconséquences de l'exégèse adverse. Marcion, on le sait, pensait comme les
juifs que le Christ promis par l'AT et annoncé notamment par Moïse dans
le *Deutéronome*, n'était pas encore venu : par conséquent on ne pouvait
leur reprocher de l'avoir méconnu à cause du voile de leur cœur ; et cette
méconnaissance ne pouvait en rien non plus concerner le porte-parole d'un
dieu « autre ».

55 dum uenit ? Quomodo iam operta et uelata adhuc denotan-
    tur corda Iudaeorum, nondum exhibitis praedicationibus
    Moysi, id est de Christo, in quo eum intellegere deberent ?
    Quid ad apostolum Christi alterius, si dei sui sacramenta
    Iudaei non intellegebant, nisi quia uelamen cordis illorum
60 ad caecitatem, qua non perspexerant Christum Moysei, per-
    tinebat ?
       7. Denique quid sequitur ? « *Cum uero conuerterit ad
    deum, auferetur uelamen* ᵗ » : hoc Iudaeo proprie dicit, ad
    quem et est uelamen Moysei, qui, cum transierit in fidem
65 Christi, intellegit Moysen de Christo praedicasse. Ceterum
    quomodo auferetur uelamentum Creatoris in Christo dei
    alterius, cuius sacramenta uelasse non potuit Creator, ignoti
    uidelicet ignota ?   8. Dicit ergo « *nos* iam *aperta facie* »
    – utique cordis, quod uelatum est in Iudaeis –, « *contem-*
70 *plantes Christum eadem imagine transfigurari a gloria* »
    – qua scilicet et Moyses transfigurabatur a gloria Domini –
    « *in gloriam* ᵘ ». Ita corporalem Moysei inluminationem de

   55 iam *del. Mor.* ‖ operta *G R₃* : -tus *M coni. R₁* optatus γ *R₁R₂* aper-
tius *Kroy.* operta sunt *Eng.* ‖ 58 quid ad *coni. R₂ rec. R₃* : quid et *Mγ R₁R₂*
‖ 60 moysei *M Kroy.* ut semper : -si β *edd. cett.* ut semper *(sed interdum
uariat Pam.)* ‖ 62 quid *Mγ R₁* : quod *R₂R₃* uide adnot. ‖ 63 ad : apud *R₂R₃*
‖ 64 moysei *MF* : -si *X R* ‖ 65 intelleget *Kroy. Mor.* uide adnot.

   t. 2 Co 3, 16   u. 2 Co 3, 18a

   1. L'adverbe *iam* est à rattacher à *denotantur,* et s'explique par rapport
à la conception d'un Christ *non encore* venu.
   2. Le texte des mss et de la première édition de Rhenanus *(quid)* mérite
d'être retenu, au lieu du relatif *quod* qui l'a généralement remplacé. Un tour
interrogatif pour introduire la nouvelle citation présente plus de vivacité et
dégage mieux l'explication : *hoc Iudaeo...*
   3. Le texte de ce verset comporte une 3ᵉ pers. du sing. qui surprend :
on y a vu un homme en général, ou Israël, ou Moïse. T. tranche clairement
la question en affirmant que Paul s'adresse au juif *(Iudaeo proprie dicit).*
D'autre part, le texte « catholique » a χύριον et non θεόν que suppose
Deum (cf. HARNACK, p. 97* ; SCHMID, p. I/328).
   4. La correction de Kroymann *(intelleget)* au lieu de la leçon *intellegit* de toute la tradition ne présente pas un caractère indispensable : le pré-

dit par Moïse, n'est pas encore venu ? Comment les cœurs des juifs sont-ils déjà [1] réprouvés pour être encore couverts et voilés, si n'a pas encore eu lieu l'accomplissement des prédictions de Moïse, celles qui ont trait au Christ en qui ils devaient le comprendre ? En quoi l'apôtre d'un « autre » Christ est-il concerné si les juifs ne comprenaient pas les mystères de leur dieu ? Mais c'est que le voile de leur cœur avait trait à l'aveuglement qui ne leur avait pas permis d'apercevoir le Christ de Moïse !

7. En effet qu'est-ce qui suit [2] ? « *Mais lorsqu'il se sera tourné vers Dieu, le voile lui sera enlevé* [3]. » Voilà ce que l'Apôtre dit en propre au juif, sur qui est aussi le voile de Moïse : une fois passé à la foi au Christ, il comprend [4] que Moïse avait prophétisé le Christ. D'ailleurs comment le voile du Créateur sera-t-il enlevé dans le cas du Christ d'un « autre » dieu, dont le Créateur n'a pas pu voiler les mystères – évidemment ignorés de lui, étant ceux d'un dieu ignoré [5] ?

8. L'Apôtre, donc, dit que « *nous*, désormais, *fixant le Christ de nos regards à visage découvert* » – il s'agit assurément du visage du cœur qui a été voilé dans les juifs –, « *nous sommes à la même ressemblance transfigurés de la gloire* » – évidemment celle par laquelle Moïse aussi était transfiguré sous l'action de la gloire du Seigneur – « *en la gloire* [6] ». Ainsi, en mettant sous nos yeux l'illumination corporelle de Moïse,

sent confère même à l'action une valeur de généralité qui sert davantage l'idée.

5. Nouvelle critique d'une inconséquence de l'exégèse adverse : l'état d'ignorance du Créateur par rapport à la divinité supérieure est un argument récurrent de la polémique.

6. Rapporté en discours indirect et surchargé de gloses exégétiques, ce verset déforme sans doute le texte marcionite qui ne s'écartait pas notablement de celui de Paul : « ... nous, *reflétant* sur un visage sans voile la gloire du Seigneur, nous sommes métamorphosés à la même ressemblance, de gloire en gloire... ». L'image initiale a été modifiée pour établir une correspondance avec la « figure » des fils d'Israël qui ne pouvaient fixer Moïse de leurs regards : ainsi est souligné l'accomplissement de ce qui était préfiguré dans l'AT. Sur ce texte, cf. HARNACK, p. 97*-98* ; SCHMID, p. 83-84 et I/328-329.

congressu Domini et corporale uelamen de infirmitate
populi proponens et spiritalem reuelationem et spiritalem
75 claritatem in Christo superducens – « *tamquam a Domino,*
inquit, *spirituum* ^v » –, totum ordinem Moysei figuram igno-
rati apud Iudaeos, agniti uero apud nos Christi fuisse testatur.

9. Scimus quosdam sensus ambiguitatem pati posse de
80 sono pronuntiationis aut de modo distinctionis, cum dupli-
citas earum intercedit. Hanc Marcion captauit sic legendo :
« *In quibus deus aeui huius* ^w », ut Creatorem ostendens
deum huius aeui, alium suggerat deum alterius aeui. Nos
contra sic distinguendum dicimus : « *In quibus Deus* »,
85 dehinc « *aeui huius excaecauit mentes infidelium* ^w ». « *In
quibus* ^w » : Iudaeis infidelibus, in quibus opertum est ali-
quibus euangelium adhuc sub uelamine Moysei. Illis enim
Deus, labiis diligentibus eum, corde autem longe absistenti-

---

75 claritatem R_3 : car- $M\gamma$ char- R_1R_2 ‖ 76 moysei $M\gamma$: -si R ‖ 83 alterius *eras.* M ‖ 87 moysei MX : -si R mosei F

---

v. 2 Co 3, 18b   w. 2 Co 4, 4

1. Apparemment le texte marcionite que suit T. présente le plur. πνευ-
μάτων au lieu du sing. qu'on lit dans le texte « catholique », sans qu'on voie
bien la raison de ce changement.
2. Avec vigueur, et par le jeu des symétries d'expressions, T. souligne
en conclusion que l'Alliance ancienne s'accomplit dans la nouvelle qui la
parachève plus qu'elle ne l'abolit.
3. Rappel d'un état de fait courant dans l'Antiquité où les textes écrits
ne comportaient pas de séparation entre les mots. La première tâche du
grammaticus consistait à lire à haute voix le texte à expliquer pour le rendre
intelligible à ses élèves.
4. La citation est limitée à l'élément litigieux : le relatif de liaison renvoie à « ceux qui se perdent » du verset précédent. La lecture de Marcion,
contre laquelle T. s'élève dans un premier temps, nous paraît aujourd'hui
la lecture normale ; mais comme les gnostiques en général et Marcion en
particulier voyaient là un point d'appui pour opposer une divinité supé-

causée par sa rencontre avec le Seigneur, et le voile corporel causé par l'infirmité du peuple juif, en y surajoutant la révélation spirituelle et la gloire spirituelle dans le Christ – « *comme par l'action*, dit-il, *du Seigneur des esprits* [v1] » –, il atteste que tout l'ordre de Moïse a été préfiguration du Christ, ignoré chez les juifs, mais connu chez nous [2].

Une ambiguïté exploitée par Marcion   **9.** Nous savons que certaines phrases risquent d'être ambiguës du fait du ton sur lequel on les prononce ou de la manière de les ponctuer, lorsqu'il se produit qu'elles soient à double entente [3]. C'est cette ambiguïté que Marcion a saisie par la lecture que voici : « *Chez qui le dieu de ce monde-ci* [w4] », de façon à montrer le Créateur dans le « dieu de ce monde-ci » et à suggérer qu'il y en a un « autre », dieu de l'autre monde. Nous, à son encontre, nous disons qu'il faut ponctuer ainsi : « *Chez qui Dieu* », et ensuite « *a aveuglé leurs esprits d'infidèles de ce monde-ci* [w5] ». « *Chez qui* [w] » : il s'agit des juifs infidèles, chez qui l'Évangile est encore couvert en quelques points sous le voile de Moïse [6]. C'est à leur adresse en effet que Dieu, comme ils l'aimaient du bout des lèvres mais se tenaient loin

rieure au « dieu de ce monde-ci », les chrétiens de la grande Église ont cherché une parade dans une autre lecture du verset.

5. Cette lecture « acrobatique » qui consiste à mettre une pause après « dieu » et à faire de « de ce monde » le complément de « des infidèles » est attestée déjà chez Irénée, *Haer.* 3, 7, 1-2 et 4, 29, 1 (qui en démontre le bien fondé en rappelant les inversions de mots pratiquées par Paul). Cette interprétation a été largement représentée chez les Pères grecs et latins : Augustin atteste qu'elle est encore la plus courante chez les catholiques de son temps ; cf. Allo, *Saint Paul. 2 Co*, p. 99-100 (en note).

6. T. reprend le relatif de liaison initial du verset pour le commenter : selon son principe d'exégèse qui consiste à privilégier toujours le contexte immédiat, il comprend que ces « infidèles » sont les juifs au cœur voilé du passage précédent. Il va donc revenir sur le thème apologétique de la cécité d'Israël à l'égard du Christ.

bus ab eo [x], minatus fuerat : « *Aure audietis et non audietis,*
90 *oculis uidebitis et non uidebitis* [y] », et : « *Nisi credideritis nec
intellegetis* [z] », et : « *Auferam sapientiam sapientium et prudentiam prudentium inritam faciam* [aa]. » **10.** Haec autem,
non utique de euangelio dei ignoti abscondendo minabatur.
Ita etsi « huius aeui deus », sed infidelium huius aeui excae-
95 cat cor [w], quod Christum eius non ultro recognouerint de
scripturis intellegendum.

Et positum in ambiguitate distinctionis hactenus tractasse,
ne aduersario prodesset, contentus uictoriae, ne ultro possum
et in totum contentionem hanc praeterisse. **11.** Simpliciori
100 responso prae manu erit esse « huius aeui deum » diabolum
interpretari, qui dixerit Propheta referente : « *Ero similis
altissimi, ponam in nubibus thronum meum* [bb] », sicut et tota
huius aeui superstitio illi mancipata est, qui excaecet infidelium corda [w] et inprimis apostatae Marcionis. Denique non

---

94-95 excaecat β : -a *M* ‖ 98 ne ultro *M*γ *Kroy.* : nae ultro *R edd. cett.*
nec ultra *Lat.* ne ultra *Eng. uide adnot.* ‖ *post* ultro *lacunam ind. Kroy.*
uide adnot. ‖ 100 responsu *Kroy.* ‖ esse *om. Pam. Rig.* ‖ deum *Pam. Kroy.* :
dominum ϑ *Gel. Rig. Oeh. Evans* ‖ 103 excaecet *M R* : exercet γ

---

x. Cf. Is 29, 13   y. Is 6, 9   z. Is 7, 9   aa. 1 Co 1, 19 ; cf. Is 29, 14
bb. Is 14, 13-14

---

1. Texte isaïen souvent rappelé par T. : cf. III, 6, 6 ; IV, 12, 13 ; 17, 14 ;
27, 7 ; 28, 1 ; 41, 2.
2. Ces « menaces » du Créateur sont faites du rappel de trois passages
d'*Isaïe* déjà cités dans les livres précédents : le premier en III, 6, 5 et IV,
19, 2 et 31, 4 ; le second en IV, 20, 13 ; 25, 3 et 27, 9 ; le troisième en III,
6, 5 ; 16, 1 ; IV, 25, 4 ; 26, 6.
3. Longue phrase de transition qui permet à T. de battre honorablement
en retraite : dans le nouveau développement, il adopte la lecture incriminée
de son adversaire, avec une autre interprétation il est vrai. La syntaxe est
incertaine, comme le remarque Evans ; Kroymann suppose même une
lacune après *ultro*. Le sens général cependant est clair : T. estime être victorieux dans le débat et choisit d'y mettre fin pour présenter une solution
« plus simple ». Pour l'adverbe affirmatif *ne* (que Rhenanus a orthographié

de lui par le cœur [x][1], avait proféré ces menaces : « *Vous entendrez de vos oreilles, et vous n'entendrez pas ; vous verrez de vos yeux, et vous ne verrez pas* [y] », et : « *Si vous ne croyez pas, vous ne comprendrez pas non plus* [z] », et : « *J'ôterai la sagesse des sages, et je rendrai sans effet l'intelligence des intelligents* [aa][2]. » **10.** Or voilà ce dont il les menaçait, et non assurément de leur cacher l'évangile du dieu inconnu ! Ainsi il peut bien être le « dieu de ce monde-ci », mais ce qu'il aveugle, c'est le cœur des infidèles de ce monde [w], parce qu'ils n'ont pas spontanément reconnu son Christ qu'ils devaient comprendre d'après les Écritures.

« Dieu de ce monde » à entendre du diable, non du Créateur

Et de ce point qui repose sur une ambiguïté de ponctuation, il me suffit d'avoir traité juste assez pour que la chose ne serve pas l'adversaire : me contentant de la victoire, je peux de moi-même, certes, laisser de côté la totalité de ce débat [3]. **11.** En une réponse plus simple, j'aurai à portée de la main d'interpréter le « dieu de ce monde-ci » comme étant le diable [4], lui dont on a cette parole rapportée par le Prophète : « *Je serai semblable au Très-haut ; je poserai mon trône dans les nuées* [bb][5] », de même aussi que toute la superstition de ce siècle lui est asservie, à lui qui aveugle les cœurs des infidèles [w], et en premier lieu celui de cet apostat de Marcion [6]. En effet celui-ci n'a

nae), il conviendra d'adopter la graphie qui est celle des trois mss subsistants : cf. I, 1, 5 *(Ne tu, Euxine...)*.

4. La lecture et l'interprétation adoptées ici sont celles de tous les exégètes modernes. La *TOB* rapproche de l'expression « prince de ce monde » que Paul utilise en 1 Co 2, 6 et souligne que nulle part ailleurs dans le NT, Satan n'est appelé « dieu ».

5. Citation faite sur la LXX, mais de façon approximative et en inversant les versets. Cf. *infra* 17, 8 (où la citation se conforme à l'ordre des versets).

6. Motif polémique habituel sur l'aveuglement et l'apostasie de Marcion, à qui T. reproche plus précisément ici de n'avoir pas vu que la phrase finale de l'Apôtre est un témoignage en faveur du Créateur.

105 uidit occurrentem sibi clausulam sensus : « *Quoniam Deus,*
qui dixit ex tenebris lucem lucescere, reluxit in cordibus nos-
tris ad inluminationem agnitionis <gloriae> suae in persona
Christi cc. » **12.** Quis dixit : « *Fiat lux* dd » ? Et inluminationem mundi ? Quis Christo ait : « *Posui te in lumen natio-*
110 *num* ee », *sedentium* scilicet *in tenebris et in umbra mortis* ff ?
Cui respondet Spiritus in psalmo ex prouidentia futuri :
« *Significatum est,* inquit, *super nos lumen personae tuae,*
domine gg. » Persona autem Dei Christus Dominus hh, unde
et Apostolus supra, « *qui est imago,* inquit, *dei* ii ». Igitur si
115 Christus persona Creatoris dicentis : « *Fiat lux* dd », et
Christus et apostoli et euangelium et uelamen et Moyses et
tota series secundum testimonium clausulae Creatoris est,
« dei huius aeui », certe non eius, qui numquam dixit : « *Fiat*
lux dd. »

---

107 gloriae *add. Kroy. uide adnot.* ‖ 108-109 illuminationem *MF* : -e *X*
R Gel. de illuminatione *edd. a Pam. uide adnot.* ‖ 111 respondet *F² X R*
edd. cett. : -ent *MF Kroy.*

---

cc. 2 Co 4, 6   dd. Gn 1, 3   ee. Is 42, 6 ; Is 49, 6   ff. Ps 106, 10 ; cf.
Is 42, 7 ; Is 9, 2   gg. Ps 4, 7   hh. Cf. Lm 4, 20   ii. 2 Co 4, 4

1. Avec Kroymann, il conviendra de restituer *gloriae* après *agnitionis,*
conformément au texte de Paul, à la citation que T. fait du même verset en
Res. 44, 2-3, et surtout à la reprise de *gloria dei* ensuite au début du § 14 :
cf. HARNACK, p. 93* (qui voit une faute de copiste dans l'omission de *glo-*
riae) et SCHMID, p. I/329. Dans la traduction de ce verset, nous avons maintenu la cascade de substantifs abstraits ; il serait plus élégant de traduire :
« pour faire resplendir la connaissance de sa gloire qui est sur la face du
Christ ».

2. La leçon *illuminationem* est la mieux garantie : c'est celle de *M* et de
F. Elle peut se comprendre comme une reprise littérale du texte cité, en un
tour interrogatif qui correspond bien à la vivacité syntaxique du passage.
Il conviendra de mettre un point d'interrogation après pour bien séparer
de *Quis Christo ait.* La correction *de illuminatione* admise par Evans paraît
inutile et non justifiée.

3. Ces deux textes d'*Isaïe* se lisent déjà au livre IV : pour le premier en
11, 1 ; 25, 5 et 11 ; pour le second en 7, 3.

pas vu que se présentait à lui la conclusion de la phrase : « *Car Dieu, qui a dit à la lumière de briller au sortir des ténèbres, a brillé en retour dans nos cœurs pour l'illumination de la connaissance <de sa gloire> sur la face du Christ* ^{cc} [1]. » **12.** Qui a dit : « *Que la lumière soit* ^{dd} *!* » ? Et l'illumination du monde [2] ? Qui a dit au Christ : « *Je t'ai établi en lumière des nations* ^{ee} », évidemment celles *qui sont assises dans les ténèbres et dans l'ombre de la mort* ^{ff} [3] ? A quoi, dans le psaume, l'Esprit répond en prévoyant l'avenir : « *Sur nous*, dit-il, *a été marquée la lumière de ta face, Seigneur* ^{gg} [4]. » Or la face de Dieu, c'est le Christ Seigneur ^{hh} [5] : de là vient que l'Apôtre aussi plus haut a dit (du Christ) : « *qui est l'image de Dieu* ⁱⁱ ». Donc, si le Christ est la face du Créateur quand celui-ci dit : « *Que la lumière soit* ^{dd} *!* », tout à la fois [6] le Christ, les apôtres, l'Évangile, le voile, Moïse et tout ce qui est énuméré d'après le témoignage de la phrase de conclusion appartiennent au Créateur, « dieu de ce monde-ci », et non, la chose est sûre, à celui qui n'a jamais dit : « *Que la lumière soit* ^{dd} *!* »

4. Ce verset psalmique est cité par notre seul auteur à date ancienne (d'après *Biblia Patristica*, I). L'insertion du texte allégué se fait au moyen d'une formule commandée par un relatif de liaison (*cui*, au neutre, renvoie au verset d'*Isaïe* sur le Christ lumière des nations).

5. Reprise de la citation approximative de Lm 4, 20 par laquelle, en III, 6, 9 (cf. t. 3, p. 82 et n. 1), T. avait illustré la conception théologique du Christ Verbe qui manifeste au monde le Dieu invisible. Sur tous ces textes où *persona*, correspondant à πρόσωπον, présente le sens de « visage », « face » avec, en harmonique, la notion dérivée de « manifestation » (c'est le Christ Verbe qui, visible, manifeste le Père invisible), cf. *Deus Christ.*, p. 217-221 et p. 587.

6. Ici commence l'apodose qui énumère toutes les réalités relevant du Créateur : par la périphrase *tota series* il faut comprendre notamment l'illumination, la connaissance et la gloire, toutes choses que Marcion mettait au compte de son dieu supérieur. Ici encore T. exploite une inconséquence de son adversaire qui n'a pas écarté du texte de Paul le rappel du début de la *Genèse*.

120 **13.** Praetereo hic et de alia epistola, quam nos ad Ephesios praescriptam habemus, haeretici uero ad Laodicenos. **(13.)** Ait enim meminisse nationes, quod « *illo in tempore* », cum essent « *sine Christo, alieni ab Israhele, sine conuersatione et testamentis et spe promissionis, etiam sine deo* » essent, « *in*
125 *mundo* jj » utique, etsi de Creatore. Ergo si nationes sine deo dixit esse, deus autem illis diabolus est, non Creator, apparet « deum aeui huius » eum intellegendum, quem nationes pro deo receperunt, non Creatorem, quem ignorant.

14. Quale est autem, ut non eiusdem habeatur « *thesau-*
130 *rus in fictilibus uasis* kk », cuius et uasa sunt ll ? Iam si gloria Dei est, in fictilibus uasis tantum thesauri haberi, uasa autem fictilia Creatoris sunt, ergo et gloria Creatoris est, cuius uasa « *eminentiam uirtutis Dei* kk » sapiunt, et uirtus ipsa, quia propterea in uasa fictilia commissa sunt, ut eminentia eius
135 probaretur. **15.** Ceterum iam non erit alterius dei gloria

---

120 praetereo *M coni. R₁R₂ rec. R₃* : -ea γ *R₁R₂* ‖ 121 praescriptam *R₂R₃* : pro- *M*γ *R₁ uide adnot.* ‖ haeretici *MX coni. R₂ rec. R₃* : -ce *F R₁R₂* ‖ 123 essent β : esset *M* ‖ 124 deo *edd. a Pam.* : domino ϑ *Gel.* ‖ 127 deum *Kroy.* : dominum ϑ *edd. cett.* ‖ 133 uirtus : uirtut *M*ᵃᶜ ‖ quia : quae *Eng.* ‖ 134 sunt ϑ : sit *Kroy. Mor. uide adnot.*

---

jj. Ep 2, 12   kk. 2 Co 4, 7   ll. Cf. Gn 2, 7

---

1. Figure rhétorique de la prétérition. En fait, ce passage d'Ep que l'auteur dit laisser de côté, sera rappelé et servira de confirmation.

2. Cf. *infra* 17, 1. La correction *praescriptam* pour la leçon *proscriptam* des mss est imposée par le sens et la confusion entre *prae-* et *pro-* dans la tradition manuscrite du fait des abréviations.

3. Même texte *infra* 17, 12, sous une forme plus complète. Ici T. se limite à ce qui est essentiel pour sa démonstration et en ajoutant des commentaires allant dans ce sens. Cf. HARNACK, p. 116*-117* ; SCHMID, p. I/338.

4. Sur cette expression *quale est ut*, cf. Index terminologique des livres I-III, t. 3, p. 343.

5. Cf. HARNACK, p. 98*-99* ; SCHMID, p. I/329.

6. Reprise manifeste de l'élément essentiel du v. 6 où il faut restituer *gloriae*. Toute la phrase revêt la forme d'un syllogisme, et l'appartenance

13. Je laisse ici de côté [1] un passage convergent d'une autre lettre que nous tenons, nous, pour adressée aux Éphésiens, mais les hérétiques, eux, aux Laodicéens [2]. **(13.)** L'Apôtre dit en effet que les nations se souviennent qu'« *en ce temps-là* », comme elles étaient « *sans Christ, étrangères à Israël, sans sa communauté, ni ses Alliances, ni son espoir de promesse* », elles étaient « *même sans dieu* », assurément en étant « *dans le monde* [ii] », quoique issues du Créateur [3]. Si donc il a dit que les nations étaient sans dieu, et si d'autre part leur dieu c'est le diable, non le Créateur, il est manifeste que l'on doit comprendre dans le « dieu de ce monde-ci » celui que les nations ont accueilli comme dieu, et non le Créateur qu'elles ignorent.

« Vases d'argile » et tribulations ici-bas

14. D'autre part, quelle absurdité [4] de tenir que le « *trésor en nos vases d'argile* [kk] [5] » n'est pas du même dieu que celui dont sont aussi les vases [ll] ! Car si c'est la gloire de Dieu [6] qu'un si grand trésor soit tenu dans des vases d'argile, et si les vases d'argile sont œuvre du Créateur, c'est donc que la gloire aussi est celle du Créateur dont les vases connaissent « *la sublimité* [7] *de la puissance de Dieu* [kk] » ; et il en est de même de cette puissance précisément, parce que gloire et puissance ont été confiées à des vases d'argile en vue de prouver sa sublimité [8]. **15.** Au reste, ce ne sera plus la gloire de

de la « gloire » et de la « puissance » au Créateur est déduite de celle des « vases d'argile » (souvenir de la *Genèse*).

7. Mot rare chez T. (quatre emplois en tout). Il est déjà en III, 21, 3 (en rapport avec *uirtus*). Ici il traduit ὑπερβολή du texte de Paul.

8. La correction de Kroymann *(sit)* n'est nullement indispensable : le texte des mss et de *R (sunt)* se comprend très bien comme ayant pour sujet « gloire » et « puissance » que l'auteur associe étroitement ; *commissa* (neutre plur.) relève de la syntaxe la plus normale. Le complément de *eminentia (eius)* est à comprendre du dieu Créateur, de la même façon que, dans la phrase suivante, *cuius (= dei alterius)* complète *eminentiam*.

ideoque nec uirtus, sed magis dedecus et infirmitas, cuius
eminentiam fictilia et quidem aliena ceperunt. Quodsi haec
sunt fictilia uasa, in quibus tanta nos pati dicit [mm], in quibus
etiam « *mortificationem circumferimus Domini* [nn] », satis
140 ingratus deus et iniustus, si non et hanc substantiam resus-
citaturus est, in qua pro fide eius tanta tolerantur, in qua et
mors Christi circumfertur, in qua et eminentia uirtutis
consecratur.

Sed enim proponit : « *Vt et uita Christi manifestetur in*
145 *corpore nostro* [oo] » – scilicet sicut et mors eius circumfertur
in corpore. De qua ergo Christi uita dicit ? Qua nunc uiui-
mus in illo ? **16.** Et quomodo in sequentibus non ad uisibilia nec ad temporalia, sed ad inuisibilia et ad aeterna [pp], id
est non ad praesentia, sed ad futura exhortatur ? Quodsi de
150 futura uita dicit Christi, in corpore eam dicens apparitu-
ram [oo], manifeste carnis resurrectionem praedicauit, « *exte-*
riorem quidem *hominem nostrum corrumpi* [qq] » dicens – et
non quasi aeterno interitu post mortem, uerum laboribus et

---

139 domini *Pam. Rig. Kroy.* : dei ϑ *Gel. Oeh. Evans* ‖ 141 est *M R₃* :
om. γ *R₁R₂* ‖ 149 ad¹ *M edd. a B* : om. β ‖ 150 christi *R* : -tus *Mγ* ‖ 152
et : sed *Kroy.*

---

mm. Cf. 2 Co 4, 8-9   nn. 2 Co 4, 10a   oo. 2 Co 4, 10b   pp. Cf. 2
Co 4, 18   qq. 2 Co 4, 16b

---

1. Argument habituel lié au fait que l'homme appartient au Créateur,
son auteur, et qu'il est par conséquent un étranger pour le dieu supérieur
de Marcion.

2. Le mot *tanta* pourrait, selon la syntaxe du latin postclassique, avoir
le sens de *tot* (= « de si nombreuses souffrances ») : ce qui serait très acceptable ici.

3. Ce mot *mortificatio* qui est celui de la Vg, correspond au terme
νέκρωσις du texte paulinien. *Infra*, il sera repris simplement par *mors*.

4. T. met en relief la proposition de but par laquelle l'Apôtre souligne la
finalité de ces tribulations : le terme sur lequel il va appesantir son commentaire est *in corpore nostro*. Le rappel de plusieurs éléments du contexte va lui
permettre de voir annoncée ici la « résurrection des corps » niée par Marcion.

l'« autre » dieu et, par là, non plus sa puissance, mais bien plutôt son déshonneur et sa faiblesse, que d'avoir sa sublimité reçue dans des vases d'argile, d'ailleurs étrangers à lui [1] ! Or donc, si ce sont les vases d'argile dans lesquels l'Apôtre dit que nous subissons de si grandes souffrances [mm2], dans lesquels « *nous portons* même *partout la passion de mort du Seigneur* [nn3] », voilà un dieu bien ingrat et injuste s'il ne doit pas ressusciter aussi cette substance dans laquelle, pour la foi en lui, on souffre tant, dans laquelle on porte même partout la mort du Christ, dans laquelle aussi on voit consacrée la sublimité de sa puissance.

Mais de fait, l'Apôtre nous propose ce but : « *Pour que la vie du Christ aussi soit manifestée dans notre corps* [oo] » – évidemment de la même façon que sa mort aussi est portée partout dans notre corps [4]. De quelle vie du Christ parle-t-il donc ? De celle par laquelle, présentement, nous vivons en lui ? **16.** Comment se fait-il alors que, dans la suite du texte, il nous exhorte non aux choses visibles ni aux choses temporaires, mais aux invisibles et aux éternelles [pp], c'est-à-dire non aux choses présentes, mais aux choses futures ? Si par conséquent il parle de la vie future du Christ en disant qu'elle apparaîtra dans le corps [oo], il a manifestement prédit la résurrection de la chair quand il dit que « *l'homme extérieur en nous*, lui, *va à sa ruine* [qq] » – et non dans le sens d'un anéantissement éternel après la mort [5], mais par l'effet des tribulations et des malheurs, au sujet desquels il a indi-

5. Y a-t-il ici une référence précise à une interprétation que Marcion donnait de ce passage sur la « ruine » de l'homme extérieur ? C'est possible ; en tout cas, par le recours au contexte, T. s'attache à écarter une telle explication comme contraire au sens général de tout le développement. Il ne fait d'ailleurs que reprendre, très succinctement, ce qu'il a dit sur ce même verset en *Res.* 40, 6 et 10 : l'Apôtre a en vue la dégradation de l'homme extérieur « dans l'espace de cette vie avant la mort et jusqu'à la mort, par l'effet des persécutions » et non « un anéantissement perpétuel de la chair ayant pour objet de repousser la résurrection ».

incommodis, de quibus praemisit adiciens : « *Et non defi-*
155 *ciemus* ʳʳ. » Nam et « *interiorem hominem nostrum renouari*
de die in diem ˢˢ » dicens hic utrumque demonstrat : et corporis corruptionem ex uexatione temptationum et animi
renouationem ex contemplatione promissionum.

XII. 1. Terreni domicilii nostri non sic ait habere nos
« *domum aeternam, non manu factam in caelo* ᵃ », quia quae
manu facta sit Creatoris intereat in totum dissoluta post
mortem. Haec enim ad mortis metum et ad ipsius dissolu-
5 tionis contristationem consolandam retractans etiam per
sequentia manifestius, cum subicit « *ingeme*re nos *de isto*
tabernaculo corporis terreni, quod de caelo est superinduere

158 ex contemplatione *R* : et contemplationem *M*γ
XII. 1 *ante* terreni *lacunam ind. Kroy.* : ita et post dissolutionem *suppl.*
susp. Evans uide adnot. ‖ 6 manifestus *Kroy. uide adnot.* ‖ 7 superindui
Pam. Rig. Oeh. Evans

rr. 2 Co 4, 16a ss. 2 Co 4, 16c
XII. a. 2 Co 5, 1

1. Ce dernier détail paraît rappeler ce qui a été dit *supra* § 8 *(contem-*
plantes Christum). Mais en réalité le rapprochement avec le même passage
de *Res.* 40, 7-9 montre que, selon T., l'Apôtre attribue ce « renouvellement » au fait de « regarder les récompenses éternelles » : c'est donc de cette
sorte de « promesses » divines qu'il s'agit ici.
2. La traduction littérale serait : « de notre domicile terrestre ». Nous
comprenons ce génitif comme une détermination de *domum aeternam*
impliquant un rapport de relation (« maison relative ou afférente à notre
domicile »). Le mot d'origine juridique *domicilium* a un sens plus large que
domus et désigne ici le fait, pour l'homme, d'habiter la terre. Le corps sera
désigné *infra*, conformément à l'image de Paul, par le terme de « tente »
(tabernaculum). C'est donc à tort, selon nous, que l'on a jugé le texte
altéré : ainsi Kroymann qui voit une lacune ayant fait disparaître plusieurs
mots *(ita dissoluto tabernaculo)* et qui est suivi par Evans ; ainsi Harnack
qui restitue devant : <*Loco*>.
3. La phrase latine présente un tour assez dur : la négation ne porte que
sur *sic* qui annonce lui-même la conjonction *quia* (littéralement : « dans ce
sens que... ») placée après la citation. Nous avons essayé de rendre le sens
sans trop modifier le mouvement.

qué au préalable, dans un ajout : « *Et nous ne faiblirons pas* ᵣᵣ. » Car en disant aussi que « *l'homme intérieur en nous se renouvelle de jour en jour* ˢˢ », il démontre ici l'une et l'autre chose : que la ruine de notre corps provient du harcèlement des mises à l'épreuve, et que le renouvellement de notre esprit provient de la considération des promesses [1].

Le corps ne sera pas détruit par la mort, mais transfiguré

XII. 1. En disant que, dans notre domicile terrestre [2], nous avons « *une demeure éternelle, qui n'est pas faite de main humaine au ciel* [a] », l'Apôtre ne veut pas signifier par là [3] que celle qui a été faite par la main du Créateur périrait détruite en totalité après la mort [4]. Car ces réflexions, il les fait pour apporter consolation à la crainte de la mort et à la tristesse causée par cette destruction précisément, et même cela est plus manifeste dans la suite du texte [5], puisqu'il ajoute que « *nous gémissons sur cette tente de notre corps terrestre, désirant*

4. Sans qu'il le dise en clair, T. répond apparemment à une interprétation de Marcion, qui allait dans le même sens que celle qu'il donnait de l'homme extérieur et de sa ruine (cf. ch. 11, § 16). L'opposition de la « maison éternelle » à la « tente terrestre » dont la destruction est évoquée ici devait lui servir d'appui pour avancer que l'œuvre du Créateur (le corps matériel) était promise à un anéantissement total et définitif. Contre cette thèse gnostique, T. va défendre, en se réclamant du reste du passage, la conception « catholique » de la résurrection de la chair. Il reprend d'ailleurs l'interprétation qu'il a déjà exposée en *Res.* 41, 1-3 où il cite ce verset explicitement et le commente ensuite en montrant que, dans le droit fil des versets précédents, Paul a en vue « la destruction de notre chair par les souffrances » et nullement son anéantissement définitif ; il précise même que l'image de la demeure céleste opposée à la demeure du corps est l'expression d'une promesse qui se réalisera *per resurrectionem*.

5. Le commentaire de T. souligne l'objectif essentiel de l'Apôtre : combattre la crainte de la mort et de la disparition totale, crainte que la foi en la résurrection des corps contribue, selon lui, à dissiper. Le tour syntaxique est assez vif, avec un participe *(retractans)* dont il faut tirer un verbe principal qui est ellipsé devant *manifestius*. La correction *manifestus* de Kroymann ne s'impose pas.

cupientes [b] » : « *Siquidem et despoliati non inueniemur nudi* [c] » – id est recipiemus quod despoliati sumus, id est
10 corpus ; et rursus : « *Etenim qui sumus in isto tabernaculo corporis ingemimus, quod grauemur nolentes exui, sed superindui* [d]. » **2.** Hic enim expressit quod in prima epistola strinxit : « *Et mortui resurgent incorrupti* » – qui iam obierunt – « *et nos mutabimur* [e] » – qui in carne fuerint repre-
15 hensi a Deo. [hi] Et illi enim resurgent incorrupti, recepto scilicet corpore et quidem integro, ut ex hoc sint incorrupti, et hi propter temporis ultimum iam momentum et propter merita uexationum Antichristi [f] compendium mortis, sed mutati, consequentur, superinduti magis quod de caelo est [b]
20 quam exuti corpus. **3.** Ita si hi super corpus induent caeleste illud, utique et mortui recipient corpus, super quod et

---

13 iam *R* : tam *M*γ ‖ 14 fuerint *MX Kroy.* : -rimus *edd. cett. a R* -runt *F* ‖ 14-15 reprehensi *M*γ *R₁R₂ Kroy.* : de- *edd. cett. a R₃* ‖ 15 et *R₃* : hi et *M* hii et γ *R₁R₂* hic. et *Eng. Kroy.* ‖ 16 quidem *R₃* : qui de *M*γ *R₁R₂* ‖ ex β *edd. cett.* : et *M Rig.* ‖ sint β : sit *M* ‖ 18 sed *edd. a R₃* : et *M*γ *R₁R₂* ‖ 19 superinduti *R₃* : -duci *M*γ -dui *R₁R₂* ‖ 20 exuti *M R₃* : exui γ *R₁R₂*

---

b. 2 Co 5, 2   c. 2 Co 5, 3   d. 2 Co 5, 4a   e. 1 Co 15, 52   f. Cf. 2 Jn 7 ; 1 Jn 2, 18

---

1. Dans cette citation implicite du v. 2, l'image *de isto tabernaculo* est reprise du v. 1. Devant *quod* il n'y a pas lieu de restituer *domicilium* : T. ne retient du texte scripturaire qu'une expression générale. Il en sera de même au § 2 dans la reprise de ce verset. Le verbe *superinduere,* décalqué du terme grec correspondant que Paul emploie en ce seul passage, va servir de fil conducteur pour la démonstration que T. reprend de *Res.* 41, 4-7. Nous le traduirons littéralement par « revêtir par dessus », dans un souci de précision et pour nous conformer à une exégèse attentive à distinguer le verbe composé du simple, le premier étant réservé essentiellement à ceux qui, trouvés vivants par la Parousie, ne feront pas l'expérience de la mort.

2. Le verset est cité selon la variante « occidentale » qui est commune à T. et à Marcion : cf. HARNACK, p. 99* ; SCHMID, p. I/330. Cf. ALLO, *Saint Paul. 2 Co,* p. 124-125 qui parle de « *crux interpretationis* ». La leçon ἐνδυσάμενοι est généralement admise aujourd'hui (*TOB* : « pourvu que nous soyons trouvés vêtus et non pas nus »). Ici T. reprend, en la conden-

revêtir, par dessus, ce qui est du ciel[b1] » : « *S'il est vrai que même dépouillés, nous ne serons pas trouvés nus*[c] » – c'est-à-dire que nous récupérerons ce dont nous avons été dépouillés, c'est-à-dire le corps[2]. Et de nouveau : « *En effet nous qui sommes dans cette tente du corps, nous gémissons parce que nous sommes accablés, ne voulant pas être dévêtus, mais revêtus par dessus*[d3]. » **2.** Car ici il a traité explicitement une question à laquelle il a juste touché en passant dans sa première lettre (aux Corinthiens) : « *D'une part les morts ressusciteront incorruptibles* » – ceux qui sont déjà décédés – « *et d'autre part nous, nous serons transformés*[e] » – ceux qui auront été pris ici, dans la chair par Dieu[4]. En effet les premiers ressusciteront incorruptibles, après avoir évidemment récupéré leur corps, et dans son intégrité, pour être par là incorruptibles : quant aux derniers, à cause de ce qui ne sera plus que l'ultime seconde du temps, et à cause des mérites que leur vaudront les persécutions de l'Antichrist[f5], ils obtiendront de faire l'économie de la mort, mais en ayant été transformés[6], en ayant été revêtus par dessus de ce qui est issu du ciel[b] plutôt que dévêtus de leur corps. **3.** Ainsi donc, si ces derniers, par dessus leur corps, revêtiront cet être céleste, pour sûr, les morts également récupéreront leur corps, par dessus lequel ils revêtiront eux aussi l'incorrupti-

---

sant, l'interprétation qu'il a donnée du verset en *Res.* 42, 12-13 : il l'applique à ceux qui ne seront pas trouvés en vie à la Parousie et devront récupérer leur corps avant de revêtir l'immortalité.

3. Le mot *corporis* ne se lit pas dans le texte « catholique ». Était-il dans le texte marcionite comme l'admettent HARNACK, p. 99*-100*, et SCHMID, p. I/330 ? Ou est-il une addition de T. ? Il est difficile d'en décider.

4. Cf. *supra* 10, 14, où ce passage est cité et commenté. Il s'agit ici, évidemment, de l'*aduentus Domini* (la Parousie).

5. En *Res.* 41, 6, T. ne parle que de la dureté des temps de l'Antichrist.

6. L'hyperbate de *sed mutati* (qui devrait trouver place après *consequentur*) donne du relief à l'idée du changement qui doit transformer ces corps.

ipsi induant incorruptelam de caelo, quia et de illis ait :
« *Necesse est corruptiuum istud induere incorruptelam et
mortale istud inmortalitatem* g. » Illi induunt, cum recepe-
25 rint corpus, isti superinduunt, quia non amiserint corpus, et
ideo <non> temere dixit : « *Nolentes exui corpore, sed superindui* » – id est nolentes mortem experiri, sed uita praeueniri – « *uti deuoretur mortale hoc a uita* h », dum eripitur
morti per superindumentum demutationis.

30   **4.** Ideo quia ostendit hoc melius esse, ne contristemur
mortis, si forte, praeuentu, et arrabonem nos Spiritus dicit
a Deo habere i, quasi pigneratos in eandem spem superin-
dumenti, et abesse a Domino quamdiu in carne sumus j, ac
propterea debere boni ducere abesse potius a corpore et esse
35 cum Domino k, ut et mortem libenter excipiamus. Atque
adeo « *omnes* ait *nos oporte*re *manifestari ante tribunal
Christi, ut recipiat unusquisque quae per corpus admisit siue
bonum siue malum* l. » **5.** Si enim tunc retributio merito-
rum, quomodo iam aliqui cum Deo poterunt deputari ? Et

---

22 incorruptelam *M R* : -a γ ‖ 26 non *add. coni.* R_1R_2 *add. edd. a* R_3
uide adnot. ‖ 32 pigneratos *M*γ *Kroy.* : pigno- *edd. cett. a R* ‖ 35 et ϑ *edd.*
a Rig. : *om. B Gel. Pam.* ‖ libenter *MG* R_3 : *om.* γ R_1R_2 ‖ 39 deo : domino
Kroy. ‖ deputari *M R* : -re γ

---

g. 1 Co 15, 53   h. 2 Co 5, 4b   i. Cf. 2 Co 5, 5 ; 2 Co 1, 22   j. Cf. 2
Co 5, 6   k. Cf. 2 Co 5, 8   l. 2 Co 5, 10

---

1. Cf. *supra* 10, 14.

2. La restitution de *non* par Rhenanus est indispensable, à moins qu'on
n'admette une interrogation par le ton qui serait fortement teintée d'ironie : « et pour cette raison a-t-il dit à la légère... ? » Après le rappel du passage de 1 Co, nous revenons au texte examiné dont le dernier membre de
phrase, cité pour la première fois, s'éclaire parfaitement alors.

3. Nous risquons cette traduction moderniste du dérivé *superindumentum* qui apparaît pour la première fois chez notre auteur, toujours en référence au texte de Paul (déjà en III, 24, 6), et nous préférons rendre *demu-
tatio* par « transfiguration » à cause du préfixe intensif *de-*.

4. L'expression renverse celle de la phrase précédente *uita praeueniri*.
Le substantif *praeuentus* est apparemment un néologisme de T. (un seul

bilité issue du ciel, parce que l'Apôtre dit aussi à leur propos : « *Il faut que cet être corruptible revête l'incorruptibilité
et cet être mortel l'immortalité* [g] [1]. » Les premiers le revêtent
quand ils auront récupéré leur corps ; les derniers le revêtent
par dessus parce qu'ils n'auront pas perdu leur corps. Et c'est
pour cette raison que l'Apôtre n'a pas dit à la légère [2] : « *Ne
voulant pas être dévêtus du corps, mais revêtus par dessus* »
– c'est-à-dire ne voulant pas faire l'expérience de la mort,
mais être devancés par la vie – « *de façon que cet être mortel soit dévoré par la vie* [h] » en étant arraché à la mort grâce
au « survêtement » de la transfiguration [3].

4. C'est pourquoi, comme il a montré que cette dernière
situation est la meilleure, pour nous empêcher de nous
attrister sur la venue d'une mort qui serait peut-être en
avance [4], il dit que nous détenons de Dieu les arrhes de
l'Esprit [i], comme si nous avions reçu un gage en vue de la
même espérance de ce « survêtement » ; que nous sommes
loin du Seigneur aussi longtemps que nous sommes dans la
chair [j] ; et que, pour cette raison, nous devons considérer
comme un bien plutôt de quitter notre corps et d'être avec
le Seigneur [k] afin d'accueillir aussi la mort volontiers. Et
voici que précisément il affirme que « *nous devons tous être
mis à découvert devant le tribunal du Christ pour que chacun récupère ce qu'il a accompli par son corps soit de bien
soit de mal* [l]. » **5.** Si c'est alors, en effet, qu'aura lieu la
rétribution des mérites, comment quelques-uns pourront-ils
être réputés se trouver dès maintenant avec Dieu [5] ? Et

autre emploi, également avec *mortis,* en *Mon.* 7, 4). Ceux que l'Apôtre veut
consoler, d'après notre auteur, sont ceux qui craignent de mourir avant que
n'arrive la Parousie et d'être ainsi soustraits au privilège de recevoir directement le « survêtement » d'immortalité.

5. Cette remarque paraît viser la prétention des marcionites (désignés
par ce méprisant *aliqui*) d'être sauvés dès ici-bas par leur dieu qui ne juge
pas et de vivre cette vie terrestre en lui et avec lui en se dégageant des liens
de la matière et du Créateur.

40 tribunal autem nominando et dispunctionem boni ac mali
operis utriusque sententiae iudicem ostendit et corporalem
omnium repraesentationem confirmauit. Non enim poterit
quod corpore admissum est non corpore iudicari. Iniquus
enim Deus, si non per id punitur quis aut iuuatur, per quod
45 operatus est.

6. « *Si qua ergo conditio noua in Christo, uetera transie-*
runt, ecce noua facta sunt omnia ᵐ » : impleta est Esaiae prophetia ⁿ. Si etiam iubet ut « *mundemus nos ab inquinamento*
carnis et sanguinis ᵒ », non substantiam *** capere regnum
50 Dei ᵖ. Si et uirginem sanctam destinat ecclesiam adsignare

---

41 corporalem *Kroy.* : temporalium *M*γ *R₁R₂* corporum *edd. cett. a R₃*
uide adnot. ‖ 43 iniquos *M* ‖ 44 per id punitur *R* : perdit uel punit *M* per-
iit punitur γ ‖ aut *M R* : autem γ ‖ 49 *post* substantiam *lacunam ind. Kroy.*
quam sic suppl. coni. : negat, sed opera substantiae *uide adnot.* ‖ regnum
R : regno *M*γ ‖ 50 dei. si *dist. Kroy.* : dei, si *codd. edd. cett.*

---

m. 2 Co 5, 17   n. Cf. Is 43, 18-19   o. 2 Co 7, 1   p. Cf. 1 Co 15, 50

1. Mot d'origine juridique qui renforce la notion de rétribution et
annonce le terme *iudicem* honni pour son dieu par Marcion.
2. Très séduisante est la correction de Kroymann qui lit *corporalem* à
la place de la leçon transmise *temporalium*. La dernière édition de
Rhenanus avait corrigé en *corporum* qui est généralement adopté depuis.
Le sens ne s'en trouve pas modifié.
3. Observation semblable à celle du ch. 11, § 15.
4. T. passe directement et sans transition, quelques versets plus loin
dans ce même ch. 5, à un passage qui va servir de point de départ pour une
nouvelle section : l'auteur y regroupe un certain nombre de versets de la
fin de la lettre qui ont en commun d'infirmer ostensiblement à ses yeux les
diverses théories de Marcion. Dans le cas de ce premier exemple, ce qu'il
souligne, c'est l'incohérence de l'hérétique qui a laissé subsister, dans le
propos de Paul, une référence explicite à une prophétie d'*Isaïe* (souvent
rappelée déjà : cf. notamment *supra* 2, 1 et 4, 3). – Le verset paulinien est
d'ailleurs déformé par la transposition de *in Christo* et le rattachement de
l'indéfini à *conditio* (*BJ* : « Si quelqu'un est dans le Christ, c'est une création nouvelle » ; *TOB* : « Si quelqu'un est en Christ, il est une créature nou-

d'autre part, en mentionnant le tribunal et le règlement des comptes [1] pour toute œuvre bonne ou mauvaise, l'Apôtre a montré un juge portant l'une et l'autre sentence, et il a confirmé la présentation corporelle de tous [2]. Car ce qui a été accompli avec le corps ne pourra pas ne pas être jugé avec le corps. Bien inique est Dieu en effet si l'on n'est pas puni ou réconforté par ce par quoi on a œuvré [3] !

Série de défaites pour les théories de Marcion

6. « *Si donc il est quelque création nouvelle dans le Christ, les choses anciennes sont passées, voici que toutes choses sont faites nou-*velles [m] » : c'est l'accomplissement de la prophétie d'Isaïe [n 4]. Si l'Apôtre nous invite même [5] à « *nous purifier de la souillure de la chair et du sang* [o] », ce n'est pas la substance *** prendre possession du royaume de Dieu [p 6]. Si également il décide d'assigner la vierge chaste – l'Église – au

---

velle »). On peut penser que Marcion, dont le texte supposait le sens admis aujourd'hui (cf. HARNACK, p. 100* ; SCHMID, p. I/330) voyait affirmée par l'Apôtre la nouveauté absolue de la révélation du Christ. T. lui répond, laconiquement d'ailleurs, en restant fidèle à son habituel système de polémique. Sur le néologisme chrétien *conditio,* cf. notre *Deus Christ.,* p. 338 s.

5. Avec ce deuxième exemple introduit par *Si etiam* (qui fait écho à *Si qua* du début de la phrase précédente) commence un groupement de versets isolés du contexte, qui est rythmé et structuré par l'anaphore de *Si,* tandis que l'apodose présente chaque fois une déduction négative de l'auteur : cf. SCHMID, p. 84-85.

6. Le passage est manifestement corrompu et comporte une lacune que Pamelius observait aussi dans les *codices Vaticani* qu'il consultait. Toutes les tentatives faites pour combler la lacune ont été insatisfaisantes, comme le constatent HARNACK, p. 100* et SCHMID, p. 85 et p. I/330. Ces auteurs admettent que *sanguinis* (au lieu de *spiritus* du texte « catholique ») est bien le texte marcionite. Mais T. étant ici le seul témoin, il nous paraît risqué de lui faire confiance dans un *locus mutilus*. La fin de la phrase semble être une allusion à 1 Co 15, 50 (cf. *supra* 10, 11 et 15). Mais il serait téméraire de faire fond là-dessus pour reconstruire le texte.

Christo q, utique ut sponsam sponso, non potest imago
coniungi inimico ueritatis rei ipsius. Si et « *pseudoapostolos* »
dicit « *operarios dolosos transfiguratores sui* r », per hypocri-
sin scilicet, conuersationis, non praedicationis adulteratae
55 reos taxat. Adeo de disciplina, non de diuinitate dissideba-
tur. **7.** Si « *Satanas transfiguratur in angelum lucis* s », non
potest hoc dirigi in Creatorem. Deus enim, non angelus,
Creator in deum lucis, non in angelum, transfigurare se dictus esset, si non eum Satanam significaret, quem et nos et
60 Marcion angelum nouimus.

---

52 pseudoapostolos *Kroy.* : pseudo apostolos *M*γ pseudapostolos *edd.
cett. a R* ‖ 54 adulteratae *M R* : adultera γ ‖ 56 satanas transfiguratur *M
Kroy.* : transfiguratur satanas β *edd. cett.* ‖ 60-61 nouimus. de paradiso *dist.
edd. a Rig.* : nouimus de p. *edd. cett.*

---

q. Cf. 2 Co 11, 2   r. 2 Co 11, 13   s. 2 Co 11, 14

---

1. Du début du ch. 7, T. saute au début du ch. 11, parce qu'il est, semble-
t-il, animé du désir d'en finir. HARNACK, p. 100*, a raison de penser que
Marcion avait conservé les chapitres intermédiaires. Du v. 11, 2 notre auteur
ne garde, dans sa traduction, que les mots *uirginem sanctam* et *assignare
Christo*, et il ajoute des commentaires exégétiques de son cru *(ecclesiam* et
ut sponsam sponso).
   2. Reprise d'un argument polémique récurrent : Marcion qui interdit le
mariage à ses fidèles n'a pas le droit d'utiliser pour son Christ une image
se référant à des noces.
   3. Pour la clarté, il faudrait dans la citation suppléer *in apostolos
(Christi)* après *transfiguratores sui*. Mais on admettra là encore que notre
auteur, épris de concision, ait jugé inutile de donner un détail qui allait de
soi après la qualification initiale de *pseudoapostolos*. En tout cas la traduction qu'il donne paraît lui être personnelle : par le nom d'agent *transfigu-
rator* (néologisme qu'il n'emploie qu'ici), il insiste sur la culpabilité morale
de ces faux apôtres et annonce son commentaire qui suit, souligné comme
à son habitude par *scilicet*.
   4. Dans ces adversaires de Paul contre lesquels polémiquent les ch. 10
à 13 de la lettre, Marcion voyait sans doute des représentants du groupe

Christ q 1, bien évidemment comme une épouse à un époux, l'image ne peut s'accorder avec l'ennemi de la vérité même de la chose 2 ! Si également il dit qu'il y a « *de faux apôtres, ouvriers en fourberies, auteurs de leur propre métamorphose* r », par l'effet de leur hypocrisie évidemment 3, il les stigmatise comme coupables d'avoir adultéré leur conduite sociale, non leur prédication : tant il est vrai que la dissension portait sur la discipline morale, et non sur la divinité 4 ! **7.** Si « *Satan se métamorphose en ange de lumière* s », cette parole ne peut être dirigée contre le Créateur : car le Créateur est un dieu, non un ange 5 ; Satan aurait été dit se métamorphoser en dieu – et non pas en ange – de lumière, s'il ne désignait pas le Satan que nous connaissons, nous et Marcion, comme étant un ange 6.

des Douze, responsables par conséquent de la dérive judaïsante subie par l'Évangile dans la grande Église. T. s'élève contre cette interprétation en soulignant l'aspect moral des reproches de l'Apôtre et en rappelant, d'après ce qu'il a dit de l'incident d'Antioche, que les conflits dans ces nouvelles communautés portaient sur des questions de vie sociale (relations entre juifs, judéo-chrétiens, pagano-chrétiens) et non sur l'identité du Père de Jésus-Christ. Sur le problème historique que posent ces adversaires de Paul, cf. GEORGE – GRELOT, *Introduction critique au NT*, vol. 3, p. 86-89.

5. On ne peut douter, d'après le témoignage de T., que Marcion avait formulé une telle interprétation : dans un commentaire marginal ? dans ses *Antithèses* ?

6. La réplique de T. à cette interprétation reprend un argument habituel à sa polémique – le statut de dieu conféré au Créateur dans la théologie dithéiste de Marcion – et c'est en rappelant la différence essentielle entre *dieu* et *ange* que le controversiste s'emploie, non sans habileté, et en une démonstration appuyée, à écarter une exégèse marquée par une trop grande approximation. Il rappelle aussi, habilement, que Marcion avait maintenu, dans son système, l'angélologie de l'Église. Et d'ailleurs le verset paulinien évoqué *infra* (début du § 8) montrera bien que l'hérétique n'identifie pas le dieu Créateur à Satan.

(8.) « De paradiso » suus stilus est ad omnem quam patitur quaestionem. Hic illud forte mirabor, si proprium potuit habere paradisum [t] deus nullius terrenae dispositionis ; nisi si etiam paradiso Creatoris precario usus est, sicut et
65 mundo. Et tamen hominem tollere ad caelum Creatoris exemplum est in Helia [u].

8. Magis uero mirabor Dominum optimum, percutiendi et saeuiendi alienum, nec proprium saltem, sed Creatoris angelum Satanae colaphizando apostolo suo adplicuisse et
70 ter ab eo obsecratum non concessisse [v]. Emendat igitur et deus Marcionis secundum Creatorem, elatos aemulantem et deponentem scilicet de solio dynastas [w]. Aut numquid ipse

---

62 mirabor *eras.* M ‖ 67 dominum : deum *Kroy. Mor. uide adnot.*

---

t. Cf. 2 Co 12, 2   u. Cf. 2 R 2, 11   v. Cf. 2 Co 12, 7-8   w. Cf. Lc 1, 52

---

1. T. passe brusquement au chapitre suivant de la lettre dont le second verset évoque l'enlèvement de Paul au troisième ciel (où est situé le paradis dans la tradition courante). Avant de commenter ce passage, et selon une méthode souvent pratiquée au livre IV (cf. Introduction au livre IV, t. 4, p. 47-48), il donne une explication préliminaire qui consiste à renvoyer le lecteur à un précédent ouvrage. Le *De paradiso* est également mentionné dans le *De anima* (55, 5) et il figure aussi dans l'Index du *Codex Agobardinus*. Mais ni sur sa date ni sur son contenu nous ne savons rien de précis. On pourra toutefois remarquer qu'en I, 15, 1, l'auteur avait promis une discussion sur le « troisième ciel » du dieu marcionite pour le moment où il procèderait à l'examen de l'*apostolicon*. Du fait que, parvenu à ce rendez-vous, T. se contente d'un renvoi au *De paradiso,* où sans doute a pris place déjà cette discussion, n'a-t-on pas le droit de conclure que cet ouvrage a été composé entre le livre I et le livre V de *Marc.* et avant le *De anima* ? – Le tour syntaxique adopté par T. est assez singulier : car on attendrait *paradiso suus stilus est,* mais au datif a été substitué le titre même de l'ouvrage. On comparera à la mention de *An.* 55, 5 : « Habes etiam de paradiso a nobis libellum ». L'indication sur la paternité de l'œuvre aussi disparaît : souci de modestie ? volonté de concision ?

2. Dans cette deuxième section, la polémique prend un tour plus vif et plus ironique, avec cette première personne qui met l'auteur sur le devant de la scène (et il y aura progression de ce *mirabor* au *magis mirabor* du § 8) : de plus l'attaque va être dirigée contre la divinité même de l'hérétique.

(**8.**) Sur le paradis, il y a (de nous) un écrit spécial pour répondre à toute question qu'il soulève [1]. Ici, ce qui suscitera peut-être mon émerveillement [2], c'est qu'un dieu dépourvu de toute disposition terrestre ait pu avoir son propre paradis [t] : à moins que, même pour le paradis, il ne se soit servi, à titre précaire, de celui du Créateur, comme il a fait aussi pour le monde [3] ! Et d'ailleurs, concernant l'enlèvement au ciel d'un homme, il y a l'exemple donné en Élie par le Créateur [u].

8. Mais mon émerveillement sera plus grand encore qu'un Seigneur [4] tout bon, étranger à ce qui est de frapper et de sévir, n'ait pas eu au moins même un ange à lui pour le placer aux côtés de son apôtre et le souffleter, mais qu'il ait dû prendre un ange de Satan, appartenant au Créateur [5], et que, trois fois imploré par l'Apôtre, il ne lui ait fait aucune concession [v]. C'est donc que le dieu de Marcion aussi corrige en se conformant à un Créateur jaloux des orgueilleux [6] puisque, évidemment, il renverse de leurs trônes les potentats [w][7]. Ou alors, est-ce lui-même encore qui, à Satan, donna

3. Après l'argument habituel sur l'impuissance d'un dieu qui ne s'est pas manifesté par la création de l'univers, T. ironise en reprenant, avec l'adverbe *precario*, ce qu'il a dit en IV, 22, 8.

4. La correction de Kroymann (*deum* au lieu de *dominum*) a contre elle, non seulement le témoignage des mss et des éditeurs, mais surtout le fait que T. lui-même rappelle l'habitude des marcionites de désigner leur dieu sous le nom de *Dominus* ; cf. I, 27, 3 (t. 1, p. 232).

5. La phrase souligne l'antithèse entre *proprium* (repris de la phrase précédente sur le paradis) et l'expression biblique « ange de Satan » (conservée par Marcion) sur laquelle porte le génitif *Creatoris*, marquant un rapport d'appartenance que nous avons souligné dans notre traduction.

6. Retenant du passage que Dieu a voulu châtier l'orgueil de l'Apôtre, T. ironise en montrant la divinité marcionite agissant exactement comme le Créateur, le « dieu jaloux » *(aemulator)* qui rabaisse les orgueilleux.

7. Cf. IV, 28, 11 (« ipsos dynastas de trahente de solio »). Ce verset du *Magnificat* (cantique retranché par Marcion avec tout le début de *Luc*) reprend, avec plusieurs réminiscences, un thème courant de l'AT.

est, qui et in corpus Iob dedit Satanae potestatem ˣ, ut « *uirtus in infirmitate comprobaretur* ʸ » ?

75 **9.** Quid et formam legis adhuc tenet Galatarum castiga-
tor ᶻ, in tribus testibus praefiniens staturum omne uerbum ᵃᵃ ? Quid et non parsurum se peccatoribus comminatur ᵇᵇ lenissimi dei praedicator ? Immo et ipsam durius
agendi in praesentia potestatem a Domino datam sibi adfir-
80 mat ᶜᶜ ! Nega nunc, haeretice, timeri deum tuum, cuius apostolus timebatur !

XIII. 1. Quanto opusculum profligatur, breuiter iam
retractanda sunt quae rursus occurrunt, quaedam uero et
tramittenda, quae saepius occurrerunt. Piget de lege adhuc
congredi, qui totiens probauerim concessionem eius nullum

---

78 lenis simi *M* ‖ ipsam *eras. M*
ad corinthios secunda explicit *M* incipit ad romanos *M*ᵐᵍ de epistola
ad romanos β
XIII. 1 quanto *M*γ *R₁ Kroy. Evans* : quando *coni. R₁ rec. edd. cett. a R₂*
‖ 2-3 et tramittenda *M coni. Iun. rec. Kroy.* : extra- γ *R₁R₂* tra- *edd. cett.
a R₃* ‖ 4 qui totiens *edd. a Pam.* : quoties β *B Gel.* quotiens *M* ‖ probauerim *edd. a Pam.* : probat uera *M*γ [ueram *X*] *R₁* probatur *coni. R₁ rec.
R₂* probaueram *R₃ B Gel.*

---

x. Cf. 2 Co 12, 7 ; Jb 1, 12   y. 2 Co 12, 9   z. Cf. Ga 1, 6-9   aa. Cf. 2
Co 13, 1 = Dt 19, 15   bb. Cf. 2 Co 13, 2   cc. Cf. 2 Co 13, 10

---

1. Du passage de Paul, T. retient aussi le pouvoir que Dieu a laissé à
Satan sur l'Apôtre. Il en rapproche, pour ironiser à nouveau sur ce *deus
optimus* si proche du Créateur, un verset de *Job* approximativement rappelé (ce sont les biens de Job, sa personne même étant exclue, que Yahvé
abandonne à Satan). La formule paulinienne sur force et faiblesse avait déjà
été l'objet d'une mention en I, 14, 1.
2. T. passe maintenant au ch. 13 : il va regrouper, dans cette troisième
section, ses observations critiques à l'égard de Marcion concernant des attitudes ou comportements de Paul. L'Apôtre devient le sujet des verbes. Les
deux premières phrases sont des interrogations rhétoriques, scandées par
l'anaphore de *Quid*. La phrase suivante, dégagée par un adverbe *(immo)*,
marque une progression.
3. Cf. *supra* 2, 4-7.

aussi pouvoir sur le corps de Job [x] pour que « *la force fît sa pleine preuve dans la faiblesse* [y] [1] » ?

9. Pourquoi aussi l'Apôtre [2] s'en tient-il, lui le censeur des Galates [z] [3], au modèle de la Loi quand il pose en règle préalable que toute parole s'établira sur trois témoins [aa] [4] ? Pourquoi aussi menace-t-il de ne pas épargner les pécheurs [bb], lui qui prêche un dieu tout de douceur ? Bien plus encore, ce pouvoir même d'agir sur place avec plus de sévérité, il affirme qu'il lui a été donné par le Seigneur [cc] ! Nie maintenant, hérétique, que ton dieu inspire de la crainte, lui dont l'Apôtre en inspirait [5] !

IV. LA LETTRE AUX ROMAINS

L'abandon de la Loi n'est pas signe d'un « autre » dieu

XIII. 1. A mesure qu'avance notre ouvrage, il faut désormais ne consacrer qu'un bref examen à des sujets qui se présentent de nouveau, mais aussi en laisser de côté certains qui se sont présentés trop souvent [6]. Il me pèse de batailler encore à propos de la Loi, moi qui tant de fois ai prouvé que son abandon n'of-

---

4. Cf. IV, 22, 7 et 43, 2. Cette règle des « trois témoins » a joué un grand rôle dans la pensée de T. : cf. nos *Approches de Tertullien*, p. 53.

5. Conclusion vigoureuse, faite d'une *sententia* bien frappée. Rejoignant le développement du livre I (22, 1-5) sur le « dieu qui n'est pas craint », notre auteur interpelle son adversaire et lui lance un défi : comment peut-il soutenir une telle proposition sur son dieu alors que l'Apôtre, de ce dieu agissant par son ordre, prétend à inspirer de la crainte aux pécheurs de la communauté de Corinthe ?

6. Le désir d'abréger ces discussions et la lassitude devant le retour de mêmes sujets ont déjà été exprimés dans les chapitres précédents. Ils alimentent ici la transition vers un nouveau développement, consacré à la *Lettre aux Romains*. Un sous-titre (intercalaire ou marginal) prévenait le lecteur dès l'original de T. (Cf. Introd., p. 17 et n. 1).

5 argumentum praestare diuersi dei in Christo, praedicatam
scilicet et repromissam in Christum apud Creatorem, quatenus et ipsa epistola legem plurimum uidetur excludere.

2. Sed et iudicem deum ab Apostolo circumferri saepe
iam ostendimus et in iudice ultorem et Creatorem in ultore.

10 Itaque et hic, cum dicit : « *Non enim me pudet euangelii ;
uirtus enim Dei est in salutem omni credenti, Iudaeo et
Graeco, quia iustitia Dei in eo reuelatur ex fide in fidem* [a] »,
sine dubio et euangelium et salutem iusto deo deputat, non
bono – ut ita dixerim secundum haeretici distinctionem –

15 transferenti ex fide legis in fidem euangelii, suae utique legis
et sui euangelii, quoniam et « *iram* » dicit « *reuela*ri *de caelo
super impietatem [loci] et iniustitiam hominum, qui ueritatem <in> iniustitia detineant* [b]. » **(3.)** Cuius dei ira ? Vtique
Creatoris. **3.** Ergo et ueritas eius erit, cuius et ira, quae

20 reuelari habet in ultionem ueritatis. Etiam adiciens :
« *Scimus autem iudicium Dei secundum ueritatem esse* [c] » et
iram ipsam probauit, ex qua uenit iudicium pro ueritate, et

---

16 *post* iram *add.* dei *Pam. Kroy.* ‖ 17 et iniustitiam R_3 : loci in iustitiam
[*uel* iniustitiam] $M\gamma$ R_1 loci in iniustitiam R_2 ‖ 18 in iniustitia R_2R_3 : iniustitia *MX*   in iustitia R_1 in iustitiam *F* ‖ detineant : -ent *Pam. Rig.* ‖ 22 ipsam
M edd. a Pam. : -a β *Gel.*

XIII. a. Rm 1, 16-17   b. Rm 1, 18   c. Rm 2, 2

---

1. Le substantif *concessio* ici se réfère à l'emploi intransitif du verbe (« se
retirer », « céder le pas », « faire retraite »). La démonstration sur le retrait
de la Loi par le dieu de l'AT a été faite abondamment dans les premiers
chapitres du livre.

2. La proposition introduite par *quatenus*, de sens causal comme
d'habitude, doit être rattachée à la principale *(Piget de lege congredi)* : elle
justifie la lassitude de l'auteur devant tant de nouvelles occasions que
la présente lettre lui offrirait de reprendre la polémique avec Marcion sur la
Loi. Sur le sens de *excludere*, cf. t. 1, p. 285.

3. Ces versets 16-18 étaient conservés sans changement par Marcion :
cf. HARNACK, p. 102*-103 ; SCHMID, p. I/331.

frait aucun argument en faveur d'une altérité de dieu dans le Christ, abandon qui évidemment avait été, chez le Créateur, annoncé et promis pour le Christ [1] : car c'est même cette lettre, précisément, qu'on voit le plus supprimer la Loi [2].

Jugement et colère, signes du Créateur

2. Mais également, nous l'avons déjà souvent montré, c'est un dieu juge qui est porté à la ronde par l'Apôtre, et dans le juge un vengeur, et le Créateur dans le vengeur. C'est pourquoi ici aussi, lorsqu'il dit : « *Je n'ai pas honte en effet de l'Évangile ; car il est une force de Dieu, en vue du salut, pour tout croyant, juif et grec, parce que la justice de Dieu se révèle en lui de la foi à la foi* [a][3] », sans aucun doute il attribue et l'Évangile et le salut au dieu juste, non au dieu bon – pour m'exprimer ainsi d'après la distinction de l'hérétique [4] –, dieu qui fait passer de la foi de la Loi à la foi de l'Évangile [5], bien sûr de sa Loi à lui et de son Évangile à lui ! Car l'Apôtre dit aussi que « *sa colère se révèle du haut du ciel sur l'impiété et l'injustice des hommes qui retiennent la vérité dans les liens de l'injustice* [b]. » **(3.)** La colère de quel dieu ? Du Créateur bien sûr ! **3.** Donc, la vérité aussi appartiendra à celui à qui appartient également la colère qui doit se révéler pour venger la vérité. Et même, en ajoutant : « *Or nous savons que le jugement de Dieu est conforme à la vérité* [c][6] », il a, tout à la fois, prouvé sa colère elle-même, d'où provient son jugement en faveur de la

---

4. Cette distinction sur laquelle reposait toute la théologie de Marcion a été vigoureusement combattue par T., au livre II notamment. S'il la reprend ici, c'est par concession ironique au langage de son adversaire.

5. L'expression paulinienne que T. interprète ici, si allègrement, dans le sens de sa démonstration est qualifiée d'obscure par la *TOB* qui traduit « par la foi et pour la foi » et admet la traduction « de la foi à la foi » (note *x* où sont énumérées plusieurs interprétations proposées par les exégètes).

6. Selon HARNACK, p. 101*, le verset 2, 2, que notre auteur introduit par *adiciens,* faisait suite au précédent chez Marcion ; les versets 1, 19 – 2, 1 auraient été supprimés par l'hérétique, dont nous apprenons, par le début du § 4, qu'il avait pratiqué des « coupes sombres » dans le texte de la lettre.

ueritatem rursus eiusdem dei confirmauit, cuius iram probauit probando iudicium. Aliud est, si ueritatem dei alterius
25 in iniustitia detentam [b] Creator iratus ulciscitur.

4. Quantas autem foueas in ista uel maxime epistola
Marcion fecerit auferendo quae uoluit, de nostri instrumenti
integritate parebit. Mihi sufficit, quae proinde eradenda non
uidit quasi neglegentias et caecitates eius accipere. Si enim
30 « *iudicabit Deus occulta hominum* [d] », tam eorum qui in lege
deliquerunt quam eorum qui sine lege [e], quia et hi « *legem
ignorant, et natura faciunt quae sunt legis* [f] », utique is deus
iudicabit, cuius sunt et lex et ipsa natura, quae legis est ins-
tar ignorantibus legem [f]. **5.** Iudicabit autem quomodo ?
35 **(5.)** « *Secundum euangelium*, inquit, *per Christum* [g]. » Ergo
et euangelium et Christus illius sunt, cuius et lex et natura,
quae per euangelium et Christum uindicabuntur a Deo illo

---

24 si *M R* : se γ ‖ 25 in β : *om. M* ‖ detentam *M R* : de tanta γ ‖ 27
auferendo *R₂R₃* : aut referendo *Mγ R₁* ‖ 30 iudicabit *R₂R₃* : -auit *Mγ R₁* ‖
32 ignorant et : ignorantes *Ciaconius* ‖ sunt *R* : sint *Mγ* ‖ 37 a deo *X Lat.
Kroy. Evans* : adeo *M(ut saepe) F R Gel. Pam. Rig. Oeh.*

---

d. Rm 2, 16a   e. Cf. Rm 2, 12   f. Rm 2, 14   g. Rm 2, 16b

1. Sur l'expression *aliud est si*, qui est habituelle à T. pour ironiser, cf.
Index terminologique des livres I-III, t. 3, p. 323.

2. Image expressive qui rend sensible l'étendue des suppressions pratiquées par Marcion. On peut hésiter sur le sens à donner à *quantas* qui
pourrait équivaloir à *quot* (= « combien nombreux », cf. HOPPE, *S.u.S.*,
p. 198 s.). Cette intéressante indication est-elle inspirée à notre auteur par
la disparition des versets 2, 3-11, qui parlent notamment de la colère de
Dieu ? Quoi qu'il en soit, il va traiter maintenant des versets 2, 12-16, qu'il
rattache étroitement à ceux examinés dans les § 2-3.

3. Sur ce sens d'*instrumentum* désignant ici une partie de l'Écriture
(l'*apostolicon*), cf. *Deus Christ.*, p. 464 s. Le possessif *noster* marque l'appartenance de T. à la grande Église (opposée aux hérésies).

4. Reprise du principe de la méthode qu'il a annoncée dès le début : la
controverse ne portera que sur les textes laissés en place par Marcion. Cette

vérité, et confirmé à nouveau que la vérité était celle du même dieu dont il a prouvé la colère en prouvant le jugement. A moins que [1] ce ne soit la vérité d'un « autre » dieu, retenue dans les liens de l'injustice [b], que, dans sa colère, le Créateur venge !

Confirmation par un autre passage

4. Quels trous béants [2] dans cette lettre, plus encore que dans les autres, Marcion a creusés en supprimant ce qu'il a voulu, une comparaison avec l'intégralité de notre document scripturaire [3] le fera apparaître. Il me suffit, à moi, d'accueillir comme des marques de sa négligence et de son aveuglement les passages dont il n'a pas vu qu'il lui fallait pareillement les retrancher [4]. Si en effet « *Dieu jugera les actions secrètes des hommes* [d] », tant de ceux qui ont péché sous la Loi que de ceux qui l'ont fait sans la Loi [e] parce que ces derniers « *ignorent la Loi et accomplissent par la nature les prescriptions de la Loi* [f] », la chose est sûre, le dieu qui jugera est celui à qui appartiennent et la Loi et la nature elle-même, laquelle tient lieu de Loi pour ceux qui ignorent la Loi [f]. **5.** Mais comment jugera-t-il ? **(5.)** « *Conformément à l'Évangile*, dit l'Apôtre, *par le Christ* [g] [5]. » C'est donc que, et l'Évangile, et le Christ appartiennent à celui auquel appartiennent et la Loi et la nature qui seront vengées par Dieu au moyen de l'Évangile et du Christ grâce à ce jugement de

---

reprise s'accompagne d'un renouvellement de la polémique sur la cécité de l'hérétique qui est taxé aussi de négligence, d'incurie dans sa manipulation de l'écrit apostolique.

5. Pour les besoins de sa démonstration, T. distingue les deux éléments constitutifs du v. 16 : le premier lui permet de définir le dieu en question comme étant celui de la Loi et de la nature. Le second va lui permettre de raccorder le nouvel énoncé à ceux du § 2-3. Notre auteur paraît avoir négligé, comme sans intérêt, le pronom possessif qui détermine « Évangile » (le texte « catholique » est : « selon mon évangile » ; c'était peut-être aussi le cas du texte marcionite : cf. SCHMID, p. I/332).

iudicio Dei, quod et supra « *secundum ueritatem* [h] ». Ergo
qua defendenda <ea> reueletur de caelo ira [i] non nisi a deo
40 irae, ita et hic sensus, pristino cohaerens, in quo iudicium
Creatoris edicitur, non potest in alium deum referri, qui nec
iudicat nec irascitur, sed in illum, cuius dum haec sunt, iudicium dico et iram, etiam illa ipsius sint necesse est, per quae
haec habent transigi, euangelium et Christus.

45 **6.** Et ideo uehitur in transgressores legis docentes non
furari et furantes [j], ut homo dei legis, non ut Creatorem
ipsum his modis tangens, qui et furari uetans fraudem man-
dauerit in Aegyptios auri et argenti [k], quemadmodum et

---

38 dei quod : de quo *Kroy. uide adnot.* ‖ 39 defendenda ea *Eng.* : defendenda *codd. Mor.* ad defendenda ea *Kroy.* defendendae ei *coni. Evans
uide adnot.* ‖ a *del. Mor. uide adnot.* ‖ 41 edicitur *eras.* M ‖ 43 iram *M
edd. a Pam.* : ira β *Gel.* ‖ quae *Lat. Kroy. Evans* : quem ϑ *edd. cett. uide
adnot.* ‖ 46 furantes *ex emend.* M

---

h. Rm 2, 2   i. Cf. Rm 1, 18   j. Cf. Rm 2, 21   k. Cf. Ex 12, 35-36

---

1. Le texte des mss *(iudicio dei quod)* mérite d'être défendu et maintenu
contre la correction de Kroymann *(iudicio de quo)*. La reprise de *dei* est sty-
listiquement heureuse : elle crée un effet de martèlement et surtout elle remet
sous les yeux du lecteur la formule même du v. 2, 2. De plus le relatif *quod,*
au nominatif, suit exactement l'énoncé du même verset *(secundum ueritatem
esse)* au § 3 ; le rétablissement du verbe copule *est* ne fait aucune difficulté.

2. Cette proposition, qui est un rappel du v. 1, 18, se présente comme
une subordonnée causale introduite par *qua* (= *quia* : cf. BULHART, *CSEL*
76, *Praefatio,* § 86) ; le verbe en est au subjonctif potentiel, en symétrie
avec *potest ... referri* de la principale. Il y a lieu de rétablir *ea* après *defendenda* selon la conjecture d'Engelbrecht (admise par Evans), ce pronom
renvoyant à *ueritatem* : ce tour à l'ablatif exprime un complément de
manière et correspond bien à *secundum...* La leçon proposée par Evans
dans son apparat *(defendendae ei)* nous paraît moins heureuse parce
qu'énonçant un but. Il en va de même de celle qu'adopte Kroymann *(<ad>
defendenda <ea>)* : beaucoup moins économique, elle présente en plus
l'inconvénient de ne pas s'accorder au contexte, qui concerne la « vérité »
(et non pas *lex et natura* que reprendrait le neutre *ea*) : reprise des expressions *in ultionem ueritatis* et *pro ueritate* du § 3. Devant *deo irae* qui
désigne à l'évidence le Créateur, la préposition *a*, donnée par toute la tra-

Dieu cité plus haut également « *conforme à la vérité* [h][1] ». Par conséquent, puisque dans la défense de cette vérité la colère ne se révèlerait du haut du ciel [i] que par l'action du dieu de la colère [2], ainsi cette phrase aussi, en cohérence avec la précédente où est énoncé le jugement du Créateur [3], ne peut être rapportée à un « autre » dieu, lequel ni ne juge ni ne se met en colère [4] : elle se rapporte au dieu qui, étant celui dont relèvent ces deux choses, je veux dire le jugement et la colère, est aussi précisément celui dont il faut bien que relèvent ces deux autres choses, l'Évangile et le Christ, puisque c'est par elles que l'accomplissement des premières a à passer [5].

Contre les juifs transgresseurs de la Loi

6. Et c'est pourquoi l'Apôtre s'emporte contre les transgresseurs de la Loi, qui enseignent à ne pas voler, et qui volent [j] : il le fait comme homme du dieu de la Loi, et non comme quelqu'un qui veut atteindre par ces moyens le Créateur lui-même, lui qui, tout en interdisant aussi de voler, a mandé contre les Égyptiens le vol frauduleux de leur or et argent [k][6], de même que nos

---

dition, doit être conservée comme exprimant l'*agent* de cette manifestation de colère.

3. Le sens de *sensus,* comme précédemment, est : « pensée (exprimée dans une phrase) », « phrase ». T. renvoie clairement au v. 2, 2 cité au § 3 et, pour éviter toute équivoque, il le résume dans une relative.

4. Reprise ironique d'une définition souvent rappelée du *deus optimus* des marcionites.

5. On peut dire que T. met les points sur les *i* dans sa démonstration selon laquelle le dieu du binôme *jugement / colère* est aussi celui du binôme *Évangile / Christ*. Négligeant la petite différence qui distingue les prépositions *secundum* et *per,* il unifie l'idée en faisant de l'Évangile et du Christ les moyens d'accomplissement des deux réalités (*haec* répété) mises en jeu par le premier binôme. La correction de *quem* en *quae,* proposée par Latinius, s'est imposée dans la corrélation *illa ... per quae...*

6. Sur ce grief fait au Créateur par Marcion, cf. II, 20, 1 s. ; 28, 2 ; IV, 24, 5. D'après le présent passage de T., l'hérétique utilisait aussi ce témoignage de Paul comme une critique indirecte et détournée de l'attitude du Créateur dans cet épisode de l'*Exode.*

cetera in illum retorquent. Scilicet Apostolus uerebatur
50 conuicium deo palam facere, a quo non uerebatur diuer-
tisse. **7.** Adeo autem Iudaeos incesserat, ut ingesserit propheticam increpationem : « *Propter uos nomen Dei blasphe-*
matur [1]. » Quam ergo peruersum, ut ipse blasphemaret eum,
cuius blasphemandi causa malos exprobrat !
55   Praefert et « *circumcisionem cordis* [m] » praeputiationi.
Apud deum legis est facta « *circumcisio cordis* » – non carnis – « *spiritu, non littera* [m] ». Quodsi haec est circumcisio
Hieremiae : « *Et circumcidemini praeputia cordis* [n] », sicut et
Moyses : « *Et circumcidemini duricordiam uestram* [o] », eius
60 erit spiritus circumcidens cor, cuius et littera metens carnem, eius et « *Iudaeus, qui in occulto* [p] », cuius et « *Iudaeus*
in aperto [p] », quia nec Iudaeum nominare uellet Apostolus
non Iudaeorum dei seruum.

---

51 incesserat *coni.* R_2 *rec.* R_3 : inge- *M*γ R_1R_2 *uide adnot.* ‖ 52-53 blas-
phematur : blasphatur *M*ac ‖ 55 praeputiationi : praeputi. atenim *Kroy.* ‖ 58
ieremiae *M* ‖ 59 moyses : -sis *Rig.* -sei *Kroy.* ‖ et *MX Kroy.* : *om. F edd.*
cett. a *R* ‖ 60-61 carnem, eius *ita dist. Kroy.* ‖ 62 in aperto β : *om. M* ‖ 63
seruus *corr. Mor. uide adnot.*

---

l. Rm 2, 24 = Is 52, 5 (LXX)   m. Rm 2, 29   n. Jr 4, 4   o. Dt 10, 16
p. Rm 2, 28-29

---

1. On ne voit pas bien ce que vise ce dernier membre de phrase. Après
le vol, Paul évoque, dans le v. 22, l'adultère et l'idolâtrie, mais il ne semble
pas que les marcionites (sujet de *retorquent*) aient jamais reproché de tels
crimes au dieu de l'AT.

2. Réponse ironique, soulignée par un *scilicet* initial. La lâcheté de ces
attaques déguisées est comparée au courage que Paul devait avoir pour
tourner le dos à son dieu et se mettre au service d'un « autre ».

3. La leçon de R_2 *(incesserat)* s'est imposée dès le début de la tradition :
ce verbe forme un jeu de paronomase avec celui qui suit *(ingesserit)*.

4. Cf. III, 23, 3 ; IV, 21, 12. Ici la citation d'*Isaïe* est abrégée (omission
de « parmi les nations »).

5. L'expression *circumcisio cordis* désigne le retranchement volontaire
des plaisirs charnels, le renoncement aux tendances mauvaises et à
l'égoïsme. Le génitif *cordis* porte aussi sur l'autre substantif : *praeputiatio*
(cordis) exprime donc le contraire, c'est-à-dire l'attachement à la chair et

adversaires retournent contre ce dieu les autres reproches aussi [1]. C'est chose évidente : l'Apôtre avait peur de quereller son dieu ouvertement, lui dont il n'avait pas peur de se détourner [2] ! **7.** D'autre part il avait harcelé les juifs à tel point qu'il leur asséna [3] l'invective prophétique : « *A cause de vous, on blasphème le nom de Dieu* [14]. » Quelle perversité donc ce serait de sa part, de blasphémer lui-même ce dieu, alors qu'il leur reproche d'être mauvais parce qu'ils le blasphèment !

Circoncision du cœur

Il préfère aussi « *la circoncision du cœur* [m] » à son incirconcision [5]. C'est chez le dieu de la Loi que s'est faite « *la circoncision du cœur* » – et non celle de la chair – « *par l'esprit, non par la lettre* [m] ». Or si cette circoncision est celle de Jérémie : « *Et vous vous circoncirez des prépuces du cœur* [n] », de même que Moïse a dit : « *Et vous vous circoncirez de votre dureté de cœur* [o][6] », l'esprit qui circoncit le cœur appartient au dieu à qui appartient aussi la lettre qui moissonne la chair [7] ; et « *le juif caché à l'intérieur* [p] » appartient aussi à celui à qui appartient « *le juif visible à l'extérieur* [p] », car l'Apôtre n'aurait même pas voulu appeler juif quelqu'un qui ne fût pas serviteur du dieu des juifs [8].

à ses penchants. Il n'est pas douteux que Marcion voyait affichée dans ce passage la préférence de l'Apôtre pour l'encratisme dont sa divinité faisait profession. T. va lui rappeler que cette « circoncision morale » est bien présente chez le « dieu de la Loi ».

6. Les deux citations sont reprises, avec de légères variantes rédactionnelles, du début de ce livre (V, 4, 10).

7. Sur cette métaphore de la « moisson » (et de la « faux ») pour marquer le retranchement des plaisirs charnels, cf. I, 28, 4-5.

8. Combattant sans doute l'interprétation marcionite qui prétendait que, par l'expression *Iudaeus in occulto*, Paul annonçait la religion d'un « autre » dieu, T. s'attache à montrer que l'Apôtre n'a pu utiliser ce terme que pour un desservant du Créateur (celui que, par mépris, Marcion appelait « dieu des juifs »). Dans la dernière proposition, *non Iudaeorum dei seruum* (en une expression ramassée) est le complément d'objet de *nominare,* et *Iudaeum* l'attribut : il n'y a pas lieu de corriger *seruum* en *seruus.*

8. « *Tunc lex, nunc iustitia Dei per fidem Christi* q. »
65 Quae est ista distinctio ? Seruiuit deus tuus dispositioni
Creatoris, dans ei tempus et legi eius ? An eius « tunc »,
cuius et « nunc » ? Eius lex, cuius et fides Christi ?
Distinctio dispositionum est, non deorum. **9.** Monet « *ius-
tificatos ex fide* » Christi – non ex lege – « *pacem ad Deum*
70 *habe*re r. » Ad quem ? Cuius numquam fuimus hostes an
cuius legi et naturae rebellauimus ? Nam si in eum competit pax, cum quo fuit bellum, ei et iustificabimur ; et eius erit
Christus – ex cuius fide iustificabimur, ad cuius pacem competit redigi hostes eius aliquando.

75   **10.** « *Lex autem*, inquit, *subintroiuit, ut abundaret delictum* s. » Quare ? « *Vt superabundaret*, inquit, *gratia* s. »
Cuius dei gratia, si non cuius et lex ? Nisi si Creator ideo
legem intercalauit, ut negotium procuraret gratiae dei alterius et quidem aemuli – ne dixerim ignoti –, « *ut, quemad-
80 modum* » – apud ipsum – « *regnauerat peccatum in mortem*,

---

65 tuus *MG R₃* : *om.* γ *R₁R₂* ‖ 68 dispositionum *edd. a Pam.* : disposi-
tio nunc ϑ *Gel.* ‖ 70 numquam *M Kroy.* : nus- β *edd. cett.* ‖ 77 si¹ *Mˢˡ* ‖ 78
legem *M R₃* : *om.* γ *R₁R₂ Iun.*

---

q. Rm 3, 22   r. Rm 5, 1   s. Rm 5, 20

---

1. Par un brusque saut, T. passe au milieu du chapitre 3 qui traite de la
« justice de Dieu ». D'après Schmid, p. I/332, la phrase initiale est prise au
texte marcionite où elle figurait peut-être comme glose marginale. Le texte
« catholique » des v. 21-22 n'établit pas une opposition temporelle tranchée
entre la Loi et la justice divine s'exerçant par le Christ.
2. Présentation sarcastique d'une divinité prétendue supérieure qui
laisse à la divinité subalterne le temps de gouverner par sa Loi : reprise sous
une autre forme de l'argument fondamental contre la théorie de Marcion
(« Cur tam sero ? »).
3. Argument récurrent de la polémique contre le dithéisme marcionite.
4. Étant donné que la citation est faite sous forme indirecte, il est difficile de déterminer si l'infinitif *habere* repose sur un indicatif ou un subjonctif : les deux leçons se rencontrent dans la tradition du verset. Harnack,
p. 104* et Schmid, p. I/332 admettent le subjonctif. Mais le verbe introduc-

**Justice de Dieu
et justification**

8. « *Alors la Loi, maintenant la justice de Dieu par la foi au Christ* [q1]. » Qu'est-ce que cette distinction ? Ton dieu s'est-il mis au service de la disposition du Créateur, en lui accordant un temps, à lui et à sa Loi [2], ou n'est-ce pas plutôt que « alors » appartient à celui à qui appartient aussi « maintenant » ? que la Loi appartient à qui appartient aussi la foi au Christ ? C'est une distinction de dispositions, non de dieux [3] ! **9.** L'Apôtre avertit « *ceux qui ont été justifiés de par leur foi* » au Christ – non de par la Loi – « *d'avoir la paix avec Dieu* [r4] ». Avec quel dieu ? Celui dont nous n'avons jamais été les ennemis [5], ou celui dont la Loi et la nature nous ont trouvés en révolte contre elles ? Car si la logique veut qu'il y ait paix à l'égard de celui avec qui il y a eu guerre, c'est envers lui aussi que nous serons justifiés, et c'est de lui que relèvera le Christ – lui par la foi en qui nous serons justifiés, à la paix avec qui la logique veut voir ramenés ceux qui ont été autrefois ses ennemis.

**Loi, péché
et grâce**

10. « *Mais la Loi,* dit-il, *est intervenue pour qu'abonde le péché* [s]. » Pourquoi ? « *Pour,* dit-il, *que surabonde la grâce* [s]. » La grâce de quel dieu, sinon de celui dont relève aussi la Loi ? A moins que peut-être le Créateur n'ait intercalé la Loi à seule fin de servir les affaires d'une grâce appartenant à un dieu autre, et même rival – pour ne pas dire ignoré de lui ! –, « *afin que, de la même manière que* » – chez lui – « *le péché avait*

---

tif *monet* peut s'interpréter soit comme verbe déclaratif soit comme verbe de volonté. Dans la suite, l'expression *redigi ad pacem* parait plus en rapport avec la seconde interprétation : c'est elle que nous choisissons. D'autre part, HARNACK, *ibid.*, admet que les mots « non de par la Loi » faisaient partie du texte marcionite ; SCHMID, *ibid.*, y voit une addition explicative de T.

5. Il s'agit évidemment du dieu marcionite : vu son absence de la scène du monde jusqu'à sa révélation sous Tibère, on peut bien dire que l'homme n'a jamais été en guerre avec lui !

ita et gratia regnaret in iustitia in uitam per Iesum Christum [t] » – aduersarium ipsius. **11.** Propter hoc omnia concluserat lex Creatoris sub delictum [u] et totum mundum deduxerat in reatum et omne os obstruxerat [v], ne qui glo-
85 riaretur per illam, ut gratia seruaretur in gloriam Christi non Creatoris, sed Marcionis !

12. Possum et hic de substantia Christi praestruere ex prospectu quaestionis subsecuturae. « *Mortuos* » enim nos inquit « *legi per corpus Christi* [w] ». – Et potest corpus
90 contendi, non statim caro. – Sed et quaecumque substantia sit, cum eius nominat corpus, quem subicit « *ex mortuis resurrexisse* [w] », non potest aliud corpus intellegi quam carnis, in quam lex mortis est dicta.

13. Ecce autem et testimonium perhibet legi et causa
95 delicti eam excusat : « *Quid ergo dicemus ? quia lex peccatum ? absit* [x] *!* » – « *<Absit>* » : Erubesce, Marcion, [absit]

---

84 ne qui ϑ *edd. a Pam.* : ne quis R_2R_3 *B Gel.* ‖ 86 *post* marcionis *interrogationis signum posuit Evans* ‖ 87 ex *M R* : et γ ‖ 89 per *Ciaconius* : ergo ϑ *edd.* ‖ et ϑ : est. *Kroy.* etsi *Eng.* sed *Mor. uide adnot.* ‖ 91 ex *M R* : et γ ‖ 96 absit[2] *post* absit[1] *transp.* Braun *del. Kroy. Mor. uide adnot.*

---

t. Rm 5, 21   u. Cf. Ga 3, 22   v. Cf. Rm 3, 19   w. Rm 7, 4   x. Rm 7, 7

---

1. Pour ces v. 20 et 21, le texte marcionite est pratiquement identique au texte « catholique ». T. le suit, mais en le réaménageant : d'abord pour en souligner les articulations (ainsi par *quare*) ou pour ajouter une précision (ainsi *apud ipsum*, ainsi *aduersarium*). Mais surtout, il y insère un commentaire personnel destiné à montrer l'absurdité de distinguer un dieu de la Loi et un dieu de la grâce : commentaire qui est, sur le mode ironique, une caricature de la théorie adverse. Le vocabulaire s'assortit à cette volonté de dérision : *intercalare* (dont c'est l'unique emploi chez T.) est un mot juridique (répondant à *subintroiuit* du texte) et crée un effet plaisant ; l'expression *negotium procurare*, empruntée au monde économique, va dans le même sens.

2. Poursuite du persiflage : T. utilise des souvenirs de ce que Paul dit du rôle de la Loi en deux autres passages qui n'avaient pas servi dans la présente polémique. La phrase est habilement construite en vue de sa chute sur le nom de l'hérétique.

3. La question de la « substance du Christ » sera posée dans le chapitre suivant. L'explication du v. 7, 4 va, en une sorte de parenthèse, servir de *praestructio* au développement annoncé.

régné pour la mort, la grâce aussi règne dans la justice pour la vie par Jésus Christ [t] » – son adversaire [1] ! **11.** Voici pourquoi la loi du Créateur avait tout renfermé sous le péché [u], avait rangé le monde entier dans la faute, avait mis un bâillon à toute bouche [v] pour empêcher que personne se glorifiât par elle, et cela à seule fin de réserver la grâce à la gloire d'un Christ qui n'était pas celui du Créateur, mais celui de Marcion [2] !

Corps charnel du Christ ressuscité

12. Ici aussi, je peux, concernant la substance du Christ, établir un préalable en prévision de la question qui va suivre [3]. Effectivement, l'Apôtre dit que nous sommes « *morts à la Loi par le corps du Christ* [w] ». – Et toutefois on peut soutenir qu'il y a corps sans que, du coup, il y ait chair [4]. – Mais aussi bien, quelle que soit la substance dont il s'agit, comme il mentionne le corps de celui dont il ajoute qu'« *il est ressuscité des morts* [w] [5] », on ne peut comprendre là un autre corps que le corps de chair, puisque c'est sur la chair que la loi de mort a été prononcée [6].

Éloge de la Loi pour la honte de Marcion

13. Mais voici que l'Apôtre apporte aussi un témoignage en faveur de la Loi et qu'il la justifie à cause du péché : « *Que dirons-nous donc ? Que la Loi est péché ? Loin de nous* [x] *!* » – « <*Loin de nous !*> » Rougis de honte, Marcion, devant l'Apôtre qui repousse avec

---

4. Cette phrase paraît être prononcée par l'adversaire comme une objection à l'argument qui peut être tiré du mot « corps ». La leçon de la tradition *(Et)* paraît pouvoir être conservée sans qu'il soit nécessaire de corriger en *Sed* : il suffit de donner à cette conjonction un sens adversatif (« Et toutefois »).

5. L'argument de T. est tiré de la fin du verset qui fait mention de « ressuscité des morts » à propos du Christ : il n'est pas douteux que cette mention figurait dans le texte marcionite. HARNACK, p. 106*, l'enregistre bien ; mais SCHMID, p. I/333, l'omet.

6. Cette indication nous paraît viser la parole de Gn 3, 19 sur le sort réservé à la chair (tirée du limon) en punition de la désobéissance.

abominanti Apostolo criminationem legis – « *sed ego delic-*
tum non scio nisi per legem [x]. » **14.** O summum ex hoc
praeconium legis, per quem <non> licuit delictum latere !
100 Non ergo lex seduxit, sed peccatum per praecepti occasionem [y]. Quid deo imputas legis quod legi eius Apostolus
imputare non audet ? Atquin et adcumulat : « *Lex sancta et*
praeceptum eius iustum et bonum [z]. » **(15.)** Si taliter ueneratur legem Creatoris, quomodo ipsum destruat nescio.
105 **15.** Quis discernit duos deos, iustum alium bonum alium,
cum is utrumque debeat credi, cuius praeceptum et bonum
et iustum est ? Si autem et spiritalem confirmat legem [aa],
utique et propheticam, utique et figuratam. Debeo enim et
hinc constituere Christum in lege figurate praedicatum, quo
110 nec a Iudaeis omnibus potuerit agnosci.

97 abominanti apostolo *Kroy.* : abominati postulo *M*γ abominari postulo *R₁R₂* abominatur apostolus *edd. cett. a R₃ uide adnot.* ‖ 98 ex β : et
M ‖ 99 non *add. Kroy. Evans uide adnot.* ‖ liquuit *Gel. Pam. Rig. Oeh.*
probante Evans ‖ latere : latens *Ciaconius probante Evans* ‖ 102 adquin *M*
‖ 103-104 ueneratur *M R* : -tor γ ‖ 110 nec : et *Kroy.*

y. Cf. Rm 7, 11   z. Rm 7, 12   aa. Cf. Rm 7, 14

1. La citation du v. 7 s'interrompt pour un commentaire où T. prend
vivement à partie l'hérésiarque et le procès qu'il fait à la Loi, contrairement
à l'attitude de *son* apôtre. Le texte, ici, est corrompu. Les mss subsistants
portent : *abominati postulo*. Rhenanus avait corrigé dans ses deux premières
éditions en *abominari postulo* avant d'admettre, dans la troisième, une leçon
abominatur apostolus qui s'est généralement imposée jusqu'à Kroymann.
Celui-ci a corrigé en *abominanti apostolo* qui a l'intérêt de se rattacher
directement à *Erubesce* (effectivement, en *Ap.* 9, 13, T. emploie le même
verbe avec un datif pour désigner « la personne devant laquelle on rougit »). Cette correction de Kroymann nous paraît tout à fait justifiée (on
admettra sans peine la disparition d'un tilde sur le *a* de *abominati* de nos
mss) et donne un sens très satisfaisant en complétant l'impératif adressé à
Marcion. Nous l'adoptons donc, en l'aménageant toutefois : Kroymann
supprime le second *Absit* ; nous pensons, quant à nous, qu'il a été simplement déplacé par un accident de la tradition et qu'il faut le rétablir après

horreur une mise en accusation de la Loi [1] ! – « *mais moi, je ne connais le péché que par la Loi* [x] *!* » **14.** Ô le suprême éloge, par là, de la Loi, que par elle, le péché n'ait pas eu licence [2] de rester caché ! Ce n'est donc pas la Loi qui a égaré, mais le péché par l'occasion que lui donnait le précepte [y]. Pourquoi imputes-tu au dieu de la Loi ce que l'Apôtre n'ose pas imputer à sa Loi ? Et d'ailleurs il met le comble à son propos : « *La Loi est sainte, et son précepte juste et bon* [z][3]. » **(15.)** S'il vénère tellement la loi du Créateur, comment peut-il le détruire lui-même, je l'ignore ! **15.** Qui distingue deux dieux, l'un juste et l'autre bon, quand il faut croire qu'est l'un et l'autre celui dont le précepte est à la fois juste et bon ? Et si l'Apôtre confirme que la Loi, aussi, est spirituelle [aa], il confirme à coup sûr qu'elle est aussi prophétique, à coup sûr qu'elle est aussi figurative. Car je dois, par là également, établir que le Christ a été prédit figurativement dans la Loi de façon qu'il ne pût pas non plus être reconnu par tous les juifs [4].

---

le premier *Absit*. Celui-ci appartient au texte paulinien cité (et conservé tel quel par Marcion). T. interrompt sa citation, reprend immédiatement le terme sur lequel il introduit sa prise à partie de Marcion, laquelle constitue une parenthèse qui se refermera pour la poursuite de la citation. Le mot *criminatio* qui y figure (emploi unique chez notre auteur) est un terme cicéronien.

2. Ici encore, le rétablissement de *non* par Kroymann s'avère indispensable.

3. Simplification du texte cité : le premier attribut (« saint ») du « précepte » est omis par volonté de se limiter à l'essentiel. Sur ces textes de Rm 7, cf. HARNACK, p. 106*-107* ; SCHMID, p. I/333.

4. Le commentaire dont T. assortit la qualification de « spirituelle » attribuée par Paul à la Loi rappelle tout ce qui a été dit sur celle-ci au livre II : c'est d'ailleurs le point principal du désaccord qui sépare l'Église (pour qui le Christ accomplit tout l'AT qui l'a annoncé, figuré, préparé) et le marcionisme (qui coupe radicalement de ses racines juives la révélation chrétienne).

XIV. 1. Hunc si Pater misit « *in similitudinem carnis peccati* [a] », non ideo phantasma dicetur caro, quae in illo uidebatur. Peccatum enim carni supra adscripsit et illam fecit legem peccati habitantem in membris suis et aduersan-
5 tem legi sensus [b]. Ob hoc igitur missum Filium « *in simili-tudinem carnis peccati* [a] », ut peccati carnem simili substan-tia redimeret, id est carne, quae peccatrici carni similis esset, cum peccatrix ipsa non esset. Nam et haec erit Dei uirtus, in substantia pari perficere salutem. **2.** Non enim magnum,
10 si spiritus Dei carnem remediaret, sed si caro consimilis pec-catrici dum caro est, sed non peccati. Ita similitudo ad titu-lum peccati pertinebit, non ad substantiae mendacium. Nam nec addidisset « peccati », si substantiae similitudinem uel-let intellegi, ut negaret ueritatem ; tantum enim « carnis »
15 posuisset, non et « peccati ». Cum uero tunc sic struxit : « *carnis peccati* [a] », et substantiam confirmauit, id est car-nem, et similitudinem ad uitium substantiae rettulit, id est ad peccatum. **3.** Puta nunc similitudinem substantiae dic-tam : non ideo negabitur substantiae ueritas. Cur ergo simi-
20 lis uera ? Quia uera quidem, sed non ex semine : de statu similis sed uero, de censu non uero dissimilis. Ceterum simi-

---

XIV. 7 carne *R₃ Gel. Kroy.* : -ni *Mγ R₁R₂* -nea *Pam. Rig. Oeh. Evans* ‖ 15 struxit : -xerit *Rig.* ‖ 20 semine : simine *Mᵃᶜ* ‖ 21 similis sed *Thörnell, Studia III, p. 45-46* : simili sed *ϑ Gel. Pam. Rig.* similis et *Lat. Kroy. Evans uide adnot.* ‖ uero¹ *Thörnell, ibid.* : -a *ϑ edd. cett.* ‖ dissimili *Oeh.*

XIV. a. Rm 8, 3   b. Cf. Rm 7, 23

---

1. Annoncé dans le chapitre précédent (§ 12), ce développement s'en prend une fois encore aux conceptions docètes de Marcion : la « chair » du Christ est de pure apparence *(phantasma)*. L'expression paulinienne exa-minée ici servait de point d'appui scripturaire à ses vues.

2. Explication traditionnelle dans l'Église : cf. IRÉNÉE, *Dem.* 31 ; *Haer.* 3, 20, 2 ; 4, 2, 2. Ici T. reprend, pour l'essentiel, le développement de *Carn.* 16, 2-5.

3. Passage obscur (malgré une correction judicieuse de Thörnell : *simili<s>* au lieu de *simili*). Evans, dans son apparat, le qualifie de *locus perdifficilis* et dit même avoir pensé à le supprimer. Cependant on peut tenter de le

**Discussion
sur « à la ressemblance
de la chair du péché »**

XIV. 1. Ce Fils, si le Père l'a envoyé « *à la ressemblance de la chair du péché* [a] », ce n'est pas pour autant qu'on dira fantôme la chair qui était vue en lui [1]. Plus haut en effet, l'Apôtre a attribué le péché à la chair et il a fait de celle-ci une loi de péché habitant dans ses membres et en lutte contre la loi de sa raison [b]. Voilà donc pourquoi il dit que le Fils a été envoyé « *à la ressemblance de la chair du péché* [a] » : afin de racheter la chair du péché par une substance semblable, c'est-à-dire une chair qui fût semblable à la chair pécheresse, sans être pécheresse elle-même [2]. Car aussi bien ce sera là la puissance de Dieu, que de réaliser le salut dans une substance pareille. **2.** Ce ne serait pas en effet une grande œuvre que l'esprit de Dieu portât remède à la chair : mais c'est le cas s'il s'agit d'une chair toute semblable à la chair pécheresse du fait qu'elle est chair, mais sans être « chair du péché ». Ainsi c'est au titre du péché que portera la ressemblance : elle ne concernera pas une substance mensongère ! Car l'Apôtre n'aurait pas ajouté « du péché » s'il avait voulu qu'on comprît ressemblance de la substance de façon à en nier la vérité : en effet il aurait mis seulement « de la chair », sans mettre aussi « du péché ». Mais alors, par un tel assemblage de mots : « *de la chair du péché* [a] », il a, tout à la fois, confirmé la substance, c'est-à-dire la chair, et rapporté la ressemblance au vice de la substance, c'est-à-dire au péché. **3.** Suppose maintenant que le terme de ressemblance ait été employé pour la substance : on ne niera pas pour autant la vérité de la substance. Pourquoi donc une chair semblable est-elle vraie ? Parce qu'elle est vraie sans doute, mais sans provenir d'une semence (humaine) : étant semblable par son statut, mais qui est vrai, étant dissemblable par son origine qui ne l'est pas [3]. D'ailleurs,

---

comprendre en sous-entendant *caro* comme sujet et en rapprochant des conceptions, évoquées dans le *De carne Christi*, sur une chair du Christ tirée de la substance des anges ou des astres. Une telle chair est véritable

litudo in contrariis nulla est. Spiritus non diceretur « carnis similitudo » – quia nec caro similitudinem Spiritus caperet – sed « phantasma » diceretur, si id quod non erat uidebatur.

25 « Similitudo » autem dicitur, cum est quod uidetur. Est enim, dum alterius par est. Phantasma autem, qua hoc tantum est, non est similitudo.

4. Et hic autem [est] ipse edisserens quomodo nolit nos esse in carne, cum simus in carne [c], ut scilicet non simus in

30 operibus carnis, ostendit hac ratione scripsisse : « *Caro et sanguis regnum Dei non consequentur* [d] », non substantiam damnans, sed opera eius, quae possunt non admitti a nobis in carne adhuc positis : non ad reatum substantiae, sed ad conuersationis pertinebunt.

35 **5.** Item si « *corpus quidem mortuum propter delictum* [e] », adeo non animae, sed corporis mors est ; « *spiritus autem*

---

23 similitudinem : -donem *M*[ac] ‖ 26 qua *codd. edd. a Pam.* : quia *R₃* B *Gel.* ‖ 28 est *om. R₃* ‖ 28-29 nos esse *M Kroy.* : esse nos β *edd. cett.* ‖ 29 in³ *Mγ edd. a Pam.* : ex *R B Gel.* ‖ 31 non consequentur *M Kroy.* : consequi non possunt *M*[mg] β *edd. cett. uide adnot.* ‖ 32 *post* quae *add.* quia *R₃ uide adnot.* ‖ 36 sed *coni. R₁R₂ rec. R₃* : et *Mγ R₁R₂*

---

c. Cf. Rm 8, 9   d. 1 Co 15, 50   e. Rm 8, 10

---

par son statut, sa nature de « chair » (et non de pure apparence comme celle que Marcion donne à son Christ), mais n'étant pas humaine, ne provenant pas d'une semence humaine, elle n'a pas une origine *(census)* véritable de chair. Elle peut ainsi être qualifiée de semblable et de dissemblable.

1. Retour au docétisme marcionite, d'après lequel le Christ est Esprit divin, ayant revêtu une chair « putative » de *phantasma*. T. dénie à son adversaire le droit d'employer le terme de ressemblance dans ce cas : un esprit ne peut être semblable à une chair qui en est précisément le *contraire*.

2. T. limite son commentaire à la confirmation de ce qu'il a expliqué *supra* 10, 11 s. On sous-entendra aisément *se* devant *scripsisse*.

3. La forme de la citation (avec *consequentur*) est celle de 10, 15 (celle de 10, 11 a *possidebunt*). On peut se demander si la leçon *consequi non possunt,* qui est celle de *FXR* et de la marge de *M* (adoptée aussi par Evans) n'est pas

il n'y a pas de ressemblance dans des choses contraires : l'Esprit ne serait pas dit « ressemblance de la chair », parce que la chair non plus ne serait pas capable de ressembler à l'Esprit [1]. On l'aurait dite « fantôme » si on la voyait être ce qu'elle n'était pas. Mais on dit « ressemblance » quand la chair est ce qu'on la voit être. Elle est en effet chair, en étant pareille à celle d'un autre. Mais un fantôme, en tant qu'il est uniquement fantôme, n'est pas une ressemblance.

Substance de la chair et œuvres de chair

4. Mais ici également, l'Apôtre, en expliquant lui-même de quelle façon il ne veut pas que nous soyons dans la chair quand nous sommes dans cette chair [c] – de façon évidemment que nous ne soyons pas dans des œuvres de chair – a montré [2] que c'est pour cette raison qu'il avait écrit : « *La chair et le sang n'obtiendront pas le royaume de Dieu* [d 3] » : sa condamnation a pour objet non la substance, mais les œuvres de celle-ci qui [4] peuvent ne pas être commises par nous quand nous sommes encore établis dans notre chair : elles concerneront la culpabilité non de la substance mais de la conduite.

La résurrection est celle des corps, à l'exemple du Christ

5. Pareillement, si « *le corps sans doute est mort à cause du péché* [e] », il est bien vrai que la mort n'est pas celle de l'âme, mais du corps ; « *l'es-*

meilleure dans la mesure où elle s'écarte précisément du texte paulinien ; il pourrait s'agir en effet d'un rappel fait de mémoire par l'auteur ; la normalisation serait intervenue ensuite dans la tradition par le biais d'un copiste.

4. Après *quae*, R_3 ajoute *quia* qui permet de mieux structurer grammaticalement la phrase finale : c'est le texte que suit Evans. Mais cette addition ne présente pas un caractère de nécessité : la proposition terminale (*non ... pertinebunt*) peut très bien prolonger en asyndète celle qui précède.

uita propter iustitiam [e] », cui mors obuenit propter delictum,
id est corpori. **(5.)** Non enim alii quid restituitur, nisi qui
illud amisit, et ita erit resurrectio mortuorum, dum est cor-
40 porum. Nam et subiungit : « *Qui suscitauit Christum a mor-*
tuis, uiuificabit et mortalia corpora uestra [f]. » Adeo et carnis
resurrectionem confirmauit, absque qua nec corpus aliud
dici capit nec mortale aliud intellegi, et Christi substantiam
corporalem probauit, siquidem proinde uiuificabuntur et
45 mortalia corpora nostra, quemadmodum et ille resuscitatus
est, non alias proinde, nisi quia in corpore.

6. Salio et hic amplissimum abruptum intercisae scripturae, sed adprehendo testimonium perhibentem Apostolum
Israheli, « *quod zelum Dei habeant* » – sui utique – « *non*
50 *tamen per scientiam* [g] ». « *Deum enim*, inquit, *ignorantes et*
suam iustitiam sistere quaerentes non subiecerunt se iustitiae

---

37 *post* iustitiam *lacunam coni. Vrs.* : ei utique obueniet uita propter iustitiam *suppl. coni. Vrs. suppl. Rig. uide adnot.* ‖ 40 et *M edd. a Rig.* : *om.*
β *Gel. Pam.* ‖ 41 uiuificabit R_2R_3 : -auit Mγ R_1 ‖ 42-43 aliud ... aliud : aliquid ... aliquid *Kroy.* ‖ 45 nostra β : uestra *M*

---

f. Rm 8, 11   g. Rm 10, 2

---

1. Ursinius, suivi par Kroymann, suppose l'existence d'une lacune après
iustitiam, lacune qui aurait fait disparaître quelques mots parmi lesquels *ei,*
antécédent de *cui.* Kroymann, de plus, corrige la ponctuation en faisant de
adeo ... mors est une proposition entre parenthèses. Mais le texte transmis
se comprend fort bien sans ces aménagements qui en détruisent la concision ; et *cui* (à comprendre : « pour la chose à quoi ») ne fait aucunement
difficulté.
2. Nouvel exemple du goût de T. pour ces remarques de bon sens qui
servent de fondements à ses argumentations.
3. La locution *absque qua,* où le premier terme a son sens habituel de
sine, n'est pas mentionnée dans LHS.
4. Nous donnons ici à *proinde* son sens déductif, qui est son sens premier, son sens comparatif étant le plus habituel chez T. (c'est le cas dans
cette phrase avec la corrélation *proinde ... quemadmodum*). Une fois encore
l'auteur s'en prend au docétisme de Marcion.

prit, d'autre part, est vie à cause de la justice ᵉ » pour ce qui
a connu la survenance de la mort à cause du péché, c'est-à-
dire pour le corps ¹. (**5.**) On ne restitue pas en effet une
chose à quelqu'un, sauf à qui l'a perdue ², et c'est ainsi qu'il
y aura résurrection des morts dans la mesure où elle est celle
des corps. Car l'Apôtre ajoute aussi : « *Celui qui a ressuscité*
le Christ des morts, vivifiera aussi vos corps mortels ᶠ. » Il est
bien vrai qu'il a, à la fois, confirmé la résurrection de la chair
– sans qu'il y ait possibilité ³ ni de dire « corps » d'autre
chose ni de comprendre « mortel » d'autre chose – et prouvé
que la substance du Christ était corporelle : puisque nos
corps mortels aussi seront vivifiés de la même façon qu'il a
été ressuscité lui aussi, d'aucune autre manière, par conséquent ⁴, qu'en l'étant dans son corps.

La méconnaissance
de Dieu reprochée
aux juifs ne concerne pas
celui de Marcion

6. Ici également, je saute par
dessus un gouffre, le plus vaste
qu'ait laissé dans l'Écriture une
coupure intermédiaire ⁵, mais
j'attrape l'Apôtre en train de
rendre témoignage à Israël « *du zèle qu'il a pour Dieu* » – le
sien bien sûr – « *mais un zèle qui n'est pas éclairé par la*
connaissance ᵍ ». « *En effet,* dit-il, *ignorant Dieu, et cher-*
chant à établir leur propre justice, ils ne se sont pas soumis à
la justice de Dieu : et en effet la fin de la Loi, c'est le Christ

---

5. T. passe directement à 10, 2 et s'en justifie : HARNACK, p. 108*-109*,
et SCHMID, p. I/333, admettent que Marcion avait retranché de 8, 2 à 10, 1
et de 10, 5 à 11, 32, apparemment pour des raisons théologiques ; car ces
développements évoquent avec plus d'insistance la place des juifs dans la
réalisation historique du dessein divin. En tout cas, c'est ce que suggère T.
infra § 9. Il choisit cette fois une métaphore maritime (plus expressive
encore que *fouea* de 13, 4) et il l'associe à une expression pittoresque et
humoristique (*salio*) qui se prolonge avec *apprehendo* (« saisir par la main »,
« attraper ») qui introduit sur une note presque comique le « témoignage »
de Paul sur Israël. Nous donnons à *amplissimum* la valeur de superlatif
relatif que paraît justifier l'ordre des mots.

Dei ; finis etenim legis Christus in iustitia omni credenti [h]. »
7. Hic erit argumentatio haeretici, quasi deum superiorem
ignorauerint Iudaei, qui aduersus eum iustitiam suam – id
55 est legis suae – constituerint, non recipientes Christum,
finem legis. Cur ergo zelo eorum erga Deum proprium testimonium perhibet, si non et inscitiam erga eundem deum
eis exprobrat, quod zelo quidem Dei agerentur, « *sed non
per scientiam* [g] », ignorantes scilicet eum, dum dispositiones
60 eius in Christo ignorant consummationem legi staturo atque
ita suam iustitiam tuentur aduersus illum. **8.** Atque adeo
ipse Creator et ignorantiam erga se eorum contestatur :
« *Israhel me non agnouit et populus me non intellexit* [i] », et
quod iustitiam suam magis sisterent « *docentes doctrinas*
65 *praecepta hominum* [j] », nec non et congregati essent
« *aduersus Dominum et aduersus Christum ipsius* [k] », ex inscitia scilicet. Nihil igitur potest in alium deum exponi, quod
competit in Creatorem, quia et alias inmerito Apostolus
Iudaeos de ignorantia suggillasset erga deum ignotum. **(9.)**
70 Quid enim deliquerant, si iustitiam dei sui aduersus eum sistebant, quem ignorabant ?

52 etenim ϑ *edd. ab Oeh.* : enim *B Gel. Pam. Rig.* ‖ iustitiam *Pam. Rig.*
Kroy. ‖ 56 *post* ergo *add. et Gel. Pam. Rig.* ‖ 57 inscitiam *MF R₁R₂ Oeh. Kroy.*
Evans : inscientiam *G R₃ Gel. Pam. Rig.* iustitiam *X (ut uid.)* ‖ 60 staturo
MX edd. a Rig. : statuturo *R B Gel. Pam.* stauro *F* ‖ 62 eorum : erum *M^{ac}* ‖
63 *post* populus *add.* meus *Gel. Pam. Rig. Oeh.* ‖ 66 ex *M R* : et γ ‖ 66-67 ins-
cientia *Pam. Rig.* ‖ 69 suggillasset *M R* : suggillas γ ‖ 70-71 sistebant *eras.* M

h. Rm 10, 3-4   i. Is 1, 3   j. Mt 15, 9 = Mc 7, 7 ; cf. Is 29, 13 ; Col 2, 22
k. Ps 2, 2

1. Nous laissons la traduction littérale. La *BJ* traduit : « pour la justification de tout croyant ».
2. L'expression de T. est ambiguë et ne permet pas de déterminer si
effectivement Marcion faisait un commentaire dans ce sens, ou s'il s'agit
d'une supposition de notre auteur qui lui prête une telle argumentation. Le
futur *erit* rend plus probable la seconde hypothèse.
3. En dehors de ce passage, le terme *inscitia* ne se rencontre qu'en *An.* 20,
4 : T. l'emploie comme le contraire de *scientia* et l'équivalent de *ignorantia.*

dans la justice pour tout croyant [h][1]. » **7.** Il y aura place ici pour une argumentation de l'hérétique [2] prétendant que les juifs ont ignoré le « dieu supérieur » puisqu'ils ont établi contre lui leur justice – c'est-à-dire celle de leur Loi –, en ne recevant pas le Christ, fin de la Loi. Mais pourquoi donc l'Apôtre rend-il témoignage à leur zèle envers leur propre dieu, si ce n'est pas non plus la méconnaissance envers le même dieu qu'il leur reproche [3], au motif que, sans doute, ils étaient conduits par le zèle envers Dieu, « *mais un zèle que n'éclaire pas la connaissance* [g] », eux qui l'ignoraient évidemment en ignorant ses dispositions sur le Christ destiné à établir la consommation de la Loi, et en maintenant ainsi leur propre justice contre lui ? **8.** Et il est bien vrai que c'est le Créateur lui-même qui atteste aussi leur ignorance à son égard : « *Israël ne m'a pas reconnu et mon peuple ne m'a pas compris* [i][4] » ; il déclare aussi que c'est leur justice plutôt qu'ils établissaient « *dispensant des enseignements qui sont préceptes d'hommes* [j][5] », et également qu'ils s'étaient rassemblés « *contre le Seigneur et contre son Christ* [k][6] », évidemment par suite de leur méconnaissance. Rien de ce qui convient pour le Créateur ne peut donc être appliqué à l'« autre » dieu : car autrement, bien immérités seraient les blâmes que l'Apôtre aurait adressés aux juifs pour leur ignorance à l'égard d'un dieu qui était... inconnu [7] ! (**9.**) Quel péché en effet avaient-ils commis s'ils établissaient la justice de leur dieu contre celui qu'ils ignoraient ?

4. Cf. III, 6, 7 ; 23, 3 ; IV, 25, 10.

5. Texte d'*Isaïe* allégué par Matthieu, souvent cité dans son ensemble aux livres précédents de *Marc.*, et *supra* 11, 9.

6. L'application de ce texte psalmique aux juifs est fréquente dans toute la suite de *Marc.* : cf. I, 21, 1 ; III, 22, 3 ; IV, 42, 2 ; et *supra* 3, 8 et 4, 9.

7. Exploitation passablement appuyée, et qui se prolonge dans la phrase suivante, d'une caractéristique du dieu marcionite à laquelle a été consacrée une bonne partie du livre I.

9. Atquin exclamat : « *O profundum diuitiarum et sapientiae Dei et inuestigabiles uiae eius* [1] *!* » Vnde ista eruptio ? Ex recordatione scilicet scripturarum, quas retro reuo-
75 luerat, ex contemplatione sacramentorum, quae supra disse-
ruerat in fidem Christi ex lege uenientem [m]. Haec si Marcion
de industria erasit, quid apostolus eius exclamat, nullas
intuens diuitias dei, tam pauperis et egeni quam qui nihil
condidit, nihil praedicauit, nihil denique habuit, ut qui in
80 aliena descendit ? Sed enim et Apostolus et diuitiae
Creatoris olim absconditae nunc reseratae. Sic enim repro-
miserat : « *Et dabo illis thesauros occultos, inuisibiles ape-
riam eis* [n]. » **10.** Inde ergo exclamatum est : « *O profundum
diuitiarum et sapientiae Dei* [1] *!* », cuius iam thesauri pate-
85 bant. Id Esaiae et sequentia de eiusdem prophetae instrumento : « *Quis enim cognouit sensum Domini, aut quis*

---

73 ininuestigabiles *Pam. uide adnot.* ‖ ista *Iun. Kroy.* : irae ϑ *Gel.
Pam.* illa *Rig. Oeh. Evans* ‖ 76 ex *R* : et *M* γ ‖ lege *R F* : -em *M* -i *X* ‖
77 *post* industria *add.* non *Vrs. Rig.* ‖ 80 apostolus : opes *R₃ uide adnot.*

---

l. Rm 11, 33   m. Cf. Rm 1, 17   n. Is 45, 3

1. Marcion avait raccordé aux versets précédents la séquence 11, 33-35.
D'autre part, dans le v. 33, il avait supprimé l'exclamation sur les « jugements » impénétrables de Dieu : cf. HARNACK, p. 109* (pour qui cette suppression était délibérée) et SCHMID, p. I/334 (qui est plus prudent sur ce
dernier point). On comparera en tout cas cette citation à celles que T. en
a faites précédemment, en *Herm.* 45, 3 et en *Marc.* II, 2, 4. Nous renvoyons
à notre étude « Les avatars de Rm 11, 33 chez Tertullien », p. 210, 1-9.
Nous y avons défendu, contre la correction <in>inuestigabiles, la leçon de
la tradition manuscrite, adoptée par Moreschini *(inuestigabiles).*
2. Le même mot *eruptio* a servi, en *Test.* 5, 3, à désigner les cris jaillis
du profond de l'âme et qui en manifestent la divinité.
3. Cf. *supra*, p. 277, n. 5.
4. Cf. *supra* 13, 2.
5. Reprise du thème polémique souvent utilisé pour déconsidérer le
dieu marcionite (son indigence, sa dépendance du Créateur dans le monde
duquel il se révèle).

**Exclamation
de l'Apôtre sur
les « richesses de Dieu »**

9. Mais pourtant l'Apôtre s'ex-
clame : « Ô *abîme des richesses et
de la sagesse de Dieu, et inexplo-
rables ses voies*[11] *!* » D'où vient
cette explosion[2] ? De la remise en sa mémoire, bien sûr, des
Écritures qu'il avait au préalable passées en revue, de la
contemplation des mystères qu'il avait expliqués plus haut[3]
en vue de la foi au Christ, qui vient de la Loi[m 4]. Si ces
textes, c'est bien à dessein que Marcion les a retranchés,
pourquoi son apôtre lance-t-il cette exclamation, lui qui n'a
sous les yeux aucune richesse chez un dieu aussi pauvre et
indigent que celui qui n'a rien créé, rien annoncé d'avance,
rien enfin possédé, puisqu'il est celui qui est descendu dans
le domaine d'un autre[5] ? Mais c'est qu'en effet appartiennent au Créateur et l'Apôtre et les richesses jadis cachées,
maintenant rouvertes[6]. Car il avait fait une telle promesse :
« *Et je leur donnerai des trésors dissimulés, je leur en ouvri-
rai d'invisibles*[n 7]. » **10.** C'est donc de là qu'est venue l'exclamation : « Ô *abîme des richesses et de la sagesse de
Dieu*[1] » dont les trésors, désormais, étaient exposés aux
regards ! Cette parole est d'Isaïe[8], et les suivantes proviennent de l'écrit du même prophète : « *Qui en effet a connu
la pensée du Seigneur ? Ou qui a été son conseiller ? Qui lui*

---

6. La phrase apporte l'explication *(enim)* qui s'oppose à la thèse de
Marcion *(Sed)* selon qui c'est *son* apôtre qui lance une telle exclamation sur
les « richesses » divines. La correction de R_3, adoptée par Evans *(opes* au
lieu de *apostolus)*, est arbitraire et dessert l'idée. *Creatoris* est un génitif
d'appartenance et s'oppose à *apostolus eius* de la phrase précédente.
L'ellipse de *sunt* donne plus de relief à l'expression ; les deux participes ne
se rapportent qu'à *diuitiae*.

7. Cf. *supra* 6, 1 et également IV, 25, 4.

8. Nous comprenons *Id* comme renvoyant au texte d'*Isaïe* sur les « trésors » cachés et dévoilés, texte que T. a cité avant de reprendre l'exclamation de Paul, et qu'il a, aussitôt après, résumé en quatre mots.

consiliarius fuit ? Quis porrexit ei et retribuetur illi ° *?* » Qui
tanta de scripturis ademisti, quid ista seruasti, quasi non et
haec Creatoris ?

90   **11.** Plane noui dei praecepta uideamus. – « *Odio,* inquit,
habentes malum et bono adhaerentes ᵖ » – aliud est enim
apud Creatorem : « *Auferte malum de uobis* �q » et « *Declina
a malo et fac bonum* ʳ. » – « *Amore fraternitatis inuicem
adfectuosi* ˢ » – non enim id ipsum est : « *Diliges proximum*
95   *tamquam te* ᵗ. » – « *Spe gaudentes* ᵘ » – utique Dei : « *Bonum
est* enim *sperare in Domino, quam sperare in magistratus* ᵛ. »
– « *Pressuram sustinentes* ᵘ » : « *Exaudiet* enim *te Dominus in
die pressurae* ʷ », habes psalmum. – « *Benedicite et nolite
maledicere* ˣ » : quis hoc docebit quam qui omnia benedic-
100   tionibus condidit ʸ ? **12.** – « *Non altum sapientes, sed humi-
libus adsectantes, ne sitis apud uos sapientes* ᶻ » : « *Vae* ᵃᵃ »
enim audiunt per Esaiam ; – « *Malum pro malo nemini retri-*

---

87 consiliarius *MF R₁R₂* : consiliarius eius *X edd. a R₃* ‖ 91 *ad* aliud
est... : antifrasin *adscr. M*ᵐᵍ ‖ 96 domino *Mγ R₁ Kroy.* : -num *edd. cett. a
R₂* ‖ 97 exaudiet *M R* : et audiet γ ‖ 98 psalmum *M R* : -o *F* in psalmo *X*
‖ 101 adsectantes *M Rig. Kroy.* : assentantes β *edd. cett.*

---

o. Rm 11, 34-35 = Is 40, 13-14   p. Rm 12, 9   q. Dt 13, 6 ; cf. Dt 17, 7 ;
Dt 21, 21 ; Dt 24, 7 ; 1 Co 5, 13   r. Ps 33, 15   s. Rm 12, 10   t. Lv 19, 18
u. Rm 12, 12   v. Ps 117, 9   w. Ps 19, 2   x. Rm 12, 14   y. Cf. Gn 1, 31 ;
Gn 1, 28   z. Rm 12, 16   aa. Is 5, 21

---

1. Ces versets proviennent effectivement d'*Isaïe* (LXX) : cf. notre étude
signalée *supra*, p. 280, n. 1.
2. Question brutale, qui permet de souligner l'inconséquence de l'adversaire.
3. Sans transition, T. aborde la partie finale de la lettre, qui contient une
parénèse. Il va établir un parallèle entre les recommandations de Paul et les
instructions de l'AT. Il met bout à bout les unes et les autres, quelquefois
en introduisant les secondes par une question ironique, ou une affirmation
par antiphrase. Il lui arrive même de ne pas séparer les citations vétérotestamentaires des extraits pauliniens. Dans tous les cas son but est de montrer, en variant les moyens de présentation du parallèle, la similitude totale

a donné le premier pour devoir être payé en retour [o] [1] ? » Toi
qui as supprimé tant de textes dans les Écritures, pourquoi
as-tu conservé ceux-ci [2], comme s'ils n'étaient pas, eux aussi,
du Créateur ?

**L'enseignement moral
du dieu « nouveau »
est celui du Créateur**

11. Voyons exactement les
préceptes du « dieu nouveau [3] ».
– « *Haïssant le mal*, dit-il, *et vous
attachant au bien* [p] », c'est autre
chose en effet chez le Créateur : « *Enlevez le mauvais de
vous* [q] [4] » et « *Détourne-toi du mal et fais le bien* [r] » ! –
« *Étant liés d'affection entre vous par l'amour fraternel* [s] »,
ce n'est pas en effet la même chose que : « *Tu aimeras ton
prochain comme toi-même* [t] » ! – « *Mettant votre joie dans
l'espoir* [u] » – bien entendu de Dieu : en effet, « *Il est bon
d'espérer dans le Seigneur plutôt que d'espérer dans les auto-
rités* [v] [5]. » – « *Supportant la tribulation* [u] » : en effet « *Le
Seigneur t'exaucera au jour de la tribulation* [w] [6] », tu as à ta
disposition le psaume. – « *Bénissez et ne maudissez pas* [x] » :
qui d'autre donnera cet enseignement que celui qui a créé
toutes les choses avec des bénédictions [y] ? **12.** – « *N'ayant
pas le goût de la grandeur, mais vous attachant aux choses
humbles, pour ne pas être à vos propres yeux des sages* [z]. »
C'est qu'en effet, par Isaïe, les sages entendent dire contre
eux : « *Malheur* [aa] ! » – « *Ne rendez à personne le mal pour*

---

des deux enseignements et, partant, la fausseté de la thèse adverse, rappelée dans cette première phrase, d'une nouveauté absolue de l'Évangile.
    4. En fait, dans ce précepte du *Deutéronome*, il s'agit du retranchement
de l'homme mauvais hors de la communauté. Mais l'expression *malum de
uobis* peut s'entendre du mal qu'on écarte de soi. T. exploite l'équivoque
au profit de sa démonstration. Le verset psalmique qu'il cite ensuite sert
mieux celle-ci.
    5. Cf. IV, 15, 15 ; 27, 5. L'ellipse de *magis* est un trait de syntaxe du
latin tardif.
    6. Cette citation psalmique de T. est omise dans *Biblia Patristica*, I.

bueritis [bb] » : « *Et malitiae fratris tui ne memineritis* [cc]. »
– « *Nec uosmetipsos ulciscentes* : '*Mihi enim uindictam et ego*
105 *uindicabo* [dd]', *dicit Dominus* [ee] » ; « *Pacem cum omnibus*
habetote [ff]. » **(13.)** Ergo et legalis talio non retributionem
iniuriae permittebat, sed inceptionem metu retributionis
comprimebat.

13. Merito itaque totam Creatoris disciplinam principali
110 praecepto eius conclusit : « *Diliges proximum tamquam*
te [gg]. » Hoc legis supplementum si ex ipsa lege est, quis sit
deus legis, iam ignoro ; metuo, ne deus Marcionis. Si uero
euangelium Christi hoc praecepto adimpletur, Christi autem
non est Creatoris, quo iam contendimus ? **14.** Dixerit
115 Christus aut non : « <*Non*> *ego ueni legem dissoluere sed*

---

103 tui : uestri *Rig. uide adnot.* ‖ memineris *V Oeh. Kroy. Evans uide*
adnot. ‖ 105 omnibus *M*γ : hominibus *R B Gel.* omnibus hominibus *edd.*
cett. a Pam. ‖ 107 permittebat *MG R₃* : om. γ *R₁R₂* ‖ 114 contendimus ?
dixerit *ita dist. Kroy.* ‖ 115 aut *M*γ *R₁ rest. Kroy.* : an *R₂R₃* ‖ non ego *Eng.*
Kroy. : ego ϑ ego non *Gel. edd. cett. uide adnot.*

---

bb. Rm 12, 17   cc. Za 7, 10   dd. Dt 32, 35   ee. Rm 12, 19   ff. Rm 12,
18   gg. Rm 13, 9 = Lv 19, 18

---

1. Il n'y a pas lieu de corriger le texte de la tradition : ce passage de
Zacharie, dans la LXX, présente aussi un mélange des personnes grammaticales.

2. Dans le texte « catholique » de Rm, le rappel du passage deutéronomique est fait par Paul. HARNACK, p. 109*, admet que Marcion ne différait pas sur ce point, et que par conséquent toute la citation faite par T.
provient du document hérétique. Ce n'est pas l'avis de SCHMID, p. I/334,
pour qui la citation marcionite se limite à *Nec uosmet ipsos ulciscentes.*
Nous pensons qu'il a raison et qu'après l'extrait paulinien fourni par
l'*apostolicon* adverse, T. ajoute de lui-même, selon sa technique du parallèle, le *testimonium* vétérotestamentaire sur l'obligation de renoncer à
toute vengeance personnelle : sans doute même se souvient-il que Paul le

le mal [bb] » : « *Et de la méchanceté de ton frère, ne gardez pas
le souvenir* [cc 1]. » – « *Et ne vous faisant pas justice vous-
mêmes* : '*A moi en effet la vengeance, et c'est moi qui ven-
gerai* [dd]', *dit le Seigneur* [ee 2] » ; « *Ayez la paix avec tous* [ff]. »
(13.) C'est donc aussi que le talion de la Loi ne permettait
pas de rendre une offense en retour, mais qu'il retenait de
prendre l'initiative d'une offense par crainte que celle-ci ne
fût rendue en retour [3].

13. C'est pourquoi l'Apôtre a eu raison d'enfermer tout
l'enseignement moral du Créateur en son principal précepte : « *Tu aimeras ton prochain comme toi-même* [gg]. » Si
ce supplément de la Loi provient de la Loi elle-même, qui
est donc le dieu de la Loi, je l'ignore désormais, mais
je crains que ce ne soit le dieu de Marcion [4] ! Si, de vrai,
l'Évangile du Christ est accompli par ce précepte, si d'autre
part, étant du Christ, l'Évangile n'est pas du Créateur, à
quoi bon désormais nous battre ? **14.** Le Christ a bien pu
dire ou ne pas dire : « *Je ne suis pas venu abolir la Loi, mais*

produit aussi dans le document de l'Église. – D'autre part, l'inversion des
versets 18 et 19 provient-elle aussi, comme le pense HARNACK, *ibid.*, de
l'exemplaire marcionite ? Ou est-elle le fait de notre auteur ? Il est possible que T. ait voulu couronner d'un précepte positif (invitation à une
paix générale) les préceptes négatifs sur l'oubli des torts et le renoncement
à la vengeance – ce qui lui permet ensuite d'introduire son observation sur
le talion.

3. Résumé clair et sobre de la « défense » que T. a faite du talion légal
contre la critique de Marcion : cf. notre Note complémentaire 27, t. 2,
p. 220 s.

4. T. exploite habilement la déclaration de Paul sur le précepte d'amour
du prochain : il manie l'ironie avec maestria, dans toute cette fin, pour faire
apparaître l'inutilité des efforts de Marcion dans sa tentative de dissocier
radicalement l'Ancien et le Nouveau Testament.

implere [hh] », frustra de ista sententia neganda Ponticus laborauit : si euangelium legem non adimpleuit, ecce lex euangelium adimpleuit.

120 Bene autem, quod et in clausula tribunal Christi comminatur [ii], utique iudicis et ultoris, utique Creatoris, illum certe constituens promerendum, quem intentat timendum, etiamsi alium praedicaret.

XV. 1. Breuioribus quoque epistulis non pigebit intendere. Est sapor et in paucis.

Occiderant Iudaei prophetas suos [a]. Possum dicere : quid ad apostolum dei alterius et quidem optimi, qui nec suorum
5 delicta damnare dicatur quique et ipse prophetas eosdem

---

116 ponticus *coni.* $R_1R_2^{mg}R_3$ *(in adnot.) rec. Pam. Rig. Kroy.* : pontus ϑ *Gel. Oeh. Evans uide adnot.* ‖ 119 clausula *R* : -am *M*γ

ad romanos explicit *M* ad thessalonicenses *M*mg de epistola ad thessalonicenses prima β

XV. 5 dampnare *M*

---

hh. Mt 5, 17   ii. Cf. Rm 14, 10
XV. a. Cf. 1 Th 2, 15

---

1. De *Dixerit* à *laborauit*, il s'agit d'une seule phrase et il convient de mettre une virgule après la citation de *Matthieu* : en effet *dixerit* est à comprendre comme subjonctif de supposition. L'addition de *non* devant *ego* (où il a pu aisément disparaître de la tradition par phénomène d'haplographie) est une correction indispensable. Celle de *Pontus* des mss (que garde Evans) en *Ponticus* proposé par Rhenanus a en sa faveur l'usage habituel de T. ; et ce serait, semble-t-il, d'une rhétorique excessive d'identifier au pays l'homme qui en est originaire.

2. La « conclusion » de la lettre fournit encore à T. une glanure : cette mention du « tribunal » va lui permettre de reprendre son argument sur le dieu juge et de terminer le développement en ironisant sur l'apôtre de Marcion. Dans la tradition du texte « catholique », certains mss portent « du Christ » comme l'exemplaire marcionite. Mais le plus grand nombre porte « de Dieu ».

3. Cette phrase de transition introduit l'examen des dernières lettres de l'*apostolicon* marcionite qui sont toutes plus courtes que les précédentes. La *sententia* qu'elle comporte a l'allure d'un dicton familier. Plutôt qu'un

l'accomplir ʰʰ », vaine a été la peine que l'homme du Pont a prise pour nier cette assertion [1] ! Si l'Évangile n'a pas accompli la Loi, voici que c'est la Loi, elle, qui a accompli l'Évangile !

Bonne chose d'autre part que, dans la conclusion, l'Apôtre menace du tribunal du Christ [ii][2] : celui-ci est, pour sûr, juge et vengeur, celui-ci appartient, pour sûr, au Créateur : c'est bien certain, l'Apôtre veut qu'on se concilie la grâce de celui qu'il brandit comme un dieu à craindre, même si c'est un « autre » dieu qu'il annonçait !

V. La première lettre aux Thessaloniciens

Transition   **XV. 1.** Il ne me pèsera pas de porter aussi mon attention à des lettres plus courtes : il y a à savourer même dans la paucité [3].

Le Christ relève du même dieu que les prophètes d'Israël   Les juifs avaient tué leurs prophètes [a][4]. Je peux dire : en quoi la chose intéresse-t-elle l'apôtre d'un « autre » dieu, d'ailleurs « tout bon », puisque, dit-on, il ne condamne pas les fautes même des siens [5] et, lui aussi, met à mort les mêmes prophètes

éloge banal de la brièveté, nous y verrions volontiers l'annonce, par l'impitoyable controversiste, d'une provende *savoureuse* de remarques et d'arguments contre l'hérétique qu'apportera l'examen de ces dernières lettres, malgré leur *peu* de matière.

4. T. tire profit pour une longue argumentation d'une remarque incidente de Paul sur les persécutions dont les communautés chrétiennes sont victimes. Selon sa méthode, il décompose le reproche fait aux juifs, et retient en un premier temps la mise à mort par eux de leurs prophètes. La phrase de l'Apôtre ne sera citée qu'après, pour amorcer le deuxième temps de l'argumentation : il indiquera alors que *suos* est une addition de Marcion : cf. Harnack, p. 111* et Schmid, p. I/335.

5. Argument fréquemment utilisé et présenté, ici aussi, sur le mode ironique *(dicatur)*.

destruendo quodammodo perimat ? Quid mali admisit apud
illum Israhel, si occidit quos et ille reprobauit, si prior inimi-
cam in eos sententiam statuit ? – Deliquit autem apud deum
ipsorum – is exprobrabit iniquitatem, ad quem pertinet lae-
10 sus ; certe quiuis alius quam aduersarius laesi. 2. Sed nec
onerasset illos imputando etiam Domini necem « *Qui et
Dominum interfecerunt* » dicendo « *et prophetas* [b] suos »,
licet « suos » adiectio sit haeretici. **(2.)** Quid enim tam acer-
bum, si alterius dei praedicatorem Christum interemerunt
15 qui sui dei prophetas contrucidauerunt ? Status autem exag-
gerationis, quod et Dominum et famulos eius peremissent.
Denique si alterius dei Christum alterius prophetas per-
emerunt, aequauit impietates, non exaggerauit. Aequanda
autem non fuit : ergo exaggerari non potuit, nisi in eundem

---

6 *post* quid *add.* enim *Pam. Rig. Oeh. Evans* ‖ 9 exprobrabit *Iun. Kroy.*
Evans : -auit *M edd. cett. a* R_2 et probauit γ R_1 ‖ quem *M* R_3 : quam γ
R_1R_2 ‖ 9-10 laesus : *suspectum putat Kroy.* laesum *corr. Mor. uide adnot.*
‖ 10 laesi. sed R_2R_3 : laesisset *M*γ R_1 ‖ 13 haeretici *eras.* M ‖ 18 impietatem *Kroy.*

---

b. 1 Th 2, 15

---

1. Le verbe *destruere* est celui dont T. se sert le plus fréquemment pour
désigner l'entreprise dirigée par Marcion (ou par son dieu) contre la Loi et
les Prophètes, c'est-à-dire le Créateur (cf. *infra* § 3, l'expression *destructores dei nuptiarum* désignant les marcionites).
2. Phrase mise dans la bouche de l'interlocuteur adverse selon le procédé courant de la controverse.
3. Il faut conserver *laesus* donné par toute la tradition et qui est sujet
de *pertinet* ; ce dernier verbe marque la proximité, l'apparentement – et
c'est le cas des prophètes par rapport au Créateur dont ils sont les *famuli*
(cf. § 2).
4. Cette addition, à vrai dire, n'a pas d'importance du point de vue de
l'argumentation de T. D'ailleurs, elle se rencontre aussi dans certains mss
de la tradition du texte « catholique ».
5. Emploi unique chez l'auteur du verbe intensif *contrucidare* : celui-ci
appartient à la langue classique, mais est resté relativement rare.

d'une certaine façon, en les « détruisant [1] » ? Quel mal Israël
a-t-il commis à ses yeux en tuant des gens que lui aussi a
réprouvés, en établissant le premier contre eux une sentence
d'hostilité ? – Mais ce fut une faute aux yeux de leur propre
dieu [2] ! – Reprocher une iniquité incombera à celui-là que
touche de près la victime, et en tout cas, à n'importe qui
d'autre que l'adversaire de cette victime [3] ! **2.** Mais
l'Apôtre n'aurait pas non plus chargé les juifs en leur impu-
tant même la mise à mort du Seigneur par ces mots : « *Eux
qui ont tué et le Seigneur et* leurs *prophètes* [b] », quoique
« leurs » soit une addition de l'hérétique [4]. **(2.)** Qu'y a-t-il là
de si révoltant, qu'ils aient mis à mort un Christ proclamateur d'un « autre » dieu, eux qui ont massacré [5] les prophètes
de leur dieu ? D'autre part, qu'ils aient mis à mort et le
Seigneur et ses serviteurs constitue un cas d'aggravation [6].
Car s'ils ont mis à mort le Christ d'un dieu et les prophètes
d'un autre dieu, l'Apôtre a placé à parité les (deux) impié-
tés, il ne les a pas aggravées [7]. Or il ne devait pas y avoir
parité [8]. Donc l'impiété n'a pu être aggravée que si elle a été

6. Sans s'attacher à la formulation de Paul (Christ / prophètes), T. a bâti
son argumentation selon la perspective de l'ordre historique (morts des
prophètes / mort du Christ) et selon la visée qu'il prête à l'Apôtre, d'*augmenter* la culpabilité d'Israël : cette visée, d'abord exprimée par le verbe
onerare, l'est ici par *exaggeratio.* Ce mot, qu'on trouve trois autres fois
chez lui, signifie soit « accumulation » (*Nat.* 1, 2, 8 ; cf. éd. Schneider,
p. 127), soit, comme ici « aggravation », « développement », « renchérissement » (*Marc.* I, 23, 5 ; *Spect.* 10, 4 : cf. *SC* 332, p. 186).
7. Sans doute parce que tuer un Christ étranger était, pour le peuple
juif, un homicide comparable (et non plus grave) à la mise à mort de ses
propres prophètes. Le raisonnement est spécieux et l'expression, dominée
par l'antithèse entre *aequare* et *exaggerare,* manque de clarté dans son
excessive concision. Nous pensons que le sujet des deux verbes de la principale est l'Apôtre, et non pas Israël.
8. Littéralement : « L'impiété ne devait pas être mise à parité. » Cette
mineure du syllogisme, semble-t-il, nous ramène à la visée que T. prête à
Paul : augmenter les charges contre Israël, des *famuli* au *dominus.*

20 deum commissa ex utroque titulo. Ergo eiusdem dei
Christus et prophetae.

3. Quam autem « *sanctitatem* no*stram uoluntatem Dei* [c] »
dicat, ex contrariis, quae prohibet, agnoscere est : « *Abstinere
enim*, inquit, *a stupro* » – non a matrimonio –, « *scire unum-*
25 *quemque uas suum in honore tractare* [d]. » Quomodo ? « *Dum
non in libidine, qua gentes* [e]. » Libido autem nec apud gentes
matrimonio adscribitur, sed extraordinariis et non naturali-
bus et portentosis luxuriae. Est turpitudini quoque et inmun-
ditiae [f] contraria, quae non matrimonium excludat, sed libi-

---

20 deum *Kroy.* : dominum ϑ *edd. cett.* ‖ eiusdem dei R_3 : eius dominus
deus Mγ R_1R_2 [deus M^{2mg}] ‖ 24 enim *om. Gel. Pam. Rig.* ‖ 25 uas suum *M
Kroy.* : suum uas β *edd. cett.* ‖ 27 extraordinariis *R* : extra ordinariis Mγ ‖
28 portentosis *M Rig. Kroy.* : -tuosis β *edd. cett.* ‖ luxuriae. est *Braun* :
-ae : est *Kroy.* luxuria est ϑ *Gel. Pam. Mor.* lex uxoria est *Lat.* sanctitas luxuriae est *Vrs. Rig.* luxuriae. sanctitas est *Evans uide adnot.* ‖
quoque : quaque *Kroy.* ‖ 29 contraria *MG R_3* : non contraria γ R_1R_2

---

c. 1 Th 4, 3   d. 1 Th 4, 4   e. 1 Th 4, 5   f. Cf. 1 Th 4, 7

---

1. Ici encore, excessive concision. On attendrait : « Donc l'impiété a été
aggravée et elle n'a pu l'être que si », etc.
2. Ce commentaire est une réponse directe à l'affirmation de Marcion
pour qui le mariage est une débauche (πορνεία) : cf. IRÉNÉE, *Haer.* 1, 28,
1 : cf. HARNACK, p. 148-149, et, pour la critique par T. de l'encratisme marcionite, cf. I, 29, 1 et IV, 34, 5.
3. Dans le verset cité (cf. HARNACK, p. 111*, et SCHMID, p. I/335), *tractare* ne correspond pas avec exactitude à κτᾶσθαι (= *possidere*) du texte
marcionite comme du texte « catholique ». Nous traduisons *uas* selon le
sens habituellement donné à cette métaphore biblique.
4. Ce passage où la tradition est partagée et qui a donné lieu à différents
aménagements (souvent avec addition de mots ou supposition de lacune)
nous paraît devoir être lu : « luxuria<e>. Est... » au lieu de « Luxuria est... »
formant le début d'une nouvelle phrase. Avec cette ponctuation, et au prix
d'une correction infime (la disparition du *e* final de *luxuriae* devant le *e* initial de *est* s'expliquera aisément), le texte est tout à fait intelligible et satisfaisant. Le génitif *luxuriae* complète les trois adjectifs précédents qui sont
des neutres substantivés (littéralement : « les choses exorbitantes », etc.), ce
qui n'a rien d'insolite chez notre auteur. L'asyndète donne plus de relief à

commise, à l'un et l'autre titre, contre le même dieu [1]. Donc relèvent du même dieu le Christ et les prophètes.

La sainteté de vie préconisée par l'Apôtre est celle du mariage

3. Quelle est, d'autre part, « *la sainteté de vie que*, dit-il, *Dieu veut pour nous* [c] », on le reconnaîtrait d'après les conduites contraires qu'il nous interdit. « *S'abstenir de la débauche* », dit-il en effet, – non du mariage [2] –, « *savoir traiter chacun son propre corps dans l'honneur* [d] [3]. » De quelle façon ? « *En ne donnant pas accès au dérèglement sexuel comme font les païens* [e]. » Or le dérèglement sexuel, même chez les païens, n'est pas l'attribut du mariage, mais celui des manifestations exorbitantes, non naturelles, monstrueuses de la luxure [4]. A la turpitude aussi et à l'impureté [f] [5] elle est contraire, la sainteté qui [6] supprime non le mariage, mais le dérèglement

la phrase suivante qui énonce un autre comportement moral contraire à la « sainteté » définie par T. à travers Paul.

5. L'adverbe *quoque* nous paraît prouver qu'un nouvel élément est introduit dans la revue des *contraria* servant à définir la sainteté de vie « voulue pour nous par Dieu ». Nous pensons en effet qu'une allusion est faite maintenant au v. 7 du même passage paulinien : « Car Dieu ne vous a pas appelés à l'impureté mais à la sainteté de vie. » Ni HARNACK, p. 111*-112*, ni SCHMID, p. I/335, ne font état de cette référence, ni non plus les commentateurs de T. Pourtant le mot ἀκαθαρσία dont il s'agit, régulièrement rendu par *immunditia* dans la Vg, est associé plusieurs fois par Paul à πορνεία (Ga 5, 19 ; Ep 5, 3 ; Col 3, 5). L'alliance *turpitudo et immunditia* par laquelle T. désigne cet autre *contrarium* de la sainteté de vie laisse penser que notre auteur désignait par là les pratiques honteuses et infamantes de la sexualité.

6. Quand on se souvient de la phrase initiale du développement (*Quam sanctitatem ... ex contrariis*), il n'est pas difficile, après *Est ... contraria*, de comprendre que *sanctitas* est l'antécédent sous-entendu de *quae*. Ces deux propositions relatives (au subjonctif pour marquer leur valeur causale) récapitulent ce qui vient d'être établi sur la sainteté du mariage. Celle-ci est personnifiée d'abord discrètement, puis avec plus de netteté dans la reprise de l'expression *tractare uas suum*.

30 dinem, quae uas nostrum in honore matrimonii tractet [d].
Hunc autem locum salua alterius, id est plenioris, sanctitatis
praelatione tractauerim, continentiam et uirginitatem nuptiis
anteponens, sed non prohibitis. Destructores enim dei nuptiarum, non sectatores castitatis retundo.

35   **4.** Ait eos, qui remaneant in aduentum Christi [g] cum eis,
« *qui mortui in Christo primi resurgent* [h] », quod « *in nubibus auferentur in aerem obuiam Domino* [i]. » Agnosco his
iam tunc prospectis mirari substantias caelestes ipsam
Hierusalem quae sursum est [j], et per Esaiam pronuntiare :
40   « *Quinam huc uelut nubes uolant, tamquam columbae cum
pullis ad me* [k] ? » Hunc ascensum si Christus nobis praepa-
rabit, ille erit Christus, de quo Osee : « *Qui ascensum suum*

---

31 autem *M R* : aut γ ‖ 32 continentiam β : -tineam *M* ‖ 35 aduentum
M edd. a Pam. : -u β *Gel.* ‖ 37 aerem *edd. a Pam.* : -e ϑ *Gel.* ‖ 42 osee :
amos *Iun. Oeh. Evans*

---

g. Cf. 1 Th 4, 15   h. 1 Th 4, 16   i. 1 Th 4, 17   j. Ga 4, 26   k. Is 60, 8

---

1. T. coupe court à son développement en résumant sa position sur ascétisme et mariage, qu'il a exposée en I, 29 : sa « défense » du mariage est en
fait une non-interdiction ! Il affirme hautement sa préférence pour ce qu'il
appelle une *sanctitas plenior* constituée par la continence et la virginité
comme est celle de ses adversaires.

2. Antithétique et bien balancée, cette *sententia* finale n'oppose pas,
pensons-nous, deux groupes l'un à l'autre. T. veut dire qu'il sait distinguer,
chez ses adversaires marcionites, une morale ascétique proche de celle qu'il
prône, et une doctrine théologique qui fausse et pervertit dangereusement
cette morale, et qu'il combat. En effet le renoncement au mariage, chez les
marcionites, marquait une volonté de rupture avec le Créateur, dieu de ce
monde et auteur de l'union conjugale par le « Croissez et multipliez-vous »
de la *Genèse*.

3. Le v. 17 a été cité en III, 24, 11 après les mêmes prophéties qu'ici et
selon la même interprétation. Dans ce résumé des v. 15-17, le tour *Ait eos
... quod...* s'explique par une prolepse (anticipation du sujet) ou un changement de construction : la proposition infinitive amorcée par *eos* fait place

sexuel, celle qui traite notre corps dans l'honneur du mariage [d]. Mais ce thème, je pourrais le développer en gardant sauve la préférence que j'accorde à une sainteté de vie autre, c'est-à-dire plus accomplie : en plaçant continence et virginité avant l'union conjugale, mais sans interdire celle-ci [1]. Car ce sont les destructeurs du dieu de l'union conjugale que je réfute, non les sectateurs de la chasteté [2].

Montée au ciel des élus à la Parousie

4. Il dit que ceux qui resteront vivants jusqu'à l'avènement du Christ [g], et avec eux, ceux *« qui, morts dans le Christ, seront les premiers à ressusciter [h] »*, *« seront emportés sur les nuées dans l'air au-devant du Seigneur [i][3]. »* Je reconnais que, depuis longtemps, à la vue lointaine de ces cortèges [4], les substances célestes admiraient *la Jérusalem d'en haut [j]* elle-même et prononçaient ces paroles transmises par Isaïe [5] : *« Qui sont donc ces gens qui viennent ici volant comme des nuées, pareils à des colombes avec leurs petits, vers moi [k][6] ? »* Si c'est le Christ qui a préparé cette ascension pour nous, il sera le Christ dont Osée a dit : *« Celui qui construit son ascension aux*

à une complétive par *quod* qui permet à l'auteur de rester plus près de l'énoncé scripturaire.

4. Cet ablatif absolu (où *his* désigne les deux catégories de « saints » évoqués par la phrase précédente) souligne le caractère de visions prophétiques des textes qui vont être cités.

5. Si on compare à III, 24, 11 où est commenté le même texte d'*Isaïe*, on constate une tendance à développer les détails surnaturels : les « substances célestes » (esprits ? ou anges ?) remplacent « l'Esprit » ; l'admiration dont elles sont frappées porte sur la « Jérusalem » céleste (caractérisée par l'expression de Paul), laquelle n'apparaissait pas dans le développement du livre III. Signes d'une influence plus forte, sur T., de l'illuminisme montaniste ?

6. Cf. t. 3, p. 213 et n. 4.

aedificat in caelos [1] » – utique sibi et suis. Exinde a quo spe-
rabo nunc, nisi a quo haec audiui ?

45   **5.** Quem Spiritum prohibet extingui [m] et quas prophetias
uetat nihil haberi [n] ? Vtique non Creatoris spiritum nec
Creatoris prophetias secundum Marcionem. Quae enim
destruit, ipse iam extinxit et nihil fecit, nec potest prohibere
quae nihil fecit. Ergo incumbit Marcioni exhibere hodie
50   apud ecclesiam suam exinde Spiritum dei sui, qui non sit
extinguendus [m], et prophetias, quae non sint nihil haben-
dae [n]. Et si exhibuit quod putat, sciat nos quodcumque illud
ad formam spiritalis et propheticae gratiae atque uirtutis
prouocaturos, ut et futura praenuntiet et occulta cordis
55   reuelet [o] et sacramenta edisserat. **6.** Cum nihil tale protulerit ac probarit, nos proferemus et Spiritum et prophetias
Creatoris secundum ipsum praedicantes. Atque ita consta-

---

44 nisi *eras. M* ‖ 46 *(ut infra li.* 48, 49, 51) nihil : nihili *Lat. Vrs. Rig.* ‖
48 destruxit *Gel. Pam. Rig.* ‖ 50 qui R_3 : quod *Mγ* R_1R_2 ‖ 54 prouocaturos *coni.* R_2 *rec.* R_3 : prouola- *Mγ* R_1R_2 B^{mg} ‖ praenuntiet *M R* : -at γ

---

l. Am 9, 6   m. Cf. 1 Th 5, 19   n. Cf. 1 Th 5, 20   o. Cf. 1 Co 14, 25

---

1. Cité en III, 24, 10 où il est correctement attribué à *Amos*, ce texte est
encore cité en IV, 34, 13.16 où il est, par erreur comme ici, référé à *Osée*
(cf. t. 3, p. 212, n. 2). Mais l'application à la montée du Christ au ciel, avec
les « siens », lors de sa Parousie, ne varie pas.

2. Comme souvent, T. se met en scène personnellement pour tirer une
conclusion.

3. Cette interprétation est-elle bien de Marcion, et où l'a-t-il présentée
(dans un commentaire) ? On peut se demander si elle ne lui est pas plutôt
prêtée par T. : moyen pour celui-ci de développer une contre-argumen-
tation.

4. L'expression *nihil facere* (littéralement « faire que quelque chose ne
soit rien ») est plus énergique que *nihil habere* pour rendre le verbe
biblique ἐξουθενεῖν (la traduction par « déprécier » est faible). – Après *prohibere*, il faut sous-entendre *nihil facere*.

5. Nous donnons à *exinde* son sens consécutif, qui renforce la conjonction *ergo* initiale. On pourrait également admettre le sens temporel (« à par-

cieux [11] » – assurément pour lui et pour les siens. En conséquence, en qui mettrai-je maintenant mon espoir, sinon en
celui de qui provient ce que j'ai entendu là [2] ?

Recommandations de l'Apôtre sur l'Esprit et les prophéties   **5.** Quel est l'Esprit qu'il défend d'éteindre [m] et quelles sont les prophéties qu'il interdit de tenir pour rien [n] ? Assurément, selon
Marcion [3], il ne s'agit pas de l'esprit du Créateur ni des pro-
phéties du Créateur ! Ce qu'en effet l'Apôtre détruit, lui-
même il l'a déjà éteint et réduit à rien, et il ne peut pas mettre
une interdiction sur ce qu'il a réduit à rien [4]. Il incombe
donc à Marcion de présenter aujourd'hui dans son église, en
conséquence [5], l'Esprit de son dieu, qu'il ne faudrait pas
éteindre [m] et les prophéties qu'il ne faudrait pas tenir pour
rien [n]. Et s'il a présenté ce qu'il pense être tel, qu'il sache
que nous, de quoi qu'il s'agisse, nous en appellerons au
modèle de la grâce et vertu spirituelle et prophétique :
qu'elle annonce d'avance l'avenir, qu'elle révèle les secrets
des cœurs [o 6], qu'elle explicite les mystères de la foi.
6. Comme il n'aura rien produit ni prouvé de tel [7], nous
produirons, nous, à la fois l'Esprit et les prophéties du
Créateur, avec leur prédication conforme à lui-même. Et

tir de là », c'est-à-dire des recommandations de l'Apôtre). De toute façon,
la place insolite de cet adverbe, ici, en met en relief la valeur.

6. L'expression paulinienne a déjà été citée *supra* 8, 12. Outre le critère
sur le dévoilement des secrets personnels, T. en donne ici deux autres tirés
également du même développement de 1 Co : le premier concerne la prédiction de l'avenir, le dernier les explicitations ou éclaircissements sur les
sacramenta, c'est-à-dire les vérités doctrinales objet de la révélation, ou les
symboles liés à l'histoire du salut.

7. Reprise de l'argument utilisé *supra* 8, 5-6.12 sur la déficience du marcionisme en matière de charismes prophétiques. A ces insuffisances, T.,
désormais acquis au montanisme, a beau jeu d'opposer la floraison de ces
charismes dans l'Église qui ne s'est pas écartée de l'enseignement du
Créateur. C'est cette fidélité *(secundum ipsum)* qui en garantit à ses yeux
l'authenticité.

bit Apostolus de quibus dixerit, de eis scilicet, quae futura
erant in ecclesia eius dei, qui dum est, Spiritus quoque eius
60 operatur ᵖ et promissio celebratur.

7. Age nunc, qui salutem carnis abnuitis et, si quando
corpus in huiusmodi praenominatur, aliud nescio quid
interpretamini illud quam substantiam carnis, quomodo
Apostolus omnes in nobis substantias certis nominibus dis-
65 tinxit et omnes in uno uoto constituit salutis, optans ut
« *spiritus* noster *et corpus et anima sine querela in aduentum
Domini* et Salutificatoris *nostri Christi conseruentur* �q » ?
8. Nam « et animam » posuit « et corpus », tam duas res
quam diuersas. Licet enim et anima [et] corpus sit aliquod

---

58 apostolus *coni. R₂ rec. Iun. Vrs. Oeh. Kroy. Evans* : -um 𝟃 *Gel. Pam.
Rig.* ‖ 64 in nobis substantias *Zahn apud Kroymannum Kroy. Evans* : in
nouis substantiis 𝟃 *edd. cett.* ‖ 66 aduentum *M Rig. Kroy.* : -u β *Gel. Pam.
Oeh. Evans* ‖ 67 salutificatoris *coni. R₁R₂ rec. R₃* : -caris *Mγ R₁R₂* ‖ 69
anima *coni. R₁ rec. R₂ Kroy.* : anima et *Mγ R₁ Mor.* animae *edd. cett. a R₃
uide adnot.*

---

p. Cf. 1 Co 12, 11   q. 1 Th 5, 23

---

1. La phrase finale souligne la cohérence de l'Apôtre (*sibi* est sous-
entendu avec *constabit*) et prend le contre-pied de l'interprétation de
Marcion en opposant à son église la seule qui mérite ce nom, l'Église du
seul vrai dieu. L'inexistence du « dieu marcionite » – un motif polémique
habituel à notre auteur – apparaît en filigrane dans la dernière proposition
relative qui désigne le Créateur (littéralement : « ce dieu, lequel du moment
qu'il existe, son Esprit aussi », etc.). Ce tour syntaxique n'est pas insolite
dans le latin tardif ; de même que, au début de la phrase, « de quibus dixerit » équivaut à « de eis quae dixerit ». Les derniers mots visent à affirmer
la vitalité de cette Église qui se marque par l'action toujours actuelle de
l'Esprit (l'expression est empruntée à un autre passage de 1 Co, mais indépendamment du contexte) et par la diffusion de la « promesse » (celle-ci se
rapporte essentiellement aux événements eschatologiques qui sont le plus
souvent liés aux prophéties).

2. T. ne fournit pas ici d'exemple de ces interprétations que les hérétiques
donnaient de « corps » pour éviter toute application à la chair. Il ne nous dit
rien non plus de la façon précise dont ils comprenaient le même mot dans ce
verset de Paul. Emploi unique, chez notre auteur, du verbe rare *praenomi-
nare* (= « donner un prénom ») qui est employé ici au sens de *nominare*.

ainsi l'Apôtre sera cohérent sur ce dont il a parlé, sur ces phénomènes évidemment qui étaient destinés à se produire dans l'Église d'un dieu dont, du fait de son existence, on voit aussi l'Esprit opérer [p] et la Promesse se diffuser [1].

Le salut promis par l'Apôtre à notre « chair »

7. Eh bien maintenant, vous qui refusez le salut de la chair et qui, s'il arrive parfois que le terme de corps soit employé dans le cas de pareilles réalités, donnez de ce terme une interprétation qui l'applique à je ne sais quoi d'autre qu'à une substance de chair [2], comment se fait-il que l'Apôtre a distingué sous des noms bien déterminés toutes les substances présentes en nous et qu'il les a placées toutes sous un unique vœu, celui du salut, en souhaitant que « notre *esprit,* notre *corps et* notre *âme soient gardés irréprochables pour l'avènement de notre Seigneur* et Sauveur *le Christ* [q 3] » ? **8.** Car il a mis « et âme et corps » : réalités qui sont deux autant que différentes. En effet, quoique l'âme aussi soit quelque corps [4] d'une qualité

3. A rapprocher de *Res.* 47, 17-18, où T. a déjà utilisé pour la même démonstration ce verset qu'il dit joliment « écrit avec un rayon de soleil, tant il est clair ». Ici c'est le texte marcionite qui est suivi : contre HARNACK, p. 113*, Schmid a montré qu'il n'avait pas le même ordre des mots que le texte « catholique » (ainsi la séquence « πνεῦμα / σῶμα / ψυχή ») et qu'il comportait une glose : ajout de καὶ σωτῆρος, cf. p. 104-105, 279, I/336. Sur le terme *salutificator* qui est selon toute probabilité une création de T., cf. notre *Deus Christ.*, p. 488-490.

4. Le retranchement du second *et* dans le texte des mss *(et anima et corpus)* s'est imposé en général depuis la troisième édition de Rhenanus : Kroymann l'adopte, Evans la soutient dans son apparat et en tient compte dans sa traduction, comme fait aussi Moreschini. On comprendra qu'un *et* fautif se soit glissé après *anima* sous la suggestion de « et animam et corpus » de la phrase précédente. L'argument de T. provient de sa conception (issue des vues stoïciennes sur l'être) de la corporalité de tout ce qui existe réellement. Il l'a abondamment affirmé pour l'âme, pour l'Esprit, pour Dieu. Mais il n'est pas sûr que Marcion partageait cette conception.

70 suae qualitatis, sicut et spiritus, cum tamen et corpus et
anima distincte nominantur, habet anima suum uocabulum
proprium, non egens communi uocabulo « corporis », id
relinquitur carni, quae non nominata proprio, communi
utatur necesse est. Etenim aliam substantiam in homine non
75 uideo post spiritum et animam, cui uocabulum « corporis »
accommodetur praeter carnem, hanc totiens in « corporis »
nomine intellegens, quotiens non nominatur ; multo magis
hic, cum quae dicitur « corpus » suo nomine appellatur.

XVI. 1. Cogimur quaedam identidem iterare, ut cohaerentia eis confirmemus. Dominum et hic retributorem
utriusque meriti dicimus circumferri ab Apostolo, aut
Creatorem aut, quod nolit Marcion, parem Creatoris,
5 « *apud quem iustum* sit *adflictatoribus* n*ostris rependi adflic-
tationem, et* n*obis, qui adflicte*mur, *requietem in reuelatione
Domini Iesu uenientis a caelo cum angelis uirtutis suae et in
flamma ignis* [a]. » Sed flammam et ignem delendo haereticus
extinxit, ne scilicet nostratem deum faceret. Lucet tamen

---

78 cum quae R_2R_3 : cumque $M\gamma$ R_1 ‖ nomine β : -atur M
ad thessalonicenses prima explicit M incipit II. M^{mg} de epistola ad
Thessalonicenses secunda β
XVI. 1-2 cohaerentia M $R_1^{mg}R_3$: cohaerente γ R_1 cohaerent R_2 quae
cohaerent *coni.* R_2 ‖ 6 qui R : quia $M\gamma$ ‖ reuelatione R : -em $M\gamma$

XVI. a. 2 Th 1, 6-8

---

1. Par cette remarque, qui porte sur la suite, T. vise à s'excuser de certaines redites forcées : il s'agit ici de la justice rétributive du mal comme du
bien *(utriusque meriti)* qu'il a déjà souvent alléguée pour faire pièce au dieu
« tout bon » de Marcion.
2. Ici commence la citation sur laquelle va porter l'argumentation. T.
suit le texte marcionite dont les particularités notables sont l'ajout de
uenientis a caelo et la suppression de *in flamma ignis* : cf. HARNACK,

spécifique, comme l'esprit aussi, cependant lorsque le corps et l'âme sont nommés à titre distinct, l'âme détient sa dénomination propre, sans avoir besoin de la dénomination commune de « corps », celui-ci est laissé à la chair qui, n'étant pas nommée par le terme propre, doit nécessairement utiliser le terme commun. Et effectivement, dans l'homme, je ne vois pas que, après l'esprit et l'âme, il y ait une autre substance à laquelle on puisse prêter la dénomination de « corps » en dehors de la chair ! C'est elle que je comprends sous le nom de « corps » toutes les fois qu'elle n'est pas désignée par son nom ; et c'est bien plus le cas ici puisque cette chair qui est dite « corps », est appelée de son nom.

VI. La deuxième lettre aux Thessaloniciens

La justice divine à la Parousie

XVI. 1. Nous sommes forcés de répéter continuellement certaines remarques pour confirmer les commentaires qui s'y rattachent [1]. Nous le disons ici aussi : le Seigneur, porté à la ronde par l'Apôtre, est le rétributeur du bien comme du mal mérité, étant soit le Créateur, soit – ce que ne voudrait pas Marcion – le pareil du Créateur : car « *à ses yeux* [2] *il est juste que soit rendue l'oppression à ceux qui nous oppriment, et à nous qui* sommes *opprimés, le repos, lors de la révélation du Seigneur Jésus venant du ciel avec les anges de sa puissance et dans la flamme du feu* [a]. » Mais l'hérétique a éteint flamme et feu en les effaçant, pour éviter évidemment d'en faire le dieu

---

p. 113*, et surtout SCHMID, p. I/336. Répondant au participe présent de θλίβω, le nom d'agent dont se sert notre auteur, *afflictator*, est un hapax : indice d'une traduction personnelle qui a cherché à rendre avec exactitude le jeu sur les trois formes du verbe *afflictare* (fréquentatif de *affligere*).

10 uanitas liturae. **2.** Cum enim ad ultionem uenturum scribat Apostolus Dominum exigendam de eis, « *qui deum
ignorent et qui non obaudiant euangelio* [b] », quos ait poenam
luituros exitialem aeternam « *a facie Domini et a gloria
ualentiae eius* [c] », sequitur, ut flammam ignis inducat, scili-
15 cet ueniens ad puniendum. Ita et in hoc, nolente Marcione,
crematoris dei Christus est, et in illo Creatoris est, quod
etiam de ignorantibus Dominum ulciscitur – id est de ethnicis. **3.** Seorsum enim posuit euangelio non obaudientes [b],
siue Christianos peccatores siue Iudaeos. Porro de ethnicis
20 exigere poenas, qui euangelium forte non norint, non est dei
eius, qui naturaliter sit ignotus nec usquam nisi in euangelio sit reuelatus, non omnibus scibilis. Creatori autem etiam
naturalis agnitio debetur, ex operibus intellegendo et exinde
in pleniorem notitiam requirendo. Illius est ergo etiam igno-
25 rantes deum plectere, quem non liceat ignorari. Ipsum quod
ait : « *A facie Domini et a gloria ualentiae eius* [c] », uerbis

---

12 poenam β : pon- *M* ‖ 13 exitialem luituros *M cum signis transp. ut
uid.* ‖ 16 est¹ *M edd. a Rig.* : *om.* β *Gel. Pam.* ‖ 17-18 (*ut infra li.* 19) het-
nicis *M* ‖ 22 sit β : *om. M* ‖ 25 ignorari *M Rig. Kroy.* : -re β *Gel. Pam.
Oeh. Evans* ‖ 26 a¹ β : *om. M*

---

b. 2 Th 1, 8　　c. 2 Th 1, 9 = Is 2, 19

---

1. Remarque dont l'ironie est soulignée par la métaphore qui sert à l'exprimer (*exstinxit*). L'adjectif *nostras* dont le sens propre est « de notre
pays » ne se rencontre qu'ici chez notre auteur et, comme pronom au plur.
(*nostrates* opposés aux hérétiques), en *Scor.* 1, 12 et 10, 2.
2. Pour ce v. 9, T. suit encore le texte marcionite dans l'ajout de ὀλέθριον
(rendu par *exitialem*) : cf. SCHMID, p. I/336.
3. L'ironie éclate dans cette remarque qui souligne l'inanité de la
« rature » du faussaire : pour T. la volonté de punir, affirmée par le texte,
suffit à réintroduire ce que Marcion avait cru en éliminer. Nous ne savons
pas comment, en réalité, l'hérétique comprenait ce passage ; assurément
selon une conception eschatologique très différente de celle de notre auteur.

de notre culte [1] ! Lumineuse est cependant l'inutilité de sa rature ! **2.** En effet, comme l'Apôtre écrit que le Seigneur viendra pour exercer sa vengeance sur ceux « *qui ignorent Dieu et qui n'obéissent pas à l'Évangile* [b] » – et il dit qu'ils subiront le châtiment d'une ruine éternelle « *loin de la face du Seigneur et de la gloire de sa majesté* [c] [2] » –, il s'ensuit que Dieu met en scène la flamme du feu, lui qui bien sûr vient pour punir. Ainsi, dans cette circonstance également, malgré qu'en ait Marcion, le Christ est celui du dieu « crémateur [3] », et il est celui du Créateur en ceci qu'il se venge même des hommes qui ignorent le Seigneur – c'est-à-dire des païens. **3.** L'Apôtre a mis à part, en effet, ceux qui n'obéissent pas à l'Évangile [b] : soit les chrétiens pécheurs, soit les juifs. En outre, tirer un châtiment des païens qui peut-être ne connaîtraient pas l'Évangile, ce n'est pas le fait d'un dieu qui est naturellement inconnu et ne s'est révélé nulle part en dehors de l'Évangile, un dieu non accessible à la connaissance de tous [4]. Au contraire, on doit au Créateur de le connaître naturellement, en le comprenant par ses œuvres, et à partir de là, en se mettant à sa recherche pour une connaissance plus pleine. C'est donc à lui qu'il appartient de châtier même ceux qui ignorent Dieu, lui qu'il n'est pas permis d'ignorer. Même la parole de l'Apôtre : « *Loin de la face du Seigneur et de la gloire de sa majesté* [c] », utilisant des mots d'Isaïe tirés du sujet

---

Le mot *cremator* qui fait jeu paronomastique avec *creator* est un hapax : il désigne le dieu de l'AT en s'attachant au rôle du feu pour la punition des pécheurs (cf. I, 27, 2).

4. Motif récurrent depuis le livre I : le dieu marcionite est « naturellement inconnu » à la différence du Créateur qui s'est mis à la portée des hommes par la nature d'abord, par ses *praedicationes* ensuite. Cette conception de T. sur les voies d'accès au dieu des chrétiens va dominer tout le chapitre. Emploi unique de *scibilis*, néologisme de l'auteur, resté rare après lui.

usus Esaiae ex ipsa causa, eundem sapit Dominum, consur-
gentem ut comminuat terram [d].

4. Quis autem est « *homo delicti, filius perditionis* [e] »,
30 quem reuelari prius oportet ante Domini aduentum, « *extol-*
lens se super omne quod Deus dicitur et omnem religio-
nem [f] », consessurus in templo Dei et Deum se iactaturus [g] ?
Secundum nos quidem Antichristus, ut docent ueteres ac
nouae prophetiae, ut Iohannes apostolus, qui iam antichris-
35 tos dicit processisse in mundum, praecursores Antichristi
spiritus, negantes Christum in carne uenisse et soluentes
Iesum [h], scilicet a deo Creatore ; secundum uero Marcionem
nescio, ne Christus sit Creatoris : nondum uenit apud illum.
Quisquis est autem ex duobus, quaero, cur ueniat « *in omni*
40 *uirtute et signis et ostentis mendacii* [i] ». **5.** « *Propterea,*
inquit, *quod dilectionem ueritatis non susceperint, ut salui*

---

27 ex β : et *M*   et ex *Kroy.* ‖ causa, eundem *ita dist. Kroy.* ‖ 29 autem
est *M Rig. Kroy.* : est autem β *edd. cett.* ‖ 32 consessurus *edd. a Pam.* :
consecuturus *M R Gel.*   consecuturos γ ‖ 37 a *corr. Mor.* : in ϑ *edd. cett.*
uide adnot. ‖ 38 ne : nisi *Vrs.* ‖ christus sit *M Kroy.* : sit christus β *edd.*
cett. ‖ *post* nondum *add.* enim *Vrs. Rig.* ‖ 39 quisquis *edd. a Lat.* : cuius
quis ϑ *Gel. Pam.*

---

d. Cf. Is 2, 19   e. 2 Th 2, 3   f. 2 Th 2, 4a   g. Cf. 2 Th 2, 4b   h. Cf. 1
Jn 4, 1-3   i. 2 Th 2, 9

---

1. Le développement se termine par une observation sur la provenance
vétérotestamentaire de l'expression « loin de la face du Seigneur et de la
gloire de sa majesté ». Elle est empruntée à l'évocation du « Jour du
Seigneur » par Isaïe (dans la LXX) ; le texte avait déjà été cité en IV, 30, 4.
La précision *ex ipsa causa* signifie, pensons-nous, qu'il ne s'agit pas d'une
formule accessoire, mais de mots faisant corps avec l'idée.
2. Sur le texte marcionite que suit T., cf. HARNACK, p. 114*, et SCHMID,
p. I/336. La Vg aussi a « homo peccati ».
3. Les « nouvelles prophéties » (celles des montanistes) sont associées
étroitement aux prophéties de l'AT.

même, laisse comprendre qu'il s'agit du même Seigneur, qui se dresse pour briser la terre [d][1].

Discussion sur l'Antichrist

4. D'autre part, qui est « *l'homme de péché, le fils de perdition* [e][2] » qui doit se révéler en priorité avant l'avènement du Seigneur, « *se haussant au-dessus de tout ce qu'on dit Dieu, et au-dessus de toute religion* [f] », qui siégera dans le temple de Dieu et se vantera d'être Dieu [g] ? Selon nous, à vrai dire, c'est l'Antichrist, comme l'enseignent les anciennes et les nouvelles prophéties [3], comme l'enseigne l'apôtre Jean qui dit déjà que des antichrists se sont présentés dans le monde, esprits précurseurs de l'Antichrist, niant la venue du Christ dans la chair et détachant Jésus [h], évidemment du dieu Créateur [4]. Mais selon Marcion, je ne sais si ce n'est pas le Christ du Créateur : à ses yeux, il n'est pas encore venu [5]. Or, quel qu'il soit de ces deux personnages, je veux savoir, moi, la raison de sa venue [6] « *en toute puissance, signes et prodiges du mensonge* [i] ». **5.** « *C'est*, dit l'Apôtre, *pour la raison qu'ils n'ont pas accueilli l'amour de la vérité afin*

---

4. La correction de *in* en *a*, proposée par Moreschini, est pleinement justifiée.

5. Après l'identification à l'Antichrist (lequel n'est nommé comme tel, dans le NT, que par les Lettres de Jean) – qui est celle de la tradition de l'Église –, T. admet, mais de façon dubitative, que Marcion l'identifierait au Christ du Créateur : preuve que l'hérétique ne s'était pas vraiment prononcé sur la question. *Infra*, dans la discussion, notre polémiste supposera que son adversaire accepte l'identification à l'Antichrist. *Nescio ne* équivaut à *nescio an*.

6. Dans son argumentation, T. pose clairement la question du pourquoi de la « mission » de ce personnage avant la Parousie. Pour y répondre, il retient et isole un passage qui sera le seul à être cité à peu près textuellement. Il l'introduit d'ailleurs en réponse à sa question : *propterea quod...* répond au *cur* qui précède la citation.

essent ; et propter hoc erit eis <in> instinctum fallaciae, ut
iudicentur omnes, qui non crediderunt ueritati, sed consen-
serunt iniquitati [j]. » Igitur si Antichristus est secundum
45 Creatorem, deus erit Creator, qui eum mittit ad impingen-
dos eos in errorem, « qui non crediderunt ueritati, ut salui
fierent » ; eiusdem erit ueritas et salus, qui eas summissu
erroris ulciscitur, id est Creatoris, cui et competit zelus ipse,
errore decipere quos ueritate non cepit.

50   **6.** Si uero non est Antichristus secundum nos, ergo
Christus est Creatoris secundum Marcionem. **(6.)** Et quale
erit, ut ad ulciscendam ueritatem suam Christum Creatoris
summittat ? Sed et <si> de Antichristo consentit, proinde
dixerim : quale est, ut illi Satanas [k], angelus Creatoris, sit
55 necessarius et occidatur ab eo, habens fallaciae operatione
fungi Creatori ? In summa, si indubitatum est eius esse et
angelum et ueritatem et salutem, cuius et ira et aemulatio et

---

42 in instinctum *Kroy. Evans* : instinctum ϑ in structum *coni. R_2R_3*[mg] *rec.*
B   uide adnot. ‖ *post* ut *add.* credant mendacio, ut *Kroy.* ‖ 44 est *Vrs. Rig.*
Kroy. Mor. : et ϑ *edd. cett.* ‖ 45 creatorem : nos et *Vrs. Rig.* ‖ 47 eas *edd. ab*
Oeh. : ea ϑ ex *Pam. Rig.* ‖ 48 creatoris *Lat. Vrs. Oeh. Kroy. Evans* : -i ϑ
Gel. Pam. Rig. ‖ 53 si *add. edd. ab Vrs.* ‖ 54 illi R_2R_3 : illis *Mγ R_1*

j. 2 Th 2, 10-12   k. Cf. 2 Th 2, 9

1. Il nous paraît probable que T. a remodelé le texte de la citation pour
souligner le rapport causal essentiel à ses yeux. Là où il lisait peut-être :
« Dieu leur envoie une 'energeia planes' (cf. SCHMID, *ibid.*), il a simplement
dit : 'et pour cela il (= le fils de perdition) leur sera à instigation d'erreur' ».
Comme l'a bien vu Kroymann, il faut rétablir *in* qui a disparu par haplographie devant l'accusatif *instinctum*. Sur cet emploi courant de *in* avec l'accusatif de but (du type « esse alicui in testimonium »), cf. HOPPE, *S.u.S.*,
p. 83 s. A *energeia* T. fait correspondre le mot *instinctus* (qui veut dire chez
lui « inspiration », « instigation »). Le trouvait-il dans une traduction latine
de Marcion ? Toujours est-il que, *infra*, il se servira de *operatio* – et c'est
le mot qui survivra dans la Vg.
2. Le verbe expressif *impingere* (« pousser dans », « enfoncer dans »)
sert à reprendre et à préciser l'idée que le texte de Paul marque par *in ins-*
tinctum.

d'être sauvés, et pour cela il sera pour eux instigateur[1] *de*
tromperie, afin que soient jugés tous ceux qui n'ont pas cru
à la vérité, mais ont consenti à l'iniquité [j]. » Par conséquent,
si c'est bien l'Antichrist selon le Créateur, ce sera le dieu
Créateur qui l'envoie afin d'enfoncer dans l'erreur [2] « ceux
qui n'ont pas cru à la vérité pour être sauvés » ; la vérité et
le salut appartiendront au même dieu qui les venge par l'envoi subreptice [3] de l'erreur – c'est-à-dire au Créateur, à qui
convient aussi le zèle même d'abuser par l'erreur ceux qu'il
n'a pas conquis par la vérité [4].

6. Mais s'il ne s'agit pas de celui qui, selon nous, est
l'Antichrist, il est donc, selon Marcion, le Christ du
Créateur. **(6.)** Et alors, quelle absurdité ce sera [5] que, pour
venger sa vérité, il envoie en cachette le Christ du Créateur !
Mais si Marcion aussi consent à ce que ce soit l'Antichrist,
pareillement je pourrais dire : quelle absurdité que lui soit
nécessaire Satan [k], ange du Créateur [6], et qu'il soit anéanti
par lui, en ayant à s'acquitter d'une opération de tromperie
en faveur du Créateur ! En résumé, s'il est hors de tout
doute que l'ange, la vérité, le salut sont ceux du dieu à qui
appartiennent aussi la colère, l'émulation, l'envoi de la trom-

---

3. Formé sur le verbe *summittere* (« envoyer en sous-main », « à la
dérobée ») qui sera employé *infra* 16, 6, et qui est d'un usage rare, le substantif abstrait *summissus* est un hapax. *Infra (ibid.)*, il sera remplacé par
un autre mot rare de la même racine : *immissio*.

4. Allusion, qui n'est pas exempte d'ironie à l'égard de Marcion, à la
qualification de *deus zelotes* (« dieu jaloux ») que T. affecte d'accueillir
volontiers pour le Créateur. *Infra*, il parlera d'*aemulatio* dans le même sens.

5. Sur cette expression, cf. Index terminologique des livres I-III, t. 3,
p. 343. Que le dieu supérieur doive avoir recours au Christ de son rival le
Créateur pour « venger sa vérité » pourra en effet paraître contraire au bon
sens.

6. S'emparant d'un autre élément, la présence de Satan dans l'entreprise
de l'Antichrist, T. dénonce une autre absurdité de la part du « dieu supérieur ».

fallaciae inmissio aduersus contemptores et desultores,
etiam aduersus ignorantes – ut iam et Marcion de gradu
60 cedat, deum quoque suum zeloten concedens –, quis dignius
irascetur ? **7.** Puto qui a primordio rerum naturam operibus beneficiis plagis praedicationibus testibus ad agnitionem
sui praestruxit nec tamen agnitus est ? an qui semel unico
euangelii instrumento, et ipso incerto nec palam alium deum
65 praedicante, productus est ? Ita cui competit uindicta, ei
competet materia uindictae, euangelium dico et ueritas et
salus.

Iubere autem operari eum, qui uelit manducare [l], eius disciplina est, qui boui trituranti os liberum iussit [m].

---

60 suum *coni.* R_2R_3mg Bmg *rec. edd. a Gel.* : summum ϑ B ‖ 61-62 operibus Mγ Bmg *edd. a Gel.* : opibus R B ‖ 62 praedicationibus M Bmg *edd. a*
Rig. : -num X R B *Gel. Pam.* -num est F ‖ 63 an : nec *Vrs.* non *Kroy.* ‖
64 nec *Gel. Pam. Rig. Kroy.* : ne Mγ R_3 nae R_1R_2 *Oeh. Evans* ‖ 66 competet MF *edd. a Pam.* : -it X R *Gel.* ‖ 69 boui β : bobu M ‖ iussit β : ius
sit M

ad thessalonicenses secunda explicit M ad laudicenos Mmg de epistola
ad laodicenos β

---

l. Cf. 2 Th 3, 10   m. Cf. Dt 25, 4 ; 1 Co 9, 9

---

1. Emploi unique chez T. de ce terme *desultor* qui, dans son sens
propre, désigne des cavaliers acrobates sautant d'un cheval à l'autre. Ici le
mot s'applique à celui qui se joue de la vérité et passe sans cesse, dans le
domaine religieux, d'une opinion à une autre.
2. Parenthèse ironique : ayant renouvelé la position qu'il avait établie à
la fin du § 5, T. demande à Marcion de bien vouloir admettre provisoirement pour son dieu une attitude semblable à celle de son adversaire, le dieu
jaloux puisque l'envoi d'un instigateur de tromperie vise à « abuser par l'erreur ceux qui n'ont pas été conquis par la vérité ».
3. Nouvelle forme de l'idée de « Deo dignum » : cf. t. 1, p. 46.

perie contre ceux qui le méprisent et qui se jouent de lui [1],
et même contre ceux qui l'ignorent – à supposer que, dès
maintenant, Marcion aussi abandonne sa position et concède
que son dieu également est un dieu jaloux [2] ! –, quel est celui
qui, le plus légitimement [3], se mettra en colère ? **7.** Celui,
je présume, qui dès le commencement du monde a édifié
d'avance la nature, par ses œuvres, ses bienfaits, ses fléaux,
ses annonces prophétiques, ses témoins, pour se faire reconnaître, sans cependant être reconnu ? Ou celui qui a été présenté une seule fois, par l'unique document de l'Évangile,
lui-même incertain et n'annonçant pas ouvertement un
« autre » dieu [4] ? Ainsi, à celui à qui revient la vengeance,
reviendra l'objet de la vengeance : je veux dire l'Évangile, la
vérité, et le salut.

Ultime observation   Quant à ordonner à qui veut manger de travailler [1], voilà la règle de
celui qui a ordonné de libérer la bouche du bœuf foulant le
grain [m][5].

4. Reprise des idées du développement précédent : au dieu Créateur
omnibus scibilis est opposé le dieu de Marcion qui ne s'est révélé que dans
un seul document évangélique (celui qui a été examiné au livre IV) : ce
document est qualifié d'« incertain » puisque, comme l'a fait apparaître cet
examen, il ne manifeste pas clairement ce que prétendent les marcionites :
que leur dieu soit « autre », c'est-à-dire différent du Créateur.

5. Le développement sur 2 Th se prolonge par une remarque que T. tire
du ch. 3 et qui lui donne l'occasion de retrouver chez l'Apôtre un écho de
la règle de Dt 25, 4 plusieurs fois rappelée (II, 17, 4 ; III, 5, 4 ; IV, 21, 1 ;
24, 5 ; V, 7, 10).

XVII. 1. Ecclesiae quidem ueritate epistolam istam ad
Ephesios habemus emissam, non ad Laodicenos; sed
Marcion ei titulum aliquando interpolare gestiit, quasi et in
isto diligentissimus explorator. Nihil autem de titulis inter-
5 est, cum ad omnes Apostolus scripserit dum ad quosdam,
certe tamen eum deum praedicans in Christo, cui competunt quae praedicantur.

Cui ergo competet : « *Secundum boni existimationem,
quam proposuerit in sacramento uoluntatis suae, in dispen-*
10 *sationem adimpletionis temporum* » – ut ita dixerim, sicut
uerbum illud in graeco sonat –, « *recapitulare* » – id est ad
initium redigere uel ab initio recensere – « *omnia in
Christum, quae in caelis et quae in terris* [a] », nisi cuius erunt

---

XVII. 2 laudicenos M^{ac} laodicenses X ‖ 3 marcion ei R : marcionei $M\gamma$
marcion et *Kroy.* ‖ gestit *Kroy.* ‖ 8 competet *Pam. Kroy.* : -ent ϑ *edd. cett.*
‖ 10 ut ita *coni.* R_1R_2 *rec.* R_3 : uti pax MX R_1R_2 ut pax F ‖ 11 illud β :
-um M ‖ sonat *coni.* R_1R_2 *rec.* R_3 : sonare $M\gamma$ R_1R_2 ‖ 13-14 erunt omnia M
Rig. Kroy. : omnia erunt β *Gel. Pam. Oeh. Evans*

XVII. a. Ep 1, 9-10

1. T. a déjà évoqué *supra* en 11, 13, la question du changement des destinataires d'Ep dans l'*apostolicon* marcionite. Confirmé par Adamantius et
Épiphane, ce changement en faveur de Laodicée (ville du S.O. de la Phrygie,
et une des « sept églises qui sont en Asie », d'après Ap 1, 11) se lisait dans
le *titulus* qui comprend non seulement la suscription, mais aussi l'adresse
dans le texte : cf. HARNACK, p. 114*-115*, et SCHMID, p. 111. Selon ce dernier, l'attribution à Marcion de cette modification suscite des réserves : l'hérésiarque a pu s'appuyer sur une tradition. Le problème de l'adresse et de
la suscription d'Ep est examiné dans GEORGE – GRELOT, *Introduction critique au NT*, vol. 3, p. 169-171 (l'hypothèse d'une lettre circulaire, avec nom
du destinataire laissé en blanc, est tenue pour vraisemblable).
2. Exploitation polémique d'une incertitude sur les véritables motifs de
Marcion : T. ajoute un nouveau trait à l'image de l'interpolateur poussé par
le malin plaisir d'interpoler, mais qui veut se faire passer pour scrupuleux
chercheur de la vérité.
3. Par cette explication d'ordre général, T. renvoie au néant les vains
efforts critiques de Marcion. Aurait-il obscurément pressenti l'hypothèse
selon laquelle Ep était une lettre circulaire ? On peut se le demander.

VII. La lettre aux Laodicéens

Vaine interpolation du titre par Marcion
XVII. 1. Dans la vérité de l'Église, assurément, nous tenons cette lettre pour envoyée aux Éphésiens, non aux Laodicéens [1]. Mais Marcion a été pris un beau jour de l'ardeur d'en interpoler le titre, comme s'il était, en cela aussi, le plus diligent investigateur [2] ! Aucune importance d'ailleurs ne s'attache aux titres, car c'est à tous que l'Apôtre a écrit en écrivant à certains [3], et il est sûr, cependant, qu'il le faisait en proclamant dans le Christ le dieu auquel convient tout ce qui est proclamé [4].

La « récapitulation » ne convient qu'au Créateur
A qui donc conviendra ceci : « *Conformément au dessein de bienveillance qu'il avait établi d'avance dans le mystère de sa volonté, en vue de disposer l'accomplissement des temps : récapituler* » – pour m'exprimer ainsi selon le sens de ce mot en grec, c'est-à-dire ramener au commencement ou reprendre depuis le commencement – « *toutes choses dans le Christ, celles qui sont aux cieux et celles qui sont sur les terres* [a][5] », sinon au dieu

---

4. Cette périphrase désigne, évidemment, le Créateur qui, dans tous les développements précédents, a été montré « en convenance » avec le contenu doctrinal des lettres de Paul ; et elle amorce la démonstration qui va suivre, à propos de Ep 1, 9-10.
   5. Cette longue citation, truffée de commentaires explicatifs, est, de plus, arrangée en son début : ainsi l'élément « dans le mystère de sa volonté » est-il inséré de 9a en 9b probablement par le citateur : cf. HARNACK, p. 115* (note) ; SCHMID, p. I/337. L'infinitif *recapitulare* – qui, grammaticalement, est une sorte d'apposition à *boni existimationem* – est flanqué de deux parenthèses qu'il nous a paru plus clair de disposer à la suite dans notre traduction : la première justifie le néologisme par référence au grec, la seconde lui substitue des périphrases que T. privilégiera pour exprimer la notion. Sur ce passage, cf. notre *Deus Christ.*, p. 516-522.

omnia ab initio, etiam ipsum initium, a quo et tempora et
15 temporum adimpletionis dispensatio, ob quam omnia ad
initium recensentur in Christo ? **2.** Alterius autem dei
quod initium, id est unde, cuius opus nullum ? Quae tempora sine initio ? Quae adimpletio sine temporibus ? Quae
dispensatio sine adimpletione ? Denique quid in terris egit
20 iam olim, ut longa aliqua temporum adimplendorum dispensatio reputetur ad recensenda omnia in Christo, etiam
quae in caelis ? **3.** Nec in caelis autem res ab altero actas
existimabimus, quaecumque sunt, quam ab eo, a quo et in
terris actas omnibus constat. Quodsi non capit alterius
25 omnia ista deputari ab initio quam Creatoris, quis credet ab
alio ea recenseri in Christum alium, et non a suo auctore et
in suum Christum ? Si Creatoris sunt, diuersa sint necesse
est a diuerso deo ; si diuersa, utique contraria. Quomodo
ergo contraria recenseantur in eum, a quo denique des-
30 truuntur ?

4. Nam et sequentia quem renuntiant Christum, cum
dicit : « *Vt simus in laudem gloriae <eius> nos, qui praespe-
rauimus in Christum* [b] » ? Qui enim praesperasse potuerunt,
id est ante sperasse in Deum quam uenisset, nisi Iudaei, qui-

---

15 adimpletionis *Oeh. Evans* : -nes ϑ *Gel. Pam. Rig.*   adimpletio et
adimpletionis *Eng. Kroy.* ‖ dispensatio : -to *M*ᵃᶜ ‖ 22 actas *Iun. Oeh. Kroy.
Evans* : acta ϑ *Gel. Pam. Rig.* ‖ 32 eius *add. Kroy.* ‖ 34 ante β : tante *M*

---

b. Ep 1, 12

---

1. Cette fin de phrase martèle les mots essentiels : *initium* et *tempora*
qui font référence au Créateur, dieu de la *Genèse* et maître des « temps » ;
cf. *supra* 4, 2-3.

2. Une fois de plus, l'argumentation s'appuie sur une logique d'exclusion.

3. Le verbe *praeoperare*, créé sur le modèle du προελπίζειν de Paul
(hapax du NT) ne se rencontre qu'ici, dans la citation et le commentaire. La
Vg traduit par *ante sperare*. T., ici, donne plus de force expressive à son explication en conjoignant *praesperare* et *praenuntiare* (celui-ci pour désigner
l'annonce du Christ de l'Incarnation à travers tout l'AT, et dès la *Genèse*).

à qui, depuis le commencement, appartiendront toutes choses et même ce commencement, le dieu de qui viennent et les temps et la disposition de l'accomplissement des temps pour laquelle toutes choses sont reprises dans le Christ en remontant au commencement [1] ? **2.** Mais concernant l'autre dieu, quel commencement, c'est-à-dire quelle origine, lui appartient, à lui dont n'existe aucune œuvre ? Quels temps y a-t-il en l'absence d'un commencement ? Quel accomplissement en l'absence de temps ? Quelle disposition en l'absence d'accomplissement ? Enfin qu'a-t-il fait sur terre depuis longtemps déjà pour qu'une longue disposition portant sur l'accomplissement des temps soit réputée viser à la reprise, depuis l'origine, de toutes choses dans le Christ, et même de celles qui sont dans les cieux ? **3.** Dans les cieux non plus, d'ailleurs, nous n'estimerons pas qu'il y ait eu des choses, quelles qu'elles soient, qu'ait faites un autre dieu que celui par qui il est constant pour tous qu'ont été faites aussi les choses de la terre. Si donc depuis le commencement il n'est pas possible d'attribuer toutes ces réalités à un autre qu'au Créateur, qui croira qu'elles sont reprises à leur origine par un autre dieu en un autre Christ, et non pas par celui qui en est l'auteur et en son Christ ? Si elles appartiennent au Créateur, elles sont forcément opposées à un dieu qui lui est opposé ; si elles lui sont opposées, c'est assurément qu'elles sont, pour lui, antagonistes ? Comment se ferait-il donc que des réalités antagonistes soient reprises depuis leur origine en celui par qui finalement elles sont détruites [2] ?

Espéré par avance, le Christ a été par avance annoncé

4. Car les paroles suivantes aussi, quel Christ annoncent-elles, lorsque l'Apôtre dit : « *Pour que nous soyons à la louange de sa gloire, nous qui avons, par avance, espéré dans le Christ* [b] » ? **(4.)** Qui sont en effet ceux qui ont pu espérer par avance [3], c'est-à-dire espérer en Dieu avant sa venue, sinon les juifs auxquels, dès le

35 bus Christus praenuntiabatur ab initio ? **(4.)** Qui ergo praenuntiabatur, ille et praesperabatur. Atque adeo hoc ad se
– id est ad Iudaeos – refert, ut distinctionem faciat conuersus
ad nationes : « *In quo et uos, cum audissetis sermonem ueri-*
tatis, euangelium, in quo credidistis et signati estis Spiritu
40 *promissionis eius sancto* ^c. » Cuius promissionis ? Factae per
Iohelem : « *In nouissimis diebus effundam de meo Spiritu in*
omnem carnem ^d » – id est et in nationes. Ita <et> Spiritus
et euangelium in eo erit Christo, qui praesperabatur, dum
praedicabatur.

45   **5.** Sed et « *Pater gloriae* ^e » ille est, cuius Christus rex gloriae canitur in psalmo ascendens ^f : « *Quis est iste rex glo-*
riae ? Dominus uirtutum ipse est rex gloriae ^g » ; ab illo
« *Spiritus sapientiae* ^h » optatur, apud quem haec quoque
spiritalium species enumeratur inter septem Spiritus per
50 Esaiam ⁱ ; ille dabit « *inluminatos cordis oculos* ^j », qui etiam
exteriores oculos luce ditauit, cui displicet caecitas populi :
« *Et quis caecus nisi pueri mei ? et excaecati sunt famuli*
Dei ^k. » **6.** Apud illum sunt et « *diuitiae hereditatis in sanc-*
tis ^l », qui eam hereditatem ex uocatione nationum repromi-
55 sit : « *Postula de me, et dabo tibi gentes hereditatem*

36 et *M edd. a B :* om. β ‖ 39 spiritu *M R :* -us γ ‖ 42 et² *add. R₃* ‖ 44
praedicabatur β : praedicatur *M* ‖ 48 haec *M Kroy.* : hae β *edd. cett.* ‖ 49
enumeratur *Oeh. Kroy. Evans* : -antur ϑ *edd. cett.*

c. Ep 1, 13   d. Jl 2, 28 = Ac 2, 17   e. Ep 1, 17   f. Cf. Ps 23, 7-10
g. Ps 23, 10   h. Ep 1, 17   i. Cf. Is 11, 2   j. Ep 1, 18a   k. Is 42, 19
l. Ep 1, 18b

1. Le passage du « nous » au « vous » justifie aux yeux de T. l'exégèse selon
laquelle Paul, après avoir parlé des juifs, s'adresse maintenant aux païens.
Cette explication n'est pas toujours admise : cf. *TOB*, NT, p. 574, note *l*.
2. Cf. *supra* 4, 2 et 4 ; 8, 6 ; 11, 4.
3. T. passe maintenant à la prière des v. 17-22 pour montrer l'accord de
ses expressions et de ses idées avec les textes du Créateur. Marcion avait
conservé ce passage, peut-être en le raccourcissant : cf. HARNACK, p. 116* ;
SCHMID, p. I/338.

commencement, le Christ était annoncé par avance ? C'est donc celui qui était annoncé par avance, qui également était espéré par avance. Et il est si vrai que l'Apôtre rapporte ces mots à lui-même – c'est-à-dire aux juifs –, qu'il établit une distinction[1] en se tournant vers les nations : « (le Christ) *en qui vous aussi, après avoir entendu la parole de vérité, l'Évangile, en qui vous avez cru et vous avez été marqués du sceau du Saint-Esprit de sa promesse*[c]. » De quelle promesse ? Celle qui a été faite par Joël : « *Dans les derniers jours je répandrai de mon Esprit sur toute chair*[d2] » – c'est-à-dire sur les nations aussi. Ainsi donc et l'Esprit et l'Évangile seront dans le Christ qui était, par avance, espéré du fait qu'il était, par avance, annoncé.

La prière au « Père de gloire » qui a ressuscité le Christ

5. Mais également ce « *Père de gloire*[e3] », c'est celui dont le Christ, dans le psaume, est prophétisé comme montant (au ciel) en roi de gloire[f] : « *Qui est ce roi de gloire ? Le Seigneur des Puissances, c'est lui-même le roi de gloire*[g4]. » « *L'Esprit de sagesse*[h] » qui est l'objet du souhait vient de celui chez qui on trouve également cette catégorie de grâces spirituelles dénombrée parmi les sept Esprits par la bouche d'Isaïe[i5]. Celui-là donnera « *des yeux du cœur illuminés*[j] » qui a même enrichi de la lumière les yeux extérieurs[6] et à qui déplaît l'aveuglement de son peuple : « *Et qui est aveugle, sinon mes enfants ? Et ils ont été aveuglés, les serviteurs de Dieu*[k7]. » **6.** « *Les richesses de l'héritage parmi les saints*[l] » sont également présentes chez celui qui a promis cet héritage de par l'appel des nations : « *Demande-moi, et je te donnerai les nations pour ton héri-*

---

4. Cf. IV, 22, 3 et 26, 4.
5. Cf. *supra* 8, 4 et 8 ; également III, 17, 3.
6. Allusion au *Fiat lux* du début de la *Genèse*.
7. La première partie du verset a déjà été citée en III, 6, 6.

tuam ᵐ » ; ille « *inoperatus est in Christum ualentiam suam suscitando eum a mortuis et collocando eum ad dexteram suam* ⁿ » subiciendo omnia, qui et dixit : « *Sede ad dexteram meam, donec ponam inimicos tuos scabellum pedum tuo-*
60 *rum* ᵒ » ; quia et alibi Spiritus ad Patrem de Filio : « *Omnia subiecisti sub pedibus eius* ᵖ. » Si ex his alius deus et alius Christus infertur, quae recognoscuntur in Creatore, quaera-mus iam Creatorem.

7. Plane, puto, inuenimus, cum dicit illos « *delictis mor-*
65 *tuos,* [non] *in quibus ingressi erant, secundum aeuum mundi huius, secundum principem potestatis aeris, qui operatur in filiis incredulitatis* �q. » Sed « mundum » non potest et hic pro « deo mundi » Marcion interpretari. Non enim simile est creatum Creatori, factum factori, mundus Deo. **8.** Sed nec
70 « princeps potestatis aeris » dicetur qui est princeps potes-tatis saeculorum. **(8.)** Numquam enim praeses superiorum de inferioribus notatur, licet et inferiora ipsi deputentur. Sed nec incredulitatis operator uideri potest, quam ipse potius et a Iudaeis et a nationibus patitur. Sufficit igitur, si haec
75 non cadunt in Creatorem.

---

65 non *om. R₃* ‖ 69 factum β : sanctum *M* ‖ 73 incredulitatis *coni. R₂ rec. R₃* : -tas *Mγ R₁R₂*

---

m. Ps 2, 8   n. Ep 1, 20-22   o. Ps 109, 1   p. Ps 8, 7   q. Ep 2, 1-2

---

1. Texte psalmique plusieurs fois rappelé *supra* : III, 20, 3 ; IV, 16, 12 ; 25, 9 ; 39, 11.

2. Cité déjà *supra* 9, 6 et en IV, 38, 10 ; 41, 4.

3. Allusion faite à ce verset en III, 7, 5.

4. Conclusion ironique et piquante qui sert de transition vers le déve-loppement suivant ; celui-ci est consacré à une interprétation de Marcion qui prétend appliquer au Créateur une expression paulinienne concernant le « prince du monde ».

5. Poursuite du ton ironique pour introduire la citation qui va être l'ob-jet d'un examen.

6. Cf. HARNACK, p. 116* et SCHMID, p. I/338. Le verset 1 est cité au style indirect – « leur », correspondant à « vous », représente les destina-

tage [m 1]. » Celui-là « *a déployé sa vaillance sur le Christ en le ressuscitant des morts, en le plaçant à sa droite* [n] » et en lui soumettant tout, qui a dit aussi : « *Assieds-toi à ma droite jusqu'à ce que je place tes ennemis comme escabeau de tes pieds* [o 2]. » Car ailleurs aussi l'Esprit a dit, s'adressant au Père à propos du Fils : « *Tu as soumis toutes choses sous ses pieds* [p 3]. » Si ces textes, qui sont reconnus présents chez le Créateur, mettent en scène un autre dieu et un autre Christ, allons donc maintenant à la recherche du Créateur [4].

Contre une interprétation fautive qui applique au Créateur ce qui est dit du diable

7. Assurément, j'imagine [5], nous le trouvons lorsque l'Apôtre leur dit qu'ils sont « *morts à cause des péchés où ils étaient engagés, selon le cours de ce monde-ci, selon le prince de l'empire de l'air qui œuvre dans les fils de l'incroyance* [q 6]. » Mais il n'est pas possible à Marcion, ici non plus, d'interpréter « monde » au sens de « dieu du monde [7] ». Il n'y a pas similitude en effet entre ce qui est créé et celui qui crée, entre ce qui est fait et celui qui fait, entre le monde et Dieu ! **8.** Mais on n'appellera pas non plus « prince de l'empire de l'air » celui qui est prince de l'empire des siècles. **(8.)** Car jamais le maître des réalités supérieures n'est désigné d'après les inférieures, quoique ces réalités inférieures aussi soient censées relever de lui. Mais il ne peut pas non plus passer pour maître d'œuvre [8] de l'incroyance, car c'est lui plutôt qui souffre de cette incroyance et de la part des juifs et de celle des nations. Il suffit donc que ces expressions n'aient pas de convenance au Créateur.

taires de la lettre –, le mot *aeuum* (grec αἰών) est difficile à traduire : « cours » *(BJ)* ; la *TOB*, à cause de la valeur du terme grec, n'hésite pas à rendre par le « dieu de ce monde ». Dans son commentaire, T. se limitera à *mundus*, laissant penser qu'à ses yeux *aeuum mundi* ne dit rien de plus.

7. Reprise de l'argumentation de 4, 5 et surtout 7, 1.

8. Le mot *operator* est un néologisme, attesté à partir de T.

Si autem et est in quem magis competant, utique magis
hoc Apostolus sciit. Quis iste ? Sine dubio ille qui ipsi
Creatori filios incredulitatis obstruit, aere isto potitus, sicut
dicere eum Propheta refert : « *Ponam in nubibus thronum*
80 *meum : ero similis altissimo* ʳ. » **9.** Hic erit diabolus, quem
et alibi – si tamen ita et Apostolum legi uolunt – « *deum*
aeui huius ˢ » agnoscemus. Ita enim totum saeculum mendacio diuinitatis impleuit. Qui plane si non fuisset, tunc haec
in Creatorem spectasse potuissent.

85 Sed et in Iudaismo conuersatus fuerat Apostolus. Non
quia interposuit de delictis : « *In quibus et nos omnes conuer-*
sati sumus ᵗ », ideo delictorum dominum et principem aeris
huius Creatorem praestat intellegi, sed quia in Iudaismo
unus fuerat de filiis incredulitatis diabolum habens operato-
90 rem, cum persequeretur ecclesiam et Christum Creatoris,
propter quod et : « *Iracundiae filii fuimus* », inquit, **(10.)** sed
« *natura* ᵘ », ne, quia filios appellauit Iudaeos Creator, argu-
mentetur haereticus Dominum irae Creatorem. **10.** Cum
enim dicit : « *Fuimus natura filii iracundiae* ᵘ », Creatoris
95 autem non natura sunt filii Iudaei, sed adlectione patrum,

76 competant *edd. ab* Vrs. : -at ϑ *Gel. Pam.* ‖ 78 potitus *coni.* R₂ *rec.*
R₃ : potius Mγ R₁R₂ B ‖ 79 propheta *Iun. Oeh. Kroy. Evans* : profert et ϑ
Gel. Pam. Rig. ‖ 85 *post* sed et *add.* si *Kroy.* ‖ 87 delictorum R : -rem Mγ
‖ 89 habens *coni.* R₁ *rec. edd. ab Oeh.* : -entis ϑ *Gel. Pam.* -et *Rig.* ‖ 90
persequeretur MX *coni.* R₁ *rec.* R₃ : -entur F R₁R₂ ‖ 91 iracundiae MG R₃ :
non iracundiae γ R₁ nos iracundiae R₂ *Iun.* ‖ fuimus MX² R : sumus Gγ
R₃*(in adnot.)* ‖ inquit MF R₁R₂ *edd. a* B : *om.* X R₃ ‖ 92 natura MFG R₂R₃ :
-ae X R₁ ‖ filios M R : -o γ ‖ 93 haereticus M B : hoc haereticus β

r. Is 14, 13-14   s. 2 Co 4, 4   t. Ep 2, 3a   u. Ep 2, 3b

1. Cf. *supra* 11, 11.
2. Renvoi à 11, 9 où est examiné 2 Co 4, 4 (seul passage du NT où Satan
est qualifié de « dieu »). La parenthèse souligne ironiquement la divergence
d'interprétation des marcionites qui voyaient désigné là le Créateur.

Si d'autre part aussi il est un être à qui elles s'appliquent davantage, l'Apôtre, pour sûr, en a eu davantage aussi connaissance. Qui est-il ? Sans aucun doute celui qui a dressé contre le Créateur lui-même les fils de l'incroyance, après s'être emparé de cet air-ci, selon la parole que le Prophète rapporte qu'il prononce : « *Je poserai mon trône dans les nuées, je serai semblable au Très-haut* [r 1]. » **9.** Cet être, ce sera le diable dont nous reconnaîtrons ailleurs aussi – si toutefois nos adversaires veulent bien faire également une telle lecture de l'Apôtre – qu'il est le « *dieu de ce monde-ci* [s 2] ». Tant il a, en effet, du mensonge de sa divinité rempli la totalité du siècle. Si à dire vrai il n'y avait pas eu cet être, ces expressions alors auraient pu viser le Créateur.

Mais il y a aussi que l'Apôtre avait vécu dans le judaïsme. Pour avoir glissé à propos des péchés cette incidente : « *Dans lesquels nous tous aussi nous avons vécu* [t] », il n'offre pas pour autant à comprendre que le seigneur des péchés et le prince de cet air-ci, c'est le Créateur ; mais, dans la mesure où il avait été, dans le judaïsme, un des fils de l'incroyance, avec le diable pour maître d'œuvre, tandis qu'il persécutait l'Église et le Christ du Créateur, il dit aussi conséquemment [3] : « *Nous avons été fils de la colère* », **(10.)** mais « *par nature* [u] » : ceci visait, le Créateur ayant appelé les juifs ses fils, à empêcher l'hérétique d'argumenter que le Créateur est le Seigneur de la colère [4]. **10.** Comme en effet il dit : « *Nous avons été par nature fils de la colère* [u] », que d'autre part les juifs ne sont pas fils du Créateur par nature, mais par l'élection de leurs pères, il a rapporté l'expression « fils de la

---

3. Il y a une légère anacoluthe : au lieu du relatif *propter quod*, on attendrait *propterea* (répondant à *sed quia*).

4. Rappel d'un argument polémique de Marcion contre le dieu des juifs, dieu de la vengeance et de la colère.

« irae filios » ad naturam rettulit, non ad Creatorem. Ad sum-
mam, subiungens : « *Sicut et ceteri* [u] » – qui utique filii dei
non sunt –, apparet communi naturae omnium hominum et
delicta et concupiscentias carnis et incredulitatem et iracun-
100 diam reputari, diabolo tamen captante naturam, quam et ipse
iam infecit delicti semine inlato.

11. « *Ipsius,* inquit, *sumus factura, conditi in Christo* [v]. »
Aliud est enim facere, aliud condere. Sed utrumque uni
dedit. Homo autem factura Creatoris est : idem ergo condi-
105 dit in Christo, qui et fecit. Quantum enim ad substantiam,
fecit, quantum ad gratiam, condidit.

12. Inspice et cohaerentia : « *Memores uos, aliquando
nationes in carne, qui appellamini 'praeputiatio' ab ea quae
dicitur 'circumcisio' in carne manu facta, quod essetis illo in*
110 *tempore sine Christo, alienati a conuersatione Israhelis et
peregrini testamentorum et promissionis eorum spem non
habentes et sine Deo in mundo* [w]. » Sine quo autem deo fuerunt nationes et sine quo Christo ? Vtique eo, cuius erat
conuersatio Israhelis et testamenta et promissio. « *At nunc,*

96-98 creatorem. ad ... sunt, apparet *dist. Kroy.* : creatorem, ad ... sunt.
apparet *edd. cett.* ‖ 100 reputari β : -aris *M*   -are *Vrs. Rig.*   -ans *Eng. Kroy.*
‖ 101 iam infecit *edd. a Rig.* : iam fecit ϑ *Gel.*   suam fecit *coni. R rec. Pam.*
infecit *Vrs.* ‖ 103 enim *M Pam. Rig. Kroy.* : *om.* β *Gel. Oeh. Evans* ‖ 108 *post*
in carne *add.* fuisse *Pam. Rig.* ‖ appellamini *Mγ R₁ Kroy. Evans* : -abamini
edd. cett. a R₂ ‖ praeputiatio *M Kroy.* : praeputium *edd. cett. a R*   praeputio
X om. F

---

v. Ep 2, 10   w. Ep 2, 11-12

---

1. A l'interprétation marcionite qui rapporte le péché à la dépendance
du Créateur, dieu inférieur, est opposée l'interprétation traditionnelle de
l'Église.
2. Sur la distinction de *facere / condere* (le premier désignant l'activité
efficiente dans la création, le second la dimension spirituelle liée au Christ),
cf. *Deus Christ.*, p. 332-333 ; sur le néologisme *factura*, cf. *ibid.*, p. 340-341.
3. Ce passage avait déjà été rappelé *supra* en 11, 13.

colère » à la nature, et non au Créateur. En ajoutant pour conclure : « *Comme les autres aussi* u » – ceux qui bien sûr ne sont pas fils de Dieu –, il est clair qu'à la commune nature de tous les hommes sont imputés en même temps les péchés, les convoitises de la chair, l'incroyance et la colère, le diable toutefois se saisissant de cette nature qu'il a lui-même déjà souillée aussi par la semence de péché qu'il y a mise [1].

Un seul et même dieu nous a faits et créés dans le Christ

11. « *Nous sommes*, dit l'Apôtre, *son ouvrage, ayant été créés dans le Christ* v. » Faire est en effet une chose, créer en est une autre. Mais c'est à un seul dieu qu'il a attribué l'une et l'autre chose. Or l'homme est l'ouvrage du Créateur. C'est donc le même qui l'a créé dans le Christ, et qui l'a fait aussi. Car il l'a fait, pour ce qui est de sa réalité substantielle, il l'a créé, pour ce qui est de sa grâce [2].

Juifs et païens réconciliés par l'œuvre du Créateur

12. Regarde aussi le développement qui fait corps avec celui-là [3] : « *Souvenez-vous*[4], *vous qui autrefois étiez les nations dans votre chair – vous qui êtes appelés 'prépuce' par ce qui est dit 'circoncision' apportée dans la chair par opération*[5] – *que vous étiez en ce temps-là sans le Christ, exclus de la citoyenneté d'Israël, étrangers à leurs Alliances, n'ayant pas d'espérance en leur promesse, et étant sans Dieu dans le monde* w. » Sans quel dieu ont été les païens, et sans quel Christ ? Bien sûr, celui dont relevaient la citoyenneté d'Israël, ses Alliances et sa promesse. « *Mais maintenant*, dit-il, *dans le Christ, vous*

---

4. Littéralement : « Vous souvenant... ». Le texte grec de Paul comporte un impératif (Vg : *memores estote*). Allant à l'essentiel, T. ne garde que *memores*, sans égard pour la régularité grammaticale.

5. Nous conservons la traduction littérale. La *TOB* traduit plus élégamment : « vous qui portiez le signe du paganisme dans votre chair, vous que traitaient d'''incirconcis' ceux qui se prétendent les 'circoncis' à la suite d'une opération pratiquée dans la chair. »

115 inquit, *in Christo uos, qui eratis longe, facti estis prope in
     sanguine eius* ˣ. » A quibus erant retro longe ? A quibus
     supra dixit : a Christo Creatoris, a conuersatione Israhelis,
     a testamentis, a spe promissionis, a deo ipso. **13.** Si haec
     ita sunt, ergo his prope fiunt nunc nationes in Christo, a
120 quibus tunc longe fuerunt. Si autem conuersationi Israhelis,
     quae est in religione dei Creatoris, et testamentis et promis-
     sioni et ipsi deo eorum proximi sumus facti in Christo, ridi-
     culum satis, si nos alterius dei Christus de longinquo
     admouit Creatori.

125   **14.** Meminerat Apostolus ita praedicatum de nationum
     uocatione ex longinquo uocandarum : « *Qui longe erant a
     me adpropinquauerunt iustitiae meae* ʸ. » Tam enim iustitia
     quam et pax Creatoris in Christo adnuntiabatur, ut saepe
     iam ostendimus. Itaque « *Ipse est*, inquit, *pax nostra, qui*
130 *fecit duo unum* » – Iudaicum scilicet et gentile, quod prope
     et quod longe – « *soluto medio pariete inimicitiae in carne
     sua* ᶻ. » Sed Marcion abstulit « *sua* », ut « inimicitiae » daret

---

120 fuerunt *M Gel. Pam. Kroy.* : -rant β *Rig. Oeh. Evans* ‖ 123 nos
R_2R_3 : non *M*γ R_1 ‖ 130 scilicet *M Kroy.* : scilicet populum β *edd. cett.*

x. Ep 2, 13   y. Is 46, 12-13   z. Ep 2, 14

---

1. Pour *ab eis quos* (ou *quae*) *supra dicit* : attraction habituelle dans ce
type d'expression. Avec ses interrogatives, tout le passage est marqué par
une volonté de précision didactique qui n'est pas sans lourdeur.
2. Vivacité sarcastique (soulignée par l'ellipse de *est*) pour montrer l'absurdité de la thèse marcionite.
3. Sur ce texte, déjà utilisé en III, 22, 1, en rapport avec l'appel des
païens, cf. t. 3, p. 187 et n. 5 ainsi que p. 258. La forme donnée à la citation souligne le terme *iustitia*, et, par là, conforte le rapport avec le
Créateur, « dieu juste » selon Marcion lui-même.

qui étiez loin, vous avez été faits proches dans le sang de celui-ci[x]. » De qui étaient-ils loin précédemment ? De tout ce qu'il indique plus haut[1] : du Christ du Créateur, de la citoyenneté d'Israël, de ses Alliances, de l'espérance de la promesse, de Dieu lui-même. **13.** S'il en est bien ainsi, c'est donc que les païens maintenant deviennent proches, dans le Christ, de ce dont ils ont été éloignés alors. Or si nous avons été, dans le Christ, rendus tout proches de la citoyenneté d'Israël, laquelle réside dans la religion du dieu Créateur, de leurs Alliances, de leur promesse, et de leur dieu lui-même, voilà une chose bien risible que ce soit le Christ d'un « autre » dieu qui de l'éloignement où nous étions, nous ait rapprochés du Créateur[2] !

14. L'Apôtre avait souvenance que telle était la prophétie sur l'appel des païens qui devaient être appelés de leur éloignement : « *Ceux qui étaient loin de moi se sont approchés de ma justice*[y][3]. » Car ce qui était annoncé dans le Christ, c'était autant la justice du Créateur que sa paix, comme nous l'avons souvent montré déjà[4]. C'est pourquoi l'Apôtre dit : « *Lui-même est notre paix, lui qui de deux a fait un seul* » – évidemment le peuple juif et celui des nations, celui qui était près et celui qui était loin – « *ayant brisé le mur intermédiaire de la haine, dans sa chair*[z][5]. » Mais Marcion a enlevé « *sa* », pour donner « chair de la

---

4. Avant de passer au v. 14 qui qualifie le Christ de « notre paix », T. reprend le thème directeur de sa polémique : le caractère indissociable de la justice et de la bonté en Dieu et dans le Christ.

5. Sur la forme particulière de ce v. 14 chez Marcion, cf. HARNACK, p. 117*, et SCHMID, p. I/339 (également p. 143, p. 251 et 255). Les gloses proviennent-elles du texte marcionite ? On répond généralement par un *non liquet*.

« carnem », quasi carnali uitio [non] Christo aemulam.
Sicubi alibi dixi, et hic : non Marrucine, sed Pontice, cuius
135 supra sanguinem confessus es, hic negas carnem ?

15. Si « *legem praeceptorum sententiis uacuam fecit* [aa] »
adimplendo certe legem – uacat enim iam : « *Non adultera-*
bis [bb] », cum dicitur : « *Nec uidebis ad concupiscendum* [cc] »,
uacat : « *Non occides* [dd] », cum dicitur : « *Nec maledices* [ee] »
140 – aduersarium legis de adiutore non potes facere. « *Vt duos*
conderet in semetipso [ff] » – qui fecerat idem condens, secundum quo et supra : « *Ipsius enim factura sumus conditi in*

---

133 carnem : -e *Kroy. uide adnot.* ‖ non *del. Kroy. uide adnot.* ‖ aemulam *corr. Mor.* : -ae ϑ *uide adnot.* ‖ 134 sicubi : sic uti *Iun. Oeh. Evans uide*
adnot. ‖ dixi *R_j* : dixit *M*γ *R_1R_2* ‖ hic : non ... Pontice, cuius *ita dist. Braun*
‖ 135 es *M R* : est γ ‖ 135-136 carnem ? si *dist. Kroy.* : carnem. si *Evans* carnem, si *edd. cett.* ‖ 140 potes *Pam. Rig. Kroy. Evans* : -est ϑ *Gel. Oeh.*

---

aa. Ep 2, 15a   bb. Ex 20, 14 ; cf. Mt 5, 27   cc. Mt 5, 28   dd. Ex 20, 13 ;
cf. Mt 5, 21   ee. Rm 12, 14 ; cf. Mt 5, 22   ff. Ep 2, 15b

---

1. L'accusation de T. est très précise : Marcion a supprimé *sua* (αὐτοῦ)
pour qu'on rapporte à « chair » le génitif « de la haine ». Ainsi l'hérétique
comprenait-il que le mur de séparation avait été brisé dans la « chair de la
haine » (c'est-à-dire « qui mérite la haine » ?). La fin de la phrase est moins
claire et le texte moins sûr : Kroymann supprime *non*, suivi par
Moreschini ; Evans le maintient. Moreschini, qui garde *carnem*, corrige
aemulae en *aemulam*. C'est ce dernier texte qui nous paraît le plus probable. Une fois de plus, T. dénonce une interprétation visant à accréditer
une christologie docète.

2. Renvoi, semble-t-il, à IV, 40, 4-5 où le « sang » est évoqué comme
preuve d'un corps charnel dans le Christ. Une fois de plus, T. s'excuse de
reprendre un argument. La correction de *sicubi* en *sic uti* – accueillie par
Evans – n'est nullement indispensable.

3. Ellipse de *dico*, qui donne de la vivacité au tour, et dégage avec force
l'interpellation finale.

4. Membre de phrase énigmatique et très discuté. Faut-il comprendre
Marrucine et *Pontice* comme des adverbes de manière (Holmes, Evans) ou
comme des vocatifs au masc. sing. ? Comment, par ailleurs, faut-il interpréter la référence aux Marrucins, peuple d'Italie Centrale (capitale Teate,
aujourd'hui Chieti, à 20 km de Pescara) ? Evans voit ici une allusion à la

haine », comme si elle était opposée au Christ par son vice de chair [1] ! Si je l'ai dit quelque part ailleurs [2], je le dis ici aussi [3] : Toi qui es non pas Marrucin, mais homme du Pont [4], de celui dont tu as reconnu plus haut le sang [5], tu nies ici la chair ?

Réconciliés pour entrer dans la construction de l'Église

15. S'« *il a rendu la Loi des commandements vide d'ordonnances* [aa] » par le fait, c'est sûr, qu'il a accompli cette Loi – désormais « *Tu ne commettras pas l'adultère* [bb] » est sans objet puisqu'il est dit : « *Tu ne regarderas pas en vue de désirer* [cc] », « *Tu ne tueras pas* [dd] » est sans objet puisqu'il est dit : « *Tu ne maudiras même pas* [ee] » –, tu ne peux faire un adversaire de la Loi de celui qui en est l'auxiliaire [6] ! « *Pour créer les deux en sa personne* [ff] » – celui qui avait fait étant aussi celui qui créait selon ce qui a été dit plus haut : « *Car nous sommes son ouvrage, ayant été créés dans le*

---

fidélité des Marrucins (cf. SILIVS ITALICVS, *Punica* XV, 566) et traduit : « with no Marrucine fidelity, but with Pontice inconstancy » (p. 621 et n. 1). Rigault, au contraire, considère les Marrucins comme un peuple grossier et inculte, équivalent des *Rupices* dont T. parle ailleurs (*Pal.* 4, 2 ; *An.* 6, 7). La clef de l'interprétation nous paraît résider dans un rapprochement, qui n'avait pas été fait encore, avec CATULLE, *Carmen* 12 qui commence par *Marrucine Asini* : pièce où le poète, sur le mode plaisant, fustige pour sa sottise et son manque d'esprit, un rustre qui croit malin de voler leur linge aux convives pendant les festins. On peut admettre que, au moment d'interpeller Marcion « l'homme du Pont » qui dérobe, lui, des syllabes aux textes de Paul tout aussi stupidement qu'Asinius le Marrucin, ce souvenir se soit présenté à T. et qu'il n'ait pas hésité à enjoliver son apostrophe par cette réminiscence littéraire.

5. Cf. *supra* §12, le texte d'Ep 2, 13 admis par Marcion et qui mentionne expressément *in sanguine eius (Christi)*.

6. Revenant sur une des idées maîtresses de ses démonstrations précédentes – le Christ n'a pas aboli mais accompli la Loi –, T. l'illustre en mettant en parallèle deux prescriptions du Décalogue avec deux commandements de Jésus (d'après *Matthieu*) exposant des exigences encore plus rigoureuses.

Christo [gg] » –, « *in unum nouum hominem, faciens pacem* [ff] »
– si uere nouum, uere et hominem, non phantasma, nouum
145 autem, ut noue natum ex uirgine Dei spiritu – « *ut reconci-
liet ambos Deo* [hh] » – et Deo, quem utrumque genus offen-
derat, et Iudaicum et gentile – « *in uno corpore*, inquit, *cum
interfecisset inimicitiam in eo per crucem* [hh] » : ita et hic caro
corpus in Christo, quod crucem pati potuit. **16.** Hoc
150 itaque adnuntiante « *pacem* eis *qui prope et* eis *qui longe* [ii] »,
« *accessum consecuti simul ad Patrem, iam non* sumus *peregrini et aduenae, sed conciues sanctorum, sed domestici
Dei* [jj] » – utique eius, a quo supra ostendimus alienos fuisse
nos et longe constitutos –, « *superaedificati super funda-
155 mentum apostolorum* [kk] ». Abstulit haereticus « *et prophetarum* [kk] », oblitus Dominum posuisse in ecclesia sicut apostolos ita et prophetas. Timuit scilicet ne et super ueterum
prophetarum fundamentum aedificatio nostra constaret in
Christo, cum ipse Apostolus ubique nos de Prophetis
160 extruere non cesset. Vnde enim accepit « *summum lapidem
angularem* [ll] » dicere Christum, nisi de psalmi significa-

---

146 deo[2] *R* : dei *M*γ ‖ 147 gentile *M Rig. Kroy.* : gentilem populum β
Gel. Pam. Oeh. Evans ‖ cum *F R₂R₃* : tum *MX R₁* ‖ 148 interfecisset *R₂R₃* :
-fecit sed *M*γ *R₁* -ficeret *coni. R₁* ‖ 150 adnuntiante : -are *R₁R₂* ‖ 152 et
MX Kroy. : nec *F edd. cett.* a *R* ‖ 157 scilicet ne *R₃* : si nonne *M*γ *R₁R₂* ‖
ueterum : -em *M*ac ‖ 158 fundamentum *M Kroy.* : -a β *edd. cett.* ‖ 160 lapidem β : *om. M*

---

gg. Ep 2, 10 hh. Ep 2, 16 ii. Ep 2, 17 jj. Ep 2, 18-19 kk. Ep 2, 20a
ll. Ep 2, 20b

---

1. Cf. *supra* § 11. Selon sa méthode habituelle, la citation est coupée
d'incidentes exégétiques.
2. Ce commentaire, par-dessus *faciens pacem*, se rattache à *in unum
nouum hominem* (expression par laquelle Paul désigne le corps du Christ).
3. Sur ce texte, cf. HARNACK, p. 117*, et SCHMID, p. 93-94 (qui admet
des interventions de T.) et p. I/339 (où ἐν αὐτῷ est souligné). La traduction de T. : *in eo* – alors que la Vg traduira par *in semetipso* – laisse penser
que ce complément reprend *in uno corpore*.

Christat gg 1 » – « *en un seul homme nouveau, faisant la paix* ff » – s'il est vraiment nouveau, il est aussi vraiment homme, et non fantôme, et nouveau, né de façon nouvelle de la Vierge par l'Esprit de Dieu 2 –, « *pour les réconcilier tous les deux à Dieu* hh » – et au Dieu qu'avaient offensé l'une et l'autre races, celle des juifs et celle des nations – « *en un seul corps*, dit-il, *ayant tué la haine en lui par la croix* hh3 ». Ainsi, ici également, est chair le corps dans le Christ, corps qui a pu subir la passion de la croix. **16.** C'est pourquoi, comme le Christ annonçait « *la paix à ceux qui étaient près et à ceux qui étaient loin* ii », « *nous avons obtenu ensemble l'accès auprès du Père et* nous *ne* sommes *plus des étrangers et des immigrés, mais des concitoyens des saints, mais des membres de la famille de Dieu* ii » – de celui assurément dont nous avons montré plus haut que nous étions exclus et éloignés 4 –, « *ayant été intégrés dans la construction faite sur la fondation des apôtres* kk ». L'hérétique a enlevé « *et des prophètes* kk5 », ayant oublié que dans l'Église le Seigneur a placé, ainsi que des apôtres, des prophètes également 6. Il a craint, à l'évidence, que notre construction dans le Christ ne reposât sur la fondation des anciens prophètes aussi, alors que l'Apôtre, partout, ne cesse de nous édifier en puisant dans les Prophètes. D'où, en effet, a-t-il pris de dire le Christ « *pierre supérieure d'angle* ll »,

---

4. Renvoi aux § 12-13. Par ces reprises et ces renvois, la démonstration, qui se superpose à la paraphrase du texte scripturaire, vise à être décisive et sans appel.

5. Intervention « tendancieuse » de Marcion, admise par HARNACK, p. 118*, et SCHMID, p. 112 et p. I/339. T. va l'exploiter ici pour dénoncer une inconséquence de l'hérétique dans le v. 20b.

6. L'influence du montanisme sur cette conception de l'Église est nettement perceptible.

tione : « *Lapis, quem reprobauerunt aedificantes, iste factus est in summum anguli* [mm] » ?

XVIII. 1. De manibus haeretici praecidendis, non miror si syllabas subtrahit, cum paginas totas plerumque subducit. Datam inquit sibi Apostolus gratiam nouissimo omnium « *inluminandi omnes, quae dispensatio sacramenti occulti ab*
5 *aeuis in Deo, qui omnia condidit* [a]. » Rapuit haereticus « in » praepositionem et ita legi fecit : « occulti ab aeuis deo, qui omnia condidit ». Sed emicat falsum. **2.** Infert enim

---

163 summum *Kroy.* : -mo 𝕹
XVIII. 1 manibus : mania *Kroy. uide adnot.* ‖ praecidendis 𝕹 *Gel. (cf. Thörnell, Studia II, p. 64-65)* : -ntis *Pam. Rig. Oeh. Evans* -ndi *Kroy. uide adnot.* ‖ 6 fecit 𝕹 *Gel. Pam. Rig.* : facit *Oeh. Kroy. Evans* ‖ aeuis M R$_3$: -i γ R$_1$R$_2$

---

mm. Ps 117, 22
XVIII. a. Ep 3, 9

---

1. Ce verset psalmique a été cité, explicitement ou implicitement, en III, 7, 3 et IV, 35, 15.
2. Avant de passer au ch. 3 de la lettre, dont il retient seulement les versets 8 à 10 pour une discussion sur la lecture « caché à Dieu », T. polémique contre les manipulations de textes de son adversaire : il reprend les thèmes habituels (assimilation de l'hérétique à un voleur, cf. IV, 17, 13). Ces réflexions, qui anticipent sur la citation et le commentaire, sont un procédé familier depuis le livre IV (cf. Introduction au livre IV, t. 4, p. 47-48). Du point de vue textuel, cette phrase initiale fait difficulté. Plusieurs éditeurs – dont Holmes et Evans – admettent la correction de *praecidendis* en *praecidentis*, introduite par Pamélius, mais dont Thörnell a fait justice. Cependant subsiste la difficulté de comprendre le groupe *de manibus haeretici praecidendis* en le rattachant à *non miror* qui, manifestement, se raccorde à ce qui suit (la suppression de syllabes ne peut étonner quand des pages entières ont été éliminées : cf. *supra* 14, 6). Il faut donc, pensonsnous, mettre une ponctuation après *praecidendis* et considérer les quatre mots initiaux comme une sorte de titre aux réflexions qui suivent. Ce groupe acquiert ainsi une valeur exclamative. Par ailleurs, faut-il donner à *praecidere manus* (« trancher les mains ») son sens habituel ou considérer le préverbe avec sa valeur temporelle (« au préalable ») ? C'est cette der-

sinon dans l'indication du psaume : « *La pierre que les bâtis-*
seurs ont réprouvée, c'est elle qui a été faite pierre supérieure
d'angle [mm 1] » ?

Discussion sur
le « mystère caché en Dieu » :
une falsification du texte
par Marcion

XVIII. 1. De la nécessité
de couper par avance les
mains de l'hérétique ! Je ne
m'étonne pas qu'il supprime
des syllabes puisque ce sont
des pages entières, le plus souvent, qu'il subtilise [2] !
L'Apôtre dit qu'à lui le tout dernier de tous a été donnée la
grâce « *de faire voir à tous en pleine lumière quelle est la*
dispensation du mystère caché depuis toujours en Dieu qui a
créé toutes choses [a 3]. » L'hérétique a fait main basse sur la
préposition « en » et a produit la lecture suivante : « caché
depuis toujours au dieu qui a créé toutes choses [4] ». Mais le
faux est flagrant ! **2.** En effet l'Apôtre ajoute [5] : « *Pour*

nière interprétation que nous avons admise : le meilleur moyen d'empêcher
les ravages dévastateurs de Marcion serait de lui couper « préalablement »
les mains, instruments de ces ravages.

3. T. cite d'abord le texte sans l'altération qu'il impute à Marcion. On
remarquera la simplification *omnium*, sans *sanctorum* (cf. SCHMID, p. 63) et
le terme *nouissimus* (qui signifie « le dernier » dans l'ordre du temps) qui
répond mal à celui de Paul, ἐλαχίστερος (« le moindre », cf. Vg : *minimus*).
Est-ce là un indice que notre auteur suivait un *Marcion latinus* ? Pour *ab*
aeuis – littéralement « du fond des âges », « depuis les siècles des siècles » –
nous avons adopté la traduction de la *TOB*.

4. L'affirmation de T. sur la responsabilité de Marcion dans la lecture
sans la préposition *in* (ἐν) est sujette à caution : cf. SCHMID, p. 112 (l'omission de ἐν dans quelques mss permet d'infirmer la position de T.). A remarquer d'ailleurs que le groupe *occulti deo* (ἀποκεκρυμμένου ... τῷ θεῷ) peut
s'interpréter, en accord avec l'orthodoxie, au sens de « caché par Dieu » (sur
le *dativus auctoris* normal avec le participe passé passif, cf. LHS, p. 96-97).

5. Sur le sens de *inferre* (qui sera repris au § 4), cf. *TLL*, VII, 1, col.
1383, l. 13 s. (= *subiungere, addere*). Comme toujours, c'est du contexte, et
ici même du développement de la phrase litigieuse que T. tire son argumentation.

Apostolus : « *Vt nota fiat principatibus et potestatibus in supercaelestibus per ecclesiam multifaria sapientia Dei* [b]. »

10 Cuius dicit principatibus et potestatibus ? Si Creatoris, quale est ut principatibus et potestatibus eius ostendi uoluerit deus ille sapientiam suam, ipsi autem non, quando <nec principatus> nec potestates sine suo principe potuissent quid cognoscere ? Aut si ideo deum non nominauit hic,

15 quasi in illis et princeps ipse reputetur, ergo et occultatum sacramentum principatibus et potestatibus eius, qui omnia condidit, pronuntiasset, proinde in illis deputans ipsum. 3. Quod si illis dicit occultatum, illi debebat dixisse manifestum. Ergo non « Deo » erat occultatum, sed « *in Deo* [a] »,

20 omnium conditore, occultum autem principatibus et potestatibus eius. *Quis* enim *cognouit sensum Domini aut quis ei consiliarius fuit* [c] ?

8-9 in supercaelestibus *edd. a Gel* : insuper caelestibus ϑ ‖ 9 multi uaria *M* ‖ 12-13 nec principatus *add. Braun   uide adnot.* ‖ 17 condidit *edd. a Lat.* : condit ϑ *Gel. Pam.* ‖ 18 illis : illi *Kroy. Mor.   uide adnot.* ‖ illi *M² edd. a Iun.* : illis *M R₂R₃ Gel. Pam.* ille γ *R₁   uide adnot.* ‖ 21-22 ei consiliarius *M Kroy.* : consiliarius ei β *edd. cett.*

---

b. Ep 3, 10   c. Is 40, 13

---

1. Cf. HARNACK, p. 118 ; SCHMID, p. I/339.

2. Cette interrogative va déterminer tout le plan de la discussion : celle-ci distingue deux cas possibles, selon qu'on met ces Puissances en rapport avec le Créateur ou avec le dieu supérieur.

3. Sur cette expression, cf. Index terminologique des livres I-III, t. 3, p. 343.

4. Le texte porte *nec potestates* qu'on admet généralement en traduisant : « alors que même les Puissances n'auraient », etc. Mais on voit mal pourquoi l'auteur introduirait ici une distinction qui séparerait les Puissances des Principautés : ces deux entités sont toujours étroitement associées dans les six autres occurrences qu'en présentent les § 2-4 ; l'ordre d'ailleurs est inversé dans les deux dernières occurrences – ce qui paraît bien indiquer que notre auteur ne voit pas de différence entre ces deux

faire connaître aux Principautés et Puissances dans les régions supra-célestes, par le moyen de l'Église, la sagesse multiforme de Dieu [b][1]. » Aux Principautés et Puissances de qui, selon lui [2] ? Si c'est celles du Créateur, quelle absurdité [3] que ce dieu-là ait voulu que sa sagesse soit montrée aux Principautés et Puissances du Créateur, mais non au Créateur même, alors que <ni les Principautés> ni les Puissances [4] n'auraient rien pu connaître sans leur chef ! Ou alors, si c'est exprès qu'ici il n'a pas nommé le dieu, dans l'idée que le chef lui-même aussi est censé être compris en elles, c'est donc aussi qu'il aurait déclaré le mystère caché aux Principautés et Puissances de celui qui a créé toutes choses, en le tenant lui-même, de pareille façon, pour compris en elles. **3.** Or s'il dit que le mystère leur a été caché, il aurait dû dire qu'il lui a été manifesté [5]. C'est donc qu'il n'avait pas été caché « à Dieu », mais caché « *en Dieu* [a] » créateur de toutes choses, mais caché « aux » Principautés et Puissances de celui-ci. *Qui en effet a connu la pensée du Seigneur ? Ou qui a été son conseiller* [c][6] ?

termes. C'est pourquoi il nous paraît indispensable de rétablir <*nec Principatus*> qu'une faute mécanique, par haplographie, a dû faire disparaître dans la tradition : cf. *infra* 19, 4 (*Siue principatus siue potestates*).

5. Raisonnement subtil qui s'appuie sur l'inclusion des Principautés et Puissances dans le Créateur et sur la complémentarité entre l'action de cacher et l'action de faire connaître. Kroymann, suivi par Moreschini, corrige *illis* – attesté par toute la tradition – en *illi*. Nous pensons, avec Evans, qu'il faut garder *illis* (= « les Principautés », etc.), *illi* dans la principale renvoyant au Créateur. L'argument est en effet celui-ci : du moment que la dissimulation aux Principautés (incluses dans le Créateur) *a été énoncée* par l'Apôtre selon Marcion, la manifestation au Créateur devait l'être aussi ; T. prépare ainsi ce qu'il dira au § 4 en présentant le texte de Paul tel qu'il aurait dû être pour permettre l'interprétation adverse.

6. Cf. *supra* 6, 9 et 14, 10.

Hic captus haereticus fortasse mutabit, uti dicat deum
suum suis potestatibus et principatibus notam facere
25 uoluisse dispensationem sui sacramenti, quam ignorasset
deus, conditor omnium. Et quo competebat praetendere
ignorantiam Creatoris extranei et longa separatione discreti,
cum domestici quoque superioris dei nescissent ?
4. Tamen et Creatori notum erat futurum. An non utique
30 notum quod sub caelo et in terra eius habebat reuelari ?
Ergo ex hoc confirmatur quod supra struximus. Si enim
Creator cogniturus erat quandoque occultum illud dei
superioris sacramentum et ita scriptura habebat : « Occulti
deo, qui omnia condidit », sic inferre debuerat : « Vt nota
35 fiat illi multifaria sapientia Dei », tunc : « et potestatibus et
principatibus » cuiuscumque dei, cum quibus sciturus esset
Creator. Adeo subtractum constat quod et sic ueritati suae
saluum est.

---

23 mutabit *Iun.* : -auit ϑ ‖ 28 domestici β : -co *M* ‖ 35 multi uaria *M*

---

1. Toute cette discussion repose sur une construction de T., et il serait
vain de supposer qu'elle a pour base quelque commentaire marcionite. Le
nouvel argument utilisé, qui fait état des « Principautés et Puissances » du
dieu supérieur, permet de penser que Marcion avait conservé quelque chose
de l'angélologie de l'Église.

2. Sur cette « ignorance » du Créateur, cf. I, 11, 9 ; II, 26, 1 ; 28, 1. Elle
sert souvent dans les argumentations polémiques de T.

3. La « révélation » du dieu supérieur dans le domaine du Créateur a
déjà été alléguée plusieurs fois pour montrer l'inconséquence de la thèse
marcionite. Elle sert ici, en une interrogative ironique, à confirmer l'argumentation contre la lecture « caché au dieu Créateur ».

4. Le mot *scriptura* – au sens habituel de « livre du corpus scripturaire »
ou même, comme il nous paraît préférable, de « texte, passage scripturaire »
– est aussi le sujet de *debuerat inferre*. On peut aussi admettre que le sujet,
à restituer, est *Apostolus*, comme au début du § 2. T. aime répondre aux

Ici, pris au piège, l'hérétique va peut-être changer de position [1] pour dire que c'est à ses propres Puissances et Principautés que son dieu a voulu faire connaître la dispensation de son mystère que le dieu créateur de toutes choses avait ignorée. Mais alors, quel intérêt y avait-il à mettre en avant l'ignorance du Créateur, dieu étranger et tenu à l'écart en une lointaine séparation [2], quand les membres de la famille du dieu supérieur, eux non plus, n'étaient pas au courant ?

4. Pourtant ce qui allait arriver était connu même du Créateur. Ou alors, pour sûr, est-ce qu'il n'a pas eu connaissance que ce dieu devait se révéler sous son ciel et sur sa terre [3] ? Par là est donc confirmée notre précédente argumentation. Si en effet le Créateur était destiné à connaître un jour ce mystère caché du dieu supérieur, et si le texte scripturaire portait ceci : « caché au dieu qui a créé toutes choses », il [4] aurait dû ajouter une phrase ainsi tournée : « Pour faire connaître la sagesse multiforme de Dieu à celui-ci », après quoi : « et aux Puissances et Principautés », de quelque dieu qu'elles soient, avec lesquelles le Créateur était destiné à partager cette connaissance. Tant il est clair qu'a été supprimé ce qui, même supprimé ainsi, reste intact au bénéfice de la vérité qu'il contient [5] !

interprétations de Marcion en indiquant ce qu'aurait dû être le texte biblique pour les soutenir ; et il y ajoute d'ailleurs des commentaires de son cru.

5. T. veut dire que la suppression de la préposition devant « Dieu » ne fait pas de doute puisque son absence même n'empêche pas d'entendre le passage en son véritable sens, celui de l'orthodoxie. Il le fait en une phrase vigoureuse, d'expression ramassée avec ses ellipses et son antithèse *(subtractum / saluum)*. Cette conclusion du développement fait pendant à la formule introductive sur l'évidence lumineuse du faux (fin du § 1).

5. Volo nunc et ego tibi de allegoriis Apostoli controuer-
40 siam nectere. Quas nouus in Prophetis habuisset formas ?
« *Captiuam*, inquit, *duxit captiuitatem* ᵈ. » Quibus armis ?
Quibus proeliis ? De cuius gentis uastatione ? De cuius ciui-
tatis euersione ? Quas feminas, quos pueros quosue regulos
catenis uictor inseruit ? Nam et cum apud Dauid Christus
45 canitur « *succinctus gladio super femur* ᵉ » aut apud Esaiam
« *spolia* accipiens *Samariae et uirtutem Damasci* ᶠ », uere eum
et uisibilem excondis proeliatorem ? **6.** Agnosce igitur iam
et armaturam et militiam eius spiritalem, si iam didicisti esse
captiuitatem spiritalem, ut et hanc illius agnoscas, uel quia et
50 captiuitatis huius mentionem de Prophetis Apostolus sump-

---

40 nouus *M*γ *R₂R₃* : nouas *R₁ Iun.*   non uis *Kroy.* ‖ habuisse *Kroy.* ‖ 42
uastatione β : -em *M* ‖ 43 euersione : -em *M*ᵃᶜ ‖ 46 eum *R₃* : cum *M*γ *R₁R₂*
B ‖ 47 excondis *M*γ *R₁R₂* : extundis *coni. R₃ rec. Oeh. Kroy. Evans uide
adnot.* ‖ 48 didicisti *R* : -tis *M*γ

---

d. Ep 4, 8 = Ps 67, 19   e. Ps 44, 4   f. Is 8, 4

---

1. Passant au ch. 4 de la lettre et négligeant les versets 5-6 (attestés par
Épiphane, cf. HARNACK, p. 118*, SCHMID, p. I/340), T. en retient d'abord
le v. 8 dont une expression va lui donner l'occasion de reprendre son combat contre les exégèses littéralistes de Marcion (cf. III, 5, 3-4 et surtout
ch. 13 et 14). L'adverbe *et* portant sur *nunc*, marque cette reprise.

2. Terme imagé, littéralement « attacher ensemble », et dont c'est la
seule occurrence chez T. (en dehors d'une traduction biblique citée en
Paen. 11, 7).

3. Sur *allegoria* qui, souvent associé à *figura* et *aenigma*, désigne l'expression figurée, à entendre autrement qu'en son sens propre et littéral, et
constitue un des moyens du « style prophétique », T. s'est souvent expliqué : ainsi en III, 5, 3 et V, 4, 8 (définition de *allegorica*) et 6, 5. Cf.
O'MALLEY, *Tertullian and the Bible*, p. 125 s. ; VAN DER GEEST, *Le Christ
et l'AT*, p. 172 s.

4. Rappel de la prétention marcionite à la « nouveauté » absolue du dieu
supérieur et de son évangile.

5. Le verset paulinien est une reprise littérale de Ps 67, 19 que T. a cité
précédemment à propos de la réception au ciel du Christ et de sa distribu-
tion des charismes (*supra* 8, 5-6). Il y commente *captiuitatem* par *mortem*

**Les allégories
et commandements
de l'Apôtre sont tirés
des Prophètes**

5. Maintenant aussi[1], je veux, moi, nouer[2] avec toi une controverse sur les allégories[3] de l'Apôtre. Quels modèles, s'il était « nouveau[4] », aurait-il eus à sa disposition dans les Prophètes ? « *Il a emmené*, dit-il, *en captivité la troupe des captifs*[d5]. » Avec quelles armes ? Par quels combats ? Au sortir de la dévastation de quelle nation ? De la mise à sac de quelle cité ? Quelles femmes, quels enfants ou quels roitelets a-t-il, victorieux, enserrés dans ses chaînes ? De fait aussi, quand le Christ est prophétisé chez David comme « *ceint d'une épée sur la cuisse*[e6] », ou, chez Isaïe, comme recevant « *les dépouilles de la Samarie et la puissance de Damas*[f7] », toi aussi, vraiment, tu décryptes[8] en lui un combattant que l'œil peut voir ? **6.** Reconnais donc maintenant comme spirituels et son armement et sa fonction guerrière si tu as maintenant appris l'existence d'une troupe spirituelle de captifs de façon à reconnaître ici cette troupe comme étant la sienne, ne serait-ce que pour la raison suivante : la mention de cette troupe de captifs aussi, l'Apôtre l'a tirée des Prophètes, dont il a

---

uel seruitutem humanam conformément à une exégèse figurée et spirituelle qui est traditionnelle depuis JUSTIN (cf. *Dial.* 39, 4 qui comprend « captifs » de « nous que le Christ a conquis sur l'erreur ») et IRÉNÉE, *Haer.* 2, 20, 3. Ici nous avons préféré, à cause de la phrase suivante, traduire *captiuitatem* comme un collectif (« troupe de prisonniers »). C'est avec un luxe de rhétorique que va être évoquée la colonne des vaincus emmenés en captivité par le général victorieux.

6. Cf. III, 14, 1.

7. Cf. III, 13, 1. A l'absurdité de l'interprétation littéraliste de Ps 67, 19, T. joint le rappel de deux autres cas, vus au livre III, où Marcion veut comprendre aussi le Christ comme un guerrier.

8. Interpellant son adversaire en une interrogation rhétorique par le ton, T. fait apparaître l'absurdité de sa position. Le texte présente une difficulté avec *excondis*. Le verbe *excondere* n'est attesté nulle part ailleurs et

sit, a quibus et mandata : « *Deponentes mendacium loquimini*
ueritatem ad proximum quisque g », et : « *Irascimini et nolite*
delinquere h » – ipsis uerbis, quibus psalmus, exponeret
sensus eius ; « *Sol ut non occidat super iracundiam ues-*
55 *tram* i » ; « *Nolite communicare operibus tenebrarum* j. »
« *Cum iusto* enim *iustus eris et cum peruerso peruerteris* k »,
et : « *Auferte malum de medio uestrum* l », et : « *Exite de*

---

54 ut *post* delinquere (53) *transp. Kroy. Mor. om. Pam. Rig. uide*
adnot. ‖ 54 occidat *coni.* R_1R_2 *rec.* R_3 : exci- Mγ R_1R_2 ‖ 56 cum² *M edd. a*
B : *om.* β

---

g. Ep 4, 25 = Za 8, 16   h. Ep 4, 26 = Ps 4, 5 (LXX)   i. Ep 4, 26
j. Ep 5, 11   k. Ps 17, 26-27   l. 1 Co 5, 13 ; cf. Dt 13, 6 ; Dt 17, 7 ; Dt 21,
21 ; Dt 24, 7

---

le *TLL* l'enregistre avec un point d'interrogation en le glosant : *expromis ?*
producis ? Kroymann, suivant Oehler, le corrige en *extundis*, qu'admet
aussi Evans ; mais ce verbe *extundere* (« faire sortir en frappant », « produire avec effort ») n'est pas attesté chez T. Il paraît donc préférable d'accueillir ici, comme fait Moreschini, la leçon de toute la tradition. Rhenanus
comprenait *excondere* comme un antonyme de *recondere*. C'est pourquoi,
à la traduction « se représenter » – qui correspond à celle de Moreschini –
nous préférons « décrypter ». Ce sens nous paraît bien en rapport avec l'absurdité reprochée à Marcion qui, dans l'*allegoria* paulinienne, découvre
– au lieu de ce qui y a été caché, *reconditus* – ce qui est dit en clair. Si telle
est l'explication exacte de ce membre de phrase, c'est, une fois de plus, le
besoin d'expressivité et de causticité qui a stimulé l'invention verbale de
T. Notre traduction fait porter *uere* sur le verbe de la proposition ; mais il
n'est pas exclu qu'il porte sur *uisibilem*, comme l'entend Moreschini.
   1. Ici se situe le tournant du développement : de la controverse sur les
« allégories » (en fait limitées à un seul exemple nouveau), T. passe aux
mandata de l'Apôtre dont il trouve des exemples dans la suite du ch. 4
– où, à partir du v. 17, Paul énonce ses recommandations de ne plus vivre
comme les païens – et dans le ch. 5.
   2. Ce verset, conservé par Marcion (cf. HARNACK, p. 119* ; SCHMID,
p. I/340), reprend en sa seconde partie un énoncé de *Zacharie*. Les versets 25
et 26 ont été également cités par T. dans *Res.* 45, 7-8 sans que la version
« catholique » présente de différence notable avec la version marcionite.

tiré également ses commandements [1] : « *Abandonnant le mensonge, dites la vérité, chacun à son prochain* [g][2] » et « *Vous êtes en colère, mais ne péchez pas* [h][3] » – avec les mots mêmes dont se servirait le psaume pour exposer ses pensées [4] ; « *Que le soleil ne se couche pas sur votre colère* [i][5] » ; « *Ne prenez pas de part aux œuvres des ténèbres* [j][6].* » En effet : « *Avec le juste tu seras juste, et avec le pervers, tu seras perverti* [k][7] » et « *Enlevez le mauvais du milieu de vous* [18] » et « *Sortez du milieu d'eux et ne touchez à rien d'impur ;*

3. Nous suivrons l'interprétation de la *TOB* qui, apparemment, considère le premier verbe non comme un impératif, mais comme un indicatif (en une interrogation par le ton) et donne à la conjonction *et* (καί) une valeur adversative. Il est difficile d'admettre en effet que l'Apôtre ordonne de « se mettre en colère ».

4. Cette parenthèse est un commentaire de T. qui souligne, conformément à l'idée directrice, l'origine psalmique – donc « prophétique » – de la première partie du verset. Mais il le fait avec quelque subtilité, en évitant de parler d'un emprunt. Le texte fourni par l'ensemble des mss (*ut* prenant place après *sol*) offre un sens très satisfaisant, comme l'a bien vu Evans ; tandis que le déplacement de *ut* avant *ipsis uerbis*, proposé par Kroymann et suivi par Moreschini, entraîne une difficulté : le sujet de *exponeret* ne pouvant être que l'Apôtre, on attendrait *suos* au lieu de *eius* (Moreschini traduit : « per esporre il suo pensiero con le stesse parole adoperate dal salmo »).

5. Ni la postposition de *ut* ni l'addition de cette conjonction ne sont étrangères aux habitudes de T. Il aime, en citant un texte biblique, marquer la progression logique de l'idée. Ici la conjonction consécutive donne tout son relief à l'image. Elle a été omise très tôt dans la tradition : ainsi dans un des deux *codices Vaticani* utilisés par Pamélius et dont celui-ci s'est autorisé, outre le rapprochement avec *Res.* 45, 8, pour la supprimer.

6. Passant au refus de l'impureté, T. cite un verset du ch. 5 (cf. HARNACK, p.119* ; SCHMID, p. I/340) qu'il reprendra dans *Pud.* 18, 10 et 13 ; 21, 2 : ces deux dernières citations omettent, comme ici, *infructuosis* après *operibus*, le citateur se limitant à l'essentiel selon son habitude.

7. Citation allégée et condensée. On la trouve également, avec des variantes de vocabulaire, en *Exh.* 10, 4 et *Pud.* 18, 5. La conjonction *enim* qui l'introduit suffit à marquer son rattachement à la démonstration.

8. Cf. *supra* 7, 2. T. illustre son propos en rapportant un passage paulinien qui est lui-même emprunté à l'AT.

medio eorum et inmundum ne adtigeritis ; separamini, qui
fertis uasa Domini [m]. » **7.** Sic et « *inebriari uino dedecori* [n] »
60 inde est, ubi sanctorum inebriatores increpantur : « *Et potum*
dabatis sanctis meis uinum [o] », quod prohibitus erat potare
et Aaron sacerdos et filii eius, cum adirent ad sancta [p]. Et
« *psalmis et hymnis* [q] » Deo canerent docere illius est, qui
cum tympanis potius et psalteriis uinum bibentes incusari a
65 Deo norat [r]. Ita cuius inuenio praecepta et semina praeceptorum uel augmenta, eius apostolum agnosco.

8. Ceterum mulieres uiris subiectas esse debere [s] unde
confirmat ? « *Quia uir*, inquit, *caput est mulieris* [t]. » Dic
mihi, Marcion, de opere Creatoris deus tuus legi suae
70 adstruit auctoritatem ? Hoc iam plane minus est, cum et ipsi
Christo suo et ecclesiae eius inde statum sumit : « *Sicut et*
Christus caput est ecclesiae [t]. » Similiter et cum dicit :
« *Carnem suam diligit qui uxorem suam diligit, sicut et*

---

59 dedecori *R Gel. Pam. Oeh. Evans* : -re *Mγ Kroy.* dedecor *Rig. uide*
adnot. ‖ 61 dabatis *Pam.* : -bitis ϑ *Gel.* ‖ 62 sacerdos β *edd. cett.* : om. M
Kroy. ‖ 63 canerent : -re R_2R_3 ‖ 65 norat β : -rant *M* ‖ semina β : -nia *M* ‖
71 statum *coni. R_1R_2 rec. R_3* : satum *Mγ R_1R_2* ‖ 73 suam² *MF edd. a Pam.* :
om. *R Gel.*

---

m. 2 Co 6, 17 = Is 52, 11   n. Ep 5, 18   o. Am 2, 12   p. Cf. Lv 10, 9
q. Ep 5, 19   r. Cf. Is 5, 12   s. Cf. Ep 5, 22   t. Ep 5, 23

---

1. Cf. III, 22, 2 (t. 3, p. 188, n. 2). T. resserre ici une citation d'Is 52, 11,
dont il combine un élément avec 2 Co 6, 17.

2. Citation approximative et condensée : le texte comporte une défense
et un jugement sur le « vin en qui est la débauche ». T. le ramène à une
règle morale formulée dans une proposition elliptique : *est* est à restituer
après *dedecori* (leçon de *R*, préférable à celle des mss subsistants *dedecore*).

3. Le terme *inebriator* est un hapax, sans doute néologisme de circonstance provoqué par le verbe du texte biblique précédent.

4. Phrase de conclusion qui nous ramène au thème fondamental (Paul
apôtre du Créateur). Il est facile de comprendre que *cuius* (et *eius*) renvoie
à *a deo*, le Dieu au nom duquel parlait Isaïe. La formule *semina uel aug-*
menta est une habile précaution contre qui trouverait des différences entre
l'enseignement moral de l'AT et celui du NT.

mettez-vous à l'écart, vous qui portez les vases du Seigneur [m 1]. » **7.** De même aussi, « *déshonorant de s'enivrer de vin* [n 2] » vient du passage où sont réprimandés ceux qui enivrent [3] les saints : « *Et vous donniez à boire du vin à mes saints* [o] » : vin que le prêtre Aaron et ses fils avaient reçu interdiction de boire quand ils s'approchaient du saint des saints [p]. Enseigner aussi qu'on devait chanter pour Dieu « *en psaumes et hymnes* [q] » est bien le fait de qui savait incriminés par Dieu ceux qui, au son des tambourins et des harpes de préférence, boivent du vin [r]. Ainsi, retrouvant de ce dieu les préceptes et semences – ou développements – de préceptes, je reconnais son apôtre [4].

Union de l'homme et de la femme, du Christ et de l'Église : l'Apôtre se réfère à l'ouvrage du Créateur

8. D'ailleurs [5], que les femmes doivent être soumises à leurs maris [s], d'où en tire-t-il la confirmation ? « *C'est*, dit-il, *parce que le mari est le chef de la femme* [t]. » Dis-moi, Marcion, c'est sur l'ouvrage du Créateur que ton dieu appuie l'autorité de sa loi [6] ? Voilà déjà, à vrai dire, la moindre des choses, puisqu'il en tire aussi le statut de son Christ lui-même et de l'Église de celui-ci : « *Tout comme le Christ aussi est le chef de l'Église* [t 7]. » Semblablement lorsqu'il dit aussi : « *Il aime sa chair, celui qui aime son épouse comme le Christ aussi aime son*

5. T. passe à un nouveau développement de la lettre, qui traite des relations personnelles et de la morale domestique. L'enseignement moral de Paul, qui se double d'aperçus théologiques, va permettre à notre polémiste de revenir au thème de la résurrection de la chair et à celui des deux dieux de Marcion.

6. Cette interpellation de Marcion renferme, apparemment, une allusion à Gn 3, 16, qui énonce la domination de l'homme sur la femme.

7. En distinguant avec soin, dans ce v. 23, la comparaison avec le Christ et l'Église qui éclaire, pour Paul, la relation entre mari et femme, T. prépare ses observations critiques suivantes : le Christ de Marcion et son Église sont assimilés à la chair, œuvre du Créateur.

Christus ecclesiam [u] », uides comparari operi Creatoris
75 Christum tuum et ecclesiam tuam. Quantum honoris carni
datur in ecclesiae nomine ! **9.** « *Nemo*, inquit, *carnem suam
odio habet* » – nisi plane Marcion solus – « *sed et nutrit et
fouet eam, sicut Christus ecclesiam* [v]. » At tu eam solus odisti,
auferens illi resurrectionem : odisse debebis et ecclesiam,
80 quia proinde diligitur a Christo. At enim Christus amauit et
carnem sicut ecclesiam. Nemo non diliget imaginem quoque
sponsae, immo et seruabit et honorabit et coronabit. Habet
similitudo cum ueritate honoris consortium.

Laborabo ego nunc eundem deum probare masculi et
85 Christi, mulieris <et> ecclesiae, carnis et Spiritus, ipso
Apostolo sententiam Creatoris adhibente, immo et disserente ? « '*Propter hanc relinquet homo patrem et matrem, et
erunt duo in carne una* [w]' : *sacramentum hoc magnum
est* [x]. » **10.** Sufficit inter ista, si Creatoris magna sunt apud

---

77 marcion solus β *edd. cett.* : solus marcion *M Kroy.* ‖ 78 *post* sicut
add. et *Pam. Rig. Oeh. Evans* ‖ eam solus *M Kroy.* : solus eam β *edd. cett.*
‖ 83 ueritate honoris *edd. ab Vrs.* : ueritatis honore ϑ *Gel. Pam. probante
Evans   uide adnot.* ‖ 85 christi *coni. R₂ rec. R₃* : -tum *Mγ R₁R₂* ‖ et¹ *add.*
R₃ ‖ 86-87 disserente *R₂R₃* : diffe- *F R₁*   defe- *M B*ᵐᵍ   dife- *X* ‖ 87 hanc :
hoc *Gel. Pam. Rig. Evans* ‖ 88 carnem unam *Pam. Rig.* ‖ 89 inter : interim
Kroy.

---

u. Ep 5, 28-29   v. Ep 5, 29   w. Ep 5, 31 = Gn 2, 24   x. Ep 5, 32

---

1. Sur la forme particulière du texte marcionite, cf. HARNACK, p. 119*-
120*, et SCHMID, p. I/340 (cf. la longue discussion des p. 144-148).

2. La forme de ce verset ne diffère guère du texte « catholique » (cf.
HARNACK, p. 119*-120*, et SCHMID, p. I/340). Une fois de plus s'affirme
le goût de T. pour des commentaires insérés dans ses citations. Son attaque
contre le docétisme de Marcion prépare toute la suite.

3. L'« image de l'épouse » est évidemment la chair puisque c'est par
cette image qu'elle est désignée dans tout ce passage : cf. Gn 2, 23 où
l'homme appelle la femme « chair de sa chair ».

4. Cette sentence d'allure générale clôt ce premier développement
dominé par une réhabilitation de la chair contre Marcion. La « ressem-

Église [u][1] », tu vois placés de pair avec l'ouvrage du Créateur
ton Christ et ton Église ! Quel grand honneur est accordé à
la chair au nom de l'Église ! **9.** « *Personne*, dit-il, *ne tient
sa chair en aversion* » – sauf, à vrai dire, le seul Marcion ! –
« *mais on la nourrit et on la soigne comme le Christ
l'Église* [v][2]. » Toi seul, au contraire, tu as cette chair en aversion, toi qui lui ôtes la résurrection : tu devras avoir aussi
l'Église en aversion parce qu'elle est pareillement aimée
du Christ. C'est que le Christ, lui, a aimé la chair comme
l'Église. Tout homme aimera l'image aussi de son épouse [3] et
mieux même, il la sauvegardera, l'honorera, la couronnera.
La ressemblance partage l'honneur avec la vérité [4].

Je vais donc travailler maintenant [5] à prouver qu'il y a un
seul et même dieu pour l'homme et pour le Christ, pour la
femme et pour l'Église, pour la chair et l'Esprit, puisque
c'est l'Apôtre lui-même qui met en œuvre, mieux même qui
explicite la sentence du Créateur : « *'A cause d'elle l'homme
quittera son père et sa mère, et ils seront deux en une seule
chair* [w]' *: grand est ce mystère* [x][6]. » **10.** Il suffit dans la circonstance que les mystères du Créateur soient grands aux

---

blance » reprend la notion d'« image » (opposée à « vérité »). T. veut dire
que la chair – image de la femme – aura les mêmes honneurs que celle-ci.
La correction ancienne *cum ueritate honoris* est généralement adoptée et
répond à la logique. Mais le texte de la tradition manuscrite, *cum ueritatis
honore* est admissible, comme le pense Evans dans son apparat : il peut se
traduire par « la ressemblance a part commune avec (= dans) l'honneur
(qu'on rend) à la vérité ».

5. Phrase de transition, de caractère rhétorique, qui sert à dégager les
nouvelles observations portant sur les versets 31-32. Ces versets comportent : *1)* la citation de Gn 2, 24 ; *2)* un jugement sur l'importance du mystère ; *3)* l'explication qui l'applique à l'union du Christ et de l'Église. Le
développement suivra le texte dans ces trois étapes.

6. Sur le texte marcionite cité par T. et qui présente quelques menues
différences avec celui d'Épiphane, cf. HARNACK, p. 120* et SCHMID,
p. I/340-341.

90 Apostolum sacramenta, minima apud haereticos ; sed « *Ego autem dico*, inquit, *in Christum et ecclesiam* [x]. » Habet interpretationem, non separationem sacramenti. Ostendit figuram sacramenti ab eo praeministratam, cuius erat utique sacramentum. Quid uidetur Marcioni ? Creator quidem
95 ignoto deo figuras praeministrare non potuit, etiam, quia aduersario, si noto ; deus superior ab inferiore et a destruendo potius mutuari nihil debuit.

11. « *Obaudiant et parentibus filii* [y] » : nam – etsi Marcion abstulit : « *Hoc enim est primum in promissione*
100 *praeceptum* [z] » – lex loquitur : « *Honora patrem et matrem* [aa] » et : « *Parentes, enutrite filios in disciplina et correptione Domini* [bb] » : audisti enim et ueteribus dictum :

---

91 habet ϑ : habes *coni. R₁ rec.* Kroy. Evans   habe *Mor. uide adnot.* ‖ 92 sacramenti *R* : menti *M*γ ‖ 94 creator *R* : -ri *M*γ ‖ 99 enim est *M* Kroy. : est enim β *edd. cett.* ‖ 102 audisti β : -tis *M   uide adnot.*

---

y. Ep 6, 1   z. Ep 6, 2   aa. Ep 6, 2 = Ex 20, 12   bb. Ep 6, 4

1. T. commente ironiquement le jugement de l'Apôtre sur la « grandeur » de ce mystère pour faire apparaître l'écart entre les « hérétiques » – par ce plur. sont visés, par-delà les marcionites, tous les hétérodoxes adversaires de l'AT – et Paul dont ils se réclament : il se contente de cette valorisation des « mystères » de l'AT – sans souligner l'inconséquence de son adversaire qui utilise dans son *apostolicon* un texte de la *Genèse* – ce que fera Jérôme, reproduisant Origène (cité par HARNACK, p. 120*).
2. Commentant l'expression solennelle de Paul *(ego autem dico)*, T. dégage avec netteté l'attitude de l'Apôtre qui est celle d'un interprète – chargé d'expliciter, de rendre clair ce qui a été voilé dans le mystère –, et l'oppose à l'attitude que Marcion lui prête – celle de « séparateur » de la Loi et de l'Évangile. Le texte des mss, *habet*, paraît garanti par la correspondance avec *ostendit* qui ouvre la phrase suivante : dans les deux cas le sujet est *Apostolus*. C'est le rôle de Paul que T. explicite à propos de son intervention personnelle telle que la présente le texte cité. Ni la correction *habes* (conjecture de *R₁* reprise par Kroymann), ni la correction *habe* (Moreschini) ne paraissent justifiées dans ce développement où T. n'interpelle jamais Marcion à la deuxième personne. L'expression *habere interpretationem* nous paraît être un équivalent recherché de *habere interpretari* (« avoir à... »).

yeux de l'Apôtre, eux qui sont minimes aux yeux des hérétiques [1] ! Mais il poursuit : « *Je déclare, moi, qu'il s'applique au Christ et à l'Église* [x]. » Il détient la charge d'interpréter – et non de séparer – le mystère [2]. Il montre que le sens figuré du mystère a été d'avance présenté par celui à qui assurément appartenait le mystère. Qu'en pense Marcion ? Le Créateur certes n'aurait pas pu fournir d'avance des figures à un dieu qu'il ignorait, et qui même, s'il le connaissait, était son adversaire ! Le dieu supérieur, lui, n'aurait rien dû emprunter de préférence à un inférieur, même pour le détruire [3] !

Morale familiale conforme à l'enseignement du Créateur

11. « *Que les enfants aussi soient obéissants à leurs parents* [y][4]. » Car – Marcion a eu beau supprimer : « *Ceci est en effet le premier commandement avec promesse* [z][5] » –, la Loi parle : « *Honore ton père et ta mère* [aa] », et : « *Parents, élevez vos enfants dans la discipline et l'admonestation du Seigneur* [bb]. » Car tu as appris [6] aussi ce qui a été dit aux anciens : « *Vous*

---

3. Reprise de l'argument polémique sur l'« ignorance » du Créateur à l'égard de l'« autre » dieu (cf. *supra*, p. 330, n. 2) et sur la « supériorité » de celui-ci par rapport à son subalterne. Il se combine ici avec le cliché du binôme pouvoir / devoir.

4. Passant au chapitre 6 – et dernier – de la lettre, T. retient d'abord les premiers versets (sur enfants et parents) qui vont lui permettre de poursuivre sa démonstration (identité d'enseignement entre Paul et l'AT). Légère modification stylistique dans le v. 1 (l'impératif à la 2e pers. devient subjonctif à la 3e).

5. Suppression admise par SCHMID, p. I/341. Il ressort du contexte que Marcion avait maintenu, du v. 2, le commandement du Décalogue : il avait fait disparaître le commentaire de Paul, et sans doute aussi le v. 3 du texte « catholique » qui explicite la « promesse » (bonheur et longévité sur terre). Sur cet emploi de *in* (= ἐν) pour marquer l'accompagnement, la circonstance concomitante, cf. BLASS, *GNG*, p. 120 et 132.

6. La leçon de *FXR*, généralement adoptée, doit s'interpréter comme prise à témoin de Marcion qui, ayant partagé la « foi catholique », a connu

« *Narrabitis haec in auribus filiorum uestrorum et filii uestri aeque in auribus filiorum suorum* [cc]. » Quo iam mihi duos
105 deos, si una est disciplina ? Et si duo sunt, illum sequar, qui
prior docuit.

12. Sed « *aduersus munditenentes luctatio* » si « *nobis* [dd] »,
o quanti iam dii Creatores ! Cur enim non et hoc uindicem,
unum « munditenentem » nominari debuisse, si Creatorem
110 significabat, cuius essent quas praemisit « *potestates* [dd] » ?
Porro, cum supra quidem induere nos iubeat armaturam, in
qua stemus ad machinationes diaboli [ee], iam ostendit diaboli
esse quae diabolo subiungit, « *potestates et munditenentes
tenebrarum istarum* [dd] », quae et nos diabolo deputamus. Aut
115 si diabolus Creator est, quis erit diabolus apud Creatorem ?

---

104 auribus *M Kroy. Evans* : aures β *Gel. Pam. Rig.* ‖ 107 munditenentes
R : mundi tenentes *MF* multitudines *X* ‖ 108 dii β : di *M*

---

cc. Ex 10, 2 dd. Ep 6, 12 ee. Cf. Ep 6, 11

---

tous les textes de l'AT. Le rapprochement de la recommandation paulinienne avec Ex 10, 2 paraît propre à T.

1. Comme souvent, T. tire une conclusion en se mettant en scène lui-
même, en se donnant le rôle du fidèle réfléchissant à ce qui importe pour
sa foi. On comprendra *quo* comme signifiant *ad quem usum*. Il faut rétablir *est* à côté de *quo*, et, avec *duos deos*, le verbe d'existence *(esse)*.

2. Nouveau recours à l'argument de la priorité chronologique qui est
cher à l'auteur.

3. Abordant le développement du ch. 6 que Paul consacre au combat
spirituel contre les esprits mauvais, T. va argumenter contre toute identification de cet adversaire au Créateur. Il est possible que les marcionites,
dans leur sublimation du dieu supérieur, aient appelé le « dieu du monde »,
c'est-à-dire le Créateur, de ce terme paulinien de κοσμοκράτωρ.

4. Quatre fois employé dans cette page, le néologisme *munditenens* se
rencontre aussi en *Val.* 22, 2 et en *Fug.* 12, 3 (allusion au même texte
biblique) ; on ne le lit pas ailleurs que chez notre auteur. La Vg traduit par
rectores mundi, Cyprien par *principes mundi*. En *Res.* 22, 11, une allusion
à ce verset biblique présente un autre néologisme : *luctari habens cum
mundi potentibus*. Y aurait-il, ici, une influence du *Marcion latinus* ?

raconterez ces choses aux oreilles de vos enfants, et vos enfants, pareillement, aux oreilles de leurs enfants [cc]. » A quoi me sert désormais qu'il y ait deux dieux s'il y a une seule discipline [1] ? Et même, s'ils sont deux, celui que je suivrai, c'est celui qui a enseigné le premier [2] !

**Le combat spirituel
se livre contre le diable,
non contre le Créateur**

12. Mais si *« notre combat [3] se livre contre les Dominateurs du monde* [dd 4] *»*, ô combien dès lors de dieux créateurs [5] !

Pourquoi en effet ne revendiquerais-je pas aussi ce point : que l'Apôtre aurait dû nommer un seul « Dominateur du monde » s'il voulait désigner par là le Créateur dont dépendraient *« les Puissances* [dd] *»* indiquées avant par lui [6] ? En outre comme, plus haut du moins, il nous ordonne de revêtir une armure avec laquelle nous pourrions tenir bon contre les machinations du diable [ee 7], il montre déjà qu'appartient au diable tout ce qu'il adjoint à ce diable : *« les Puissances et les Dominateurs de ce monde-ci de ténèbres* [dd 8] *»*, tout ce que, nous aussi, nous attribuons au diable. Ou alors, si le Créateur est le diable, qui sera le diable chez le Créateur ?

---

5. Réflexion sarcastique qui anticipe sur l'argument. Pour *quanti = quot*, cf. Index terminologique des livres I-III, t. 3, p. 343.

6. Comme souvent, T. fait allusion à ce qu'aurait dû être ce verset 12 (conservé par Marcion : cf. HARNACK, p. 121* et SCHMID, p. I/341) pour s'accorder à l'interprétation adverse. Le premier argument est d'ordre grammatical.

7. Le second argument consiste en la mention, au verset précédent, du « diable » comme adversaire auquel sont affrontés les fidèles. *Machinationes* – mot du vocabulaire biblique – ne se rencontre qu'ici (et en *Res.* 8, 5) chez notre auteur. La Vg rend par *insidias* le terme de Paul (μεθοδείας). Y a-t-il, ici aussi, influence d'une version latine de Marcion ?

8. Littéralement : « les dominateurs-du-monde de ces ténèbres-ci ».

An sicut duo dii, ita et duo diaboli, et pluraliter potestates et
munditenentes ? **13.** Sed quomodo Creator et diabolus et
deus idem, cum diabolus non idem et deus et diabolus ? Aut
enim ambo et dei, si ambo diaboli, aut qui deus, hic et non
120 diabolus, sicut nec diabolus deus.

Ipsum uocabulum « diaboli » quaero, ex qua delatura
competat Creatori. Fortasse detulit aliquam dei superioris
intentionem, quod ipse ab archangelo passus est, et quidem
mentito. Non ideo enim interdixerat illius arbusculae gus-
125 tum ff, ne dei fierent, sed ne de transgressione morerentur.

14. Nec « *spiritalia* autem *nequitiae* gg » ideo Creatorem
significabunt, quia adiecit : « *in caelis* gg ». **(14.)** Sciebat enim
et Apostolus in caelis operata esse spiritalia nequitiae, ange-
lorum scandalizatorum in filias hominum hh.

130 Et quale erit, ut ambiguitatibus et per aenigmata nescio
quae Creatorem taxaret qui, in catenis iam constitutus [quo]
ob libertatem praedicationis, constantiam manifestandi

---

116 sicut *MG R₃* : si γ *R₁R₂* ‖ 119 ambo² *MG(ut uid.) Kroy.* : iam γ
R₁R₂ ambo iam *edd. cett. a R₃* ‖ 123 anchangelo *M* ‖ 127 significabant
Pam. Rig. Oeh. ‖ 130 erit *M Pam. Rig. Kroy.* : erat β *Gel. Iun. Oeh. Evans*
‖ 131 creatorem β : -ri *M* ‖ quo *om. edd. a R₃*

---

ff. Cf. Gn 3, 5　gg. Ep 6, 12　hh. Cf. Gn 6, 1-4

---

1. Pour souligner l'absurdité d'une identification du Créateur au diable,
T. tire parti de ce que la théologie marcionite souligne avec précision : le
Créateur est un dieu (de justice).

2. Cf. II, 10, 1-2 sur l'origine du nom « diable » ; le mot *delatura*
(= διαβολή) est un terme rare qu'on ne rencontre qu'ici et dans quelques
traductions bibliques.

3. L'explication proposée s'accompagne d'une forte ironie : le lecteur
sait bien que, pour Marcion, le dieu subalterne ignore tout du dieu supérieur (cf. *supra*, p. 330, n. 2).

4. Reprise resserrée de II, 10, 1.

5. Nouvelle argumentation tirée d'un autre élément du texte de base (Ep 6,
12). Le rôle des *spiritales nequitiae* dans le combat d'Ep 6 a déjà été évoqué en
III, 14, 3 ; notre auteur en parle abondamment dans ses diverses œuvres, cf.
RÖNSCH H., *Das Neue Testament Tertullian's*, Leipzig 1871, p. 482-484.

Serait-ce que, comme il y a deux dieux, il y aura aussi deux diables, et également, en pluralité, des Puissances et des Dominateurs du monde ? **13.** Mais comment le Créateur sera-t-il en même temps et diable et dieu sans que le diable soit, en même temps, et dieu et diable ? Ou bien c'est que les deux aussi sont dieux, si les deux sont diables, ou bien celui qui est dieu, lui non plus n'est pas diable, de même que n'est pas non plus dieu celui qui est diable [1].

Quant au nom même de « diable », je pose la question : à cause de quelle délation ce nom convient-il au Créateur [2] ? Peut-être qu'il a rapporté quelque intention du dieu supérieur [3], comme lui-même a souffert ce traitement de la part de l'archange, lequel mentait d'ailleurs. Si en effet le Créateur avait interdit de goûter au fruit de cet arbre [ff], c'était pour empêcher non pas l'accès à la divinité, mais la mort par l'effet de la transgression [4].

14. D'autre part les « *esprits de malice* [gg] » non plus ne désigneront pas le Créateur [5] pour la raison que l'Apôtre a ajouté : « *dans les cieux* [gg][6] ». **(14.)** Il savait en effet lui aussi que c'est dans les cieux qu'ont œuvré les esprits de malice, ceux des anges dont les filles des hommes avaient occasionné la chute [hh][7].

Et aussi quelle absurdité ce sera que l'Apôtre ait usé d'ambiguïtés et recouru à je ne sais quelles énigmes pour dénigrer le Créateur [8], alors que, désormais prisonnier aux fers à cause de la liberté de sa prédication, il faisait don, à l'Église évidemment, de sa hardiesse à manifester le mystère

---

6. Comme le texte « catholique », le texte marcionite mentionne ἐν τοῖς ἐπουρανίοις, que T. rend simplement par *in caelis* (Vg : *in caelestibus*) : cf. HARNACK, p. 121* et SCHMID, p. I/341.

7. Épisode biblique déjà évoqué *supra* en 8, 2 ; cf. aussi *Cult.* I, 2 et 4.

8. Dernier argument contre un langage à double entente dont Paul se serait servi pour viser le Créateur : il est tiré des versets 19 et 20 que T. paraphrase en en inversant l'ordre.

sacramenti in apertione oris, quam sibi expostulare a Deo mandabat, ecclesiae utique praestabat [ii] ?

XIX. 1. Soleo in praescriptione aduersus haereses omnes de testimonio temporum compendium figere, priorem uindicans regulam nostram omni haeretica posteritate. Hoc nunc probabit et Apostolus dicens de « *spe reposita in cae-*
5 *lis quam audistis in sermone ueritatis euangelii, quod peruenit ad uos sicut et in totum mundum* [a] ». Nam si iam tunc traditio euangelica ubique manauerat, quanto magis nunc ? **2.** Porro, si nostra est quae ubique manauit, magis quam omnis haeretica, nedum Antoniniani Marcionis, nostra erit
10 apostolica. Marcionis autem cum totum impleuerit mundum, ne tunc quidem se defendere poterit de apostolica. Eam enim et sic constabit esse, quae prior mundum repleuit

---

133 sibi *Kroy.* : ibi ϑ *uide adnot.*

ad laodicenos explicit *M* ad colossenses [colosenses *M*ac] *M*mg de epistola ad Colossenses β [colosenses *X* coloscenses *F*]

XIX. 1 haereses β *Gel. Oeh. Evans* : haeresis *M* haeresîs *Kroy.* haereseis *Pam. Rig.* ‖ 6 uos : nos *M*ac ‖ si iam *G*β : suam *M* ‖ tunc *M Kroy.* : tum *G edd. cett. a R₃ om.* γ *R₁R₂* ‖ 9 antoniniani *R* : antoniani *M*γ

---

ii. Cf. Ep 6, 19-20
XIX. a. Col 1, 5-6

---

1. La correction apportée par Kroymann – *sibi* au lieu de *ibi* des mss –, au demeurant minime, paraît réclamée par le sens du texte biblique paraphrasé. En effet, après avoir demandé des prières instantes à ses correspondants « pour tous les saints », Paul les demande maintenant « pour *moi* aussi » : « que la parole soit placée dans *ma* bouche pour annoncer hardiment le mystère de l'Évangile, dont *je* suis l'ambassadeur enchaîné... » *(TOB)*. Ce datif *sibi* fait pendant à *ecclesia* de la proposition finale : cette « hardiesse » (παρρησία) de prédication qu'il demandait à Dieu *pour lui*, par l'intermédiaire de leurs prières, c'est à l'Église qu'il l'offrait.

2. Reprise de l'argument de prescription contre les hérésies à cause de leur postériorité (cf. *Praes.* 29-32), argument souvent rappelé aussi dans *Marc.* (par exemple en IV, 5, 7). T. en trouve la justification dans un passage de la *Lettre aux Colossiens*, qu'il aborde maintenant.

en ouvrant la bouche, hardiesse qu'il leur mandait de récla-
mer pour lui [1] à Dieu par des prières [ii] !

VIII. La lettre aux Colossiens

**Même partout répandue,
la doctrine marcionite
n'a aucune apostolicité**

XIX. 1. J'ai l'habitude, dans
la prescription contre toutes les
hérésies, de fixer une preuve
abrégée tirée du témoignage de la
chronologie : je revendique la priorité de notre doctrine face
à toute postériorité hérétique [2]. C'est ce que l'Apôtre aussi
va maintenant prouver quand il parle de « *l'espérance en
attente (pour vous) dans les cieux, que vous avez entendue
dans la parole de vérité de l'Évangile qui est parvenu jusqu'à vous, comme aussi dans le monde entier* [a][3] ». Car si,
déjà alors, la tradition évangélique [4] s'était répandue partout,
combien est-ce plus vrai aujourd'hui ? **2.** En outre, si c'est
notre tradition qui s'est répandue partout, plus que toute
tradition hérétique et, à plus forte raison, que celle d'un
Marcion qui date d'Antonin [5], c'est bien la nôtre qui sera
apostolique. Mais celle de Marcion, quand bien même elle
aurait rempli le monde entier, même alors elle ne pourra pas,
pour sa défense, se dire issue de la tradition apostolique. Car
celle-ci, il sera établi qu'elle se trouve être aussi la première
à avoir rempli le monde – évidemment de l'Évangile de ce

3. Cf. HARNACK, p. 121*, SCHMID, p. I/341 qui ont raison de faire commencer la citation avec τὴν ἐλπίδα. En effet la préposition *de* raccorde à
dicens le propos de Paul et ne fait pas partie de la citation.
4. Dans tout le passage, *traditio* – qu'il soit exprimé ou sous-entendu –
a le sens de « doctrine transmise par la tradition » : c'est avec cette valeur
que nous le rendons par « tradition ».
5. Reprise de l'argument polémique de I, 19, 2 (Marcion traité de
Antoninianus haereticus).

– illius scilicet dei euangelio, qui et hoc cecinit de praedicationibus eius : « *In omnem terram exiit sonus eorum et in*
15　*terminos orbis uerba eorum* [b]. »

3. « *Inuisibilis Dei imaginem* [c] » ait Christum. Sed nos
enim inuisibilem dicimus Patrem Christi, scientes Filium
semper retro uisum, si quibus uisus est, in Dei nomine, ut
imaginem ipsius ; ne quam et hinc differentiam scindat dei
20　uisibilis et inuisibilis, cum olim dei nostri sit definitio :
« *Deum nemo uidebit et uiuet* [d]. » **4.** Si non est Christus
« *primogenitus conditionis* [e] », ut sermo Creatoris, *per* quem
omnia facta sunt et sine quo *nihil factum est* [f], si non « *in
illo condita sunt uniuersa in caelis et in terris, uisibilia et*
25　*inuisibilia, siue throni siue dominationes siue principatus siue
potestates* [g] », si non « *cuncta per illum et in illo sunt
condita* [g] » – haec enim Marcioni displicere oportebant –,
non utique tam nude posuisset Apostolus : « *Et ipse est ante
omnes* [h]. » Quomodo enim ante omnes, si non ante omnia ?

---

13 hoc *M Kroy.* : haec β *edd. cett.* ‖ 16 sed : et *coni. R₂* ‖ 18 est *M R₃* :
om. γ *R₁R₂* ‖ 19 hinc : hic *M*ᵃᶜ ‖ 21 deum *R₁*ᵐᵍ *Pam. Rig.* : dominum ϑ *Gel.
Oeh. Kroy. Evans* ‖ 25 siue dominationes *iter. M*ᵃᶜ ‖ siue principatus *om.*
γ ‖ 27 oportebant *Mγ Kroy.* : -bat *edd. cett. a R*

b. Ps 18, 5　c. Col 1, 15a　d. Ex 33, 20　e. Col 1, 15b　f. Jn 1, 3
g. Col 1, 16　h. Col 1, 17

1. Il s'agit bien sûr du Créateur dont T. va citer une prophétie psalmique. Par là est réintroduit le thème majeur du livre (accord de Paul avec
le dieu de l'AT).
2. Texte déjà cité en III, 22, 1 (t. 3, p. 187, n. 5) et repris dans la conclusion de IV (43, 9). A noter ici une variante rédactionnelle : *uerba* (au lieu de
uoces). Généralement *eorum* est compris des apôtres ; c'est encore le cas ici
où la formule introductive *de praedicationibus eius (traditionis)* suggère qu'on
comprenne les auteurs de cette prédication dans le pronom masculin *eorum*.
3. Des versets 15-17 auxquels T. passe maintenant, Marcion n'avait
conservé que deux expressions : « image du dieu invisible » (15a) et « il est
avant tous » (17a) pour qualifier son Christ. Elles vont être examinées suc-
cessivement, en un commentaire qui rejette l'interprétation marcionite.
4. Rappel de la théorie courante aux IIᵉ et IIIᵉ siècles du Christ Verbe
qui manifeste aux hommes le Père, dieu invisible. La proposition de but *ne*

dieu [1] qui a fait aussi, concernant les prédications de celle-ci, la prophétie suivante : « *En toute terre s'en est allé leur bruit, et aux extrémités du monde leurs propos* [b2]. »

Deux expressions qui, dans un texte mutilé, conviennent au seul Christ du Créateur

3. L'Apôtre dit que le Christ est « *l'image du dieu invisible* [c3] ». Mais c'est nous en effet qui disons invisible le Père du Christ, sachant que le Fils a toujours été vu dans le passé, s'il a été vu de quelques-uns, au nom de Dieu, comme étant son image, afin de ne creuser, par là aussi, aucune différence entre Dieu visible et Dieu invisible, puisque, depuis longtemps, la définition de notre dieu est : « *Personne ne verra Dieu et vivra* [d4]. » **4.** Si le Christ n'est pas « *le Premier-né de la création* [e] », en sa qualité de Verbe du Créateur, lui *par qui ont été faites toutes choses et sans* qui *rien n'a été fait* [f], si ce n'est pas « *en lui* qu'a été créée l'universalité *des choses dans les cieux et sur les terres, les visibles et les invisibles, que ce soit les Trônes, ou les Dominations ou les Principautés ou les Puissances* [g] », si ce n'est pas « *par lui et en lui* qu'a été créée la totalité *des choses* [g] » – voilà bien en effet des termes qui devaient déplaire à Marcion [5] ! – l'Apôtre assurément n'aurait pas posé, avec autant de transparence, l'affirmation que voici : « *Et il est, lui, avant tous* [h6]. » Comment en effet est-il avant tous s'il n'est pas

quam ... inuisibilis vise sans doute la prétention de Marcion à opposer son « dieu invisible », qui s'est révélé en Jésus-Christ, au Créateur, « dieu visible », qui s'est manifesté dans les théophanies de l'AT.

5. Structuré par la triple anaphore de *si non*, le contenu des versets 15b et 16 supprimés par Marcion (cf. HARNACK, p. 122* et SCHMID, p. I/341) est rappelé et commenté de façon à faire apparaître l'inconséquence de l'hérétique : l'affirmation, claire et sans voile, de Paul sur l'antériorité absolue du Christ n'a de sens que par le maintien de toutes les précisions qu'on trouve dans le texte « catholique ». La parenthèse apporte une ironique explication de la mutilation infligée au passage.

6. Comme la Vg, T. entend dans la formule un masculin. Les interprètes modernes voient en πρὸ πάντων un neutre (*BJ* : « il est avant toutes

30 Quomodo ante omnia, si non *primogenitus conditionis* [e], si
    non sermo Creatoris ? Vnde ante omnes probabitur fuisse
    qui post omnia apparuit ? Quis scit priorem fuisse quem
    esse nesciit ?

    5. Quomodo item boni duxit « *omnem plenitudinem in*
35 *semetipso habitare* [i] » ? Primo enim, quae est ista plenitudo,
    nisi ex illis, quae Marcion detraxit, « *conditis in Christo in*
    caelis et in terris [j] », angelis et hominibus, nisi ex illis inuisi-
    bilibus et uisibilibus [j], nisi ex thronis et dominationibus et
    principatibus et potestatibus [j] ? Aut si haec pseudoapostoli
40 nostri et Iudaici euangelizatores de suo intulerint, edat ple-
    nitudinem dei sui Marcion, qui nihil condidit. Ceterum
    quale est, ut plenitudinem Creatoris aemulus et destructor
    eius in suo Christo habitare uoluerit ?

    Cui denique « *reconciliat omnia in semetipsum, pacem*
45 *faciens per crucis suae sanguinem* [k] », nisi quem offenderant
    uniuersa, aduersus quem rebellauerant per transgressionem,
    cuius nouissime fuerant ? Conciliari enim extraneo possent,

---

34 item *M*γ *edd. a Pam.* : autem *R Gel.* ‖ 35 est *M*sl ‖ 39 pseudoapos-
toli *R₁R₂ Kroy.* : pseudo apostoli *M*γ   pseudapostoli *edd. cett. a R₃* ‖ 40
edat *Kroy. Evans* : et ad *codd. edd. cett.* ‖ 41 dei sui *M edd. a Rig.* : sui dei
β *Gel. Pam.* ‖ condidit. ceterum *dist. edd. a Kroy.* : condidit, ceterum *edd.*
cett. ‖ 46 uniuersa *coni. R₁ rec. Kroy. Evans* : una ipsa ϑ *Gel. Pam. Rig.* ‖
47 nouissime *MX coni. R₁R₂ rec. R₃* : nouisse *F R₁R₂*

---

i. Col 1, 19   j. Col 1, 16   k. Col 1, 20

---

choses » ; *TOB* : « et il est, lui, par-devant tout »). Notre auteur a-t-il subi
l'influence d'un *Marcion latinus* ? Par ailleurs c'est une valeur purement
temporelle qu'il donne à *ante*.

    1. L'opposition « tous » / « tout » qui rejoint les versets supprimés par
Marcion, paraît bien s'inspirer de l'histoire de la création selon la *Genèse*
(les choses du monde ont précédé les êtres vivants).

    2. Pour disqualifier le Christ de Marcion, T. utilise à nouveau le thème
de la révélation tardive (au temps de Tibère), qui fait même qu'on a ignoré
longtemps son existence. Les deux interrogatives, qui ferment le développement, se colorent d'une forte ironie.

    3. Cf. HARNACK, p. 122* et SCHMID, p. I/342.

avant tout[1] ? Comment est-il avant tout s'il n'est pas *Premier-né de la création* ᵉ, s'il n'est pas Verbe du Créateur ? Par quelle voie prouvera-t-on qu'il a été avant tous, celui qui est apparu après toutes choses ? Sait-on qu'il a été le premier, celui dont on n'a pas su l'existence[2] ?

« Plénitude » et « réconciliation » n'ont de sens que par rapport au Créateur

5. Comment, de même, a-t-il jugé bon de « *faire habiter en lui-même toute la plénitude* ᶦ³ » ? Première-ment[4], en effet, quelle est cette pléni-tude sinon celle des êtres que Marcion a retranchés (du texte), « *qui ont été créés dans le Christ, aux cieux et sur les terres* ᶦ » – les anges et les hommes –, sinon celle de ces réalités invisibles et visibles ᶦ, sinon celle des Trônes, des Dominations, des Principautés, des Puissances ᶦ⁵ ? Ou alors, si ces indications ont été introduites de leur cru par nos faux apôtres et nos évangélistes judaïsants[6], que Marcion produise la plénitude de son dieu qui n'a rien créé ! D'ailleurs, la plénitude du Créateur, quelle absurdité y-a-t-il que le rival et destructeur de celui-ci ait voulu la faire habiter dans son Christ !

Avec qui enfin « *réconcilie-t-il toutes choses en lui-même, en faisant la paix par le sang de sa croix* ᵏ⁷ », sinon avec celui que toutes choses, dans leur ensemble, avaient offensé, contre lequel elles s'étaient révoltées par une transgression, auquel, pour finir, elles avaient appartenu ? Elles auraient pu être mises dans la faveur d'un maître étranger, mais remises en

---

4. A cet adverbe qui introduit le premier argument – retour sur une mutilation du texte par Marcion – répondra imparfaitement *ceterum* qui, *infra*, introduit le second argument – absurdité que le dieu suprême fasse appel à la « plénitude » de son rival.

5. La triple anaphore de *nisi ex* souligne le caractère oratoire de cette phrase qui restitue à nouveau ce que Marcion a retranché (cf. § 4).

6. Argument habituel de l'hérétique pour se justifier d'avoir expurgé le NT de toutes les additions judaïsantes.

7. Cf. Harnack, p. 122* et Schmid, p. I/342 (et discussion de ce texte, p. 96). Il paraît bien que, pour T., le sujet est « le dieu de Marcion ».

reconciliari uero non alii quam suo. **6.** Ita et nos quondam
« *alienatos et inimicos sensu in malis operibus* [1] » Creatori
50　redigit in gratiam, cuius admiseramus offensam colentes
conditionem aduersus Creatorem [m].

Sicubi autem et ecclesiam corpus Christi dicit esse – ut hic
ait adimplere se reliqua pressurarum Christi « *in carne pro
corpore eius, quod est ecclesia* [n] » –, non propterea et in
55　totum mentionem corporis transferens a substantia carnis.
Nam et supra reconciliari nos ait « *in corpore eius per mortem* [o] » – utique in eo corpore, in quo mori potuit, per carnem mortuus est, non per ecclesiam, plane propter ecclesiam
corpus commutando pro corpore, carnale pro spiritali.

60　　**7.** At cum monet cauendum a subtililoquentia et philosophia, ut inani seductione, quae sit « *secundum elementa
mundi* [p] », non secundum caelum aut terram dicens, sed
secundum litteras saeculares et « *secundum traditionem* [p] »

54-57 quod est ecclesia — eius per mortem *R* : *iter.* Mγ *nonnullis uarian-
tibus lectionibus* ‖ 54 ecclesia Mγ(*loc. 2*) *edd. a Gel* : in ecclesia Mγ(*loc. 1*)
R ‖ non propterea Mγ(*loc. 1*) *R* : sed non prospere Mγ(*loc. 2*) ‖ 55 trans-
feres *ex* transferens *M*(*loc. 1 et 2*) ‖ 56-57 per mortem Mγ(*loc. 2*) R_2R_3 :
morte Mγ(*loc. 1*) R_1 ‖ 57 *post* potuit *dist. Kroy.* : *post* per carnem *edd. cett.*
‖ 58 est : et *Kroy.* ‖ 60 at *F R* : ad *M*　atque *X* ‖ 61 ut : et *Ciaconius*

---

l. Col 1, 21　m. Cf. Rm 1, 25　n. Col 1, 24　o. Col 1, 22　p. Col 2, 8

1. Argument tiré du préfixe *re-* qui permet d'opposer *conciliare / recon-
ciliare.*

2. T. s'inspire du texte sans le suivre à la lettre (passage de *vous* à *nous*) :
cf. HARNACK, p. 122* et SCHMID, p. I/342.

3. Cf. *supra* 5, 4.

4. A propos des versets 22 et 24 qui vont être cités dans l'ordre inverse,
la réflexion de T. prend un autre tour et s'oriente vers la polémique contre
le docétisme de Marcion. Celui-ci est accusé de donner uniformément au mot
« corps » un sens qui évacue toute idée de « réalité charnelle ». L'opposition
des deux expressions « Église corps du Christ » et « dans le corps du Christ
par sa mort » fait clairement apparaître les notions différentes qui sont liées
au même terme. C'est ce qu'explicite le commentaire de T.

5. Passant au chapitre 2 de la lettre, T. en retient d'abord la mise en
garde contre la philosophie qu'il avait citée, explicitement, dans *Praes.* 7, 7

faveur, elles ne peuvent l'être auprès d'aucun autre que de leur maître propre [1]. **6.** C'est ainsi que nous aussi, qui autrefois étions devenus « *des étrangers et des ennemis en pensée dans des œuvres mauvaises* [12] », il nous ramène dans la grâce du Créateur envers qui nous avions commis une offense en rendant un culte à la créature contre le Créateur [m 3].

Corps et substance charnelle — D'autre part, s'il arrive aussi à l'Apôtre, quelque part, de dire que l'Église est le corps du Christ [4] – comme ici où il dit qu'il parachève ce qui manquait aux épreuves du Christ « *dans sa chair en faveur du corps de celui-ci qui est l'Église* [n] » –, ce n'est pas pour autant aussi que, dans la totalité des cas où est mentionné le corps, tu opèreras un transfert pour écarter le sens de « substance charnelle ». Car précédemment aussi, il dit que nous sommes réconciliés « *dans le corps du Christ par sa mort* [o] » – assurément le Christ est mort dans le corps dans lequel il a pu mourir, par la chair et non par l'Église : mais il est vrai que c'est à cause de l'Église, en changeant un corps pour un corps, un corps charnel pour un corps spirituel.

Face à la vérité chrétienne, l'hérésie de Marcion s'est nourrie de philosophie païenne — **7.** Mais lorsque l'Apôtre nous avertit [5] d'avoir à prendre garde à la subtilité de langage [6] et à la philosophie, comme à un vain leurre qui est « *selon les éléments du monde* [p] », disant par là qu'elles ne sont pas selon le ciel ou la terre, mais selon les lettres du siècle et « *selon la tradition* [p] » – évidemment celle des hommes au

---

et qui a toujours constitué un des axes de ses combats contre les hérésies. Ici il n'en donne qu'une paraphrase.

6. Ce terme, qu'on ne rencontre que dans ce passage, est apparemment une création de T., ainsi que l'adjectif *subtililoquus* (qui est un hapax). Il ne correspond pas à un mot du texte grec ; et πιθανολογία (v. 4), qui signifie « discours persuasif », n'en est pas l'équivalent. Le mot est né du besoin de notre auteur de déprécier la ratiocination des philosophes.

– scilicet hominum subtililoquorum et philosophorum –,
65 longum est quidem et alterius operis ostendere hac sententia omnes haereses damnari, quod omnes ex subtililoquentiae uiribus et philosophiae regulis constent. Sed Marcion
principalem suae fidei terminum de Epicuri schola agnoscat,
deum inferens [nec] hebetem, ne timeri eum dicat, collocans
70 et cum deo Creatore materiam de Porticu Stoicorum, negans
carnis resurrectionem, de qua proinde nulla philosophia
consentit. **8.** Cuius ingeniis tam longe abest ueritas nostra,
ut et iram Dei excitare formidet et omnia illum ex nihilo
protulisse confidat et carnem eandem restituturum repro-
75 mittat, et Christum ex uulua uirginis natum non erubescat,
ridentibus philosophis et haereticis et ethnicis ipsis. « *Stulta*
enim *mundi elegit Deus, ut confundat sapientes* q » – ille sine
dubio, qui ex respectu huius suae dispositionis perditurum
se sapientiam sapientium praeminabatur r. Hac simplicitate
80 ueritatis contraria subtililoquentiae et philosophiae nihil
peruersi possumus sapere.

---

66 ex *M edd. a B* : et β ‖ 67 constent *M R* : -tet γ ‖ 68 schola *R* : scola
*M*γ ‖ 69 deum *F Kroy.* : dominum *MX edd. cett. a R* ‖ nec *om. edd. a R₂*
‖ ne *R₂R₃* : nec *M*γ *R₁* ‖ eum dicat *M Rig. Kroy.* : dicat eum β *edd. cett.* ‖
76 hethnicis *M* ‖ 79 hac β : hanc *M* ‖ 80 et *R* : est *M*γ

---

q. 1 Co 1, 27   r. Cf. Is 29, 14

---

1. Cette longue explication, qui prend en compte certains éléments du
texte – cf. HARNACK, p. 122*-123* et SCHMID, p. I/342 – est surtout destinée à éclairer l'expression « selon les éléments du monde », qui se réfère
aux lettres profanes et à la philosophie païenne.

2. Démonstration esquissée dans *Praes.* et reprise à l'occasion de chaque
hérésie particulière.

3. Sur ce propos essentiellement polémique, cf. t. 1, note complémentaire 20, p. 310-312, à propos de I, 25, 3.

4. Affirmation vigoureuse des principaux dogmes chrétiens qui sont
l'objet de contestation et prétendus « déraisonnables ».

langage subtil et des philosophes [1] –, il serait long, à vrai
dire, et relèverait d'un autre ouvrage, de montrer que cette
pensée porte condamnation de toutes les hérésies parce
qu'elles tirent toutes consistance des forces de la subtilité de
langage et des doctrines de la philosophie [2]. Mais Marcion,
lui, qu'il reconnaisse comme venant de l'école d'Épicure le
point primordial de sa foi : il introduit un dieu torpide par
peur de le dire objet de crainte, il fait aussi cohabiter avec
le Dieu Créateur une matière tirée du portique des Stoïciens,
il nie la résurrection de la chair à propos de laquelle pareillement aucune philosophie ne donne son accord [3]. **8.** De ses
inventions notre vérité se tient si éloignée qu'elle redoute de
provoquer la colère de Dieu, qu'elle a l'assurance que toutes
choses ont été produites par lui du néant, qu'elle promet le
rétablissement, par lui, de cette même chair, et qu'elle ne
rougit pas d'un Christ né de la vulve d'une vierge, malgré
les rires des philosophes, des hérétiques, et des païens eux-
mêmes [4] ! « *Car c'est la folie du monde que Dieu a choisie
pour confondre les sages* [q] » – ce Dieu sans aucun doute qui
avait en vue cette sienne disposition quand il menaçait
d'avance de perdre la sagesse des sages [r][5]. C'est cette simplicité de la vérité, tout opposée à la subtilité de langage et
à la philosophie, qui fait que, de notre part, aucune perversité [6] de pensée n'est possible.

5. Cf. *supra* 5, 5, ainsi que *ad loc.*, n. 11. Le texte d'*Isaïe*, que Marcion
avait conservé, a été souvent rappelé dans les trois derniers livres de *Marc.*
On reconnaît ici la base scripturaire du fameux paradoxe de T.

6. L'adjectif *peruersus* est une qualification habituelle de l'hérésie et des
hérétiques.

9. Denique si nos Deus « *cum Christo uiuificat donans delicta nobis* [s] », non possumus credere ab eo donari delicta, in quem admissa non fuerint, ut retro ignotum. Age iam,
85 cum dicit : « *Nemo uos iudicet in cibo et potu et in parte diei festi et neomeniae et sabbati, quae est umbra futurorum, corpus autem Christi* [t] », quid tibi uidetur, Marcion ? De lege iam non retractamus, nisi quod et hic quemadmodum exclusa sit, edocet, dum scilicet de umbra transfertur in cor-
90 pus – id est de figuris ad ueritatem – quod est Christus. Ergo et umbra eius, cuius et corpus, id est et lex eius et Christus. Segrega alii deo legem et alii deo Christum, si potes aliquam umbram ab eo corpore, cuius umbra est, separare : manifeste legis est Christus, si corpus est umbrae.

---

83 donari delicta *M Kroy.* : delicta donari β *edd. cett.* ‖ 91 lex *edd. ab Vrs.* : lux ϑ *Gel. Pam.* ‖ *post* eius[2] *add.* cuius *Kroy. Evans   uide adnot.* ‖ 92 segrega *R* : -at *Mγ*

---

s. Col 2, 13   t. Col 2, 16-17

---

1. Citation accommodée, avec passage à la 1re pers. du plur. et changement du temps du verbe (cf. HARNACK, p. 123* et SCHMID, p. I/342). En *Res.* 23, 2, le même passage de Col est cité avec exactitude. Notre traduction s'est attachée à rendre de façon précise l'expression *cum Christo uiuificat* (συνεζωοποίησεν σὺν αὐτῷ).
2. Argument polémique, tiré une fois de plus de la révélation tardive du dieu marcionite.
3. T. suit le texte de Marcion qui ne diffère en rien du texte « catholique ». Nous préférons traduire *corpus* littéralement. La *TOB* rend par : « mais la réalité relève du Christ », et la note *b*, qui indique la traduction littérale, explique qu'il y a ici un double emploi du mot *corps*, pour désigner la réalité qui s'oppose à la figure d'une part, et le corps du Christ comme réalité eschatologique (dans sa double référence au Ressuscité et à

Le Christ n'est pas plus séparable de la Loi que le corps de l'ombre

9. Enfin, si Dieu nous « *vivifie de concert avec le Christ en nous faisant remise de nos péchés* [s 1] », nous ne pouvons pas croire que celui qui fait remise des péchés est un dieu envers qui ils n'ont pas été commis, puisque inconnu dans le passé [2]. Eh bien maintenant, lorsque l'Apôtre dit : « *Que personne ne vous critique dans le cas de nourriture et de boisson, ni en matière de jour de fête, de nouvelle lune et de sabbat : c'est l'ombre des choses à venir ; mais le corps relève du Christ* [t 3] », que t'en semble, Marcion ? Nous ne reprenons plus l'examen de la Loi, sauf que, ici aussi, l'Apôtre enseigne de quelle façon elle a été supprimée : par le fait évidemment qu'elle est transférée de l'ombre au corps – c'est-à-dire des figures à la vérité – ce qu'est le Christ. C'est donc que l'ombre relève de celui dont relève aussi le corps, c'est-à-dire que relèvent de lui et la Loi et le Christ [4]. Mets à part pour un dieu la Loi et pour un autre dieu le Christ si tu es capable de séparer une ombre du corps dont elle est l'ombre ! Manifestement le Christ appartient à la Loi si le corps appartient à son ombre [5].

l'Église). C'est le premier sens que T. s'applique à expliciter au profit de sa démonstration : l'Apôtre n'a prêché qu'un dieu, le Créateur.

4. La conjecture de Kroymann (addition de *cuius* après *eius*), adoptée par Evans, n'est cependant pas indispensable : *eius*, reprenant *eius* de la proposition précédente, désigne évidemment le dieu de l'AT. Le tour avec le double sujet (*et lex ... et Christus*) et l'ellipse du verbe *sunt* est plus vigoureux que celui de la lecture de Kroymann ; il manifeste en outre une recherche stylistique de dissymétrie.

5. Exploitée au maximum, la métaphore fait apparaître l'indissolubilité des deux Alliances. C'est un défi triomphant lancé contre Marcion et son entreprise insensée.

95   **10.** Si autem et aliquos taxat, qui ex uisionibus angelicis
dicebant cibis abstinendum ᵘ – « *Ne attigeris, ne gustaue-*
ris ᵛ » – « *uolentes in humilitate* ʷ » sensus incedere, « *non*
tenentes caput ʷ », non ideo legem et Moysen pulsat, quasi
de angelica superstitione constituerit interdictionem quo-
100   rundam edulium. **11.** Moysen enim a Deo accepisse legem
constat. Denique hanc disciplinam – « *secundum praecepta,*
inquit, *et doctrinam hominum* ˣ » – deputauit in eos, qui
caput non tenerent ʷ, id est [in] ipsum, in quo omnia recensentur, in Christum ad initium reuocata ʸ, etiam indifferen-
105   tia escarum.

Cetera praeceptorum ᶻ, ut eadem, satis sit iam alibi
docuisse quam a Creatore manarint, qui, cum uetera prae-

---

99 interdictionem *R* : -e *M*   in traditione *X*   in condicione *F* ‖ 103 in
om. coni. R₂ Iun. om. edd. a Rig. ‖ 104 in christum : christum *coni. R₂*
del. Kroy. Mor. uide adnot. ‖ 104-105 indifferentia *R₃* : in differentia *Mγ*
R₁R₂   differentia *Kroy.* ‖ 107 manarint *R₂R₃* : -rit *Mγ R₁*

u. Cf. Col 2, 18   v. Col 2, 21   w. Col 2, 18-19   x. Col 2, 22 ; cf. Mt 15,
9   y. Cf. Ep 1, 10   z. Cf. Col 3, 5 – 4, 6

1. Paraphrase de ce passage de la lettre : T. n'en reprend que certaines
expressions. Marcion voyait peut-être là une attaque indirecte contre les
interdits de la Loi. Notre auteur va justifier l'Apôtre en montrant, d'après
le contexte, que cette polémique ne concerne pas la Loi, mais un groupe
d'adversaires – hérétiques inspirés d'un judaïsme gnostique ? – éloignés de
la vraie foi de l'Église (cf. HARNACK, p. 123* et SCHMID, p. I/342).

2. T. reprend, en la soulignant, l'expression paulinienne qui est empruntée
à Is 29, 13 (cf. Mt 15, 9). Le sing. *doctrinam* – habituellement *doctrinas* – s'explique par la désinvolture dont notre auteur est coutumier dans ses citations.

3. Nouvelle reprise de la métaphore paulinienne, liée à la conception du
Christ comme « tête » de l'Église : cf. Ep 4, 15-16.

4. Rappel de la notion de « récapitulation » (cf. *supra* 17, 1). T. évite le
terme technique et recourt aux expressions latines qui sont équivalentes.
Comme l'a bien vu Evans, la conjecture de Kroymann, qui supprime *in*
Christum, ne se justifie pas contre le témoignage de la tradition unanime.
L'expression *in Christum ad initium reuocata* est une apposition à *omnia*
et sert à préciser la notion, un peu difficile, de « récapitulation ».

La mise en garde contre des interdits alimentaires ne vise pas la Loi

10. Si d'autre part aussi l'Apôtre s'en prend à quelques-uns qui disaient, à la suite de visions angéliques, qu'il fallait s'abstenir de nourritures [u] – « *N'y touche pas, n'y goûte pas* [v] *!* » –, gens qui voulaient cheminer « *en humiliant les sens* [w] », gens « *qui n'étaient pas attenants à la Tête* [w1] », ce n'est pas pour autant qu'il attaque la Loi et Moïse, comme si ce dernier avait établi l'interdiction de certains mets d'après un culte superstitieux des anges. **11.** Que Moïse a reçu de Dieu la Loi, c'est, en effet, chose établie. En fin de compte, la règle ici en question – « *selon des commandements et une doctrine d'hommes* [x2] », dit-il –, il l'a attribuée à des gens qui n'étaient pas « *attenants à la Tête* [w3] », c'est-à-dire à celui-là même en qui toutes choses reviennent à leur origine, étant ramenées dans le Christ à leur commencement [y4], même par l'indifférenciation des aliments [5].

Revêtir l'homme nouveau

Quant au reste de ses commandements [z6], vu qu'ils sont identiques [7], qu'il suffise d'avoir déjà montré ailleurs combien ils sont une émanation du Créateur, lui qui, au

---

5. Le mot *indifferentia* – attesté depuis Aulu-Gelle – dont T. a un autre emploi (*Iei.* 10, 3), est resté un vocable rare. Nous le comprenons comme un ablatif. L'auteur veut évoquer le retour aux origines de toutes choses, même les nourritures qui, comme c'est le cas à leur création, ne comportent plus les différences et les discriminations introduites au cours de l'histoire – notamment par certains interdits légaux. En posant des interdictions alimentaires, les adversaires combattus ici par Paul ont méconnu ce retour aux origines et se sont écartés de la vraie foi dans le Christ.

6. Comme l'ont bien vu Pamélius et, après lui, HARNACK (p. 123*), T. vise maintenant la dernière partie de Col qui est une parénèse faite des « préceptes généraux de vie chrétienne » *(BJ)* ; Marcion l'avait conservée pour l'essentiel.

7. T. veut dire que ces préceptes ne diffèrent pas de ceux des lettres précédentes, notamment de ceux de Ep (cf. *supra* 18, 6-11) dont la proximité avec l'enseignement de l'AT a été montrée par de multiples rapprochements de textes.

dicaret transitura noua facturus uniuersa [aa], mandans etiam :
« *Nouate uobis nouamen nouum* [bb] », iam tum docebat
110   « *expone*re *ueterem hominem et nouum indue*re [cc] ».

XX. 1. Cum praedicationis enumerat uarietatem, quod
alii ex fiducia uinculorum eius audentius sermonem enun-
tiarent, alii per inuidiam et contentionem, quidam uero et
per sermonis existimationem, plerique ex dilectione, non-
5   nulli ex aemulatione, iam aliqui et ex simultate Christum
praedicarent [a], erat utique uel hic locus taxandi ipsius praedicationis de diuersitate sententiae, quae tantam efficeret
etiam animorum uarietatem. Sed causas solas animorum,

---

110 exponere : deponere R_3 *Gel. Pam. Rig. Oeh.*
ad colossenses explicit M ad philippenses M^{mg} de epistola ad philippenses β
XX. 1 uarietatem *edd. a* R_2 : uerit- M_Y R_1 ‖ 2 audentius R *edd. cett.* :
audien- M_Y *Rig.* ‖ 4 sermonis M R : -nes γ boni *Iun.* ‖ 5 simultate R_3 :
simulate M_Y R_1R_2 simultate *uel* simulato *coni.* R_1R_2 ‖ 6 taxandi M_Y R_1 :
-dae *edd. a* R_2 *uide adnot.* ‖ 7 tantam : -um M^{ac}

---

aa. Cf. Is 43, 19 bb. Jr 4, 3 cc. Col 3, 9-10 ; cf. Ep 4, 22-24
XX. a. Cf. Ph 1, 14-17

1. Cf. I, 20, 4 ; III, 5, 3, etc.
2. Cf. I, 20, 4 ; IV, 1, 6.
3. Ainsi est souligné, en conclusion, l'accord total entre le précepte du
Créateur et celui de l'Apôtre que Marcion prétend porte-parole d'un
« autre » dieu.
4. T. paraphrase, en style indirect, quatre versets du premier chapitre,
consacré par Paul à sa situation personnelle : cf. HARNACK, p. 124*-125*
(en note) et SCHMID, p. I/343. Cette paraphrase obscurcit le propos de
l'Apôtre dans la mesure où la variété des sujets *(alii ... alii ... quidam ... plerique ... nonnulli ... aliqui)* paraît multiplier les catégories de propagandistes
de la foi : en réalité, le texte paulinien distingue deux groupes seulement,
ceux qui ont en vue la prédication de l'évangile par esprit de charité et avec
des motifs purs, et ceux qui agissent par rivalité à son égard, pour rendre
sa captivité plus pénible. Cette dichotomie entre les « sincères » et les
« hypocrites » ne ressort pas de la paraphrase de T. – L'expression *per sermonis existimationem* glose le terme grec de εὐδοκία, sans complément, que

moment où il prédisait que les choses anciennes passeraient, se disposant à les faire neuves toutes [aa1], allait jusqu'à mander ceci : « *Renouvelez-vous en un renouvellement nouveau* [bb2] », et par là, enseignait déjà alors à « *déposer l'homme ancien et revêtir le nouveau* [cc3] ».

IX. LA LETTRE AUX PHILIPPIENS

La diversité des prédications ne concerne pas le domaine doctrinal de la foi au Christ du Créateur

XX. 1. Lorsque l'Apôtre dénombre les formes diverses de prédication – les uns, dit-il, par la confiance que leur donnaient ses chaînes, annonçaient la Parole avec plus de hardiesse, d'autres prêchaient le Christ par envie et par rivalité, mais certains aussi par estime de la Parole, un bon nombre par amour, quelques-uns par jalousie et enfin d'autres par esprit de compétition [a4] – c'était justement alors, pour sûr, l'occasion de critiquer [5] la prédication elle-même comme comportant une diversité de positions doctrinales capable de produire même une si grande variété d'états d'esprits. Mais en présentant, au titre de la diversité, les seules motivations de ces états d'esprits,

la Vg rend par *bona uoluntas*. – Emploi unique, chez T., de *simultas* (qui est synonyme de *contentio* employé *supra*).

5. Littéralement : « c'était ici le lieu de critiquer... ». L'ensemble des mss conservés, et la première édition de Rhenanus portent *taxandi* qu'il convient de rétablir contre la correction *taxandae* de R_2R_3 généralement adoptée. L'emploi du gérondif génitif (et non de l'adjectif verbal) avec le génitif du nom (type *copia lucis tuendi*) relève du latin archaïque et a été repris par les archaïsants Fronton, Aulu-Gelle, Apulée, Arnobe et les Juristes : cf. LHS, p. 374-375 (§ 203 I A). Quoique Hoppe ne mentionne pas ce tour chez notre auteur, il n'y a pas de raison valable de ne pas l'admettre ici, sur la foi des manuscrits unanimes et dans un passage de style personnel.

non regulas sacramentorum in diuersitate proponens, unum
10 tamen Christum et unum eius deum quocumque consilio
praedicatum confirmat et ideo : « *Nihil mea*, inquit, *siue
causatione siue ueritate Christus adnuntietur* [b] », quia unus
adnuntiabatur siue ex causatione siue ex ueritate fidei.
2. Ad fidem enim praedicationis rettulit mentionem uerita-
15 tis, non ad regulae ipsius, quia una quidem erat regula, sed
fides praedicantium quorundam uera, id est simplex, quorundam nimis docta. Quod cum ita sit, apparet eum
Christum praedicatum, qui semper adnuntiabatur. Nam si
alius longe ab Apostolo induceretur, fecisset diuersitatem
20 nouitas rei. Nec enim defuissent qui praedicationem euan-
gelicam nihilominus in Christum Creatoris interpretarentur,
cum et hodie maior pars sit omnibus in locis sententiae nostrae quam haereticae. Quo nec hic Apostolus de diuersita-

---

12 causatione β : -es *M* ‖ ueritate : -es *M*ac ‖ 13 ex causatione *M*² *R₂R₃* :
excusatione *M*γ *R₁* ‖ 17 nimis *R₂R₃* : animis *M*γ *R₁* ‖ docta : suspecta *coni.*
R₁ ‖ 20 nouitas rei *coni. R₁R₂ rec. R₃* : non ita spei *M*γ *R₁R₂* ‖ nec : ne *Gel.*
Pam. Rig.

---

b. Ph 1, 18

---

1. Poursuivant son analyse, T. exclut des divergences évoquées par
l'Apôtre le domaine des vérités doctrinales, ce que marque ici l'expression
regulas sacramentorum (sorte d'équivalent de ce qu'il appelle habituellement *regula fidei* ou *regula ueritatis*) : sur cette valeur doctrinale de *sacramentum, -ta* désignant les vérités révélées de la religion, cf. notre *Deus
christ.*, p. 440. Par cette exclusion, T. rejoint d'ailleurs l'interprétation des
commentateurs modernes pour qui il ne s'agit pas ici des judaïsants de Ph 3,
2-3 et 18-19 (cf. dans la *TOB*, la note *v ad loc.*).

2. Est citée comme confirmation l'exclamation de l'Apôtre (après *mea*
sous-entendre *refert*). Le mot *causatio* (plus précis que *causa* de la phrase
précédente) traduit πρόφασις (qui signifie normalement « prétexte »).
La Vg rend le détail par *per occasionem ;* la *TOB* traduit par « arrière-
pensées ».

non les règles des doctrines religieuses [1], il confirme que l'objet de la prédication, quel qu'en soit le dessein, c'est toutefois un seul Christ et un seul dieu de ce Christ. Et c'est pourquoi il dit : « *Aucune importance pour moi que le Christ soit annoncé par motivation personnelle ou dans la vérité* [b 2] *!* » Car c'était un seul Christ qui était annoncé, par l'effet soit d'une motivation personnelle, soit de la vérité de la foi. **2.** En effet, la mention de la vérité, il l'a rapportée à la foi de la prédication, et non à la foi en la règle doctrinale elle-même, parce que, à vrai dire, il n'y avait qu'une seule règle doctrinale tandis que la foi de certains agents de la prédication était véritable, c'est-à-dire simple, mais celle de certains trop savante [3]. Puisqu'il en est ainsi, il est clair que le Christ objet de la prédication est bien celui qui, de tout temps, était annoncé [4]. Car si celui qui était introduit était un autre Christ, très éloigné de celui de l'Apôtre, la nouveauté de la chose aurait produit une diversité [5]. Et il n'aurait pas manqué de gens pour interpréter la prédication évangélique en la rapportant néanmoins au Christ du Créateur : car même aujourd'hui, en tous lieux, il y a plus de monde pour partager notre position doctrinale que celle des hérésies [6]. Ce qui fait que, ici non plus, l'Apôtre ne se serait pas abstenu, par son silence, de flétrir et vilipender la

3. Nouvelle affirmation par T., dans le commentaire du verset 18, qu'est exclu tout rapport avec la *regula fidei*. Mais l'explication qu'il propose – l'Apôtre viserait une foi « trop savante », opposée à une foi « simple » – paraît bien spécieuse.

4. C'est-à-dire le Christ du Créateur, qui a été annoncé dès le début de l'AT.

5. Reprise de la polémique contre la thèse fondamentale de Marcion sur la révélation d'un « autre dieu », d'un « dieu nouveau ».

6. Argument intéressant, qui repose sans doute sur une vue exacte : au début du IIIe siècle, les fidèles de la « grande Église » sont plus nombreux que les adeptes des diverses hérésies chrétiennes.

tis denotatione et increpatione tacuisset. Ita, cum diuersitas
25 ne taxatur quidem, nouitas non probatur.

3. Plane de substantia Christi putant et hic Marcionitae
suffragari sibi Apostolum, quod phantasma carnis fuerit in
Christo, cum dicit quod « *in effigie Dei constitutus non rapinam existimauit pariari Deo, sed exhausit semetipsum*
30 *accepta effigie serui* » – non ueritate – et « *in similitudine
hominis* » – non in homine – « *et figura inuentus homo* ᶜ »
– non substantia, id est non carne, **(4.)** quasi et non figura et
similitudo et effigies substantiae quoque accedant. **4.** Bene
autem quod et alibi Christum « *imaginem Dei inuisibilis* ᵈ »
35 appellat. Numquid ergo et hic, qua « *in effigie* » eum
« *Dei* ᶜ » collocat, aeque non erit Deus Christus uere, si nec
homo uere fuit in effigie hominis constitutus ? Vtrubique

27 sibi apostolum M *Kroy.* : apostolum sibi β *edd. cett.* ‖ 28-29 rapinam
R : -a Mγ ‖ 29 exhausit *coni.* R₂ *rec.* R₃ : et haec sit MF R₁R₂ et et haec sit
X haec sic *uel* sed *coni.* R₁ ‖ 32 et non : non et *edd. a* R₃ *(sed cf. Löfstedt,
Sprache, p. 46)* ‖ 34 christum R₃ : -ti Mγ R₁R₂ ‖ 36 deus *edd. a Pam.* : dei
MX R Gel. om. F ‖ uere R₂R₃ : -o Mγ R₁ ‖ 37 utrubique M : utrubique
β *edd. uide adnot.*

c. Ph 2, 6-7   d. Col 1, 15

1. Comme il l'a fait pour ce qui s'est passé à Corinthe et en Galatie (cf.
TOB, n. *v*, p. 592).
2. Phrase conclusive bien martelée, avec parallélismes et sonorités en
écho. Marcion avait-il cherché une preuve de la *nouitas* de son dieu et de
son Christ en invoquant ce passage de Paul sur la *uarietas praedicationis* ?
C'est possible, quoique T. ne le dise pas précisément.
3. Au moment d'aborder ce passage capital de la lettre, que constitue
l'hymne au Christ, T. en souligne l'importance aux yeux de ses adversaires.
Il le fait en mettant en cause non plus le seul Marcion, mais l'ensemble de
ses adeptes – mentionnés *supra* en 3, 7 et 8, 2. Il est vrai que ce passage
constituait la base de la christologie marcionite : cf. HARNACK, p. 126*, qui
se réfère à Jean Chrysostome et à Eznik.
4. Conformément à son habitude, T. insère dans sa citation scripturaire
les commentaires exégétiques, ici ceux de ses adversaires. Quelle était sa
source ? Un *apostolicon* comportant des gloses ? Un passage des *Antithèses* ?
Des informations orales, provenant de discussions avec ses adversaires ?
Autant d'hypothèses non démontrables ! Sur le texte marcionite, qui ne

diversité [1]. Ainsi, comme il ne critique même pas de diversité, il n'y a pas la preuve d'une nouveauté [2].

Contre l'interprétation docète de la kénose

3. C'est certain, concernant la réalité substantielle du Christ, les marcionites [3] pensent qu'ici aussi l'Apôtre leur apporte son suffrage pour affirmer la présence dans le Christ d'un fantôme de chair, quand il dit que « *lui qui est établi en forme de Dieu, il n'a pas considéré comme une proie sa parité avec Dieu, mais il s'est vidé de lui-même, ayant pris la forme d'un esclave* » – non sa vérité –, et « *en ressemblance de l'homme* » – non en homme – « *et par sa figure il fut trouvé homme* [c] » – et non par sa substance, c'est-à-dire : et non par la chair [4]. (**4.**) Comme si la figure et la ressemblance et la forme n'étaient pas, aussi bien, des attributs de la réalité substantielle [5] ! **4.** Mais c'est une bonne chose qu'ailleurs aussi il appelle le Christ « *image du dieu invisible* [d][6] ». Serait-ce donc que, ici aussi, puisque l'Apôtre le place « *en forme de Dieu* [c] », le Christ de pareille façon ne sera pas véritablement Dieu si, étant établi en forme d'homme, il n'a pas été non plus véritablement homme [7] ? Car c'est des deux côtés [8]

s'écartait pas du « catholique », cf. HARNACK, p. 125*-126* et SCHMID, p. I/343 (ainsi que p. 50-51 sur les variantes de traductions latines).

5. Reprenant en ordre inversé les trois termes retenus par ses adversaires pour étayer leur thèse, T. répond d'abord par une sorte de haussement d'épaules. Dans tout le passage, *substantia* désigne la réalité corporelle, opposée à l'apparence, notion dont se réclamait la christologie docète.

6. Avant de développer son argumentation, tirée du parallélisme entre « en forme de Dieu » et « en ressemblance de l'homme », T. introduit un quatrième terme, senti comme équivalent, « image », en rappelant la formule de Col 1, 15 (cf. *supra* 19, 3) : défini comme « *image* du dieu invisible », le Christ n'en est pas moins véritablement dieu.

7. Présenté en une interrogation rhétorique, l'argument fait valoir que ce qui est admis pour la divinité du Christ – les marcionites l'admettaient totalement – doit l'être aussi pour son humanité.

8. La leçon de *M*, *utrubique*, mérite d'être rétablie : cf. III, 4, 4 (t. 3, p. 68, l. 28 de l'apparat critique).

enim ueritas necesse habebit excludi, si effigies et similitudo
et figura phantasmati uindicabuntur. Quodsi in effigie et in
40 imagine, qua filius [in] Patris, uere Deus, praeiudicatum est
etiam in effigie et imagine hominis, qua filium hominis, uere
hominem inuentum. **5.** Nam et « *inuentum* [c] » ratione
posuit, id est certissime hominem. Quod enim inuenitur,
constat esse. Sic et Deus inuentus est per uirtutem, sicut
45 homo per carnem, quia nec morti subditum pronuntiasset [e]
non in substantia mortali constitutum. Plus est autem, quod
adiecit : « *Et mortem crucis* [f] ». Non enim exaggeraret atro-
citatem extollendo uirtutem subiectionis, quam imaginariam
phantasmate scisset, frustrato potius eam quam experto nec

---

39 uindicabuntur *M Kroy.* : -bitur β *edd. cett.* ‖ 40 in *om.* R_2R_3 ‖ deus,
praeiudicatum *edd. ab Oeh.* : dei praeiudicatus *MF R*   dei praedicatus *X Gel.*
Pam. Rig. uide adnot. ‖ 41 etiam : et iam *F R_1* ‖ in *coni.* R_1 *rec.* R_2R_3 : ne
Mγ R_1 ‖ filium *Braun* : filius ϑ *edd. cett. uide adnot.* ‖ 44 sic et ... sicut :
sicut ... sic et *Kroy.*   sicut ... sicut *Eng.* ‖ 47 crucis R_3 : -cem *Mγ R_1R_2* ‖ exaggeraret *Lat. Oeh. Kroy. Evans* : -rat ϑ *Gel. Rig. uide adnot.* ‖ 48 extollendo
M R : et toll- γ ‖ subiectionis R_3 : collectionis *Mγ R_1R_2 B^{mg}* afflictionis *coni.*
R_2 colluctationis *coni. Eng. ex euang. Lucae* 22, 44 *rec. Kroy. uide adnot.*
‖ 49 phantasmate ϑ : in phantasmate *Kroy.*   phantasmati *Mor. uide adnot.*

---

e. Cf. Ph 2, 8a-b   f. Ph 2, 8b-c

1. Habilement T. accule ses adversaires à nier la divinité de leur Christ,
comme ils nient en lui la chair humaine.
2. T. développe son argumentation en reprenant le binôme « Fils de
Dieu (ou « du Père ») » / « Fils de l'homme » qui reprend à ses yeux la
double nature, divine et humaine, du Christ. Il utilise aussi le terme
« image » qu'il a introduit dans l'explication comme équivalent de ceux que
les marcionites mettent en cause. Ce passage, aux nombreuses ellipses, a été
défiguré dans la tradition manuscrite. La correction de Oehler *(praeiudicatum)* l'a rendu intelligible. Mais, dans la proposition infinitive – de *in
effigie ... homine* à *inuentum* –, il paraît nécessaire de corriger *filius hominis* en *filium hominis :* l'altération en *filius* s'explique naturellement comme
suite logique de la bévue du copiste qui avait lu *praeiudicatus est.*
3. Rebondissement de l'argumentation : l'emploi de « trouvé » au v. 7
est invoqué contre l'interprétation docète.

qu'il sera nécessaire d'exclure la vérité si on revendique forme, ressemblance, figure pour un fantôme [1]. Or si le Christ, en forme et en image, est véritablement Dieu parce que fils du Père, c'est là même une conjecture, qu'il a été trouvé véritablement homme, en forme et image d'homme, parce que Fils de l'homme [2]. **5.** Car c'est avec raison que l'Apôtre a mis « *trouvé* [c] » homme, c'est-à-dire homme de la façon la plus certaine [3]. De ce qu'on trouve, en effet, l'existence est assurée. Ainsi le Christ est-il trouvé Dieu par sa puissance de la même façon qu'il est trouvé homme par sa chair [4] ; car l'Apôtre ne l'aurait pas déclaré non plus soumis à la mort [e] s'il n'était pas établi en une substance mortelle. Mais il y a plus, c'est qu'il a ajouté : « *Et la mort de la croix* [f] ». Il n'amplifierait pas [5] en effet l'atrocité de cette mort, pour exalter la puissance de sa soumission [6], s'il avait su celle-ci imaginaire, un fantôme [7] ayant trompé plutôt

4. Nouveau parallèle entre « divinité » et « humanité » du Christ. Sur *uirtus*, qui revient dans tout ce passage avec son sens de « force surnaturelle, productrice de miracles », caractéristique de la divinité, cf. *Deus Christ.*, p. 106 s.

5. La correction de Latinius (*exaggeraret*), au lieu de *exaggerat* des mss et des éditions de Rhenanus, est justifiée par le sens (rapport avec *scisset*) et l'erreur de lecture s'explique aisément. Les derniers éditeurs l'ont admise.

6. Nous comprenons le tour comme un datif de but ; mais on pourrait y voir aussi un ablatif (« en exaltant », etc.). En outre, nous nous résignons à admettre la leçon *subiectionis* que R_J a substituée à celle des précédentes éditions et des mss : *collectionis*. Avec son sens habituel de « rassemblement », « réunion », ce terme ne saurait convenir ici. On a cherché à retrouver le mot qu'il aurait défiguré. Engelbrecht, que suit Kroymann, propose de lire *colluctationis* : le mot, antérieur à T. (cf. Lc 22, 44), se lit aussi en *Virg.* 11, 6, dans un sens métaphorique. Il désignerait ici le « combat corps à corps » contre la Mort. Cette restitution est séduisante, mais reste malgré tout incertaine.

7. Il n'est pas nécessaire de corriger le texte transmis (<*in*> *phantasmate* chez Kroymann, *phantasmati* chez Moreschini). Il suffit d'admettre que *phantasmate*, placé avant *scisset* en une hyperbate expressive (notre auteur aime ce genre de figures), est le sujet de l'ablatif absolu *frustrato ... experto ... functo*.

50 uirtutem functo in passione sed lusu.

6. Quae autem retro lucri duxerat [g], quae et supra nume-
rat – gloriam carnis in nota circumcisionis, generis Hebraei
ex Hebraeo censum, titulum tribus Beniamin, Pharisaeae
candidae dignitatem [h] –, haec nunc detrimento sibi deputat [g],
55 non deum, sed stuporem Iudaeorum. Haec et si stercora
existimat, prae comparatione agnitionis Christi [i], non prae
reiectione Dei creatoris, « *habens iustitiam non suam* iam,
quae ex lege, sed quae per ipsum » – scilicet per Christum –,
« *ex Deo* [j] ». – « Ergo », inquis, « hac distinctione lex non
60 ex deo erat Christi. » Subtiliter satis. Accipe itaque subtilius.

---

50 uirtutem : -e R_2R_3 ‖ 51 duxerat, quae : duxerat ? quae *dist. Kroy.* ‖ 52
in nota *M*γ R_1 *Kroy.* : notam *edd. cett. a* R_2 ‖ 53 censum : censu *coni.* R_1 ‖
54 nunc *Iun. Kroy.* : non *M*γ R_1 modo *edd. cett. a* R_2 ‖ 55 et si stercora
M Kroy. : existere cor γ R_1 et stercora *coni.* R_1 *rec.* R_2 ac si stercora *edd.*
cett. a R_3 ‖ 58 per christum *M Kroy.* : christum β *edd. cett.*

---

g. Cf. Ph 3, 7   h. Cf. Ph 3, 5   i. Cf. Ph 3, 8   j. Ph 3, 9

---

1. Ou « une illusion » ? On pourra rapprocher cet emploi de *lusus* ici de
celui que T. fait de *illusor* en IV, 35, 7 (cf. t. 4, p. 435, n. 5). Par là on rejoint
le thème polémique des « jongleries », *praestigiae* de Marcion : cf. t. 3,
p. 110, n. 3 et p. 215, n. 6.
2. T. passe maintenant aux versets du chapitre 3, où Paul oppose, en
termes vifs, son état présent d'adepte du Christ au judaïsme militant de son
passé. Il n'est pas douteux que Marcion voyait là une preuve du passage de
l'Apôtre à un « autre » dieu. Notre auteur va lui montrer qu'il outrepasse
et altère par là la signification du texte : cf. HARNACK, p. 126* et SCHMID,
p. I/343-344.
3. Revenant en arrière, T. reprend, en une paraphrase personnelle de style
ampoulé, quelques éléments des versets 4 et 5. La préposition *in* (dans *in*
nota) marque, comme souvent dans la langue postclassique, la circonstance
concomitante. Sur le sens métaphorique de *candida* (= *dignitas, fastigium*) cf.
HOPPE, *S.u.S.*, p. 221 : combiné avec *dignitas*, le mot crée ici une hyperbole.
4. Reprise malicieuse du terme *stupor*, qui a été utilisé en I, 8, 1 pour
dénoncer l'orgueil stupide des marcionites vantant la « nouveauté » de leur
dieu.

qu'éprouvé la mort, et ayant déployé sa puissance non pas
en une passion, mais en un jeu [1].

**Dénigrer ce qui fait
la gloire des juifs
n'est pas rejeter
leur dieu**

6. D'autre part, ce que l'Apôtre avait tenu pour un gain dans le passé [g][2], et qu'il énumère plus haut – la gloire d'une chair avec la marque de la circoncision, l'origine d'une

race d'Hébreu fils d'Hébreu, le titre de la tribu de Benjamin,
la dignité du prestige pharisien [h][3] – tout cela maintenant, il
l'estime comme une perte pour lui [g] : il ne parle pas du dieu
des juifs, mais de leur stupidité [4] ! Et s'il considère tout cela
comme ordures, c'est en regard de l'acquisition [5] de la
connaissance du Christ [i], et non du rejet du Dieu créateur :
« (l'Apôtre) *a une justice qui n'est* plus *sienne, provenant de
la Loi, mais qui, par 'lui'* » – le Christ évidemment – « *provient de Dieu* [j][6] ». – « Donc, dis-tu [7], cette distinction fait
que la Loi n'était pas venue du dieu du Christ [8] ! » – Voilà
qui est bien subtil [9] ! Reçois en conséquence une réponse

5. Sur ce sens de *comparatio* – venant du verbe *comparare* « se procurer » –, qui est défini comme *acquisitio*, cf. *TLL*, III, col. 2005, l. 51 s. T.
a des emplois de ce sens : ainsi en *Res.* 41, 3 *(c. mercedis)*. Cet emploi s'explique d'autant mieux ici qu'il s'intègre aux vues de l'Apôtre sur ses gains
(lucrum) et ses pertes *(detrimentum)*. Il paraît inutile de supposer, comme
fait Pamélius, le sens inhabituel de *praestantia* pour « coller » au texte scripturaire (« suréminence »).

6. Ici T. suit à la lettre le texte adopté par Marcion qui, au lieu de τὴν
διὰ πίστεως Χριστοῦ, τὴν ἐκ Θεοῦ, lisait τὴν διὰ αὐτοῦ (τὴν) ἐκ Θεοῦ :
cf. HARNACK, p. 126* et SCHMID, p. 120 (la leçon marcionite ne se rencontre nulle part ailleurs), ainsi que p. I/344.

7. Ici commence un court dialogue de style diatribique avec l'adversaire – *i.e.* Marcion ou le marcionite. Ce sera le dernier de l'ouvrage.

8. L'objection marcionite est-elle supposée par T. dans son argumentation ? Ou Marcion l'avait-il formulée dans une glose ? Aucun élément du
texte ne permet de répondre à ces questions.

9. Il faut sous-entendre *dictum*. Le reproche de T. renvoie à la condamnation que l'Apôtre a prononcée contre la *subtililoquentia* : cf. *supra* 19, 7-8.

Cum enim dicit : « *Non quae ex lege, sed quae per ipsum* [i] »,
non dixisset per ipsum de alio, quam cuius fuit lex.

7. « *Noster*, inquit, *municipatus in caelis* [k]. » Agnosco
ueterem ad Abraham promissionem Creatoris : « *Et faciam*
65 *semen tuum tamquam stellas in caelo* [l]. » Ideo et « *stella a*
stella differt in gloria [m]. » Quodsi Christus adueniens de caelis « *transfigurabit corpus humilitatis nostrae conformale cor-*
pori gloriae suae [n] », resurget ergo corpus hoc nostrum,
quod humiliatur in passionibus, et in ipsa lege mortis in ter-
70 ram deiectum. Quomodo enim transfigurabitur, si nullum
erit ? Aut si de eis dictum, qui in aduentu Dei deprehensi in
carne demutari habebunt, quid facient qui primi resurgent [o] ? Non habebunt de quo transfigurentur ? Atquin
« *cum illis*, dicit, *simul rapiemur in nubibus obuiam*

---

65 et stella *M edd. a Pam* : stella β *Gel.* ‖ 67 transfigurabit R_2R_3 *edd.*
cett. : -auit Mγ R_1 *Oeh.* ‖ 69 in[2] *om. Ciaconius* ‖ 71 dei ϑ : domini *Kroy.*
Mor. uide adnot. ‖ 72 demutari *Lat. Kroy. Evans* : depu- ϑ *Gel. Pam. Rig.*
Oeh.

ad philippenses explicit *M* ad philemonem *M*[mg] de epistola ad philemonem β

---

k. Ph 3, 20　l. Gn 22, 17　m. 1 Co 15, 41　n. Ph 3, 21　o. Cf. 1 Th 4,
15-16 ; 1 Co 15, 51-53

---

1. Plaisamment, T. affecte de surenchérir en *subtililoquentia* et abandonne la *simplicitas* qui est la règle ordinaire de ses explications.

2. Après une reprise abrégée du propos de Paul, qui se limite à l'opposition de la Loi et du Christ, la réponse « subtile » de T. repose sur l'emploi, pour désigner le Christ, du pronom *ipse*. L'explication qu'il en donne
s'appuie sur un usage de la langue courante où ce pronom sert très habituellement à désigner le maître de maison – également le maître dans une
école philosophique : cf. *TLL*, VII, 2, col. 344, l. 14 s. Il en allait de même
en grec pour αὐτός (cf. *DELG, s.v.*).

3. T. passe directement aux versets 20-21 dont il va tirer des observations sur le rapport avec la promesse du Créateur et sur la résurrection du
corps. Le verset 20 a été souvent cité par lui, avec des variantes dans la traduction : cf. III, 24, 3 ; il utilise d'abord le terme grec – πολίτευμα – avant
de l'expliquer par *municipatus* (cf. SCHMID, p. 52).

plus subtile encore [1]. Quand l'Apôtre dit : « *Non pas qui provient de la Loi, mais qui provient, par lui* [j] », il n'aurait pas dit « par lui » d'un autre que de celui à qui appartenait la Loi [2].

Citoyenneté céleste et résurrection des corps

7. « *A nous,* dit-il, *notre citoyenneté est dans les cieux* [k][3].* » Je reconnais là l'ancienne promesse du Créateur à Abraham : « *Et je ferai ta semence comme les étoiles dans le ciel* [14].* » C'est pour cela aussi qu'« *une étoile diffère d'une étoile en gloire* [m][5].* » Or si le Christ, à son avènement du haut des cieux, « *doit transfigurer le corps de notre humilité en conformité au corps de sa gloire* [n][6] », c'est donc que ce corps-ci – le nôtre – ressuscitera, lui qui a été humilié dans les souffrances et, au titre de la loi même de la mort, jeté à l'abandon en terre. Comment en effet sera-t-il transfiguré s'il ne doit plus être ? Ou alors si ces mots concernent les hommes qui, trouvés encore vivants à l'avènement de Dieu [7], auront à être transformés, que feront ceux qui ressusciteront les premiers [o][8] ? Ils n'auront pas de quoi être transfigurés ? Et pourtant « *c'est avec eux,* dit l'Apôtre, *que nous serons emportés ensemble dans*

---

4. Cf. III, 24, 7 où le même texte de Gn est cité comme preuve de la « promesse céleste » du Créateur – contre la thèse marcionite d'un Créateur ne promettant aux siens qu'un règne terrestre –, également en IV, 34, 14.

5. Texte cité en *Res.* 49, 5 ; 52, 13 et *Scorp.* 6, 7.

6. Cité aussi en *Res.* 47, 15 et 55, 11. Le texte marcionite ne s'écarte pas du « catholique » : cf. HARNACK, p. 126* et SCHMID, p. I/344. Sur *conformale* que T. présente régulièrement (Vg : *configuratum*), cf. SCHMID, p. 52.

7. Nous pensons que l'accord des mss et des éditions anciennes doit garantir la leçon *Dei* contre la correction, certes facile, en *Domini*, que propose Kroymann. Une telle correction n'est pas indispensable. Evans ne l'admet pas non plus.

8. T. reprend une problématique déjà plusieurs fois examinée : cf. *supra* 10, 4 et 12, 2-3.

75 *Domino* p. » Si cum illis sublati, utique cum illis et transfigurati.

XXI. 1. Soli huic epistolae breuitas sua profuit, ut falsarias manus Marcionis euaderet. Miror tamen, cum ad unum hominem litteras factas receperit, quid ad Timotheum duas et unam ad Titum de ecclesiastico statu compositas recu-
5 sauerit. Adfectauit, opinor, etiam numerum epistolarum interpolare.

2. Memento, inspector, quod ea, quae praetractata sunt retro, de Apostolo quoque probauerimus, et si qua in hoc

---

XXI. 3 hominem : -um *M*ᵃᶜ ‖ quid : quod *Oeh. Kroy. Evans* ‖ 7 ea quae *M coni. R₁ rec. R₂R₃* : aeque γ *R₁* ‖ praetractata : re- *coni. R₁R₂* per- *Pam. Rig.* ‖ 8 qua *MX R₂R₃* : quam *F R₁*

---

p. 1 Th 4, 17

---

1. Cf. *supra* 15, 4. La communauté de sort des deux groupes prouve que l'interprétation marcionite, indiquée juste avant, n'est pas tenable.

2. L'ellipse des verbes au futur donne plus de force aux participes dans cette phrase de conclusion qui finit sur le mot essentiel.

3. Reprise du thème polémique dominant – Marcion mutilateur des Écritures – et de son expression métaphorique la plus frappante (cf., en dernier lieu, *supra* 18, 1). Mais l'exactitude du renseignement est admise par HARNACK, p. 127*, qui en rapproche la déclaration identique de JÉRÔME dans la préface de son *Commentaire sur Philémon*.

4. L'argument est tiré de la minceur de ce « billet à Philémon », comparé à l'intérêt beaucoup plus large – puisqu'elles concernent l'organisation interne des églises – des trois lettres que l'on appelle maintenant « pastorales ». T. ne se pose aucune question sur l'authenticité de ces dernières.

5. Reprise, dans ce coup de boutoir, d'une idée déjà exprimée à la fin du prologue de notre livre : *litteras ... mutilatas etiam de numero* (V, 1, 5).

les nuées à la rencontre du Seigneur [P][1]. » Si nous devons être enlevés avec eux, avec eux aussi, à coup sûr, nous aurons été transfigurés [2].

X. LA LETTRE À PHILÉMON
ET LE REJET DES TROIS « PASTORALES »

XXI. 1. Seule cette lettre a tiré profit de sa brièveté pour échapper aux mains falsificatrices de Marcion [3]. Toutefois je me demande avec étonnement pourquoi, ayant reçu dans son canon une lettre faite pour un seul homme, il a récusé deux lettres à Timothée et une à Tite, composées sur le sujet de l'organisation ecclésiastique [4]. Il s'est piqué, j'imagine, d'interpoler même le nombre des lettres [5] !

ÉPILOGUE

2. Toi mon réviseur [6], souviens-toi que, des points préalablement traités dans ce qui précède, nous avons tiré des preuves à partir de l'Apôtre aussi, et que, si quelques autres

---

6. Emploi de *inspector* au lieu de *lector* utilisé jusque-là dans le cours de l'ouvrage (trois exemples). Ce terme marque une lecture attentive et critique, d'où notre traduction par « réviseur ». T. s'en est servi aussi, avec la même intention, en *An.* 10, 5 (Waszink, éd. *An.*, p. 67, traduit par « Inspizient »). Par cet appel à son lecteur, l'auteur va conclure son livre en affichant son autosatisfaction d'avoir accompli pleinement son programme de réfutation de l'hérétique.

opus dilata erant expunxerimus, ne aut hic superuacuam
10 existimes iterationem, qua confirmauimus spem pristinam,
aut illic suspectam habeas dilationem, qua eruimus tempori
ista. Si totum opusculum inspexeris, nec hic redundantiam
nec illic diffidentiam iudicabis.

---

10 spem : rem *Eng. Kroy.* ‖ 11 tempori *Kroy.* : tempora *MX R* tempore *coni. R₂R₃ Iun. rec. Evans uide adnot.* ‖ 12 ista : ipsa *F Oeh.*

aduersus marcionem liber quintus explicit *M* explicit liber quintus aduersus marcionem *F* subscriptio deest in *X*

---

1. La rallonge de la phrase, très rhétorique, fait jouer le binôme *hic* (au livre V) / *illic* (aux quatre livres précédents) : elle vise à justifier l'auteur de ce qui pourrait paraître redites (dans un cas), dérobades (dans l'autre).

2. Nous préférons admettre, avec Moreschini, la correction *tempori* (*tempora* dans *MXR*). Evans admet la correction *tempore* de *R₂R₃*, mais sa traduction « at lenght » n'est pas convaincante. *Tempus*, normalement, ne désigne pas la durée, mais le temps ponctuel, le moment précis, l'occasion (comme καιρός en grec).

avaient été renvoyés au présent livre, nous nous en sommes maintenant acquitté : je le dis pour que tu n'ailles pas [1], ici, estimer superflue une réitération qui nous a fait confirmer notre espoir de jadis, ou là, tenir pour suspect un renvoi à plus tard qui nous a fait soustraire ces questions à leur moment [2]. Si tu révises la totalité de l'ouvrage, tu ne condamneras ni, en tel point, redondance ni, en tel autre, défiance de soi [3].

3. Cette remarque finale montre le souci de T. de se justifier à deux titres : 1) d'avoir été souvent long et répétitif dans ce livre ; 2) d'avoir esquivé, dans les précédents, des matières dont l'issue était, pour lui, douteuse. Écrivain épris de concision, avocat sûr de soi et de sa cause : tels sont les deux aspects sous lesquels il se révèle lui-même dans la conclusion du plus volumineux de ses traités antihérétiques.

INDEX
des livres IV et V

Avertissement liminaire

Les chiffres romains renvoient aux livres, les chiffres arabes respectivement aux chapitres et aux paragraphes. Il ne nous a pas paru nécessaire de signaler les récurrences d'un lemme dans un même paragraphe ; le plus souvent, en cas de répétition, nous l'indiquons simplement par *passim*.

Dans l'index I (scripturaire) du livre V, le signe* sert à distinguer les citations explicites des autres – implicites ou allusions –, qui sont de loin les plus nombreuses. En plus des chiffres de la numérotation habituelle, les références scripturaires comportent, le cas échéant, des lettres minuscules qui différencient les divers passages d'un même verset.

Par souci de cohérence avec les livres précédents, nous nous sommes conformé à l'ordre traditionnel des Lettres de Paul, que Marcion avait modifié dans son *apostolicon*. Pour les *Psaumes*, seule est donnée la numérotation grecque et latine.

Pour l'index II (noms propres) du livre V et l'index III (terminologique et grammatical) des livres IV et V, les lettres « sc » entre parenthèses indiquent que le lemme appartient à une citation scripturaire. Cet index II comporte aussi les adjectifs dérivés des noms propres. En ont été écartés bien sûr les noms théologiques chrétiens – comme *Deus*,

Christus, Iesus, etc. – qui sont rattachés à l'Index terminologique et grammatical, comme pour les livres précédents.

Ce dernier a voulu, sans prétendre à l'exhaustivité, donner une image du vocabulaire de l'auteur, de ses innovations
lexicologiques, de ses tours syntaxiques. Des noms théologiques, comme de certains autres termes, ne sont présentés
que des exemples des expressions les plus notables.

Par ailleurs sont notés les hapax *legomena* (= hap.), les
lexèmes propres à Tertullien (= T), ceux qui apparaissent
dans la langue avec lui (= Tp) ; la majuscule U (abréviation
de *Unicum*), enfin, signale les emplois qui ne se rencontrent
pas dans le reste de son œuvre (nous avons compté pour
Unicum l'occurrence répétée du mot dans le même passage,
ainsi que celle commune à deux *loci gemelli*).

Deux index terminent ce travail : l'Index analytique des
livres IV et V et enfin, ainsi qu'il était annoncé dans le t. 3
de notre ouvrage, p. 307, un Index des noms d'auteurs
antiques cités dans les notes – infrapaginales, critiques (en
italique) et complémentaires (en italique et en gras) – pour
les cinq livres. Pour cet index, les nombres donnés pour
chaque référence correspondent au tome et à la page de la
note.

I. INDEX SCRIPTURAIRE

II. INDEX DES NOMS PROPRES

Pilatus   V, 6, 8
Saul   V, 1, 6
Solomon   V, 9, 10-11 ; 9, 13
Timotheus   V, 3, 5 ; 21, 1
Titus   V, 3, 2 ; 3, 3 (sc) ; 21, 1

2. Noms ethniques
et géographiques

Aegyptus   V, 13, 6
Damasci   V, 18, 5
Ephesii   V, 11, 13 ; 17, 1
Galatae   V, 2, 1-2 ; 10, 11 ;
   12, 9
Graecus   V, 3, 3 (sc) ; 5, 8
   (+ sc) ; 13, 2 (sc) ; 17, 1
Hebraei   V, 20, 6
Hebraeus   V, 20, 6
Hierosolyma   V, 3, 1
Hierusalem   V, 2, 5 (sc) ; 4, 3
   (sc) ; 15, 4
Israhel   V, 6, 2 ; 9, 12 (sc) ; 11,
   5 ; 14, 6 ; 15, 1 ; 17, 12 (+ sc) ;
   17, 13
Iudaea   V, 6, 10 (sc) ; 8, 4 ; 9,
   11
Iudaei   V, 3, 5 ; 4, 8 (sc) ; 5, 1 ;
   5, 8 (+ sc) ; 5, 9 ; 8, 4 ; 8, 12 ;
   9, 7 ; 11, 6 ; 11, 8-9 ; 13, 7 ; 13,
   15 ; 14, 7-8 ; 15, 1 ; 16, 3 ; 17,
   4 ; 17, 8-9

Iudaeus   V, 3, 5 ; 5, 7 ; 11, 7 ;
   13, 2 (sc) ; 13, 7 (+ sc)
Iudaicus   V, 5, 1 ; 17, 14-15 ;
   19, 5
Laodiceni   V, 11, 13 ; 17, 1
Marrucinus   V, 17, 4
Nabuthae   V, 11, 2
Niniuites   V, 11, 2
Ponticus (adj.)   V, 1, 2 ; 14,
   14 ; 17, 14
Romanus   V, 4, 5 ; 6, 8
Samaria   V, 18, 5
Sina   V, 4, 8 (sc)
Sion   V, 2, 5 (sc) ; 4, 3 (sc) ; 5,
   9 (sc) ; 6, 10 (sc)

3. Livres sacrés

Acta Apostolorum   V, 1, 6 ; 2,
   7 ; 3, 5
Ecclesiasticus   V, 4, 15 (sc)
Genesis   V, 1, 5 ; 11, 1

4. Mythologie
et religions païennes

Apollo   V, 7, 9 (sc)
Cephas   V, 7, 9 (sc)
Epicurus   V, 19, 7
Februariae   V, 10, 1
Kalendae   V, 10, 1
Stoici   V, 19, 7

III. INDEX TERMINOLOGIQUE
ET GRAMMATICAL

frequentia   IV, 14, 3 ; V, 4, 6
(+ sc)

fretum   IV, 20, 3

friuolus   IV, 29, 2

fructificatio   IV, 39, 16-17 (Tp)

frux   IV, 1, 4

fungi *(trans.)*   IV, 18, 8

gaza, orum (= gaza, ae)   IV,
28, 11

gehenna   IV, 28, 3 (sc) ; 28, 5
passim ; 29, 12 ; 30, 3

gemma   IV, 13, 4

generositas   IV, 5, 2 ; V, 4, 8

gens (unus)   IV, 1, 4 ; 11, 12 ;
33, 4 ; 36, 8 ; 39, 3 ; V, 9, 9

gentes (= τὰ ἔθνη)   IV, 6, 3 ;
11, 8 ; 16, 12 ; 29, 3 ; 31, 6 ;
31, 8 ; 39, 11 (sc) ; V, 3, 8
(sc) ; 9, 11 (sc) ; 15, 3 (+ sc) ;
17, 6 (sc)

gentilis   IV, 13, 7 ; V, 17, 14-15

germanus   IV, 3, 4

gestire (+ *inf.*)   IV, 2, 5 ; 20, 9

gloria   IV, 2, 1 ; 7, 13 ; 9, 9 ; 10,
1 (+ sc) ; 14, 6 ; 14, 13 (sc) ;
15, 6 ; 15, 9 ; 15, 11 (+ sc) ; 18,
2 ; 22, 3 ; 22, 5 ; 22, 15 (sc) ;
22, 16 ; 25, 4 ; 28, 11 ; 34, 17 ;
35, 11 ; 35, 15 ; 38, 10 ; 39, 11
(sc) ; V, 6, 4 *passim* ; 7, 11 ; 9,
12 (+ sc) ; 9, 13 ; 10, 4 ; 11, 5 ;
11, 8 ; 11, 11 ; 11, 14-15 ; 13,
11 ; 16, 2 (sc) ; 17, 4 (sc) ; 17,
5 (+ sc) ; 20, 6 ; 20, 7 (+ sc)

gloriari *(sens pronominal)*   IV,
7, 13 ; 15, 9 ; 15, 10 (+ sc) ; 28,
11 ; V, 5, 10 (+ sc) ; 6, 13
(+ sc) ; 13, 11

glorificare   IV, 1, 8 ; 18, 2

grabattus (ὁ κράβαττος)   V, 5, 10

gradus   IV, 2, 3 ; 9, 14 ; 16, 11 ;
29, 5 ; 37, 2 ; V, 1, 8 ; 10, 2 ;
16, 6

gratia   IV, 7, 7 ; 15, 15 ; 17, 1
(sc) ; 17, 7 ; 19, 7 ; 22, 2 ; 22,
4 ; 22, 14 (sc) ; 24, 7 ; 33, 4 ;
34, 1 (sc) ; 35, 11 ; V, 2, 4
(+ sc) ; 2, 6 ; 3, 11 ; 4, 4 ; 5,
passim ; 8, 4 ; 8, 7 ; 8, 11 ; 10,
16 ; 13, 10 (+ sc) ; 13, 11 ; 15,
5 ; 17, 11 ; 18, 1 ; 19, 6

gratias (agere)   IV, 25, 1 (sc)

haeresis   IV, 4, 3 ; 17, 2

habere (+ inf)   IV, 7, 3

habitare   IV, 7, 3 (sc)

hactenus   V, 11, 10

haeresis   V, 8, 3 ; 19, 1 ; 19, 7

haereticus   *(subst.)*   IV, 5, 7 ;
11, 4 ; 17, 12 ; 18, 4 ; 19, 6 ;
20, 8 ; 21, 10 ; 23, 8 ; 25, 3 ;
25, 10 ; 29, 10 ; 34, 14 ; 36, 5 ;
37, 3 ; V, 5, 7 ; 5, 10 ; 6, 5 ; 7,
4 ; 9, 1 ; 10, 1 ; 10, 7 ; 11, 13 ;
12, 9 ; 13, 2 ; 14, 7 ; 15, 2 ; 16,
1 ; 17, 9 ; 17, 16 ; 18, 1 ; 18, 3 ;
18, 10 ; 19, 8 – *(adj.)* IV, 6, 2 ;
10, 15 ; 11, 9 ; 25, 15 ; 35, 14 ;
42, 8 ; V, 1, 9 ; 3, 11 ; 19,
1-2 ; 20, 2

renuntiare (« annoncer, publier ») IV, 12, 3 ; 15, 7 ; 16, 2 ; 18, 7 ; 31, 5 ; 38, 1-2 ; 43, 2 ; V, 17, 4 – (« renoncer à ») V, 4, 15

rependere V, 6, 11

repercutere IV, 23, 2 ; V, 5, 7

repraesentare IV, 6, 4 ; 9, 7 ; 12, 15 ; 14, 13 ; 16, 5 ; 22, 9 ; 23, 7

repraesentatio IV, 10, 1 ; 13, 3 ; 25, 13 ; V, 12, 5

reprobare IV, 35, 14 ; 35, 15 (sc) (Tp)

reprobatio IV, 35, 14 (Tp)

reprobatrix IV, 36, 2 (hap.)

repromissio IV, 8, 4 ; 9, 3 ; 16, 5 ; V, 4, 8 (sc) ; 8, 4

repromissus IV, 11, 9

repromittere IV, 2, 3 ; 14, 7 ; 14, 10 ; 16, 6 ; 19, 5 ; 22, 9 ; 22, 15 ; 24, 9 ; 25, 5 ; 25, 17 ; 31, 1 ; 34, 14 ; 39, 6 ; 39, 12 ; V, 1, 5 ; 2, 5 ; 3, 12 ; 4, 8 (sc) ; 7, 1 ; 7, 14 ; 8, 7 ; 8, 12 ; 9, 2 ; 9, 6 ; 10, 3 ; 11, 4 ; 13, 1 ; 14, 9 ; 17, 6 ; 19, 8

repudiata IV, 34, 1 (hap.)

repudium IV, 11, 8 ; V, 7, 6-7

resignare IV, 10, 3

responsio IV, 2, 1 ; 28, 8 ; 38, 4 ; 38, 6

responsum V, 11, 11

respuere IV, 5, 2 ; 8, 5 ; V, 2, 7

restaurare IV, 6, 4

restituere IV, 10, 4 ; 12, 15 ; 35, 10 ; V, 3, 7 ; 19, 8

restitutio IV, 6, 3 ; 12, 11 ; 17, 2

resurgere IV, 43, 1 (sc) ; 43, 5 (sc) ; V, 7, 4 ; 9, 4 ; 10, 1 (sc) ; 10, 2 (sc) ; 10, 3 (+ sc) ; 10, 14 (+ sc) ; 12, 2 (sc) ; 13, 12 ; 15, 4 ; 20, 7

resurrectio IV, 21, 1 ; 31, 1 ; 34, 13 ; 38, 4-9 ; 43, 2 ; 43, 4-5 ; 43, 9 ; V, 7, 4 ; 9, 1 passim ; 9, 3 ; 9, 5 (sc) ; 10 passim (+ sc) ; 11, 16 ; 14, 5 ; 18, 9 ; 19, 7

resuscitare IV, 18, 2 ; 24, 3 ; V, 10, 14 ; 11, 15 ; 14, 5

retentio V, 3, 2 (Tp)

retorquere IV, 41, 1

retractare IV, 7, 1 ; 7, 10 ; 10, 13 ; 20, 13 ; 35, 5 ; 38, 7 ; 41, 1 ; V, 5, 1

retractatus V, 1, 1 ; 3, 6

retributio IV, 17, 9-10 ; 24, 5 ; 27, 7 ; 31, 1 ; V, 4, 14 ; 5, 8 ; 12, 5 ; 14, 13 (Tp)

retributor IV, 29, 11 ; V, 16, 1 (hap.)

retro (= antea) IV, 3, 1 ; 8, 1 ; 13, 4 ; 14, 6 ; 16, 13 ; 16, 17 ; 19, 7 ; 21, 6 ; 24, 6 ; 25, 5 ; 26, 13 ; 28, 2 ; 35, 1 ; 35, 6 ; 35, 11 ; 39, 18 ; 43, 8 ; V, 5, 1 ; 9, 4 ; 14, 9 ; 19, 9 ; 20, 6 ; 21, 2

***graeca uerba

IV. INDEX ANALYTIQUE

Ap(p)ellès (disciple déviant de Marcion) IV, 17, 12.

Bonté (prétendue absolue du dieu de Marcion) exclusive du Christ IV, 14, 2 – le Christ de Marcion la fonde par rapport à la rigueur du Créateur IV, 15, 5 – enseignement du Créateur IV, 16, 10 s. – balbutiante avant l'Évangile IV, 17, 2.

Christ issu de la race de David IV, 1, 8 ; 36, 13-14 ; 38, 10 – accomplissement de la Loi et des Prophètes IV, 2, 2 ; 16, 17 ; 22, 11 ; 40, 2 – espéré et annoncé par avance V, 17, 4 – électeur des apôtres IV, 3, 4 – son enseignement est en conformité avec le Créateur IV, 7, 7 s. ; 15, 13 ; 16, 2-10 ; 25, 7 s. ; 26, 11 ; 34, 7 ; 36, 2 – rédempteur des péchés IV, 10, 1.4 – des prophètes IV, 10, 9 ; 13, 1 s. ; 18, 2 s. ; 21, 5 ; 25, 6.14 ; 34, 15 ; 41, 2 – lumière, espoir et attente des nations IV, 11, 1 ; V, 6, 1 – en accord avec Jean IV, 11, 3 s. – « époux » IV, 11, 6 – adepte des paraboles IV, 11, 12 ; 19, 2 – porteur en lui du Dieu du sabbat IV, 12, 1 ; 16, 5 – homme Dieu IV, 12, 10 ; 14, 17 ; 19, 9 ; 36, 7 – annonciateur de la bonne nouvelle IV, 13, 1 – grand prêtre du Père IV, 13, 4 ; 35, 7-11 – légitime grand prêtre de Dieu V, 9, 9 – promet le royaume IV, 14, 7 ; 14, 14 ; 23, 3 ; 25, 18 ; 35, 10 ; 37, 3 – partage sa gloire avec Moïse et Élie IV, 22, 12 – le tout est son œuvre IV, 15, 7 – triomphateur des démons IV, 20, 4 ; 24, 10 – relais de Dieu IV, 24, 8 ; 27, 5 – son incohérence en apparence IV, 27, 1 ; 33, 1 – semblable à Dieu IV, 27, 1 ; 33, 9 ; V, 19, 3 – du dieu brûleur V, 16, 2 – interdit le divorce IV, 34, 1 s. ; 34, 5-6 ; V, 7, 6-7 – guérisseur des faiblesses et des maladies IV, 35, 5 – juif IV, 35, 16 – ignoré chez les juifs V, 11, 8 – a subi la passion IV, 41, 1 – « Dieu jaloux » IV, 41, 2 – fils de Dieu IV, 41, 4-5 ; 42, 1 – son père est invisible V, 19, 3 – roi IV, 42, 1 – juste entre les justes IV, 42, 4 – a annoncé la séparation entre l'ordre ancien et le nouveau V, 2, 1 – nécessité pour les Galates de croire en lui V, 2, 2 – hypostase de la divinité du Créateur V, 2, 7 – hypostase de l'Esprit V, 8, 4 – sa malédiction V, 3, 9-11 – descendance d'Abraham V, 4, 2 – a affranchi les hommes dans la Loi nouvelle V, 4, 9 – fin de la Loi V, 14, 7 – sa chair est véritable V, 4, 15 – nécessité de sa naissance d'une vierge, de sa croix et de sa mort pour prouver la folie et la faiblesse V, 5, 9-12 – garant de liberté par rapport à la discipline ancienne V, 3, 3-6 – Seigneur de la gloire V, 6, 5 – unique fondement du christianisme V, 6, 10 – illuminateur des ténèbres V, 7, 1 – notre pâque V, 7, 3 – les corps des hommes sont ses membres V, 7, 4-5 – constitué d'un corps V, 9, 4 – chef de l'homme V, 8, 1 – Seigneur et Sauveur des hommes V, 15, 7 – les charismes venant de lui, une fois monté au ciel V, 8, 5 – dispensateur des dons spirituels V, 8, 7 – fait obtenir la vie (et Adam la mort) V, 9, 5 – dernier Adam, esprit vivifiant V, 10, 7 – dieu à craindre V, 14, 14 – a construit son ascension aux cieux V, 15, 4 – pierre supérieure d'angle V, 17, 16.

Christ (du Créateur) IV, 3, 4 ; 10, 10 ; 11, 6 ; 12, 4 ; 18, 7 ; 21, 7 ; 22, 3 ; 28, 5 ; 35, 4 ; 38, 10 ; 39, 1 ; 42, 2 ; 43, 3-9 – doit dissiper les ténèbres du Créateur IV, 22, 3 – il n'est pas un « autre » dieu V, 2, 3 – a obtenu la gloire du règne V, 9, 13.

Christ (de Marcion) IV, 3, 4 ; 13, 5 ; 21, 12 ; 22, 3 ; 26, 1 ; 39, 14 ; 42, 5 – séparé du Créateur IV, 6, 1 ; 17, 13-14 ; paradoxe de sa fréquentation des mêmes lieux que celui du Créateur IV, 8, 2 – son importance IV, 9, 8 ; 20, 3 – Hercule de la mythologie IV, 10, 8 – il ne peut être aussi « fils de l'homme » IV, 10, 11.16 – fils d'homme IV, 10, 9 – son opposition avec le Créateur pour les promesses terrestres IV, 14, 8 – sa versatilité IV, 15, 1 ; 15, 6 ; 17, 11 – son inconséquence IV, 15, 1 – a mérité la honte IV, 21, 10-12 – prosopopée IV, 23, 1-2 – destructeur des Prophètes IV, 24, 3 – illuminateur des nations païennes IV, 25, 5-11 – porteur de feu et de divisions IV, 29, 12-14 – enseigne le contraire de Moïse du Créateur IV, 34, 3 – non encore révélé V, 8, 12 ; 9, 1 – seul détenteur de la grâce V, 13, 11.

Concordia IV, 24, 12.

Créateur ses propriétés naturelles (en opposition avec lui-même) IV, 1, 10 – garant de l'ordre IV, 11, 4 – a permis le renouvellement par le Christ des choses primitives IV, 11, 10 ; 14, 10 – défenseur des humbles IV, 14, 2 – dieu bon et justicier IV, 15, 4 ; 29, 7 ; 30, 4 ; 33, 4 ; V, 11, 4 – dieu jaloux et justicier V, 5, 8 – jaloux V, 7, 13 – juge V, 8, 3 ; 13, 2 – vengeur V, 13,

2 – exhorte à fuir les richesses IV, 15, 13 – seul Dieu IV, 18, 5 ; 34, 14 – s'est fait voir et entendre sur la montagne IV, 22, 7 – guide les fils d'Israël IV, 24, 2 – connu de tous IV, 25, 10 – connu avec ses mystères V, 6, 2 – propriétaire de l'homme IV, 32, 1 – n'a pas mis de limite au pardon IV, 35, 3 – dispose devant l'homme une alternative : malédiction et bénédiction V, 3, 9-11 – le Père, dispensateur de la grâce V, 4, 4 – source de toutes bénédictions V, 11, 1 – Père des miséricordes V, 11, 1 – Père de gloire V, 17, 5 – prône la glorification en Dieu seul V, 5, 10 et non en l'homme V, 6, 13 – maître des siècles et du temps V, 6, 3-5 – Dieu de toutes choses V, 7, 9 – à l'origine de toutes choses V, 17, 3 – parle en toutes langues (charisme) V, 8, 10 – dieu de ce siècle V, 11, 12 – dieu dont relève la Loi V, 13, 10 – il est le « dieu nouveau » de Marcion V, 14, 11 – il enverra l'Antichrist pour enfoncer dans l'erreur les incroyants V, 16, 5.

Croix folie ou puissance et sagesse V, 5, 5-7 ; 5, 9.

Crucifixion triomphe du Christ sur la mort IV, 20, 4 – malédiction dans l'AT IV, 21, 11 – la Passion IV, 40, 4.

Diable prince de la transgression V, 6, 6 – prince de l'empire de l'air V, 17, 7-8 – a connu Jésus lors de sa tentation V, 6, 7 – dieu de ce monde pour Tertullien V, 11, 11 ; 17, 9 – ourdisseur de machinations V, 18, 12.

Dieu père d'un fils qui est le Christ IV, 10, 6 ; 22, 8-12 ; V, 5, 3

met l'« évangile » du Créateur V, 2, 5 – a prophétisé une loi nouvelle V, 4, 3 ; 4, 6 – a prophétisé le Christ comme rocher de scandale V, 5, 9 – a prophétisé la découverte de trésors invisibles et cachés V, 6, 1 – a parlé du sage architecte, fondateur de la discipline divine V, 6, 10 – a prophétisé le rameau sur lequel reposera l'Esprit de Dieu V, 8, 4 – a parlé des sept Esprits V, 17, 5.

Jacob ses prophéties sur le fils et sur Paul V, 1, 5.

Jean prédit comme limite entre l'ordre ancien et l'ordre nouveau V, 2, 1 ; 8, 4 – les facilités de l'évangile supplantent les difficultés de la loi V, 3, 8 – a parlé de l'Antichrist V, 16, 4.

Jérusalem cité céleste des élus V, 15, 4.

Jésus ce nom n'était pas attendu par les juifs IV, 7, 10 s. – du Créateur IV, 10, 11 ; 39, 1 – de Marcion IV, 36, 8 – fils de David IV, 36, 9-12 ; 37, 1 – annoncé en David V, 1, 6 – Christ IV, 43, 3 ; 43, 9 – saint de Dieu venu pour la perdition des esprits mauvais V, 6, 7.

Josué type de Jésus-Christ IV, 13, 4-6 ; 20, 6.

Judaïsme le publicain, profane du j. IV, 11, 1 – Jean à la frontière du judaïsme et du christianisme IV, 33, 8 – Paul en détourne (selon Marcion) V, 1, 8 – la lettre d'opposition adressée aux Galates V, 2, 1 – incarne la servitude face à la liberté chrétienne V, 3, 5.

Juifs appellent les chrétiens nazaréens IV, 8, 1 – leur peuple a connu l'indulgence de Dieu IV, 10, 4 ;

16, 11 – ne voyaient en Jésus qu'un homme IV, 10, 13 – reconnus en bonne santé par le Christ IV, 11, 1-2 – auteurs de la haine contre Dieu IV, 14, 16 – leur iniquité IV, 15, 2 – les caractéristiques de la nation juive IV, 36, 8 – l'aveuglement du peuple juif IV, 36, 13 ; 41, 3 – persécution par eux des prophètes IV, 39, 9 ; V, 15, 2 – Pâque, leur fête IV, 40, 1 – mangent du mouton IV, 40, 1 – leur crime IV, 42, 8 – leur mode de salutation V, 5, 1 – réclament des signes pour croire V, 5, 8 – le Christ leur a été annoncé par avance depuis le commencement des temps V, 17, 4 – le Christ est un scandale pour eux V, 5, 9 – l'Esprit du Créateur n'a plus soufflé chez eux après le Christ V, 8, 4 – cherchent à écarter de nous le psaume 109 V, 9, 7 – n'ont pu apercevoir le Christ de Moïse à cause du voile de leur cœur V, 11, 6 – ils sont infidèles V, 11, 9 – transgresseurs de la Loi V, 13, 6 – ont ignoré le « dieu supérieur » selon Marcion V, 14, 7-8 – ont mis à mort le Seigneur V, 15, 2 – n'obéissent pas à l'Évangile V, 16, 3 – fils du Créateur V, 17, 9 – réconciliés avec les païens par l'œuvre du Créateur V, 17, 12-14.

Justice (du Dieu créateur) défendue contre les hérétiques IV, 29, 15-16.

Loi avant tout figurative IV, 9, 3 ; 9, 9 ; V, 7, 10-11 – terme désignant des réalités spirituelles par le moyen des réalités charnelles IV, 9, 4 s. ; 12, 10 ; 24, 5 ; 25, 15 – Pierre l'incarne IV, 11, 1 – suivie prétendument par les juifs IV, 11, 2 – plus ancienne que l'Évangile IV, 11, 10 ;

IV, 24, 12 – événements liés aux prophéties V, 15, 6.

Prophétie, -tique du Christ IV, 7, 4 ; la Loi IV, 9, 9 ; mention du « fils de l'homme » IV, 10, 13 – guérison spécifique (sabbat) IV, 12, 15 – multiplication des pains IV, 21, 6 s. – des martyres IV, 21, 10 – extase de Pierre IV, 22, 4 – du mariage IV, 34, 7 – les catastrophes cosmiques IV, 39, 10-12 – le temple et le mont des Oliviers IV, 39, 19 – de Daniel sur la place du Christ IV, 41, 4 – les saintes femmes au tombeau IV, 43, 1-2.

Puissance celle du Créateur révélée par sa parole IV, 9, 8 ; 22, 5 – elle est unique sous des formes variées IV, 24, 2 – le doigt de Dieu IV, 26, – incohérence d'une « autre Puissance » IV, 33, 8.

Puissances et Vertus du Créateur V, 6, 5-8.

Sabbat IV, 12 *(en entier)* – guérison un jour de sabbat IV, 30, 1.

Sacerdoce dans le *Lévitique* IV, 23, 10-11.

Sacrifice rejeté par le Créateur IV, 27, 3.

Salut (de l'homme) IV, 21, 12 – seuls les fidèles (pour Marcion) l'obtiendront IV, 29, 11 – éternel face au châtiment IV, 34, 14 – sa source est à Jérusalem IV, 35, 11 – de Zachée et de sa maison IV, 37, 1 – les enseignements du prophète du Créateur en sont source IV, 37, 2 – par la croix V, 5, 5-6 – de l'âme promis par les sages V, 9, 2 – promis à l'âme seule pour Marcion V, 10, 3 – réalisé dans une chair pécheresse par la puissance de Dieu V, 14, 1.

Talion (loi du) IV, 16, 2 s. ; V, 5, 10 ; 14, 12.

Verbe les lieux qu'il fréquente (nuée et par le Christ) IV, 8, 9 – le Christ, fils du Créateur IV, 13, 1 ; 18, 4 ; 25, 7 ; 33, 9 – le Christ, Verbe du Créateur V, 19, 4 – initiateur du NT IV, 14, 2.

Vol (de la vaisselle des Égyptiens) IV, 24, 2-5 ; V, 13, 6.

V. INDEX DES AUTEURS ANCIENS

Addendum
à l'annotation de II, 10, 3 (t. 2, p. 75) :
« *Resignaculum similitudinis* »

Récemment, dans une étude intitulée « *Angelus ad imaginem* [1] ?... », Paul Mattei a contesté la traduction que nous avons donnée de « *Tu es resignaculum similitudinis* » (« Tu es le sceau de la ressemblance ») dans la citation que Tertullien fait d'*Ézéchiel* 28, 12 à propos du prince de Tyr assimilé par lui à l'Archange déchu. L'étude précitée défend la traduction, reprise d'Evans et de Moreschini, par : « Tu as brisé le sceau de la ressemblance » – c'est-à-dire « Tu as brisé le sceau de l'intégrité de l'image et de la ressemblance » – et voit, là, une allusion à la chute de l'homme, seul porteur de l'image divine, dont l'ange s'est rendu coupable par jalousie [2].

Nous voudrions, ici, justifier et compléter notre interprétation – qui est aussi celle de traductions anciennes du passage, comme celles de M. de Genoude ou de P. Holmes – en faisant valoir trois sortes de considérations :

1) *Structure du texte*

Il nous paraît évident, d'après le développement de la citation, les remarques exégétiques qu'il comporte, et le com-

---

1. *Augustinianum* 41, 2, déc. 2001, p. 291-327 et en particulier les pages 313 à 327.
2. *Ibid.*, p. 317.

mentaire qu'en fait l'auteur (fin du § 3 et § 4), que ce texte
est perçu par lui comme formé de deux parties antithétiques ; la première, de la ligne 19 à la ligne 31, est un éloge
sans réserve de l'Archange, bien supérieur à l'homme par sa
naissance et sa place auprès de Dieu, éloge que résume le
qualificatif de « *inuituperabilis* » (li. 30) ; la seconde, qui
commence à « *donec inuentae sunt...* » (li. 31) et s'interrompt par volonté d'abrègement (« *et cetera* ») après « *deli-
quisti* » (li. 32), constitue, selon le mot même de Tertullien,
une *suggillatio*, c'est-à-dire une vitupération de cette créature exceptionnelle qui s'est pervertie ensuite par le péché et
y a entraîné l'homme. Le début de l'éloge (li. 19-25)
regroupe en conformité avec le texte biblique – hébraïque
comme grec –, trois traits qui sont symétriquement com-
mentés en des incises : le « sceau de la ressemblance », la
« couronne de beauté », la « naissance au paradis ». Il nous
paraît illogique d'admettre, pour « *Tu es resignaculum* etc. »
une interprétation qui ferait de ces mots le *reproche* d'avoir
causé la chute d'Adam. D'ailleurs, pour justifier une telle
interprétation, Paul Mattei est obligé de supposer le rattachement de *corona decoris* soit à la phrase suivante, soit à la
première phrase à titre d'apostrophe [1] ; mais il reconnaît lui-
même le caractère hypothétique de ces solutions. Rien du
reste dans la tradition manuscrite n'autorise le moindre
doute sur la solidarité des trois traits qui composent le début
de l'éloge.

2) *Sémantique*

Dans cette longue citation, il paraît exclu que Tertullien
traduise lui-même le texte grec. Il y a toute probabilité qu'il
suive une *Vetus latina* d'*Ézéchiel* comme celle qu'il utilise
dans le *de Resurrectione*, ch. 29. C'est cette traduction qui

---

1. *Ibid.*, p. 317.

lui fournit le terme *resignaculum* comme correspondant à ἀποσφράγισμα de la LXX. Le passage de Jérôme [1] que Paul Mattei transcrit judicieusement dans son étude [2] atteste à suffisance le fait de cette équivalence dans les Vieilles Latines, équivalence due, selon le bibliste de Bethléem, à un « mauvais zèle » (de littéralité). Tertullien garde donc ce terme latin qui restera unique chez lui. Mais, en homme d'une double culture et selon son principe qui est de toujours recourir au grec comme forme authentique des Écritures, il retrouve dans *resignaculum* le mot de la LXX, lequel signifie *toujours* « impression d'un sceau », « signe imprimé », « scellement », à la différence du verbe ἀποσφραγίζειν qui a les deux sens antithétiques de « sceller » et « desceller ».

Nous pensons que l'écrivain a pu comprendre cet insolite *resignaculum* comme un intensif de *signaculum*, de la même façon que *repromissio* est un synonyme appuyé de *promissio* chez lui. Il l'explicite ensuite par le verbe dont il dérive, *resignare*, auquel il confère le même sens de « sceller » (comme *repromittere* est, pour lui, synonymique de *promittere*).

Paul Mattei [3] nous objecte que l'acception « constante » de *resignare* chez Tertullien est celle de « briser le sceau ». Ce n'est pas exact, car il y a au moins un cas où *resignantur* veut dire « sont rangées parmi [4] », ce qui suffit à prouver que, pour l'Africain, ce verbe n'était pas univoque.

Telle est l'explication à laquelle nous nous étions arrêté pour ce passage énigmatique et discuté. Aujourd'hui, nous nous demandons s'il n'y aurait pas lieu d'aller plus loin.

---

1. *Commentarius in Ezechielem prophetam* 9, 28, 11-19.
2. « *Angelus ad imaginem ?* ... », p. 316.
3. *Ibid.*, p. 315.
4. *Or.* 22, 8.

Tertullien n'aurait-il pas compris *resignaculum* – et conséquemment *resignare* – en fonction d'une idée qu'il devait
énoncer un peu plus tard avec une grande netteté ? Il devait
dire en effet, en *Marc.* V, 9, 4, à propos de *resurgere* et de
resurrectio : « *Re ... syllaba iterationi semper adhibetur* ».
Plutôt qu'un intensif de *signaculum*, ce vocable préfixé par
re- aurait été alors compris comme marquant le renouvellement de l'action de sceller, et de son résultat. Cette interprétation serait à mettre en rapport avec la conception qui
s'exprime dans la suite, notamment li. 24-25 – « *in secunda
... formatione* » : les anges, dont l'Archange, auraient été
créés par Dieu *postérieurement* à l'homme. Par une exégèse
singulière, Tertullien aurait échelonné chronologiquement
la création de l'homme à la « ressemblance divine » (Gn 1,
27) et celle des « autres vivants », dont les anges (Gn 2, 19).
Ainsi *resignaculum* désignerait-il le scellement renouvelé de
l'image divine dont l'Archange a bénéficié après l'homme.

3) *Doctrine*

Par la critique de notre traduction, l'étude de Paul Mattei
vise à faire disparaître ce qui serait un hapax doctrinal de
Tertullien : l'attribution aux anges d'un privilège réservé à
l'homme, celui d'être créé à l'image et à la ressemblance
divine. Mais il nous est facile de répondre que le texte scripturaire, ici allégué, tel que le lit et le comprend notre auteur,
ne concerne pas tous les anges, mais le seul Archange, « *emi-
nentissime* » (li. 22), et tout proche de Dieu, « *apud Deum
constitutus* » (li. 44 s.). Devra-t-on s'étonner qu'à cette créature exceptionnelle Tertullien ait conféré, à la faveur d'un
texte biblique, le bénéfice de l'*imago* divine dans son intégralité *(integritatem)*, image et ressemblance que l'Archange
devait perdre ensuite, et non moins intégralement, en choisissant, selon son libre arbitre, la voie de l'iniquité ?

Nous pourrions donc résumer notre position ainsi :

Quand il cite Ez 28, 12, Tertullien ne s'écarte en rien de l'interprétation traditionnelle. Si le terme *resignaculum* lui est fourni, selon toute vraisemblance, par une traduction latine antérieure, il le comprend à la lumière du terme grec qu'il reflète – ἀποσφράγισμα –, lequel ne signifie **jamais** « descellement ». En ce mot latin, resté chez lui un hapax, ou bien il voit un synonyme intensif de *signaculum*, ou bien – et cela ne porte pas atteinte fondamentalement à la signification du mot grec – il le comprend comme marquant une *iteratio* du scellement. On peut penser en effet qu'il a déjà en tête la conception, explicitée par la suite, d'un Archange créé postérieurement à l'homme. En tout état de cause, ce texte biblique, selon notre auteur, ne saurait être appliqué à l'ensemble des anges : le privilège d'avoir reçu le sceau de la ressemblance divine ne concerne, pour Tertullien, que cette créature angélique exceptionnelle dont le péché allait faire Satan.

Corrigenda

Livre I

– p. 17, n. 1, 2ᵉ ligne, au lieu de « II, 24, 4 », lire : « III, 24, 4 ».

– p. 22, 9ᵉ ligne, au lieu de « Gorce, en Alsace », lire : « Gorze, en Lorraine ».

– p. 28, 4ᵉ ligne, au lieu de « en 1579 », lire : « en 1583/84 ».

– *ibid.*, 10ᵉ ligne avant la fin, au lieu de « Francesco Iunius », lire : « François Dujon *(Iunius)* ».

– p. 34, 7ᵉ ligne avant la fin, au lieu de « troisème », lire : « troisième ».

– p. 100, texte latin, en 1, 3 (li. 19), au lieu de *erusbescunt*, lire : *erubescunt*.

– p. 102, n. 1, 4ᵉ ligne, au lieu de « Hyppolyte », lire : « Hippolyte ».

– p. 110, n. 1, 3ᵉ ligne, *idem*.

– p. 116, apparat, 13, au lieu de *homo*, lire : *non homo*.

– p. 124, n. 1, 4ᵉ ligne, au lieu de « une seul », lire : « un seul ».

– p. 145, titre courant, au lieu de « 13, 1-3 », lire : « 10, 1-3 ».

– p. 149, traduction, 11ᵉ ligne, au lieu de « qui ne soit », lire : « qui soit ».

– p. 166, notes, 3ᵉ ligne (début), au lieu de « 6 » lire : « 1 ».

– p. 180, texte latin, en 18, 1 (li. 1), supprimer la virgule entre *age* et *iam*, et la mettre après *iam*.

– p. 214, n. 3, 1ʳᵉ ligne, au lieu de « p. 246 », lire : « p. 276 ».

– p. 220, texte latin, en 24, 7 (li. 57), au lieu de *An nunc*, lire : *At nunc*.

– p. 224, texte latin, en 25, 4 (li. 26), au lieu de *Quae enim*, lire : *Quae autem*.

– *ibid.*, texte latin, en 25, 6 (li. 39), au lieu de *Proinde autem*, lire : *Proinde enim*.

– p. 241, traduction, avant-dernière ligne (jusqu'à la 1ʳᵉ ligne de la p. 243), au lieu de « de mort l'inceste *etc.* », lire : « même de mort une folie des passions qui est incestueuse, sacrilège et, s'exerçant sur des mâles et des bêtes, monstrueuse ».

– p. 263, notes, 6ᵉ ligne avant la fin, au lieu de « comme », lire : « commence ».

Livre II

– p. 36, texte latin, en 4, 4 (li. 30), ajouter *hominem* après *finxit*.

– p. 38, texte latin, en 4, 4 (li. 37), au lieu de *ecclesiam* ; *eadem*, lire : *ecclesiam. Eadem.*

– p. 43, traduction, 5ᵉ ligne, au lieu de « la désobéissance », lire : « l'obéissance ».

– p. 46, texte latin, en 5, 6 (li. 42), mettre une virgule après *spondentis.*

– *ibid.*, texte latin, en 5, 6 (li. 43), au lieu de *potestate, signatus*, lire : *potestate signatus.*

– p. 52, texte latin, en 6, 7 (li. 57), au lieu de *et*, lire : *ei.*

– p. 56, n. 1, 5ᵉ ligne, au lieu de « Cete », lire : « Cette ».

– p. 65, traduction, 9ᵉ ligne avant la fin, après « que le vent », ajouter : « quoique la brise vienne du vent ».

– p. 110, n. 2, 2ᵉ ligne, au lieu de « assmilé », lire : « assimilé ».

– p. 134, apparat biblique, 1ʳᵉ ligne, au lieu de « Ps. 50, 13 », lire : « Ps. 49, 13 ».

– *ibid.*, n. 3, 2ᵉ ligne, au lieu de « l'nstitution », lire : « l'institution ».

– p. 156, texte latin, en 26, 1 (li. 7), au lieu de *non scit*, lire : *non sciuit.*

– p. 157, traduction, 6ᵉ et 7ᵉ lignes, au lieu de « ne sait pas », lire : « n'a pas su ».

– p. 209, notes, 13ᵉ ligne avant la fin, au lieu de « suite de », lire : « suite des ».

– p. 219, notes, 4ᵉ ligne avant la fin, au lieu de « crés », lire : « créés ».

Livre III

– p. 45, 6ᵉ ligne, au lieu de MORESCHIN, lire : MORESCHINI.

– p. 52, 7ᵉ ligne avant la fin, au lieu de « 1579 », lire : « 1583/84 ».

– p. 62, texte latin, en 3, 1 (li. 6), au lieu de *multo*, lire : *multos.*

– p. 64, n. 1 *in fine*, au lieu de « p. 200 », lire : « p. 220 ».

– p. 90, texte latin, en 7, 6 (li. 47), au lieu de *delineatur*, lire : *deliniatur*.

– p. 152, texte latin, en 17, 2 (li. 13), au lieu de *supra*, lire : *citra*.

– p. 168, texte latin, en 19, 7 (li. 43), ajouter *eius* après *Christo*.

– p. 174, à la fin des notes 1 et 2, au lieu de « p. 257 », lire : « p. 254 ».

– p. 214, texte latin, en 24, 12 (li. 101), supprimer *et* après *qui*.

– p. 217, à la ligne 9 de la note à III, 1, 2, au lieu de « to met », lire : « to meet ».

– p. 227, à la ligne 9 de la note à III, 6, 9, au lieu de « annoncement », lire : « announcement ».

– p. 238, 2e ligne, au lieu de « Moreshini », lire : « Moreschini ».

– p. 242, à la ligne 18 de la note à III, 15, 1, au lieu de « chiamatri », lire : « chiamati ».

– p. 249, à la ligne 6 de la note à III, 17, 5 :
au lieu de « these », qui est un pluriel, lire : « this » ;
à la fin de la ligne, au lieu de « he », lire : « the ».

– p. 250, à la ligne 12 de la note à III, 18, 3, supprimer un « cette ».

– p. 293, n. 41, 5e ligne avant la fin, au lieu de « dissumulera », lire : « dissimulera ».

– p. 296, 12e ligne, au lieu de « le mention », lire : « la mention ».

Livre IV

– p. 133, traduction, 4e ligne avant la fin, après « par sa mère », mettre un point-virgule et ajouter : « s'il naît de l'homme par sa mère ».

– p. 135, traduction, 3ᵉ ligne, après « homme », mettre un point et ajouter : « Car elle aura un mari, de façon à n'être pas vierge, et, en ayant un mari, elle fera deux pères – Dieu et un homme. »

– p. 176, texte latin, en 14, 4 (li. 29), corriger *anima* en *animas*.

– p. 207, traduction, 8ᵉ ligne : au lieu de « ou s'il ne permettait ... lui-même », lire : « ou assurer lui-même s'il ne me la permettait pas ».

– p. 343, n. 6, lire dans la parenthèse : « ... hätte tun müssen », et non « hätte zu müssen ».

– p. 399, n. 3 de la page 398, 4ᵉ ligne, au lieu de « perdre », lire : « perdu ».

– p. 481, n. 7 *in fine*, au lieu de « respectueuses », lire : « respectueuse ».

– p. 489, traduction, 6ᵉ ligne avant la fin, au lieu de « l'un », lire : « l'une ».

– p. 526, n. 2, corriger *tortuositos* en *tortuositas* et lire : HOPPE, *Beiträge*.

– p. 535, index scripturaire, 2ᵉ col., au lieu de « Habacue », lire : « Habacuc ».

TABLE DES MATIÈRES

SOURCES CHRÉTIENNES

Fondateurs : † H. de Lubac, s.j.
† J. Daniélou, s.j.
† C. Mondésert, s.j.
Directeur : J.-N. Guinot

Dans la liste qui suit, dite « liste alphabétique », tous les ouvrages sont rangés par noms d'auteur ancien, les numéros précisant pour chacun l'ordre de parution depuis le début de la collection. Pour une information plus complète, on peut se procurer deux autres listes au secrétariat de « Sources chrétiennes » – 29, Rue du Plat, 69002 Lyon (France) – Tél. : 04 72 77 73 50 :

1. La « liste numérique », qui présente les volumes et leurs auteurs actuels d'après les dates de publication ; elle indique les réimpressions et les ouvrages momentanément épuisés ou dont la réédition est préparée.
2. La « liste thématique », qui présente les volumes d'après les centres d'intérêt et les genres littéraires : exégèse, dogme, histoire, correspondance, apologétique, etc.

LISTE ALPHABÉTIQUE (1-483)

(Paru également en 2003, dans la collection « Sagesses Chrétiennes »,
EUSÈBE DE CÉSARÉE, **Histoire ecclésiastique**, en traduction seule.)

SOUS PRESSE

AVIT DE VIENNE, **Histoire spirituelle, Chants IV-V.** Tome II. N. Hecquet-
    Noti.

BÈDE LE VÉNÉRABLE, **Histoire ecclésiastique du peuple anglais.** A. Cré-
    pin, M. Lapidge, P. Monat.

FACUNDUS D'HERMIANE, **Défense des Trois Chapitres. Livres VIII-X**.
    Tome III. A. Fraïsse-Bétoulières.

FULGENCE DE RUSPE, **Lettres.** D. Bachelet.

GRÉGOIRE LE GRAND, **Homélies sur les Évangiles.** Tome I. R. Étaix,
    B. Judic, C. Morel (†).

Livre d'heures ancien du Sinaï. M. Ajjoub.

TYCONIUS, **Livre des règles**. J.-M. Vercruysse.

PROCHAINES PUBLICATIONS

AMBROISE DE MILAN, **Caïn et Abel**. M. Ferrari, L. Pizzolato, M. Poirier.

Les Apophtegmes des Pères. Tome III. J.-C. Guy (†).

BERNARD DE CLAIRVAUX, **Sermons divers, 1-22**. F. Callerot, P.-Y. Emery.

BERNARD DE CLAIRVAUX, **Sermons sur le Cantique**, Tome V. R. Fassetta, P. Verdeyen.

Code Théodosien, Livre XVI. R. Delmaire, K.L. Nœthlichs, F. Richard.

JEAN CHRYSOSTOME, **Discours contre les juifs**. R. Brändle, W. Fick-Pradels.

JEAN CHRYSOSTOME, **Lettres d'exil**. R. Delmaire, A.-M. Malingrey (†).

JÉRÔME, **Homélies sur Marc**. J.-L. Gourdain.

JÉRÔME, **Trois vies de moines**. P. Leclerc, E. Morales, A. de Vogüé.

NIL D'ANCYRE, **Commentaire sur le Cantique**. Tome II. M.-G. Guérard.

ORIGÈNE, **Exhortation au martyre**. C. Morel (†), C. Noce.

SOCRATE DE CONSTANTINOPLE, **Histoire ecclésiastique, Livres II-III**. Tome II. P. Maraval, P. Périchon (†).

SOZOMÈNE, **Histoire ecclésiastique, Livres V-VI**. Tome III. A.-J. Festugière (†), B. Grillet, G. Sabbah.

SULPICE SÉVÈRE, **Dialogues**. J. Fontaine.

RÉIMPRESSIONS PRÉVUES EN 2004

2 bis. CLÉMENT D'ALEXANDRIE, **Protreptique**. C. Mondésert, A. Plassart.

19 bis. HILAIRE DE POITIERS, **Traité des mystères**. P. Brisson.

37 bis. ORIGÈNE, **Homélies sur le Cantique**. O. Rousseau.

42. JEAN CASSIEN, **Conférences**. Tome I. E. Pichery.

48. **Homélies pascales**. Tome III. P. Nautin.

50. JEAN CHRYSOSTOME, **Huit catéchèses baptismales inédites**. A. Wenger.

74. LÉON LE GRAND, **Sermons (38-64)**. R. Dolle.

126 bis. CYRILLE DE JÉRUSALEM, **Catéchèses mystagogiques**. A. Piédagniel, P. Paris.

222. ORIGÈNE, **Commentaire sur S. Jean**. Tome III. C. Blanc.

223. GUILLAUME DE SAINT-THIERRY, **Lettre aux Frères du Mont-Dieu (Lettre d'or)**. J. Déchanet.

400. ATHANASE D'ALEXANDRIE, **Vie d'Antoine**. G.J.M. Bartelink.